D1146009

LA MUSIQUE
ET
LES MUSICIENS

A LA MÊME LIBRAIRIE

ENCYCLOPÉDIE DE LA MUSIQUE (2e partie).
par A. LAVIGNAC et L. de la LAURENCIE

920 pages, 5.200 exemples de musique, 1.200 figures en 6 volumes 20 × 30 reliés demi-toile.

Extrait de la Table des Matières : Les tendances de la musique contemporaine. — Technique générale. — Physiologie vocale et auditive. — Orchestration, — Musique liturgique des différents cultes. — Esthétique. — Chorégraphie. — Pédagogie. Prix de Rome, Écoles, Concerts, Théâtres. — Architecture des Salles. — Jurisprudence. — Appendice.

LES SONATES POUR PIANO DE BEETHOVEN
par J.-G. PROD'HOMME
Préface de Louis BARTHOU.
de l'Académie Française.
(*Prix Marmottin, de l'Académie des Beaux-Arts*).

Un volume 13 × 20, broché.

LES SYMPHONIES DE BEETHOVEN
par J.-G. PROD'HOMME
Préface d'Édouard COLONNE.
Ouvrage couronné par l'Académie Française (*Prix Charles-Blanc*)
Nouvelle édition revue et augmentée.

Un volume 13 × 20, broché.

L'ÉTUDE DU PIANO
par L.-E. GRATIA

Un volume 15 × 10, illustré, broché.

LE RÉPERTOIRE PRATIQUE DU PIANISTE
par L.-E. GRATIA

Un volume 14 × 19, broché.

LA LITTÉRATURE DU VIOLONCELLE
par A. NOGUÉ

Un volume 15 × 20, illustré, broché.

84e MILLE

LA MUSIQUE
ET
LES MUSICIENS

PAR

Albert LAVIGNAC

Professeur d'Harmonie au Conservatoire de Paris

Nouvelle édition entièrement refondue

PARIS

LIBRAIRIE DELAGRAVE

15, rue Soufflot, 15

1956

PRÉFACE

La Musique et les Musiciens a connu, dès sa parution, un succès considérable, tant auprès des artistes professionnels que des vrais amateurs de musique désireux de s'instruire dans cette science passionnante mais remplie de difficultés souvent insoupçonnées des profanes.

Mon père, en écrivant cet ouvrage, y a apporté tout son enthousiasme pour un art qu'il aimait entre tous, et le sens profond qu'il avait d'un enseignement dont il a fait profiter tous ses élèves en tête desquels Claude Debussy et Reynaldo Hahn.

En 1939, il ne restait en librairie que quelques exemplaires, vite épuisés, de La Musique et les Musiciens. Pendant l'occupation, il ne put être question d'en faire une réédition.

La guerre finie, on s'aperçut que les planches, les clichés usés par tant d'éditions successives, étaient hors d'usage. Il fallait tout refaire. C'est alors que fut décidée la révision totale de l'ouvrage.

Mlle Annette Dieudonné, Professeur au Conservatoire, a bien voulu accepter de revoir entièrement les chapitres du *Matériel sonore* et des *Grandes étapes de l'Art musical*, périodes ancienne et classique.

Le chapitre du *Son* a été confié à M. Alex Ivanoff, Professeur à l'École de Physique et de Chimie, qui l'a entièrement refait, selon la technique scientifique nouvelle. Nous tenons à le remercier de sa précieuse collaboration.

Nous exprimons toute notre gratitude au Musée du Conservatoire qui a bien voulu permettre à Mlle Dieudonné de faire photographier quelques instruments de sa précieuse collection.

La Musique et les Musiciens de 1950 est toujours l'œuvre d'Albert Lavignac qui saurait gré à Mlle Dieudonné de la conscience professionnelle avec laquelle elle a contribué à la révision de ce livre. C'est donc en son nom et au mien que je la remercie très sincèrement.

Germaine Lavignac.

CHAPITRE PREMIER

ÉTUDE DU SON MUSICAL

Les trois premiers paragraphes de ce chapitre ont été rédigés par M. A. IVANOFF, *professeur d'optique et d'acoustique à l'Ecole Supérieure de Physique et de Chimie industrielles de la Ville de Paris.*

L'étude des phénomènes sonores, ou Acoustique, constitue une branche de la physique aussi importante que l'électricité, l'optique ou la thermodynamique. Nous nous limiterons dans ce chapitre à une étude physique à la fois sommaire et concise des phénomènes sonores intéressant directement les musiciens. Cette étude comprendra les paragraphes suivants :

a) Les modes de production et de transmission du son;
b) Étude des cordes vibrantes et des tuyaux sonores;
c) Principe des divers instruments de musique;
d) La perception du son par l'oreille;
e) Ses combinaisons successives ou simultanées : gammes, intervalles, accords, consonance et dissonance;
f) Les conditions de sonorité des salles;
g) Les rapports entre l'acoustique et le rythme musical.

A) Production et Transmission du Son.

L'expérience permet de vérifier aisément que tout corps émettant un son se trouve en vibration. Ainsi si l'on plonge dans l'eau l'une des branches d'un diapason préalablement excité, on observe que l'eau se trouve projetée par les vibrations de cette branche. De même si l'on introduit dans un tuyau d'orgue un plateau saupoudré de sable, on observe que ce dernier est projeté par les vibrations de l'air se trouvant à l'intérieur du tuyau. Dans le premier cas, la source sonore est constituée par un corps solide en état vibratoire; il en est de même dans le cas d'une cloche, d'une paire de cymbales, d'une corde de piano, etc. Dans le second cas, la source sonore est constituée par une masse gazeuse en état vibratoire; il en est de même dans le cas d'un sifflet ou d'une sirène.

Les vibrations de la source sonore se transmettent au milieu ambiant, c'est-à-dire généralement l'air, qui les propage de proche en proche par un mécanisme qui peut se concevoir aisément : la couche d'air se trouvant au contact immédiat de la source sonore est entraînée par les mouvements de celle-ci et se met à vibrer à son tour, puis transmet ses vibrations aux couches d'air voisines, et ainsi de suite. Les vibrations acoustiques se propagent ainsi, à la façon des cercles qui se forment à la surface d'un lac lorsqu'on y jette une pierre. De même que dans ce dernier cas il n'y a pas de courant d'eau, de même la propagation du son dans l'air s'effectue sans qu'il y ait un courant d'air.

Les vibrations acoustiques sont invisibles, car elles ne provoquent aucune modification sensible des propriétés optiques du milieu de propagation. Par contre, lorsqu'elles atteignent le tympan d'une oreille, celui-ci se met à vibrer à son tour, et produit la sensation du Son.

Tels sont, dans leurs grandes lignes, les modes de production et de transmission du Son. Nous allons maintenant les étudier un peu plus en détail.

Vibrations sinusoidales. — Si l'on frappe sur un diapason on produit un son musical alors que si l'on frappe sur une plaque de tôle, on produit un son mal défini. Les modes de production et de transmission du Son sont pourtant les mêmes dans les deux cas : un corps solide se trouve en vibration, et ses vibrations se transmettent au milieu ambiant. Mais les branches d'un diapason que l'on a excité se meuvent suivant une loi simple convenant à notre oreille, alors qu'une plaque de tôle frappée est ébranlée d'une façon désordonnée. De même l'air vibrant à l'intérieur d'un tuyau d'orgue émet un son musical, alors que l'ébranlement gazeux provoqué par l'explosion d'une bombe donne naissance à un bruit plus ou moins complexe.

Ces exemples feront concevoir qu'une source sonore n'émet

un son musical que lorsque les particules solides ou gazeuses dont elle est constituée sont animées d'un mouvement particulier : celui que les physiciens appellent « mouvement sinusoïdal ». On dit alors que la source sonore est le siège de vibrations sinusoïdales. Nous allons décrire celles-ci aussi simplement que possible, sans faire appel à des développements mathématiques.

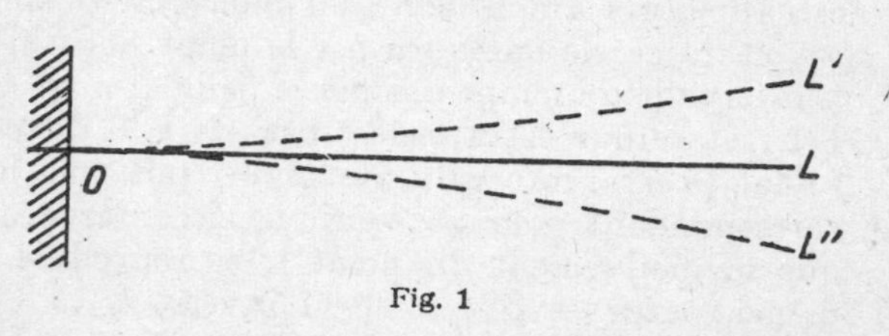

Fig. 1

Considérons une lame métallique OL encastrée à son extrémité O (voir fig. 1). Écartons légèrement l'extrémité libre L de sa position d'équilibre, et amenons-la en L'. On développe ainsi à l'intérieur de la lame des forces de tension. Si on lâche la lame, elle revient vers sa position d'équilibre OL sous l'action de ces forces de tension, la dépasse par suite de la vitesse acquise, atteint une position OL″ symétrique de OL', revient sur elle-même, et ainsi de suite. La lame vibre; elle est animée d'un mouvement de va-et-vient, qui se reproduit identique à lui-même, et qui se prolongerait indéfiniment s'il n'y avait aucune cause d'amortissement. Le mouvement d'un point quelconque de la lame, par exemple celui de son extrémité L, est analogue à celui de la projection *m* sur une droite D d'un point M parcourant un cercle C avec une vitesse uniforme (voir fig. 2) : tandis que le point M parcourt le cercle C, sa projection *m* sur la droite D effectue des va-et-vient entre les positions limites L' et L″. Chaque point de

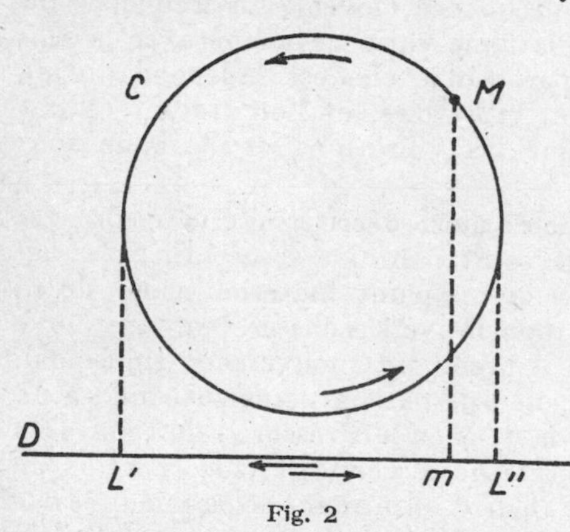

Fig. 2

la lame est animé d'un mouvement dit « sinusoïdal », et les vibrations de la lame sont dites sinusoïdales.

Pour fixer les idées, considérons le mouvement de l'extrémité L de la lame. La distance LL', égale à la distance LL″, est appelée « amplitude » du mouvement sinusoïdal (c'est le rayon du cercle parcouru par le point fictif M correspondant). L'intervalle de temps mis par le point L pour effectuer le trajet L'L″ et retour est appelé « période » T du mouvement sinusoïdal (c'est l'intervalle de temps mis par le point fictif M correspondant pour parcourir la circonférence). Il est évident que le mouvement du point L se reproduit identique à lui-même toutes les T secondes. L'inverse $N = 1/T$ de la période, égal au nombre de vibrations par unité de temps, est appelé « fréquence » du mouvement sinusoïdal. Dans le cas d'une lame métallique encastrée à l'une de ses extrémités, la période, et par conséquent la fréquence, du mouvement vibratoire, varient entre autres avec la longueur OL de la lame. Plus celle-ci est courte, plus les forces de tension développées lorsqu'on écarte la lame de sa position d'équilibre sont grandes, plus la vitesse prise par la lame est élevée, et plus la période est courte (c'est-à-dire la fréquence élevée). La fréquence du mouvement vibratoire de la lame varie de même avec la section droite de la lame; par contre elle est indépendante de l'amplitude du mouvement vibratoire, et l'on traduit ce fait remarquable en disant que les vibrations de la lame sont « isochrones ».

Les vibrations sinusoïdales ainsi décrites d'une façon très sommaire, jouent un rôle capital en physique. En effet on démontre que chaque fois qu'un point matériel écarté de sa position d'équilibre est rappelé vers celle-ci par une force proportionnelle à l'écart, il prend un mouvement sinusoïdal. Tel est le cas du mouvement pris par un poids suspendu à un ressort (sous l'action de la tension du ressort), de celui d'un fil à plomb légèrement écarté de la verticale (sous l'action du champ de pesanteur), de celui d'un aimant légèrement écarté de sa position d'équilibre (sous l'action du champ magnétique terrestre), etc. Tous ces mouvements sinusoïdaux sont isochrones : leur fréquence est indépendante de leur amplitude (ainsi la fréquence des oscillations d'un fil à plomb ne varie pas suivant l'amplitude que l'on donne à ces oscillations, tout au moins tant que cette dernière ne dépasse pas certaines limites).

Toutefois une vibration sinusoïdale n'est perceptible à l'oreille que lorsque deux conditions sont simultanément réalisées. D'une part il faut que sa fréquence soit comprise entre deux limites imposées par l'organe de l'ouïe. Considérons en effet une série de lames métalliques de diverses longueurs et de même section droite, encastrées à l'une de leurs extrémités. La fréquence de leurs vibrations est d'autant plus grande que la lame est plus courte, ainsi que nous l'avons déjà dit ci-dessus.

Or l'on observe que les vibrations des lames trop longues ou trop courtes ne sont pas audibles; seules les lames de longueur intermédiaire produisent un son, d'autant plus aigu que la lame est plus courte, c'est-à-dire la fréquence plus élevée. Les limites des fréquences audibles, variables suivant les auditeurs, sont en moyenne de 16 par seconde et de 20.000 par seconde. La limite supérieure diminue d'ailleurs sensiblement avec l'âge de l'auditeur.

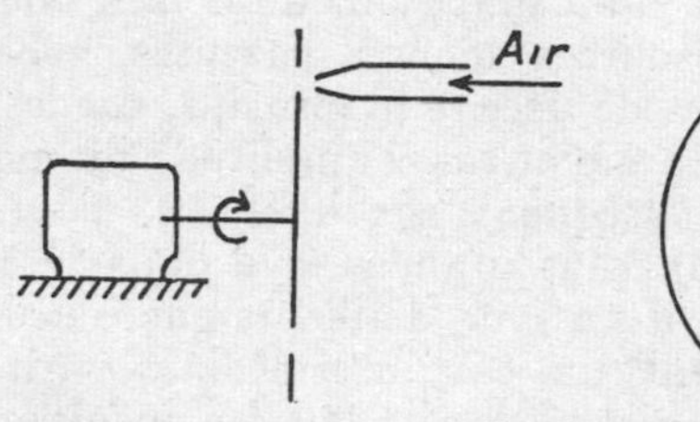

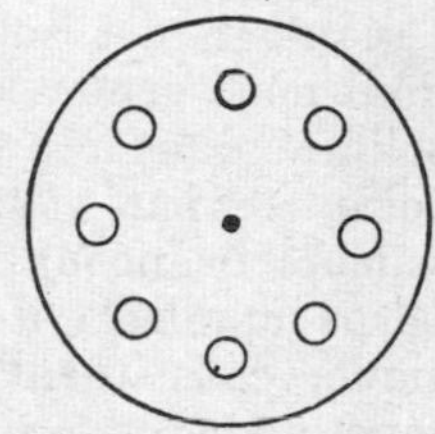

Fig. 3

Pour qu'une vibration sinusoïdale soit perçue par l'oreille, il faut d'autre part que son amplitude soit suffisamment grande. Autrement dit l'intensité d'une vibration acoustique croît avec son amplitude, et cette dernière doit atteindre une certaine limite, imposée par la sensibilité de l'organe de l'ouïe, pour que la vibration devienne audible. Par suite de l'isochronisme des vibrations, la hauteur du son ne varie pas avec son intensité.

Il convient enfin de remarquer que les vibrations sinusoïdales d'une masse gazeuse sont analogues à celles d'un corps solide. Considérons par exemple un disque percé de n trous équidistants (voir fig. 3), tournant à p tours par seconde devant un ajutage par lequel sort un courant d'air comprimé. Chaque fois qu'un trou passe devant l'ajutage, ce qui arrive np fois par seconde, le courant d'air comprimé produit un choc sur l'air situé derrière le disque. Il s'ensuit que les particules d'air sont animées d'un mouvement vibratoire de fréquence $N = np$ et d'amplitude d'autant plus grande que le courant d'air comprimé est plus intense. Il faut d'ailleurs remarquer que ce courant d'air sert à faire vibrer la masse gazeuse située derrière le disque, mais ne joue aucun rôle dans la propagation du son.

Le son ainsi produit est beaucoup plus intense que celui émis par un diapason par exemple, car l'amplitude prise par les particules d'air est beaucoup plus grande que celle prise par les branches d'un diapason. C'est là d'une façon générale l'avantage des sources sonores gazeuses, telle que la sirène dont nous venons de décrire le principe, sur les sources sonores solides : dans le premier cas, l'amplitude du mouvement vibratoire, et par conséquent son intensité, peut atteindre des valeurs beaucoup plus grandes que dans le second cas. Les corps liquides, qui ne sont d'ailleurs guère utilisés dans la pratique, constituent un cas intermédiaire. Ainsi, si l'on fait fonctionner une sirène dans l'eau (en insufflant cette fois un courant d'eau), le son émis est beaucoup moins intense que dans l'air. C'est d'ailleurs de cette expérience que provient le nom de l'appareil.

Propagation d'une vibration sinusoidale le long d'une corde. — Considérons une corde Ox tendue, et supposons qu'à un instant donné on imprime à son extrémité O un ébranlement OO'O, perpendiculaire à la corde (voir fig. 4). Le déplacement de l'extrémité O de la corde entraîne évidemment un déplacement des points voisins de la corde, et ainsi de suite. L'expérience montre que l'ébranlement se propage le long de la corde avec une vitesse constante V, et ce sans subir d'altération en cours de route (voir fig. 5).

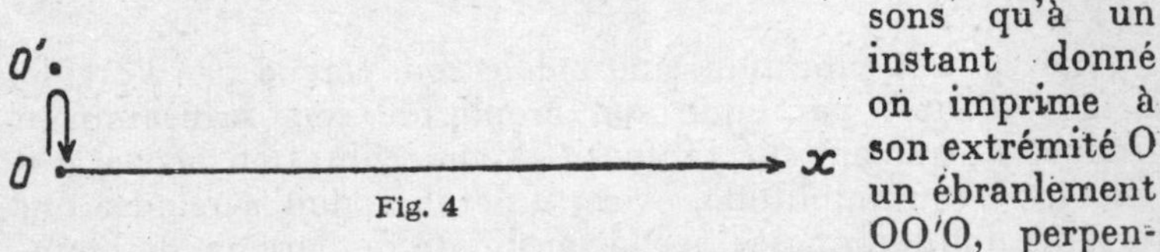

Fig. 4

Fig. 5

Autrement dit, à un instant postérieur de t secondes à l'instant où l'on a ébranlé l'extrémité O de la corde, le point M de celle-ci situé à la distance OM = V.t de O, reproduit exactement le mouvement que l'on avait imprimé au point O. Le calcul, qui sortirait des cadres de cet exposé, montre que la vitesse de propagation de l'ébranlement le long de la corde a pour valeur $V = \sqrt{\frac{T}{m}}$, où T est la force qui tend la corde, tandis que m est la masse de l'unité de longueur de la corde. Ainsi pour une corde pesant 0,1 gramme par centimètre et tendue par un poids de 1 kilog, on trouve V = 31,3 mètres par seconde; et si la même corde est tendue par un poids de 100 kilogs, la vitesse de propagation V devient 10 fois plus grande.

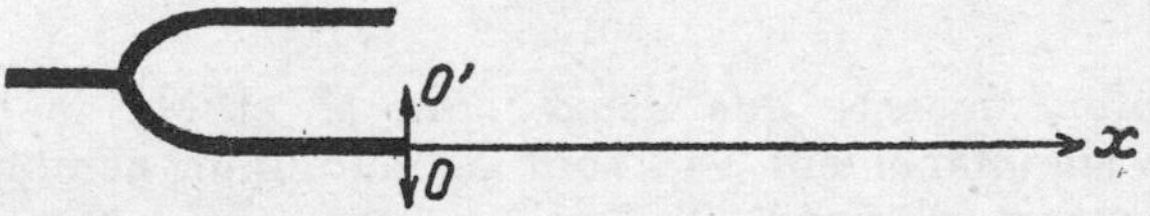

Fig. 6

Supposons maintenant (voir fig. 6) que l'on imprime à l'extrémité O de la corde non plus un ébranlement quelconque, mais un mouvement sinusoïdal d'amplitude OO′ et de période T (pour cela, il suffit par exemple d'attacher l'extrémité O de la corde à l'une des branches d'un diapason de fréquence N = 1/T). Le mouvement du point O va encore se propager le long de la corde avec la vitesse $V = \sqrt{\frac{T}{m}}$. Mais le mouvement du point O se reproduisant identiquement à lui-même, N fois par seconde, un va-et-vient suit immédiatement le précédent, et l'on conçoit que la corde prenne l'aspect représenté figure 7.

Tout point M de la corde reproduit exactement le mouvement sinusoïdal imprimé au point O, mais avec un retard t = OM/V, égal au temps mis par la vibration pour se propager de O en M. Si ce retard est égal à un nombre entier k.T (où k est un nombre entier quelconque) de périodes, les mouvements des points O et M sont simultanés, puisque le mouvement du point O se retrouve identique à lui-même toutes les T secondes. Par conséquent tous les points M tels que OM/V = k.T, soit OM = k.V.T, vibrent simultanément avec O (voir fig. 8). La distance Λ = V. T, égale à la distance parcourue par la vibration durant une seconde, est appelée « longueur d'onde ».

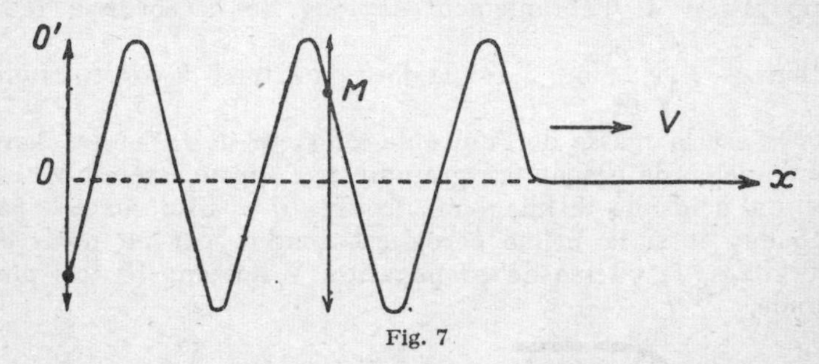

Fig. 7

La figure 8 montre que deux points M′ et M″ de la corde vibrent simultanément s'ils sont distants d'un nombre entier de longueurs d'onde.

En résumé, la propagation d'une vibration sinusoïdale le long d'une corde est un phénomène périodique à la fois dans le

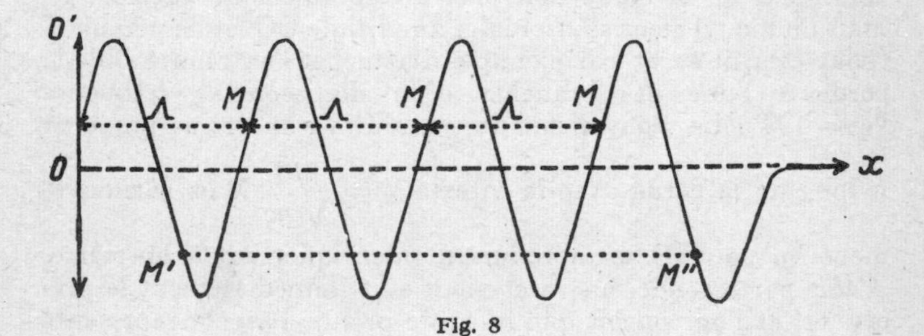

Fig. 8

temps et dans l'espace : chaque point de la corde vibre avec la période T dans le temps, tandis qu'à un instant donné, les déplacements des divers points de la corde varient le long de celle-ci avec une période Λ = V.T, égale à la longueur d'onde. La corde a la forme d'une sinusoïde qui se déplace avec la vitesse V.

Propagation d'une vibration sinusoidale dans un gaz ou dans un liquide. — Considérons un tuyau cylindrique Px fermé à l'une de ses extrémités par un piston P (voir fig. 9), et supposons que l'on imprime à ce piston un mouvement sinusoïdal. Tout déplacement du piston entraîne évidemment un déplacement de la couche d'air adjacente, et provoque en même temps une variation de sa pression. Ces déplacements et variations de pression de la couche d'air adjacente au piston entraînent par continuité des déplacements et variations de pression des couches d'air voisines, et ainsi de suite. Autrement dit, les déplacements et les variations de pression se propagent le long du tuyau, à la façon des ébranlements le long d'une corde. La différence est que les divers points de la corde se déplacent perpendiculairement à la corde (vibrations dites « transversales »), tandis que les diverses couches d'air parallèles à la surface du piston se déplacent parallèlement au tuyau (vibrations dites « longitudinales »). Dans ce second cas le phénomène est plus difficile à représenter sur une figure; il n'en est pas moins doublement périodique dans le temps et dans l'espace, de même que pour une corde; chaque tranche d'air distante de PM du piston reproduit le mouvement sinusoïdal de période T de celui-ci, mais avec un retard $t = PM/V$, V étant la vitesse de propagation de la vibration dans le tuyau; parallèlement, à un instant donné, les déplacements des diverses couches d'air varient sinusoïdalement le long du tuyau avec une période $\Lambda = V.T$; autrement dit deux couches distantes d'un nombre entier de longueurs d'onde vibrent simultanément. Il faut remarquer qu'il n'y a pas courant d'air dans le tuyau, mais vibration autour de leur position d'équilibre de chacune des particules d'air enfermées dans le tuyau.

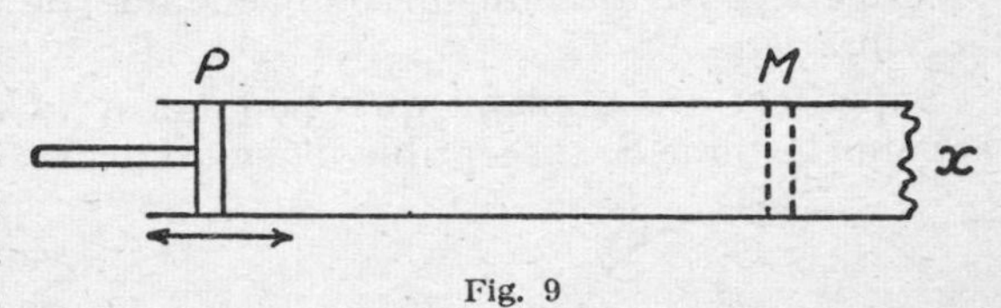

Fig. 9

Le phénomène est identique si le tuyau est rempli d'un liquide. Le calcul, qui sortirait des cadres de cet exposé, montre que la vitesse de propagation des vibrations acoustiques dans le tuyau est définie par les propriétés d'élasticité du gaz ou du liquide, ainsi que par sa masse par unité de volume. Ainsi la vitesse de propagation des vibrations acoustiques dans un tuyau rempli d'air est voisine de 330 mètres par seconde ; dans un tuyau rempli d'eau, elle est de l'ordre de 1.400 mètres par seconde. Ce qui est remarquable, c'est que cette vitesse de propagation est absolument indépendante de la fréquence de la vibration.

Supposons maintenant que l'on ait à sa disposition une sphère élastique S, susceptible de se dilater et de se contracter (voir fig. 10). Suivant une direction Sx quelconque, les phénomènes seront analogues à ceux produits par un piston placé à l'extrémité d'un tuyau Sx. Autrement dit, les déplacements de la paroi de la sphère S se propageront de même que le long d'un tuyau, mais cette fois dans toutes les directions : les vibrations de la source se propagent non plus par « ondes planes », ainsi qu'il en est le long d'un tuyau, mais par ondes « sphériques ». Il n'en est pas moins vrai qu'à quelques détails près, sur lesquels il serait inutile d'insister ici, le phénomène est exactement analogue. En particulier le calcul montre que la vitesse de propagation par ondes sphériques est la même que celle par ondes planes.

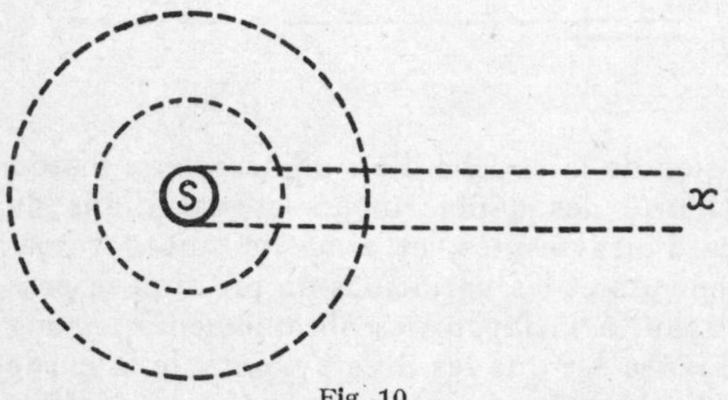

Fig. 10

Lorsqu'un son se propage à l'air libre, et par conséquent dans toutes les directions, il se propage évidemment par ondes sphèriques. S'il est canalisé par un tuyau, il se propage par ondes planes.

Analogies et différences entre la propagation du son et celle de la lumière. — On établit souvent un parallèle entre la lumière et le son. Quoique cette question n'intéresse pas particulièrement les musiciens, nous allons en dire quelques mots, afin d'éviter au lecteur des idées erronées.

L'étude de la lumière montre que celle-ci est de nature vibratoire et se propage par ondes, tout comme le son. De même que la hauteur d'un son est définie par sa fréquence, de même la couleur d'une vibration lumineuse est définie par sa fréquence, l'œil tout comme l'oreille n'étant sensible qu'à des fréquences comprises entre deux limites. Mais dans le domaine de l'optique, les fréquences N sont de l'ordre de plusieurs centaines de millions de millions par seconde; d'autre part ces vibrations lumineuses se propagent avec une vitesse de l'ordre de 100.000 à 300.000 kilomètres par seconde, suivant la fréquence et le milieu de propagation. Il s'ensuit que les longueurs d'onde $\Lambda = V.T = V/N$, sont en optique de l'ordre d'une fraction de millième de millimètre, alors qu'en acoustique elles sont de l'ordre de plusieurs dizaines de centimètres. C'est pour cette raison que, ainsi que l'a démontré Fresnel, la lumière se propage en ligne droite, tandis que le son peut contourner les obstacles.

Mais ce qui différencie essentiellement ondes acoustiques et lumineuses, c'est le fait qu'elles sont de natures absolument différentes. Nous avons vu que les modes de production et de transmission du son découlent des déformations élastiques des milieux : on peut dire que les vibrations acoustiques sont d'origine élastique. Les vibrations lumineuses, elles, sont de nature électromagnétique, tout comme les ondes hertziennes ou les rayons X (qui ne diffèrent de la lumière que par leur longueur d'onde). Il s'ensuit par exemple que contrairement au son, dont la propagation nécessite un milieu de support, la lumière peut se propager dans le vide (et nous parvenir ainsi des étoiles et des planètes). Il faut donc se garder de pousser trop loin l'analogie existant entre la lumière et le son, analogie qui se limite strictement à leur caractère ondulatoire commun.

B) Étude des cordes vibrantes et des tuyaux sonores.

Lors de l'étude de la propagation des vibrations le long d'une corde Ox ou d'un tuyau Px, nous avons supposé la corde ou le tuyau infiniment longs du côté des x. Dans la pratique, il n'en est jamais ainsi; ainsi une corde de piano est limitée à ses deux extrémités, et de même un tuyau d'orgue ou une clarinette. Les phénomènes se compliquent dans ce cas, car en arrivant à l'extrémité de la corde ou du tuyau, la vibration se réfléchit et revient sur elle-même. Nous allons voir que la superposition des vibrations issues de la source et des vibrations réfléchies donne naissance à un phénomène particulier, appelé « ondes stationnaires ». Nous attirons l'attention du lecteur sur l'exposé qui va suivre, car le phénomène d'ondes stationnaires, qui est à la base du fonctionnement des instruments de musique à cordes et à vent, est assez délicat à saisir.

Ondes stationnaires le long d'une corde. — Répétons l'expérience de la figure 6, mais supposons cette fois que la corde a une longueur finie OO′ (voir fig. 11). Considérons

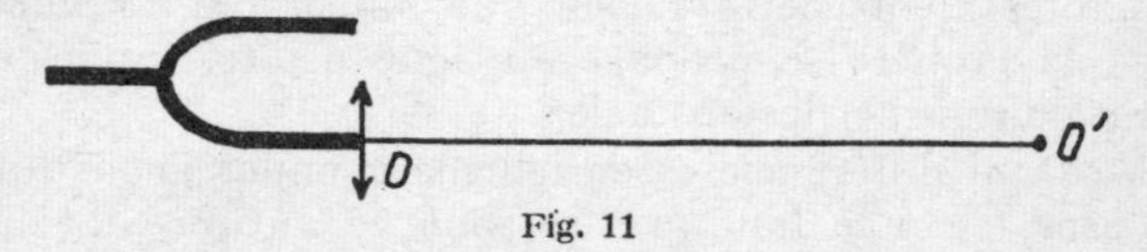

Fig. 11

d'une part l'onde issue de l'extrémité source O, tracée sur la figure 12 en trait plein, et d'autre part l'onde réfléchie en O′ et se déplaçant de la droite vers la gauche, tracée sur la même figure en trait discontinu (ces deux ondes ont évidemment même longueur d'onde, et même amplitude). Un point M quel-

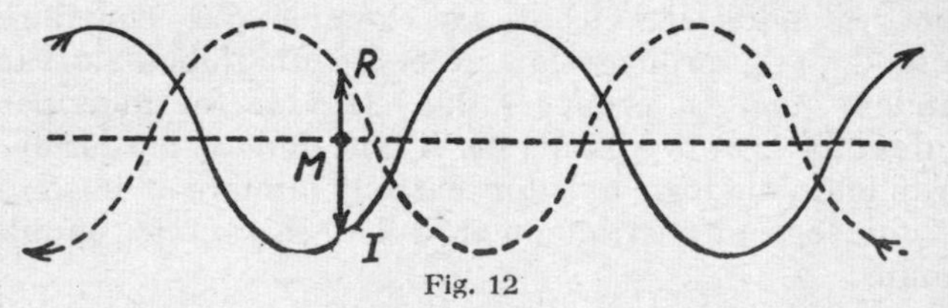

Fig. 12

conque de la corde est soumis simultanément à ces deux ondes, et son déplacement global est la somme algébrique des déplacements MI et MR qui seraient provoqués séparément par l'onde incidente (issue de O) et par l'onde réfléchie (issue de O′). Comme l'extrémité O′ de la corde doit évidemment rester fixe, les ondes incidente et réfléchie doivent être placées l'une par rapport à l'autre en sorte que le déplacement global O′I + O′R de l'extrémité O′ soit nul, c'est-à-dire en sorte que O'I et O'R soient égaux et de sens contraires (fig. 13-A). Dans ces conditions il est facile de voir, en faisant la somme

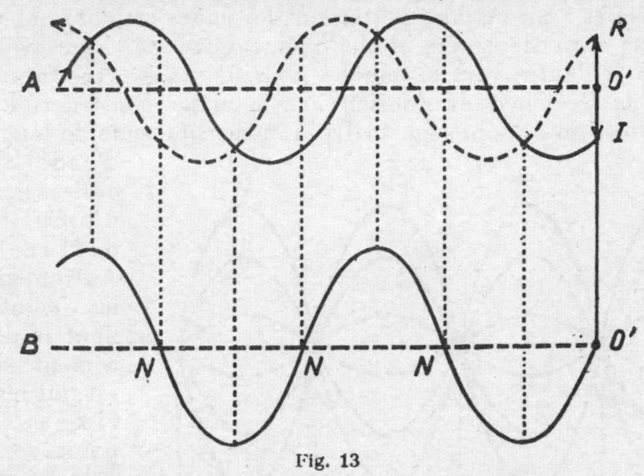

Fig. 13

des déplacements partiels provoqués par chacune des deux ondes, que les déplacements globaux ont, pour les divers points de la corde, les valeurs représentées figure 13-B. La corde a

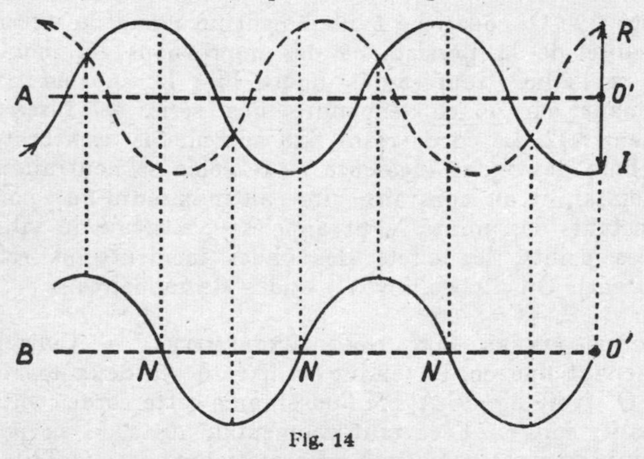

Fig. 14

encore l'allure d'une sinusoïde de longueur d'onde Λ. Mais contrairement à ce qui se produit lorsque la corde est infiniment longue, nous allons voir que dans le cas présent la sinusoïde se déforme sur place, sans se déplacer le long de la corde.

En effet à un instant postérieur, les ondes incidente et réfléchie se sont déplacées d'une même quantité, l'une vers la droite et l'autre vers la gauche (voir fig. 14-A). La forme de la corde à cet instant s'obtient par la même construction que ci-dessus; on obtient (fig. 14-B) la même sinusoïde de longueur d'onde Λ que ci-dessus, mais d'amplitude différente. Autrement dit les points N dont le déplacement global est nul restent fixes. Ces points sont appelés « nœuds » de vibration et sont distants de $\Lambda/2$ (l'extrémité fixe O′ constitue évidemment un nœud de vibration).

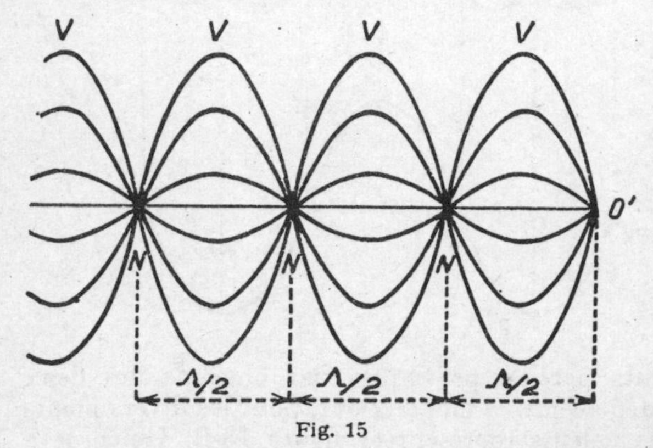

Fig. 15

Par suite de la persistance des impressions rétiniennes, la corde a l'allure représentée figure 15 : la sinusoïde, en se déformant sur place, engendre une série de fuseaux de longueur $\Lambda/2$. La corde reste fixe aux nœuds de vibration N (les effets des ondes incidente et réfléchie se neutralisent en ces points), et au contraire vibre au maximum aux points V équidistants des points N, et appelés « ventres » de vibration (en ces points, les effets des ondes incidente et réfléchie s'ajoutent). On dit qu'il y a « ondes stationnaires ».

Cordes fixées aux deux extrémités. — Considérons maintenant une corde tendue et fixée à ses deux extrémités O et O′ (voir fig. 16-A). Si l'on ébranle cette corde (soit en la frappant, soit en l'écartant momentanément de sa position d'équilibre), un système d'ondes stationnaires s'établit, puisqu'il y a réflexion de l'ébranlement aux deux extrémités fixes O et O′. De plus il est évident que ces deux extrémités constituent des nœuds de vibration. Dans ces conditions il découle de ce que nous avons vu ci-dessus au sujet des ondes stationnaires que la longueur d'onde Λ des vibrations de la corde vérifie la relation $L = k. \Lambda/2$, où L est la longueur OO' de la corde, et k un nombre entier quelconque (autrement dit la corde constitue un nombre entier de fuseaux). Cette relation montre qu'il existe une infinité de solutions, correspondant aux diverses valeurs de k, et dont les plus simples sont représentées figure 16. La fig. 16-B correspond à $k = 1$, soit à $L = \Lambda/2 = VT/2$, où T est la période de la vibration, et $V = \sqrt{\frac{T}{m}}$ la vitesse de propagation des ébranlements le long de la corde. Le son émis a pour fréquence $N = 1/T = V/2L$. Ce son est dit « fondamental ». Sa fréquence est inversement proportionnelle à la longueur de la corde (on peut donc l'augmenter en diminuant cette dernière), et proportionnelle à $V = \sqrt{\frac{T}{m}}$ (on peut donc l'augmenter en augmentant la tension de la corde ou en diminuant sa masse par unité de longueur). Les figures 16-C-D-E, etc. correspondent à $k = 2,3,4$ etc., soit à $L = \Lambda, 3\Lambda/2, 2\Lambda$ etc. Les sons ainsi émis ont pour fréquences $N = 1/T = V/L, 3V/2L, 2V/L$, etc., c'est-à-dire des fréquences double, triple, quadruple, etc., de celle du son fondamental. Ces divers sons sont appelés « harmoniques » du son fondamental.

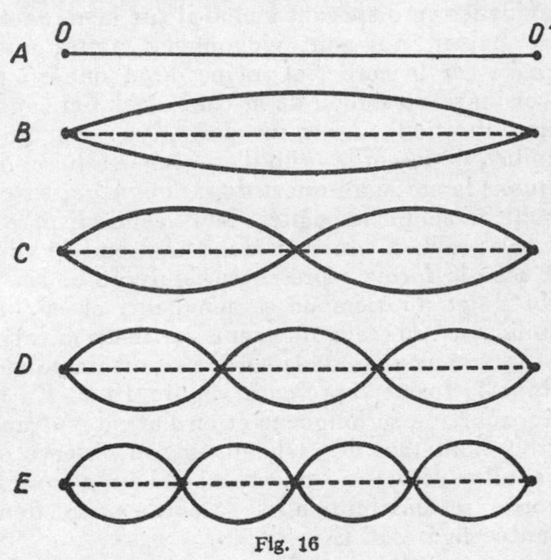

Fig. 16

Les divers modes de vibration d'une corde fixée aux deux extrémités, que nous venons de décrire, sont fort bien illustrés par les expériences de Sauveur. Considérons une corde OO' tendue (voir fig. 16-A), et attaquons-la en son milieu, à l'aide d'un archet par exemple; elle prend la forme représentée figure 16-B; tous ses points vibrent, ce que Sauveur a mis en évidence en disposant à cheval sur la corde de petits morceaux de papier, qui sont violemment agités quelle que soit leur place sur la corde, et même désarçonnés s'ils se trouvent au voisinage du milieu de la corde (celui-ci constituant un ventre de vibration). Avec un doigt, opérons un léger contact au milieu de la corde (afin d'empêcher celui-ci de vibrer), et attaquons la corde au quart de sa longueur; les cavaliers de papier sont violemment agités, sauf celui disposé au milieu de la corde; celui-ci constitue donc un nœud de vibration, et la corde a bien la forme représentée figure 16-C. En touchant la corde du doigt au tiers de sa longueur, et en l'attaquant en son milieu, on observe que seuls les deux cavaliers situés au tiers et aux deux tiers de la corde restent immobiles; la corde prend donc la forme représentée figure 16-D. En touchant la corde au quart de sa longueur et en l'attaquant au huitième ou aux trois huitièmes de sa longueur, on observe que seuls les trois cavaliers, situés au quart, au milieu, et aux trois quarts de la corde, restent immobiles; la corde prend donc la forme représentée figure 16-E.

En résumé, la théorie des ondes stationnaires, qui elle-même repose sur l'étude de la propagation des vibrations le long d'une corde, montre qu'une corde fixée à ses deux extrémités et ébranlée forme un nombre entier de fuseaux. A un fuseau unique correspond un son fondamental dont la fréquence dépend de la longueur de la corde, de sa tension, et de sa masse par unité de longueur. A deux, trois, quatre... fuseaux correspondent des sons harmoniques du son fondamental, dont les fréquences sont double, triple, quadruple... de celle du son fondamental. Ainsi que nous l'avons vu ci-dessus, à propos des expériences de Sauveur, on peut produire à volonté le son fondamental ou l'un de ses harmoniques, en attaquant la corde au niveau d'un ventre de vibration, et en l'immobilisant du doigt au niveau d'un nœud de vibration. Mais ce qu'il importe de comprendre, c'est que dans le cas général où l'on laisse la corde vibrer librement et où on l'attaque en un endroit quelconque, on produit simultanément le son fondamental et ses harmoniques. Ainsi si l'on attaque une corde dont la fréquence fondamentale est de 129,3 par seconde, ce qui correspond à l'ut, on produira ce son fondamental, mais en même temps, avec une intensité variable selon le mode et l'endroit de l'attaque, ses harmoniques. Ceux-ci auront pour fréquences $129,3 \times 2 = 258,6$ $129,3 \times 3 = 387,9$ $129,3 \times 3 = 517,24$ $129,3 \times 5 = 646,5$ $129,3 \times 6 = 775,8$ $129,3 \times 7 = 905,1$ $129,3 \times 8 = 1.034,4$ $129,3 \times 9 = 1.163,7$ $129,3 \times 10 = 1.293$, etc., etc., ce qui correspond aux notes suivantes

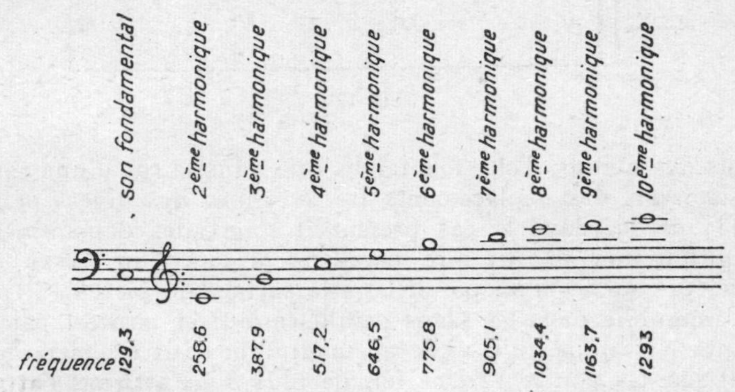

La présence des divers harmoniques donne un certain « timbre » au son fondamental. Ce timbre dépend évidemment de l'intensité relative des divers harmoniques, qui dépend elle-même du mode d'attaque de la corde. Ainsi le calcul montre, et l'expérience le confirme, qu'une corde frappée (ainsi qu'il en est dans le piano par exemple) produit un son plus riche en harmoniques que celui émis par une corde pincée (ainsi qu'il en est dans la harpe ou la guitare). D'autre part on peut faire disparaître complètement certains harmoniques, indésirables au point de vue timbre, en choisissant convenablement l'endroit de l'attaque de la corde. Ainsi les cordes du piano sont attaquées au 1/7e ou au 1/9e de leur longueur afin de supprimer le sixième ou le huitième harmoniques, particulièrement désagréables à l'oreille.

Ondes stationnaires dans un tuyau. — Répétons l'expérience de la figure 9, mais supposons cette fois que le tuyau a une longueur PP′ finie, et qu'il est fermé en P′ (voir fig. 17). Les vibrations acoustiques issues de P se réfléchissent sur la paroi rigide P′, et il y a formation d'ondes stationnaires, d'une façon analogue à ce que nous avons vu ci-dessus pour une corde de longueur OO′ finie. Le déplacement global étant évidemment nul sur la paroi P′, il y a nœud de vibration en P′. Les autres nœuds de vibration N en sont distants de $\Lambda/2$, $2\ \Lambda/2$, $3\ \Lambda/2$, etc., tandis que les ventres de vibration V sont équidis-

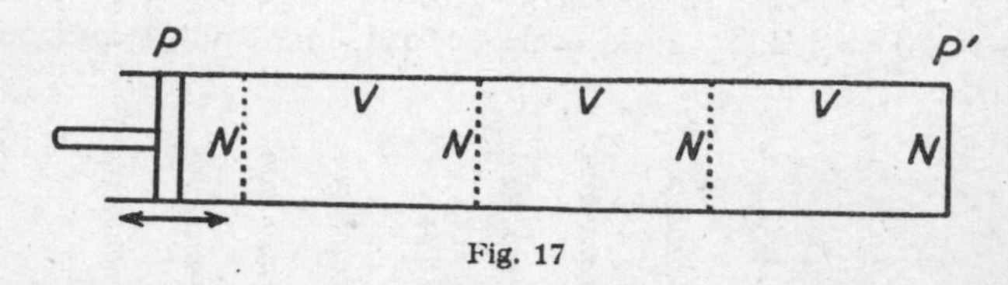

Fig. 17

tants des nœuds. Toutefois tandis que dans le cas d'une corde il s'agissait des déplacements transversaux des divers points de la corde, dans le cas présent il s'agit des déplacements longitudinaux (c'est-à-dire parallèles à l'axe du tuyau) des diverses couches d'air parallèles à la surface du piston P. L'air est immobile dans les plans parallèles à P et passant par les points N, tandis qu'il vibre au maximum dans les plans passant par les points V. Une fois de plus nous attirons l'attention du lecteur sur le fait qu'il n'y a pas courant d'air dans le tuyau ainsi excité.

Nous avons signalé à propos de la figure 9 que les déplacements longitudinaux des diverses tranches d'air parallèles à la surface du piston P s'accompagnent de variations de pression. Lorsqu'il y a formation d'ondes stationnaires, on démontre qu'à un nœud de déplacement correspond un ventre de variation de pression, tandis qu'à un ventre de déplacement correspond un nœud de variation de pression; autrement dit la pression varie au maximum là où l'air reste immobile, et reste invariable là où l'air vibre au maximum. Nous demandons au lecteur d'admettre ce résultat, qu'il est impossible de démontrer sans faire appel à une étude mathématique du problème.

Considérons dans ces conditions un tuyau PP′ de longueur finie, mais ouvert à son extrémité P′ (voir fig. 18). Bien que l'extrémité P′ soit ouverte, l'expérience montre qu'il y a réflexion presque totale du son à cette extrémité; en effet si l'on produit un bruit bref à l'extrémité d'un tuyau ouvert à l'autre bout, on entend un écho intense, ce qui prouve que le son s'est presque totalement réfléchi au bout ouvert (une partie de l'énergie acoustique sort néanmoins du tuyau). Étant donné qu'il y a réflexion à l'extrémité ouverte P′, il y a

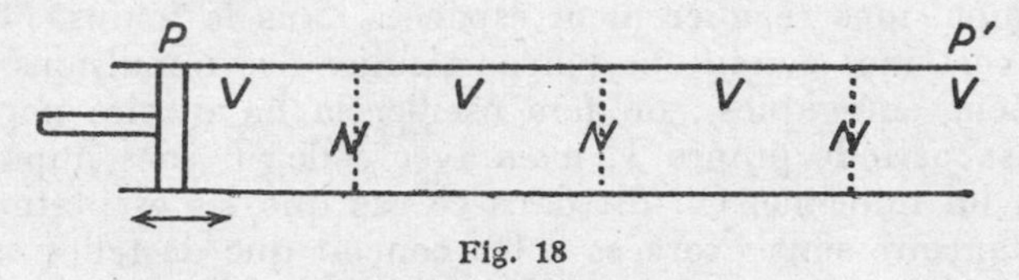

Fig. 18

formation d'ondes stationnaires à l'intérieur du tuyau. En P' la pression de l'air reste constante, puisqu'elle est égale à la pression atmosphérique : il y a donc nœud de variation de pression en P′, c'est-à-dire ventre de déplacement V. Si l'on compare les figures 17 et 18, on voit que le phénomène d'ondes stationnaires est identique, que le tuyau soit ouvert ou fermé, avec toutefois une inversion des nœuds et des ventres : l'extrémité P′ d'un tuyau fermé constitue un nœud de déplacement, tandis que l'extrémité P′ d'un tuyau ouvert constitue un ventre de déplacement.

Conditions de résonance des tuyaux sonores. — Le lecteur a peut-être remarqué que jusqu'à présent nous n'avons fait intervenir que l'extrémité P′ du tuyau, qui, avons-nous dit, constitue un nœud ou un ventre de déplacement selon que cette extrémité est fermée ou ouverte. Nous allons maintenant faire intervenir l'extrémité source P du tuyau, et ceci va nous amener à parler de l'important phénomène de « résonance ». Nous allons tout d'abord exposer sommairement ce dernier dans toute sa généralité, puis l'appliquerons au cas particulier des tuyaux sonores.

Considérons un système quelconque susceptible d'osciller autour d'une position d'équilibre; une balançoire par exemple. Si nous l'écartons de sa position d'équilibre, puis l'abandonnons à elle-même, elle se met à osciller d'un mouvement périodique dont la période T est fixée entre autres par la longueur des cordes de suspension. Autrement dit la balançoire possède une période d'oscillation qui lui est propre, et que l'on appelle période d'oscillations « libres ». Il est facile de concevoir qu'il en est de même pour tout système susceptible d'osciller ou de vibrer.

Supposons maintenant que l'on fasse osciller la balançoire en lui imprimant de part et d'autre de sa position d'équilibre des impulsions régulièrement espacées dans le temps. Moyennant certaines conditions (en particulier des impulsions suffisamment énergiques), on fera osciller la balançoire non plus avec sa période propre T, mais avec celle, T′, des impulsions qu'on lui imprime. On dit dans ce cas que les oscillations de la balançoire sont « forcées ». On conçoit que de telles oscillations nécessitent un apport d'énergie notable. Par contre si la période T′ des impulsions imprimées à la balançoire est juste égale à la période T de ses oscillations libres, on sait que la balançoire se met à osciller avec une amplitude de plus en plus grande, et ce moyennant un apport d'énergie assez faible. Ce phénomène est général : un système susceptible d'osciller ou de vibrer avec une période propre T, entre en « résonance » lorsqu'on lui imprime des impulsions de même période.

Le phénomène de résonance intervient non seulement en mécanique, mais aussi en électricité, en optique et en acoustique. C'est d'ailleurs au vocabulaire de l'acoustique que le terme « résonance » a été emprunté.

Considérons un tuyau cylindrique PP′, fermé par exemple à ses deux bouts (voir fig. 19). Si l'on ébranle d'une façon quelconque l'air contenu dans ce tuyau, il se mettra à vibrer, et un phénomène d'ondes stationnaires se produira, puisque les ondes se réfléchiront aux deux extrémités du tuyau. Ces deux extrémités étant fermées, elles constitueront des nœuds de vibration, et la longueur L du tuyau comprendra donc un nombre entier

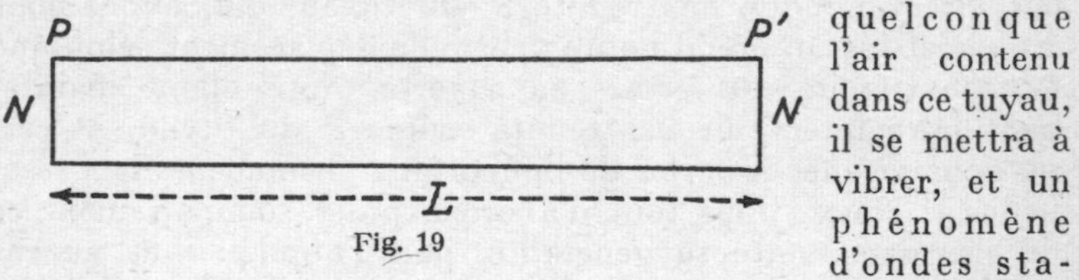

Fig. 19

de $\Lambda/2$ (puisque, ainsi que nous l'avons vu, la distance de deux nœuds successifs est de $\Lambda/2$). La période T des vibrations propres du tuyau est donc telle que l'on a $L = k.\Lambda/2 = k.\ VT/2$, d'où les fréquences de résonance du tuyau : $N = 1/T = k.\ V/2L$. On remarquera qu'il en existe une infinité, correspondant aux valeurs successives du nombre entier k. A $k = 1$ correspond la fréquence la plus basse, $N = V/2L$, appelée fréquence « fondamentale ». Les autres fréquences de résonance constituent les harmoniques successifs de la fréquence de résonance fondamentale.

Supposons maintenant que l'on fasse vibrer l'air du tuyau PP′ à l'aide d'un piston fermant l'extrémité P (voir fig. 17). Si la fréquence du piston n'est pas égale à l'une des fréquences propres du tuyau, des ondes stationnaires s'établissent ainsi que nous l'avons vu, mais les vibrations du tuyau sont « forcées », et de faible amplitude. Si par contre la fréquence du piston est égale à l'une des fréquences propres du tuyau, il y a résonance, l'air du tuyau se met à vibrer très fortement (tout au moins aux ventres), et produit avec une forte intensité le son correspondant.

D'une façon analogue, le tuyau ouvert représenté figure 18 entre en résonance si la fréquence du piston est telle qu'il y ait nœud de déplacement à l'extrémité fermée P, et ventre à l'extrémité ouverte P′, c'est-à-dire si l'on a $L = (k + 1/2)\ \Lambda/2 = (k + 1/2)\ VT/2$, la distance d'un nœud au ventre immédiatement voisin étant de $\Lambda/4$. Les fréquences de résonance du tuyau ouvert sont donc $N = 1/T = (2k + 1)\ V/4L$. La fréquence de résonance fondamentale, égale à $V/4L$ est deux fois plus faible que si le tuyau était fermé en P′, et seuls les harmoniques impairs, de fréquences $3V/4L$, $5V/4L$, etc., peuvent faire résonner le tuyau.

Nous avons jusqu'à présent supposé que les vibrations du tuyau sonore sont produites par un piston P qui ferme l'extrémité correspondante. On peut imaginer un autre mode de production des vibrations acoustiques, par exemple tout simplement un diapason placé devant une extrémité ouverte du tuyau (voir fig. 20). Dans ce cas l'extrémité P du tuyau est ouverte, et doit constituer, pour qu'il y ait résonance, un ventre de déplacement. Par conséquent si l'autre extrémité, P′, est fermée, on a un cas analogue à celui de la figure 18, et les fréquences de résonance sont $N = (2k + 1) V/4L$. Si au contraire l'extrémité P′ est elle aussi ouverte, il y a résonance lorsqu'il y a ventre de déplacement aux deux extrémités, c'est-à-dire pour $L = k . \Lambda/2$ (la distance de deux ventres successifs étant de $\Lambda/2$). Les fréquences de résonance d'un tuyau ouvert aux deux bouts sont donc les mêmes que celles d'un tuyau fermé aux deux bouts (mais suivant le cas il y a deux ventres ou deux nœuds aux deux extrémités).

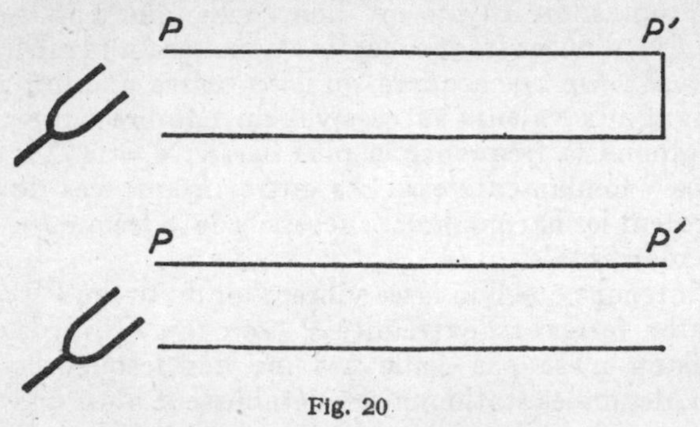

Fig. 20

L'analogie existant entre les tuyaux sonores et les cordes vibrantes est flagrante. Dans les deux cas les fréquences des sons émis sont imposées par le phénomène d'ondes stationnaires (les vibrations étant toutefois longitudinales dans le cas d'un tuyau, et transversales dans le cas d'une corde). Une corde fixée aux deux extrémités est analogue à un tuyau ouvert ou fermé à ses deux bouts, et peut produire un son fondamental ainsi que tous ses harmoniques. Un tuyau ouvert à un bout et fermé à l'autre peut produire un son fondamental deux fois plus grave, et ses harmoniques impairs uniquement.

Il est toutefois une différence entre les cordes vibrantes et les tuyaux sonores, sur laquelle nous voudrions insister. Une corde fixée à ses deux extrémités constitue un système qui, une fois ébranlé, produit un son fondamental accompagné de ses harmoniques (l'intensité relative de ces derniers varie suivant le mode d'ébranlement de la corde, et détermine le timbre, ainsi que nous l'avons vu). Un tuyau sonore, lui, constitue une « caisse de résonance », c'est-à-dire une cavité susceptible d'amplifier le son produit par une source auxiliaire, à condition que la fréquence de ce son soit égale à l'une des fréquences de résonance du tuyau. Par conséquent si l'on place à l'extrémité ouverte d'un tuyau un diapason émettant la fréquence fondamentale de ce tuyau, on produira uniquement ce son fondamental, sans harmoniques. Si l'on place devant le tuyau divers diapasons, il amplifiera les vibrations acoustiques produites par ceux d'entre eux qui émettent l'une de ses fréquences de résonance; les autres diapasons provoqueront dans le tuyau des vibrations forcées de très faible amplitude, et par conséquent inaudibles.

C) Principe des divers instruments de musique.

Instruments a cordes. — Le principe des instruments à cordes découle de l'étude des cordes fixées aux deux extrémités, faite au paragraphe précédent. Cette étude nous a montré comment on peut agir sur la fréquence du son fondamental émis par une corde, soit en faisant varier sa longueur, soit en faisant varier sa tension, soit enfin en faisant varier sa masse par unité de longueur (d'où l'usage des cordes « filées » pour les sons graves). Nous avons vu de même que c'est le procédé d'attaque de la corde, ainsi que l'endroit de l'attaque, qui déterminent l'intensité relative des harmoniques accompagnant le son fondamental, c'est-à-dire le timbre. On peut d'ailleurs classer les instruments à cordes selon le procédé d'attaque :

cordes frottées .... { violon, alto, violoncelle, contrebasse;

cordes pincées .... { harpe, guitare, clavecin, mandoline, banjo;

cordes frappées .... { piano, tympanon, cembalo.

Une corde ne présentant qu'une surface très faible, ne déplace que fort peu l'air ambiant, et produit par conséquent des vibrations acoustiques d'intensité assez faible. Aussi dans les instruments à cordes amplifie-t-on généralement le son produit par les cordes en utilisant le phénomène de résonance. Nous avons décrit sommairement celui-ci à propos des tuyaux sonores. Nous avons vu que l'air enfermé dans un tuyau possède plusieurs fréquences de vibration propres, et que si l'on approche de l'ouverture du tuyau une source sonore émettant l'une de ces fréquences, la masse d'air enfermée dans le tuyau se met à vibrer énergiquement, et le son se trouve ainsi considérablement amplifié. Ce phénoméne n'est pas particulier aux tuyaux et s'étend à une cavité de forme quelconque. De même qu'un tuyau cylindrique, toute cavité possède une ou plusieurs fréquences de résonance, déterminées par la forme et les dimensions de la cavité, mais dont le calcul n'est possible que lorsque la forme géométrique de celle-ci est très simple. Ainsi une cavité sphérique dont la paroi est percée d'une ouverture ne résonne que pour une seule fréquence, fixée par le rayon de la cavité; une cavité parallélépipédique, de même qu'un tuyau, résonne pour une certaine fréquence fondamentale, ainsi que pour plusieurs fréquences plus élevées (mais contrairement à ce qui se passe pour un tuyau, ces fréquences ne sont pas des multiples de la fréquence fondamentale; elles ne constituent donc pas des harmoniques du son fondamental mais, comme on dit, ses « partiels »); enfin une cavité de forme géométrique non définie peut résonner plus ou moins pour toutes les fréquences audibles. Ce sont des cavités de cette dernière espèce qu'utilisent les instruments à cordes : on dispose au voisinage des cordes (et même à leur contact, par l'intermédiaire du chevalet) une « caisse de résonance » dont la forme géométrique a été choisie empiriquement en sorte qu'elle soit susceptible de résonner pour toutes les fréquences utilisées par l'instrument. C'est dans la construction de cette caisse de résonance que réside principalement l'art du facteur. Non seulement l'intensité du son en dépend, mais aussi le timbre, les divers harmoniques pouvant être plus ou moins amplifiés.

Au lieu d'être constitué par la masse d'air enfermée dans une cavité, le résonateur peut aussi être constitué par une plaque ou par une membrane tendue, susceptible de vibrer pour toutes les fréquences utilisées par l'instrument, et d'attaquer ainsi l'air ambiant sur une grande surface. Ainsi dans le piano le résonateur est constitué par la « table d'harmonie », tandis que dans le banjo il est constitué par une membrane tendue circulairement.

Instruments a vent. — Dans les instruments à vent, la vibration acoustique est produite par un dispositif appelé « embouchure », utilisant un courant d'air provenant d'une soufflerie ou de la bouche du musicien. Cette vibration, dont la fréquence est généralement mal définie et variable avec l'intensité du courant d'air insufflé, prend naissance à l'une des extrémités d'un tuyau sonore et s'accommode sur l'une des fréquences de résonance de ce tuyau. Le son se trouve ainsi fortement amplifié, et sa fréquence est très sensiblement l'une des fréquences de résonance du tuyau associé à l'embouchure.

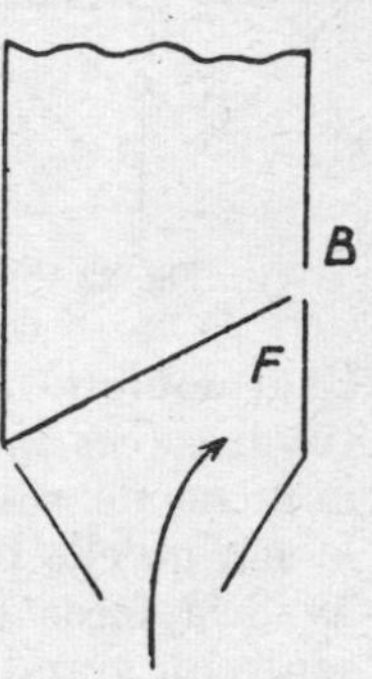

Fig. 21

Il existe deux sortes d'embouchures : l'embouchure « de flûte », et l'embouchure « à anche ». Dans l'embouchure de flûte, le courant d'air provenant de la soufflerie ou de la bouche du musicien traverse une fente étroite F, et rencontre un biseau aigu B (voir fig. 21). Par suite d'un mécanisme sur lequel nous ne pouvons insister, le jet d'air sortant de la fente F passe alternativement de chaque côté du biseau B, et produit ainsi un son assez faible, que l'on entend lorsque l'embouchure fonctionne seule, sans tuyau. La fréquence de ce son augmente avec la pression de l'air insufflé, par sauts brusques d'ailleurs, et suivant une loi assez compliquée. Si l'embouchure est associée à un tuyau, les vibrations qu'elle produit tendent à faire vibrer la masse d'air contenue dans le tuyau. L'énergie nécessaire à cet effet étant beaucoup plus faible à la fréquence de résonance qu'à toute autre fréquence, l'embouchure s'accommode sur une fréquence très voisine de la fréquence de résonance fondamentale du tuyau, et celle-ci se fait entendre avec une forte intensité. Si l'on force alors le vent, la fréquence du son produit par l'embouchure seule augmente, ainsi que nous l'avons dit ci-dessus, et celle-ci s'accommode successivement sur les harmoniques supérieurs du son fondamental.

Dans l'embouchure à anche, l'air insufflé arrive dans un compartiment C muni d'une ouverture O, laquelle est fermée par une languette en bois ou en métal L, susceptible de vibrer (voir fig. 22). Dans l'anche « libre », les dimensions de la languette sont légèrement inférieures à celles de l'ouverture, si bien qu'elle peut vibrer librement. Dans l'anche « battante » au contraire, les dimensions de la languette sont supérieures à celles de l'ouverture, si bien qu'elle vient buter sur les bords de cette dernière, à chaque vibration. Quoiqu'il en soit, les vibrations de la languette provoquent un écoulement intermittent de l'air insufflé, et il en résulte un son assez intense, que l'on entend lorsque l'embouchure fonctionne seule, sans tuyau. Si l'anche est libre, la fréquence du son qu'elle produit est évidemment celle des vibrations propres de la languette, et par conséquent sensiblement indépendante de la force du vent. Ce son est assez agréable pour que certains instruments tels que l'harmonium utilisent des anches libres sans les associer à des tuyaux (ces instruments à vent n'utilisent donc pas le phénomène de résonance des tuyaux). Si l'anche est battante, le son qu'elle produit est plus criard, et sa fréquence augmente avec la force du vent. Nous verrons ci-dessous que ceci présente un grand intérêt lorsque l'anche est associée à un tuyau.

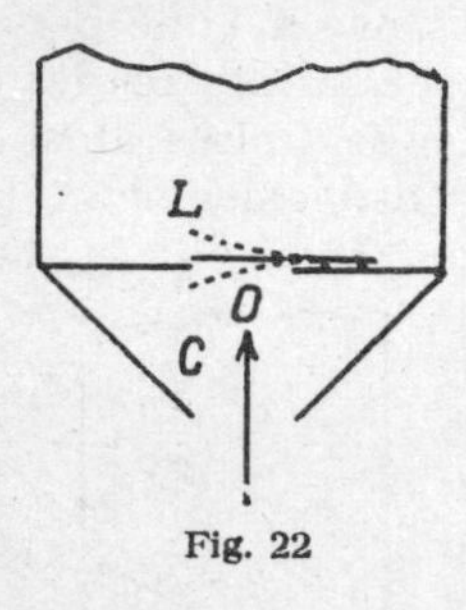

Fig. 22

Considérons en effet une embouchure à anche associée à un tuyau. Si l'anche est libre, elle s'accommode sur la fréquence fondamentale du tuyau, à condition toutefois que celle-ci soit assez proche de la fréquence des vibrations propres de la languette. Mais il est impossible d'obtenir les harmoniques supérieurs du son fondamental en forçant le vent, le son produit par l'anche libre seule étant sensiblement indépendant de la pression de l'air insufflé, ainsi que nous l'avons dit plus haut. Par contre si l'anche est battante, elle s'accommode encore sur la fréquence de résonance fondamentale du tuyau, mais cette fois il est possible, en forçant le vent, d'obtenir les harmoniques supérieurs, la fréquence du son produit par l'anche battante augmentant avec la pression de l'air insufflé. Aussi munit-on généralement les tuyaux sonores d'une embouchure à anche battante, et non d'une embouchure à anche libre. De cette façon on a la possibilité, de même qu'avec une embouchure de flûte, de produire les harmoniques du son fondamental en forçant le vent.

Dans certains instruments à vent l'embouchure comprend deux languettes en forme de gouttières, et dont les creux se font face. Une telle embouchure est dite « à anche double ». Son fonctionnement est analogue à celui de l'anche battante simple : l'air insufflé passe par intermittence entre les deux languettes, qui vibrent en butant l'une contre l'autre. Parfois ce sont les lèvres du musicien, serrées l'une contre l'autre et appliquées sur les bords de l'entonnoir terminant le tuyau sonore, qui font office d'anche double. L'instrument est alors dit « à embouchure de cor ». Signalons enfin que la voix humaine elle aussi repose sur le principe de l'anche double.

Étudions maintenant les fréquences de résonance des tuyaux sonores associés à une embouchure de flûte ou à une embouchure à anche (simple ou double). L'embouchure de flûte ne nécessite pas l'établissement d'un courant d'air dans le tuyau, si bien qu'elle peut être associée aussi bien à un tuyau fermé à l'autre extrémité qu'à un tuyau ouvert à l'autre extrémité. Néanmoins, sauf parfois dans le cas de la flûte de Pan, on l'associe toujours à un tuyau ouvert. Étant donné par ailleurs qu'il y a ventre de déplacement à hauteur de l'embouchure de flûte, l'extrémité à laquelle elle se trouve se comporte comme si elle était ouverte. Par conséquent un tuyau ouvert muni d'une embouchure de flûte se comporte comme un tuyau ouvert aux deux bouts : il produit la fréquence fondamentale V/2 L, et la série complète de ses harmoniques.

L'embouchure à anche nécessite l'établissement d'un courant d'air dans le tuyau, et ne peut par conséquent être associée qu'à un tuyau ouvert à l'autre extrémité. Par ailleurs on démontre que contrairement à l'embouchure de flûte, l'embouchure à anche constitue sensiblement un ventre de variation de pression, c'est-à-dire un nœud de déplacement. L'extrémité à laquelle elle se trouve se comporte donc comme si elle était fermée. Par conséquent un tuyau ouvert muni d'une embouchure à anche se comporte comme un tuyau ouvert à un bout et fermé à l'autre : il produit la fréquence fondamentale V/4L, et ses harmoniques impairs uniquement. Cette conclusion reste évidemment valable lorsque l'embouchure est à anche double ou de cor.

Mais tout ce que nous venons de dire repose sur la théorie des tuyaux sonores, faite au paragraphe précédent, théorie qui supposait les tuyaux cylindriques. Remarquons tout d'abord que si le tuyau est recourbé ou même enroulé sur lui-même, ainsi qu'il en est dans de nombreux instruments à vent, les résultats restent les mêmes, une courbure sans coude trop brusque ne changeant rien aux phénomènes. Par contre lorsque le tuyau est conique au lieu d'être cylindrique, ainsi qu'il en est dans de nombreux instruments à vent, les phénomènes sont modifiés. Nous ne pouvons développer ici la théorie des tuyaux côniques, et demanderons au lecteur d'admettre le résultat suivant : un tuyau conique ouvert au bout large et fermé au bout étroit se comporte sensiblement, au point de vue fréquences de résonance, comme un tuyau cylindrique de même longueur, mais ouvert aux deux bouts. Il s'ensuit qu'un instrument à vent à perce conique muni d'une embouchure à anche et ouvert au bout large fournit une fréquence fondamentale deux fois plus élevée que s'il était cylindrique, et la série complète de ses harmoniques.

D'après tout ce qui précède on peut, avec A. Lavignac, classer les instruments à vent de la façon suivante :

1° Tuyaux cylindriques munis d'une embouchure de flûte :

Flageolet ou flûte à bec,
Flûte traversière,
Petite flûte.

Se comportent comme des tuyaux cylindriques ouverts aux deux bouts.

2° Tuyaux cylindriques munis d'une embouchure à anche battante simple :

Clarinette,
Cor de basset,
Clarinette basse.

Se comportent comme des tuyaux cylindriques ouverts à un bout et fermés à l'autre (ne fournissent par conséquent que les harmoniques impairs du son fondamental).

3° Tuyau conique muni d'une embouchure à anche battante simple :

Saxophone.

Se comporte, au point de vue fréquences de résonance, comme un tuyau cylindrique ouvert aux deux bouts.

4° Tuyaux coniques munis d'une embouchure à anche double :

Hautbois,	Contrebasson,
Cor anglais,	Sarrusophone.
Basson.	

Se comportent, au point de vue fréquences de résonance, comme des tuyaux cylindriques ouverts aux deux bouts.

5° Tuyaux coniques munis d'une embouchure de cor :

Cor,	Ophicléide,
Trompette,	Clairon,
Trombone,	Cornet,
Tuba,	Bugle.

Se comportent, au point de vue fréquences de résonance, comme des tuyaux cylindriques ouverts aux deux bouts.

Il nous reste à voir comment on peut tirer d'un instrument à vent des notes autres que le son fondamental et ses harmoniques (ceux-ci étant obtenus en forçant le vent, ainsi que nous l'avons vu). On utilise à cet effet trois méthodes, qui, toutes les trois, consistent à modifier, par des procédés différents, la longueur du tuyau, c'est-à-dire sa fréquence fondamentale.

Une première méthode consiste à pratiquer dans la paroi du tuyau des ouvertures, que l'on peut boucher ou déboucher à l'aide de ses doigts, ou de « tampons » commandés par des « clés ». Au niveau d'une ouverture débouchée la pression de l'air enfermé dans le tuyau devient égale à la pression atmosphérique; il s'y forme donc un nœud de variations de pression, et l'ouverture fait office d'extrémité ouverte du tuyau. Une seconde méthode, utilisée dans les instruments dits « à piston », consiste à introduire à volonté des tuyaux supplémentaires, qui viennent augmenter la longueur totale du tuyau, et diminuer ainsi sa fréquence fondamentale. Enfin une troisième méthode, utilisée dans le trombone à coulisse, consiste à modifier la longueur du tuyau à l'aide d'une coulisse mobile.

Instruments a percussion. — Ils sont constitués soit par des lames métalliques (ou « verges »), soit par des plaques métalliques, soit par des membranes fortement tendues, qui, sous l'effet d'un choc, se mettent à vibrer d'une façon plus ou moins complexe, et produisent ainsi un son plus ou moins bien défini. Les instruments à percussion utilisant les verges, tels que le diapason, le carillon ou le xylophone, émettent un son bien déterminé, les vibrations d'une verge étant simples, assez analogues d'ailleurs à celles d'un tuyau sonore, et susceptibles d'une analyse mathématique rigoureuse. Les cloches et les timbales, dont les vibrations sont déjà beaucoup plus complexes, produisent de même un son assez bien déterminé. Par contre les cymbales et les tambours produisent un bruit qui ne se prête guère à l'analyse, toutes les fréquences se retrouvant dans les vibrations de tels systèmes.

D) Perception du son.

Au moyen des connaissances que nous possédons sur la nature du son, ses éléments constitutifs, son mode de propagation dans les milieux élastiques, les propriétés des membranes et des résonateurs, nous allons arriver à expliquer le mécanisme de l'audition, le mystérieux fonctionnement de l'oreille.

Mais auparavant, il est nécessaire d'examiner la structure anatomique de cet organe.

La partie visible, l'*oreille externe*, est celle qui a le moins d'importance; elle se compose du *pavillon*, qui agit à la façon d'un cornet acoustique, et du *conduit auditif* externe, tube en partie cartilagineux, en partie osseux, qui aboutit à la membrane du *tympan*.

Au delà de cette membrane se trouve l'*oreille moyenne*, qu'on peut se représenter comme une sorte de *caisse* ou *tambour* muni de quatre ouvertures; la plus grande est fermée par le tympan, dont l'autre surface est en communication, dans le conduit auditif, avec l'air extérieur; dans la paroi opposée se trouve la *fenêtre ronde*, et à peu près au-dessus d'elle, la *fenêtre ovale*, toutes deux également fermées par des membranes très fines et très élastiques; la seule ouverture qui ne soit pas entièrement close est la *trompe d'Eustache*, sorte de conduit conique qui met l'oreille moyenne en rapport avec le pharynx, dans lequel il s'ouvre à chaque mouvement de déglutition. A l'intérieur de cette caisse se trouve la curieuse *chaîne des osselets*, qui est tendue entre le tympan et la membrane de la fenêtre ovale; elle se compose de trois petits os auxquels on a donné des noms rappelant leurs formes : le *marteau* est fixé par son manche au centre du tympan; après lui vient l'*enclume*, et enfin l'*étrier*, dont la base recouvre presque entièrement la fenêtre ovale.

Par ces deux fenêtres, l'oreille moyenne communique avec l'*oreille interne.* C'est là qu'est la merveille. L'oreille interne ou *labyrinthe* est une cavité creusée dans la partie osseuse la plus résistante de la boîte crânienne, le *rocher*, entièrement remplie d'un liquide transparent, l'endolymphe; elle se compose du *vestibule*, en communication directe avec la fenêtre ovale, du *limaçon*, organe cartilagineux rappelant la forme de cet animal, et des *canaux semi-circulaires*, au nombre de trois [1]. Dans le liquide spécial qu'elle contient flotte une sorte de sac membraneux, ne se reliant aux parois osseuses que par quelques vaisseaux sanguins et des faisceaux de fibres nerveuses passant au travers du liquide, fibres dont l'ensemble constitue le nerf auditif. Aussi bien dans le vestibule que dans le limaçon, le microscope permet de voir une multitude de petits crins ou filaments qui ne sont autre chose que des prolongements ou ramifications de l'extrémité du nerf auditif ou de ses annexes; ces minuscules organes portent le nom des savants auxquels est due leur découverte; ceux du vestibule sont les *soies de Schultze*, ceux du limaçon les *fibres de Corti ;* de ces derniers, on est arrivé à en compter trois mille.

Voilà, décrit bien sommairement, trop peut-être, l'instrument. Voyons-le en fonction.

Une vibration parvient à *l'oreille externe*; il se produit tout d'abord, dans le *conduit auditif*, une condensation suivie d'une dilatation. Le *tympan* se trouve repoussé à l'intérieur, puis tiré à l'extérieur (c'est ici le cas de se rappeler que les membranes s'accommodent de toutes sortes de vibrations); par la *chaîne des osselets*, la trépidation traverse l'*oreille moyenne* et se communique à la membrane de la *fenêtre ovale.* Le liquide du *vestibule* est à son tour ébranlé ainsi que celui du *limaçon*, et

1. Les canaux semi-circulaires, bien qu'enclavés dans l'oreille, ne paraissent pas participer exclusivement à l'acte de l'audition. Ce sont les organes spéciaux d'un sens non catalogué jusqu'ici, le sens de l'*équilibre*, de la *verticalité*.
Lorsque l'un d'eux est rompu accidentellement, l'individu, homme ou animal, perd le sentiment de l'aplomb, semble ivre.

par ses vibrations sollicite celles des *fibres* qu'il baigne; mais celles-là seules répondent à son appel dont la période de vibration correspond au son initial ou à l'un de ses harmoniques, car chacune d'elles est accordée à un ton différent.

Les fibres de Schultze et de Corti constituent une harpe géante et microscopique dont chaque corde vibre *par sympathie* pour un son spécial, et transmet l'impression sonore au cerveau par le nerf auditif dont elle est l'épanouissement.

A présent que le fonctionnement général de l'appareil auditif a été esquissé dans ses grandes lignes, il convient de reprendre, avec un peu plus de détail, chacun de ses organes en particulier, ne serait-ce que pour établir qu'ils ont tous leur utilité, qu'il n'y en a pas un de trop, et pour faire ressortir tout ce qu'il y a de simplicité sous cette complication apparente.

A quoi sert la trompe d'Eustache? A chaque mouvement de déglutition, chaque fois qu'on avale la salive, elle s'entr'ouvre et permet à l'air contenu dans l'oreille moyenne de se maintenir en équilibre de pression avec l'air extérieur; sans cet équilibre parfait et constant, la membrane du tympan ne serait pas dans d'aussi bonnes conditions pour recevoir les vibrations. C'est si vrai que lorsqu'il arrive par accident, en éternuant maladroitement, par exemple, de comprimer l'air dans cet organe, le tympan se trouve momentanément gonflé extérieurement, on éprouve un bourdonnement, et l'audition se fait mal. Cet état de choses cesse à la première déglutition normale.

La membrane de la fenêtre ovale, située entre un corps liquide et un corps gazeux, est dans de moins bonnes conditions pour entrer en vibrations que celle du tympan; de là l'utilité de la chaîne des osselets, qui, tendue entre ces deux membranes, l'ébranle mécaniquement; il est à remarquer que le point d'attache du premier osselet sur le tympan est juste au centre de celui-ci, c'est-à-dire au point de vibration maxima. Peut-être, si on supprimait les osselets, le son se transmettrait-il quand même à travers l'air de la caisse, mais ce serait certainement avec une très grande faiblesse relative; car, par la chaîne des osselets, le tympan *commande* la fenêtre ovale.

Nous n'avons pas vu encore à quoi sert la fenêtre ronde. Pour le comprendre, il faut considérer que dans l'acte de l'audition, le liquide de l'oreille interne, subissant l'influence de l'air vibrant contenu dans le conduit auditif, est constamment en état de dilatation ou de condensation moléculaire; si sur tous les points sans exception sa paroi était inflexible, il ne pourrait que la faire éclater ou ne pas entrer en vibration; il n'y a pas de vibration sans élasticité. Il faut donc, pour permettre à la masse liquide d'osciller synchroniquement avec la membrane qui l'y provoque, qu'elle trouve quelque part une autre surface élastique qui cède sous sa pression. C'est le cas de la fenêtre ronde, placée entre l'oreille interne et l'oreille moyenne.

La quantité des fibres constituant ce que nous avons appelé la harpe sympathique peut paraître excessive; on en a pourtant compté au microscope jusqu'à 3.000, et il est certain qu'il y en a davantage. Mais tenons-nous à ce chiffre de 3.000. Helmhotz fait remarquer avec sagacité qu'en évaluant à 200 les sons situés en dehors des limites musicales, et dont la hauteur n'est qu'imparfaitement déterminée, il reste 2.800 fibres pour les sept octaves des instruments de musique, c'est-à-dire 400 pour chaque octave, 33 et demie pour chaque demi-ton, en tout cas assez pour expliquer la perception des fractions de demi-ton, dans la limite où elle a réellement lieu.

Quant à la transmission au cerveau, par le nerf auditif, de l'impression sonore, il n'y a pas lieu de s'en étonner plus que d'une infinité de phénomènes physiologiques analogues. Le réseau de nerfs qui sillonne notre corps a été souvent comparé à un réseau de fils électriques, et cette comparaison paraît assez justifiée.

Dans tous ces fils ne circule qu'un seul et même fluide, le fluide électrique, et pourtant les uns transportent la force, d'autres transmettent la parole, d'autres vont répandre la lumière. Cela dépend des appareils divers placés à leurs extrémités ou dans leurs circuits. De même nos nerfs, conducteurs du fluide nerveux, selon les organes auxquels ils aboutissent, viennent apporter au cerveau, leur station centrale, les sensations du goût, de l'odorat, du toucher, de la vue ou de l'ouïe. Mais ce qui reste admirable, quoique la science l'explique, c'est la faculté merveilleuse qu'a l'oreille humaine de décomposer et d'analyser avec la précision que nous venons de voir les mouvements si compliqués de l'air vibrant, en opérant sur une aussi minime portion de cet air que celle qui arrive en contact avec le tympan. C'est pourtant, évidemment, ainsi que se produit le phénomène de l'audition.

E) Rapports des sons successifs. Tonalité.

Étant admis que l'oreille perçoit les sons dont la fréquence est comprise entre 16 et 20.000 environ par seconde, il faut comprendre que *le nombre des sons qui existent réellement entre ces deux limites* ne peut être exprimé par aucun chiffre. Plus une oreille est fine, bien constituée, bien exercée, et mieux elle árrive à diviser et subdiviser cette étendue, à saisir et évaluer de plus petites différences; aussi l'appréciation du degré de sensibilité de l'ouïe, pour les différences d'intonation, est-elle extraordinairement variable selon les auteurs.

Dans le bruit que fait le vent en sifflant dans une cheminée, un jour de tempête, ou dans les roseaux, le son monte et descend en passant sans interruption par différentes hauteurs; or, dans le nombre infini des valeurs que peut prendre la hauteur du son en variant ainsi d'une manière continue, il n'y a aucun degré qui puisse nous fixer et devenir un point de comparaison. Aucune oreille n'est capable de percevoir dans une telle suite de sons, et à tout instant, un degré précis d'intonation. C'est la matière musicale brute.

La musique, dans quelque civilisation que ce soit, a donc dû se créer son alphabet en choisissant dans l'infini sonore un certain nombre de sons fixes et déterminés, pour servir de points de départ à ses combinaisons plus ou moins élevées scientifiquement ou artistiquement. Il n'y a pas lieu de s'étonner que, selon les époques, les degrés de civilisation des peuples, leurs goûts barbares ou raffinés, les climats et les tempéraments, un grand nombre de gammes différentes aient existé et existent encore. C'est un sujet que nous aurons à traiter au chapitre spécial de l'histoire de la musique, et sur lequel je n'anticipe ici que pour signaler un fait absolu, invariable dans tous les pays où existe un germe, si rudimentaire qu'il soit, de musique : c'est la présence, *dans toutes les gammes*, de l'octave, de la quinte et de la quarte [1].

1. Deux sons sont dits en rapport
d'octave lorsque leurs fréquences sont dans le rapport 1/2.
de quinte juste lorsque leurs fréquences sont dans le rapport 2/3,
de quarte juste lorsque leurs fréquences sont dans le rapport 3/4,
de tierce majeure lorsque leurs fréquences sont dans le rapport 4/5,
de tierce mineure lorsque leurs fréquences sont dans le rapport 5/6,
de seconde majeure lorsque leurs fréquences sont dans le rapport 8/9.

La raison en est aisée à découvrir et s'impose; elle dérive des lois les plus simples de l'acoustique,

Abstraction faite des timbres, qui n'ont plus rien à voir ici, un son quelconque trouve son pareil dans un autre son à l'unisson; c'est le rapport de 1 à 1.

C'est là l'embryon de la musique; réduite ainsi à un seul son, elle serait vraiment trop monotone pour avoir chance de passionner les foules. Il faut donc chercher des éléments de variété dans d'autres sons, mais en les choisissant de telle sorte qu'ils aient des affinités faciles à saisir avec le son original.

Si une voix d'homme chante un *do* et qu'un autre homme veuille faire comme lui, il chantera la même note; mais si c'est une voix de femme qui veut de même en imiter l'intonation, cette note étant trop grave pour elle, elle cherchera dans son étendue ce qui y ressemble le plus, et trouvera le *do* , à l'octave supérieure; c'est, mathématiquement, le rapport de 1 à 2.

Après le rapport 1/2, le plus simple est évidemment le rapport 2/3, qui représente la quinte juste.

Il y a quelques années, étant à Pâques au Mont Saint-Michel, j'entendais les paysans chanter sans aucun accompagnement l'hymne que tout le monde connaît : *O filii et filiæ*; les basses disaient gravement : ; les voix

O fi-li - i et fi - li - æ

des femmes et des enfants les accompagnaient à l'octave :

, tandis que les femmes âgées et les jeunes garçons dans la mue, gênés par ces registres trop hauts ou trop graves pour eux, prenaient bravement un moyen terme, à la quinte des basses et à la quarte des dessus :

Le résultat était atroce pour mes oreilles :

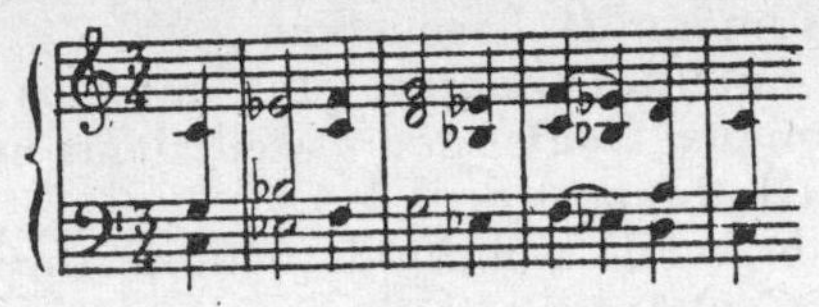

Au moyen âge, il eût paru satisfaisant et correct. Il dérive, en effet d'une loi parfaitement vraie et naturelle; après le rapport 1/2, qui est l'octave, les plus simples sont 2/3, qui est la quinte, et 3/4 qui est la quarte, et les paysans en question agissaient d'une façon entièrement logique, mais primitive.

Il est donc avant tout nécessaire d'admettre et de comprendre qu'aussi bien mathématiquement que physiologiquement, il existe une grande analogie entre les sons placés à distance d'octave, de quinte et de quarte, une ressemblance telle que des oreilles incultes peuvent les prendre et les prennent facilement l'un pour l'autre.

Ce qui ressemble le plus à *do* , c'est d'abord *do* puis ensuite *sol* ; donc, un individu peu exercé musicalement peut jusqu'à un certain point confondre ces trois sons, et la théorie mathématique excuse cette erreur de la manière la plus naturelle en démontrant que les rapports qui existent entre eux sont les plus simples qui puissent exister. Il suffit de se reporter à l'échelle d'harmoniques que nous avons précédemment établie par le calcul et vérifiée par l'expérience sur le monocorde pour le constater :

8ve $= \frac{2}{1}$; 5te $= \frac{3}{2}$; 4te $= \frac{4}{3}$.

Ces trois intervalles, l'octave, la quinte et la quarte, ont donc été, dans tous les pays, comme je l'ai déjà dit, la base de toute gamme rudimentaire, les premiers qu'on ait pu être amené à découvrir, même sans les chercher, avec la simple intention d'imiter un son primitif, et les premiers par conséquent que l'on ait songé à associer et à combiner de diverses façons, parce qu'ils étaient les plus faciles à saisir et à comparer entre eux.

Ceci bien établi, plaçons ces trois intervalles sur une même note (que nous appelons toujours *do* pour la commodité du raisonnement),

4te 5te 8ve

$\frac{4}{3}$ $\frac{3}{2}$ $\frac{2}{1}$

et il va devenir très simple, sans faire usage d'autres théories que celles que nous connaissons déjà, d'expliquer la formation de la gamme diatonique, majeure et mineure, puis, par extension, celle de la gamme chromatique.

Nous possédons dès à présent trois sons, liés par une parenté indiscutable : *do*, *fa*, *sol*; s'ils sont émis avec une certaine force par une voix bien timbrée, ou un instrument vigoureux, ils vont développer avec eux, dans une mesure quelconque, leurs harmoniques, dont toute oreille, même inculte, aura la perception plus ou moins consciente. Tout cela est bien démontré.

C'est donc parmi ces sons partiels, concomitants (accompagnants), que le musicien sera porté à chercher des éléments nouveaux. Et il les y trouvera, ou, pour mieux dire, il les y a trouvés, sans avoir à pousser la recherche au delà du 5e harmonique de chacun des trois sons principaux : *ut*, *fa*, *sol*, et sans autre guide que la résonance naturelle des corps sonores.

En effet, si les premiers harmoniques de *do* sont :

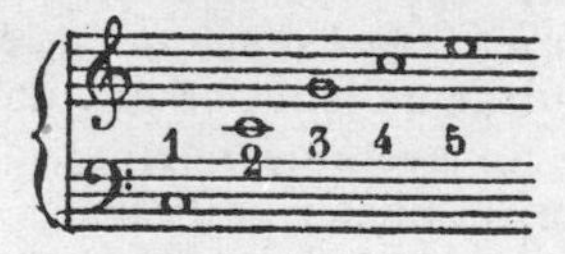

comme nous l'avons démontré, ceux de *fa* et de *sol* sont nécessairement :

et ces trois groupes réunis nous fournissent amplement de quoi constituer la gamme majeure :

Le *do* y figure quatre fois;

Le *ré*, une fois;

Le *mi*, une fois;

Le *fa*, trois fois;

Le *sol*, quatre fois;

Le *la*, une fois;

Le *si*, une fois; et il est à remarquer que chaque degré est représenté plus ou moins souvent selon son importance, selon le rang de préséance qui lui appartient dans la gamme, ainsi qu'on le verra plus loin, en étudiant la théorie de l'harmonie.

La gamme diatonique majeure peut donc être considérée, si l'on veut, comme un produit rationnel de la résonance des corps sonores, et ayant comme origine un son unique qui est la base du système, mais à la condition d'admettre que c'est *un produit façonné* et dont le génie humain a déterminé la forme définitive en raison de ses goûts et de ses aptitudes.

Nous n'entendons pas dire que ce système a été organisé par les mathématiciens ou d'après leurs calculs; il a été créé empiriquement par les musiciens, sans autre guide que leur instinct, qui les portait à choisir les sons dont les rapports leur paraissaient agréables; mais la théorie acoustique vient expliquer de quelle façon *leur sens artistique a été guidé à leur insu*, et prouve que le résultat de leurs essais, de leurs tâtonnements séculaires, constitue un système normal, admirablement d'accord avec la logique la plus rigoureuse.

Il y a plusieurs manières de se rendre compte des rapports numériques des sons de la gamme. J'indique ici celle qui me paraît la plus simple.

Reprenons d'abord la série des harmoniques, en la poussant, cette fois, plus loin que nous ne l'avons fait précédemment, jusqu'au quinzième; c'est nécessaire pour que ce tableau contienne, au moins une fois, chacun des intervalles que nous avons à mesurer. La voici :

Or, la gamme majeure est formée de sept sons :

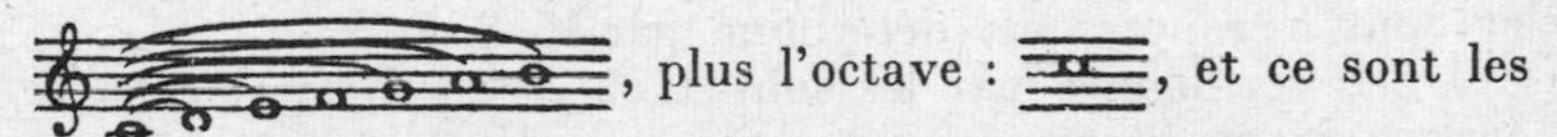, plus l'octave : , et ce sont les rapports existant entre ces sons qu'il s'agit d'établir.

Les deux premiers (*do-ré*), forment ce que les musiciens appellent une seconde majeure; un intervalle semblable se trouve dans la série des harmoniques, entre les sons 8 et 9 (*do-ré*). Si l'on n'a pas oublié que le numéro d'ordre des harmoniques exprime exactement leur nombre de vibrations relativement au son principal, et par conséquent aussi entre eux [1], on concevra aisément que, pendant que *do* (8) fait 8 vibrations, *ré* (9) en fait 9; donc, pendant que *do* n'en fait qu'une seule, *ré* en fera une plus un huitième, c'est-à-dire 9/8. Le rapport existant entre ces deux notes, ou tous autres sons formant une seconde majeure, s'exprime donc par 9/8.

Le même raisonnement s'applique à tous les intervalles; nous allons l'abréger.

La tierce majeure (*do-mi*, 1er et 3e degrés de la gamme) figure dans la série des harmoniques sous les numéros 4 et 5 (*do-mi*). ce qui veut dire que si *do* est produit par 4 vibrations, *mi* en exige 5; si *do* n'en fait qu'une (4/4), *mi* en devra alors faire $4/5 + 1/4 = 5/4$. Le rapport 5/4 représente donc la tierce majeure.

Les harmoniques 3 et 4 (*sol-do*) nous donnent un exemple de quarte juste, et nous apprennent que cet intervalle est formé par deux sons dans le rapport 3/4; il en est nécessairement de même de toute autre quarte juste, et celle qui existe

1. Page 40.

entre le 1er et le 4e degré de la gamme (*do-fa*) sera donc bien exprimée par la fraction 4/3.

La quinte juste (*do-sol*), 1er et 5e degrés) est représentée dans l'échelle des harmoniques par les sons numéros 2 et 3; donc, son rapport est 3/2.

Les sons 3 et 5 (*sol-mi*) nous fournissent une sixte majeure; le rapport de la sixte majeure que contient la gamme du 1er degré au 6e (*do-la*) est par conséquent 5/3.

Enfin, et c'est pour cela que nous avons étendu la série d'harmoniques, du 8e au 15e se trouve la septième majeure (*do-si*), la même que présente la gamme du 1er au 7e degré, et dont le rapport est déterminé par 15/8.

L'octave, donnée par les sons 1 et 2, est formée, nous le savons depuis longtemps, par deux sons dont l'un exécute une vibration, tandis que l'autre en exécute deux : 2/1 = 2.

Résumons tous ces rapports en un tableau :

Intervalles musicaux :

Gamme majeure :

Rapports des nombres de vibrations

On peut également représenter ces rapports en nombres entiers, en multipliant le tout par 24, qui est le plus petit multiple commun des dénominateurs 2, 3, 4, 8; on obtient ainsi le nombre relatif de vibrations pour chaque son d'une gamme majeure parfaitement juste :

do	*ré*	*mi*	*fa*	*sol*	*la*	*si*	*do*
1	$\frac{9}{8}$	$\frac{5}{4}$	$\frac{4}{3}$	$\frac{3}{2}$	$\frac{5}{3}$	$\frac{15}{8}$	2
24	27	*30*	*32*	*36*	*40*	*45*	*48*

La gamme mineure, qui affecte d'ailleurs diverses formes, est un produit beaucoup plus artificiel. C'est, à vrai dire, une gamme majeure, dont l'art altère certains rapports, en respectant toujours les trois sons générateurs [notation musicale], bases immuables du principe tonal.

C'est sur les 5e harmoniques de ces trois sons que portent les modifications, qui consistent à les abaisser soit tous trois, soit deux seulement, soit même quelquefois un seul, d'une quantité déterminée. Dans le tableau suivant, on voit la gamme majeure, par ces modifications, devenir en quelque sorte de plus en plus mineure :

Gamme majeure.	*do*	*ré*	*mi*	*fa*	*sol*	*la*	*si*	*do*
	1	$\frac{9}{8}$	$\frac{5}{4}$	$\frac{4}{3}$	$\frac{3}{2}$	$\frac{5}{3}$	$\frac{15}{8}$	2
			↓					
Gammes mineures	*do*	*ré*	*mi* ♭	*fa*	*sol*	*la*	*si*	*do*
	1	$\frac{9}{8}$	$\frac{6}{5}$	$\frac{4}{3}$	$\frac{3}{2}$	$\frac{5}{3}$	$\frac{15}{8}$	2
			↓			↓		
	do	*ré*	*mi* ♭	*fa*	*sol*	*la* ♭	*si*	*do*
	1	$\frac{9}{8}$	$\frac{6}{5}$	$\frac{4}{3}$	$\frac{3}{2}$	$\frac{8}{5}$	$\frac{15}{8}$	2
			↓			↓	↓	
	do	*ré*	*mi* ♭	*fa*	*sol*	*la* ♭	*si* ♭	*do*
	1	$\frac{9}{8}$	$\frac{6}{5}$	$\frac{4}{3}$	$\frac{3}{2}$	$\frac{8}{5}$	$\frac{7}{4}$	2.

Les sons nouveaux qu'on y introduit ainsi ont une parenté moins directe, un rapport moins simple avec la tonique, son principal, d'où résulte la sensation de vague qui caractérise le mode mineur, et en fait le charme un peu triste. Le mode mineur est un mode malade, dont certains membres sont volontairement atrophiés par les musiciens, tout comme les horticulteurs le font pour les plantes lorsqu'ils veulent créer de nouvelles variétés, plus belles à leur idée, mais assurément moins naturelles et moins robustes.

Reste à expliquer la gamme chromatique. Je vais le faire d'après une théorie que je tiens directement de M. Barbereau, un grand érudit modeste, auquel ses contemporains ont fait la place trop petite.

Reprenons la gamme majeure et envisageons-la sous une nouvelle face, plus familière aux musiciens. Les sons dont elle se compose, et dont nous avons démontré l'affinité, la parenté plus ou moins directe avec un son principal appelé tonique, sont inégalement espacés entre eux. Ils présentent cinq intervalles *à peu près* semblables, et deux autres sensiblement plus petits; ce sont les tons et les demi-tons, ainsi distribués :

tons :
ut ré mi fa sol la si ut
1/2 tons :

Ces deux demi-tons admis, il est naturel que les musiciens, toujours désireux d'enrichir leur système par l'addition de nouveaux sons, aient songé à en intercaler d'autres dans les cinq grands espaces, de façon à obtenir une suite discontinue de demi-tons. Mais encore fallait-il, pour satisfaire leur oreille, que ces sons nouveaux fussent choisis de telle façon qu'il existât un lien quelconque entre eux et la tonique. Ce lien, voici la manière ingénieuse dont Barbereau en démontrait l'existence :

Les sept notes de la gamme naturelle, rangées dans un certain ordre, présentent une série de quintes justes :

fa do sol ré la mi si

Si on poursuit cette série (toujours par quintes justes), à droite, on obtient cinq nouveaux sons :

fa do sol ré la mi si FA♯ UT♯ SOL♯ RÉ♯ LA♯

qui, intercalés avec les premiers, viennent justement remplir les espaces de tons, ainsi :

ut UT♯ *ré* RÉ♯ *mi fa* FA♯ *sol* SOL♯ *la* LA♯ *si ut*

Si on prolonge au contraire la série à gauche :

SOL♭ RÉ♭ LA♭ MI♭ SI♭ *fa do sol ré la mi si*

les mêmes espaces sont également remplis, mais cette fois au moyen des bémols :

ut RÉ♭ *ré* MI♭ *mi fa* SOL♭ *sol* LA♭ *la* SI♭ *si ut*

Ces deux séries, celle par dièses et celle par bémols, nous offrent chacune une succession de quintes absolument justes, de quintes pythagoriciennes [1], du rapport exact 3/2. Si l'on

1. Voir plus loin *Histoire de la musique.*

compare entre eux les sons intercalaires correspondants, au moyen du calcul, on trouve qu'ils diffèrent par la faible quantité appelée *comma* [1], qui approche tellement de la limite d'appréciation des sons, que, tout en reconnaissant mathématiquement son existence, on peut *musicalement* la considérer comme négligeable. Il existe à ce sujet une singulière divergence entre les musiciens et les physiciens : ces derniers, se basant sur des calculs positifs, veulent absolument que l'*ut dièse* soit plus bas que le *ré bémol*, tandis que les musiciens, guidés par leur sens artistique, affirment énergiquement le contraire. Toujours est-il que, par des concessions réciproques, justifiées par la tolérance de l'oreille, on a admis que *ut* ♯ = *ré* ♭ (puis, par extension aux autres sons intercalaires, *ré* ♯ = *mi* ♭, *fa* ♯ = *sol* ♭, *sol* ♯ = *la* ♭, *la* ♯ = *si* ♭), ce qui a constitué la seule vraie gamme chromatique réellement pratique, dite *gamme tempérée :*

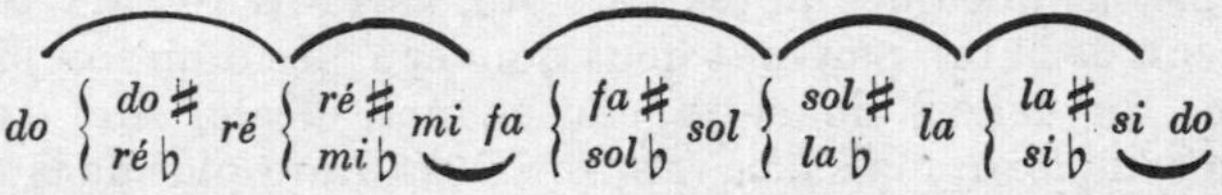

do { *do* ♯ / *ré* ♭ } *ré* { *ré* ♯ / *mi* ♭ } *mi* *fa* { *fa* ♯ / *sol* ♭ } *sol* { *sol* ♯ / *la* ♭ } *la* { *la* ♯ / *si* ♭ } *si* *do*

Cette gamme est formée de douze sons espacés symétriquement, parmi lesquels se retrouvent ceux de la gamme diatonique, au nombre de sept, plus cinq autres, qui portent chacun deux noms différents, nécessaires au point de vue de l'orthographe musicale, ce qui les a fait appeler *notes synonymes.* Aucun d'eux n'est rigoureusement juste, mais il s'en faut de si peu que l'oreille la plus délicate n'y trouve rien qui la choque [2].

Tel est, avec ses défauts et ses qualités, le système de tonalité accepté de nos jours dans les pays occidentaux. On l'appelle *tempérament.* C'est ainsi que sont accordés les pianos, les orgues, tous les instruments à sons fixes. Les instruments à cordes, les voix, et dans certains cas les instruments à vent, possèdent la faculté de faire différer les notes synonymes.

1. Les musiciens disent que le comma est la neuvième partie du ton. Pour les physiciens, c'est le rapport $\frac{81}{80}$

Le comma pythagoricien est $\frac{531441}{524288}$

2. La valeur déjà si faible du comma pythagoricien $\frac{531441}{524288}$ se trouve répartie par douzième sur chacune des douze quintes.

F) Rapports des sons simultanés.

INTERVALLES; ACCORDS; CONSONANCE ET DISSONANCE

Nous arrivons aux combinaisons simultanées des sons, aux accords, c'est-à-dire au principe même de la consonance et de la dissonance. Il est facile de prévoir que l'explication s'en trouve dans le phénomène même de la production du son, avec son accompagnement *naturel* d'harmoniques, et que la clef nous en sera livrée par la corde fixée à ses deux extrémités, qui aura été ainsi, du commencement à la fin, l'instrument de nos investigations.

L'idéal de la consonance, ce serait le son rigoureusement pur, dégagé de tout alliage de sons partiels; de tels sons, nous l'avons déjà dit, n'existent que théoriquément, mais pourtant le diapason, quelques notes de flûte, certains tuyaux d'orgue (dits jeux de flûte), peuvent nous donner l'idée d'un son presque simple. En dehors de cette consonance idéale, tout son est un son complexe; mais il se rapproche d'autant plus de la pureté théorique que les partielles qui le composent sont en rapport numérique plus simple avec lui-même. Plus les sons partiels sont proches du son principal, mieux ils lui font cortège, et mieux aussi ils l'accompagnent et produisent sur notre organisation la sensation agréable que nous qualifions de consonance. Si, au contraire, les sons partiels sont très éloignés de leur son fondamental, et par conséquent très rapprochés entre eux, nous n'avons plus la perception d'un tout homogène, mais d'un son pauvre en lui-même, accompagné d'un bruit aigu désagréable; c'est la dissonance. Il en est absolument de même pour les agrégations de sons qu'on nomme accords, et dans lesquelles l'art ne fait qu'imiter la nature. Plus on se rapproche, dans ces groupements, du son simple théorique, et plus le résultat obtenu est consonant, dans le sens musical du mot.

En réalité, la limite absolue entre la consonance et la dissonance n'existe pas; elle varie selon le degré de sensibilité de l'ouïe chez chaque individu, et aussi selon l'accoutumance résultant de l'éducation; c'est une question de tolérance de l'oreille, ce qui est dur pour l'un pouvant paraître très agréable à son voisin. On n'en peut pas plus discuter que des goûts et des couleurs.

Mais, s'il est impossible de dire où finit la consonance et où commence la dissonance, il est très facile au contraire d'établir une gradation, en laissant chacun libre de mettre la barrière là où il lui plaira.

C'est ce que nous allons faire, en reprenant la corde fixée à ses deux extrémités et en étudiant de nouveau la série des harmoniques, source inépuisable d'où dérive, en somme, tout le matériel de l'art musical. Cette fois, je présente les harmoniques de *do* en les reliant deux par deux et consécutivement de façon à en tirer tous les groupes offrant des rapports différents.

Étant donné que l'idéal de la consonance, la pureté absolue, serait exprimé par le rapport 1/1, qui est effectivement celui de l'unisson, il est certain que plus nous en approchons, c'est-à-dire plus le rapport est simple, et plus il y a consonance; en lisant les fractions de l'exemple ci-dessus dans l'ordre où elles se présentent, nous trouvons donc une série de groupes de deux sons de moins en moins consonants, de plus en plus dissonants.

Poursuivons l'expérience en groupant les sons, non plus consécutivement, mais en en franchissant un ou plusieurs, de façon à épuiser les combinaisons réellement différentes qu'on peut former avec les dix premiers harmoniques :

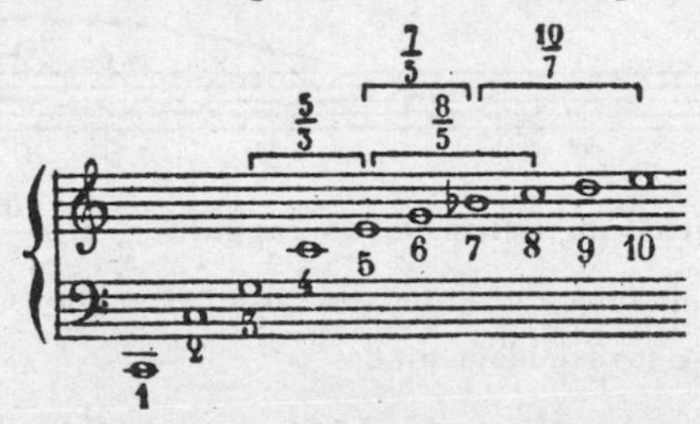

Cela ne nous fournit que quatre groupes nouveaux, s'éloignant de plus en plus de la consonance parfaite.

Si maintenant nous classons toutes ces fractions en commençant par celles qui présentent les rapports les plus simples, nous déterminerons indubitablement le degré de douceur ou de dureté relative de tous les intervalles qu'elles représentent [1] :

Tel est, à mon sens, le système le plus simple et le plus vrai pour mesurer le degré de consonance ou de dissonance entre deux sons.

Tout en ayant établi au début qu'il n'existe pas de frontière naturelle entre les consonances et les dissonances au point de vue purement physique, et qu'il n'y a là qu'une question de *tolérance* de l'oreille, qui consent à supporter tel ou tel degré de dureté, comme je devrai plus tard, en parlant d'harmonie, employer la classification adoptée en musique, j'ai dès à présent indiqué la délimitation généralement admise, au moyen d'un trait pointillé.

1. J, signifie juste; M, majeur; m. mineur; /, diminué; + augmenté.

J'ai ajouté à ce tableau, afin qu'il contienne tous les intervalles de la gamme majeure, les rapports $\frac{16}{9}$, $\frac{15}{8}$ et $\frac{16}{15}$ correspondant aux intervalles de 7e mineure, 7e majeure et 2e mineure, qui ont déjà été déterminés précédemment. Il est facile d'en vérifier l'exactitude en poussant la série des harmoniques jusqu'au 16e :

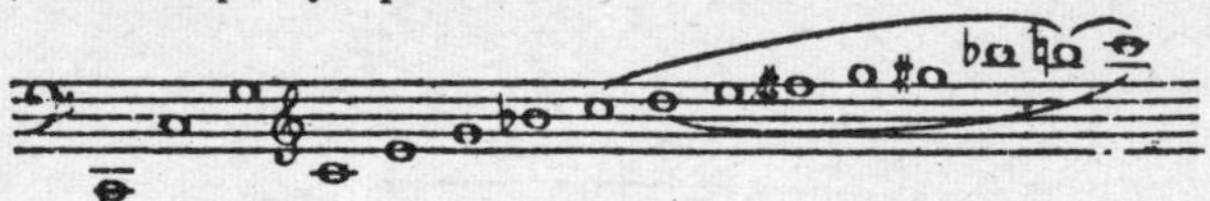

J'en ai retranché, au contraire, les rapports $\frac{8}{7}$ et $\frac{10}{9}$, qui représentent des variétés de tons plus grands ou plus petits que celui de la gamme tempérée, qui est invariablement de $\frac{9}{8}$.

Ce que j'ai dit des sons complexes, puis des intervalles, s'applique nécessairement aux accords, qui ne sont que des groupements d'intervalles. Plus on reste près de la pureté absolue de l'unisson, et mieux se produit l'impression de consonance.

Prenez notre son 1, accompagnez-le de ses harmoniques 13, 14, 15, qui en sont très éloignés.

il y aura évidemment dissonance.

Au contraire, choisissez son accompagnement parmi les harmoniques les plus proches, ceux qui offrent les rapports les plus simples, et vous aurez formé un accord essentiellement consonant :

C'est ainsi qu'est constitué l'accord parfait. En A, on reconnaît les 6 premiers harmoniques, les consonances les plus parfaites; en B, les mêmes sons entendus simultanément; en C, sont supprimés ceux qui faisaient double emploi, un *sol* et deux *do*; en D, ils sont groupés de la façon la plus simple et présentent entre eux les rapports 2/3, 5/4, 6/5.

Mais si on s'aventure plus loin, si on adjoint le son partiel 7, *si* ♭, on entre dans la région considérée comme dissonante :

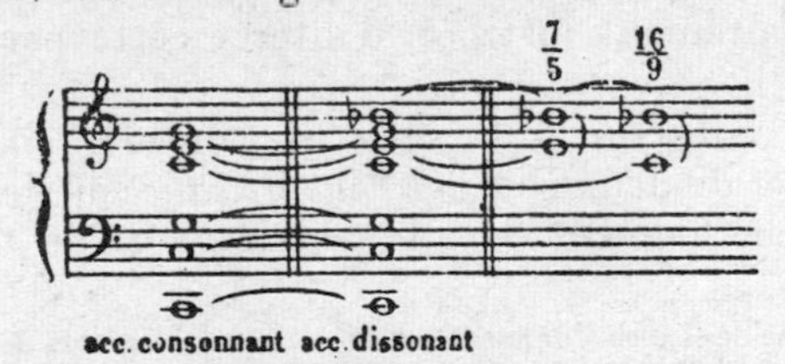

à cause des rapports 7/5 et 16/9 (*mi-si* ♭ et *do-si* ♭) qui sont déjà trop éloignés de la pureté théorique et produisent sur notre oreille une légère sensation de dureté.

Helmholtz a établi à ce sujet une tout autre théorie, admirablement ingénieuse, basée sur les *sons résultants*, mais qui a le défaut de ne pas s'accorder exactement avec le sentiment musical. Je m'en tiens donc à celle que je viens d'exposer, mais en conseillant au lecteur d'étudier aussi celle d'Helmholtz, très intéressante dans sa subtilité, et qui, si elle ne satisfait pas absolument le sens artistique, renferme des éléments de nature à guider les vrais chercheurs.

G) Sonorité des salles.

La branche la moins avancée des sciences acoustiques, malgré le grand intérêt qu'elle présente, est certainement celle qui a trait à la *sonorité des salles*, intimement liée à l'architecture. On possède depuis longtemps des données, des documents, mais on n'est pas encore arrivé à construire à coup sûr, mathématiquement, une salle parfaite au point de vue de l'acoustique [1].

Il n'y a pas très longtemps qu'un de nos plus célèbres architectes, chargé de construire à Paris une salle de spectacle, a parcouru l'Europe pour étudier partout, en Italie, en Allemagne, en Angleterre, etc., les conditions de sonorité des théâtres réputés comme satisfaisant le mieux à ces lois inconnues; malgré toute sa conscience, le résultat n'a rien donné d'extraordinaire, au point de vue de la sonorité, bien entendu. Ce même architecte, chargé de l'entretien de la salle du Conservatoire, qui est une merveille d'acoustique, sans qu'on puisse au juste dire pourquoi, n'ose pas déplacer la cloison d'une loge, ajouter une draperie, faire la moindre modification, dans la crainte, parfaitement justifiée, d'altérer cette perfection inexpliquée.

Lorsqu'on construit une salle de concert, ou de théâtre, on a à se garer de deux écueils : l'*insuffisance* ou l'*excès* de sonorité; c'est généralement dans le deuxième qu'on tombe.

1. L'acoustique des salles a donné lieu à de nombreux travaux depuis la rédaction de ce livre par A. Lavignac, et nos connaissances sur ce problème complexe se sont largement étendues, grâce à W. Sabine et au docteur Marage en particulier. Le lecteur intéressé par cette question lira avec profit la *Physiologie de la voix à l'usage des orateurs et des chanteurs* (Gauthier-Villars, éditeur) du docteur Marage, ainsi que le chapitre du tome II du *Cours de Physique* de Jean Becquerel (Hermann, éditeur) traitant de l'acoustique des salles.

Une salle est nécessairement un lieu clos dans lequel les ondes sonores se ne propagent pas avec la même liberté qu'en plein air, par zones concentriques, mais subissent contre les parois, murs, plafond, plancher, les réflexions les plus diverses; là ne borne pas la complication, car, selon leur nature, selon la matière dont elles sont faites, pierre plus ou moins dure, fer, bois de diverses essences, étoffes de tenture, les parois offrent des degrés divers de résistance, de conductibilité aussi, et produisent les effets les plus imprévus. Il y a plus : telle salle dont la sonorité est trop violente lorsqu'elle est vide, devient très bonne lorsqu'elle est garnie de spectateurs, apportant avec eux le capitonnage de leurs vêtements, qui agit sur le son comme le feraient des tapis ou des draperies.

La pire des choses pour une salle, qu'elle soit destinée à la musique ou à la parole, c'est de présenter des échos ou des répercussions. Or, nous ne sommes guère plus capables d'éviter un écho que d'en produire un. Je ne sais où j'ai lu l'histoire d'un Anglais qui, ayant trouvé en voyage une maison isolée dans laquelle se produisait un écho remarquable, l'acheta, en numérota les pierres, les fit transporter, et fit reconstruire la même maison, identiquement semblable, avec les mêmes matériaux, dans sa propriété, en Angleterre. L'écho n'y était plus, et, nécessairement, l'Anglais se fit sauter la cervelle. Vraie ou non, cette histoire est absolument vraisemblable. Il existe une quantité d'échos célèbres; les uns sont des phénomènes naturels, et se produisent dans des vallées, dans des grottes, où on les a découverts; d'autres ont été créés par la main de l'homme dans des édifices, mais involontairement; on les explique, on se rend compte de leur raison d'être, mais on ne saurait pas en construire d'exactement semblables.

Les *Vasques* du Louvre, au musée des Antiques, et la fameuse salle du Conservatoire des Arts et Métiers ne présentent que des phénomènes de renforcement de la sonorité au moyen de la réflexion des rayons sonores par des surfaces dont la courbure a été combinée à cet effet, comme on le ferait en optique pour des jeux de glaces. Il n'y faut pas voir des *échos*, dans le sens vrai du mot.

Le foyer de l'ancien Opéra de Berlin, construit en 1743 et détruit par un incendie un siècle plus tard, présentait un phénomène analogue.

Voici ce qu'on sait de positif, ou à peu près positif, à ce sujet : le son se réfléchit sur une surface quelconque, comme la lumière sur une surface polie, et selon la même loi (l'angle d'incidence est égal à l'angle de réflexion); il parcourt 340 mètres par seconde; d'autre part, nous ne pouvons guère émettre plus de dix syllabes, ou dix sons musicaux distincts, en moins d'une seconde, soit une syllabe en un dixième de seconde; pendant ce temps, le son a parcouru 34 mètres; s'il rencontre une surface réfléchissante, il revient en arrière avec la même vitesse, c'est-à-dire en un deuxième dixième de seconde, et nous le percevons comme écho. Donc, il ne peut pas exister un écho à moins de 34 mètres; et encore n'est-il apte à répéter qu'un seul son, ou une syllabe; pour qu'il en répète deux, il faudrait une distance double, 68 mètres, etc. C'est ce qui arrive fréquemment dans les montagnes.

Au-dessous de 34 mètres, s'il n'existe pas d'écho nettement caractérisé, répétant distinctement les articulations, il peut se produire des répercussions tout aussi désagréables; j'entends ici par répercussion une sorte d'écho incomplet, trop court, dans lequel le son réfléchi fait retour à l'oreille si rapidement qu'il se confond avec le son direct, qu'il paraît prolonger et renforcer par un bourdonnement pénible et fatigant. Les voûtes des cathédrales produisent presque toujours des échos et des répercussions qui ne sont certes pas sans majesté, mais qui rendent souvent la parole inintelligible et dénaturent toute combinaison musicale; il n'existe que peu de grandes églises qui puissent être considérées comme vraiment bonnes pour la musique; aussi évite-t-on en général, dans les compositions destinées à l'église, les successions rapides de sons, qui augmenteraient les chances de confusion, en même temps qu'elles détruiraient le caractère de solennité.

On sait que la rigidité des parois n'est pas une condition indispensable pour la production des échos; en mer, une voile gonflée par le vent, dans la campagne, un rideau d'arbres, des nuages, sont des causes fréquentes de ce phénomène.

On sait encore que les surfaces droites font diverger les rayons sonores, les éparpillent; que les surfaces paraboliques rendent les rayons parallèles, et que les surfaces elliptiques les font converger vers l'un des foyers (fig. 57); ce dont on peut tirer cet enseignement que la forme elliptique est à éviter, aussi bien pour les voûtes que pour les murs, puisqu'elle ne serait avantageuse que pour le seul spectateur placé exactement au foyer; on sait que la nature des parois n'est pas à négliger, que le son rebondit et se renforce sur les surfaces élastiques; on sait que les pièces nues sont infiniment plus sonores que celles tendues de draperies; on sait encore quelques autres choses; mais ce qu'on ne sait pas, c'est le moyen pratique de tirer parti de toutes ces connaissances.

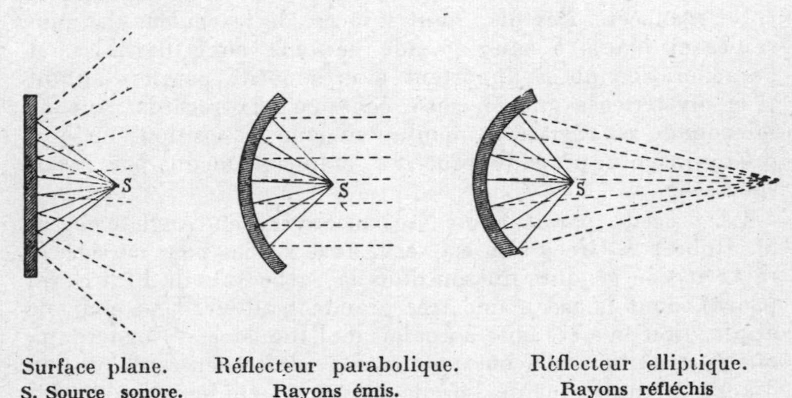

Surface plane. S. Source sonore. — Réflecteur parabolique. Rayons émis. — Réflecteur elliptique. Rayons réfléchis

Les anciens, dont les théâtres, cirques ou amphithéâtres étaient à ciel ouvert, perdaient indubitablement par là un grand nombre de vibrations, mais en revanche ils n'avaient pas à redouter les répercussions de la voûte; aussi tous leurs efforts devaient-ils tendre à renforcer le son de façon à permettre à la voix des acteurs, malgré sa déperdition dans l'air libre, dc parvenir avec une puissance suffisante aux gradins les plus élevés. Les Grecs, dont les cirques renfermaient plusieurs milliers de spectateurs, employaient pour cela un procédé longuement décrit par Vitruve; ils plaçaient dans des sortes de niches ménagées sous les gradins de grandes cloches d'airain ou de terre cuite, accordées de façon à renforcer certains sons; de telles cloches étaient surtout usitées à Corinthe, d'où elles furent importées à Rome par Mummius (145 av. J.-C.).

N'avaient-ils pas découvert les résonateurs?

Le célèbre facteur d'orgues Cavaillé-Coll, qui était un grand acousticien, a employé dans le but inverse, pour atténuer une sonorité excessive, le curieux moyen suivant : des fils de coton, de vulgaire coton à tricoter, sont tendus faiblement à mi-hauteur entre les parois de l'édifice, parallèlement au sol, de façon à former une sorte de réseau sur lequel les ondes sonores viennent se briser un peu comme les vagues de la mer se brisent et perdent leur force contre les épis ou autres obstacles relativement très faibles qu'on leur oppose pour la défense des côtes menacées. Ces fils, étant minces, de la couleur des murailles et placés à assez grande hauteur, sont invisibles, et l'amélioration qu'ils apportent à la sonorité paraît d'autant plus mystérieuse que la cause échappe aux regards. Aucune loi connue ne régit leur nombre ni leur disposition; on doit donc, jusqu'à présent, procéder empiriquement, par essais successifs.

Ce procédé paraît avoir été découvert en Angleterre, et M. Robert S. Greeg s'en est servi avec succès pour corriger la répercussion gênante du son dans la cathédrale de Fint-Barre (Cork), dont la nef a une très grande hauteur. Une nouvelle application en a été faite au palais de l'Industrie d'Amsterdam, où les conditions d'acoustique étaient défectueuses et où l'on craignait que l'effet de l'orgue demeurât confus et voilé par d'incommodes répercussions. « Des fils de coton ordinaire, assez fins et présentant peu d'élasticité, furent tendus, selon différentes directions, dans la partie supérieure de la salle. Au fur et à mesure de la pose de ces fils, on put constater que l'excès de résonance diminuait sensiblement. L'impression produite, dès l'abord, était celle d'une sorte de tranquillité s'établissant dans l'atmosphère, et les bruits accidentiels qui, durant l'opération s'élevaient dans la salle, semblaient s'amoindrir et s'isoler. L'épreuve faite avec l'orchestre, dans la salle vide d'abord, puis dans plusieurs concerts à programmes variés, confirma ce premier résultat d'une manière assez saillante pour frapper non seulement les auditeurs, mais surtout les musiciens, qui s'aperçurent, non sans surprise, qu'ils s'entendaient eux-mêmes beaucoup plus distinctement qu'ils ne l'avaient jamais fait jusque-là [1]. »

Avec un succès plus ou moins complet, mais jamais sans

1. C.-M. Philbert, *l'Orgue du palais de l'Industrie d'Amsterdam* : 1876.

que l'effet soit nul, le même système a été essayé à Paris, à l'église Notre-Dame des Champs, à la salle des fêtes du Trocadéro, et plus récemment à la salle de la Société d'horticulture.

H) Rapports entre l'acoustique et le rythme.

Si donc certains locaux présentant des effets d'écho ou de répercussion sont par cela même impropres ou mal appropriés à l'usage musical, leur imperfection s'accroît d'autant plus que l'on y fait entendre des sons se succédant plus rapidement; dans une salle *trop* sonore, des accords isolés, ou séparés par de longs silences, peuvent produire une résonance harmonieuse et imposante, tandis qu'une suite de sons émis à des intervalles plus rapprochés n'aboutirait qu'à un horrible charivari, chacun d'eux devant fatalement se mélanger avec celui ou ceux qui l'ont précédé, d'abord, puis ensuite avec celui ou ceux qui le suivent.

Ce fait, qui explique, entre parenthèses, pourquoi les orateurs, les prédicateurs surtout, parlent lentement, séparent les mots et les syllabes, pour diminuer les chances de confusion entre les ondes émises et les ondes de retour, permet d'établir un lien entre les trois qualités principales du son, l'*intonation*, l'*intensité* et le *timbre*, commandées par les lois de l'acoustique, et une quatrième qualité, la *durée*, qui semble arbitraire, abandonnée au caprice du compositeur ou de l'exécutant, et qui est pourtant soumise à certaines lois, naturelles aussi, celles du *rythme*, peu connues et peu étudiées.

On a recherché l'origine du sentiment rythmique dans la marche, dans les battements du cœur, dans les bruits de la respiration, et plus mathématiquement dans les oscillations invariablement isochrones du pendule.

La marche nous donne bien l'idée la plus simple de la division binaire. A l'état de veille, on respire régulièrement, à deux temps; mais pendant le sommeil l'expiration est deux fois plus longue que l'aspiration, ce qui produit la division ternaire, la mesure à trois temps.

Le métronome, instrument qui mesure le rythme musical comme le monocorde mesure les vibrations, n'est pas autre chose qu'une horloge qui bat des fractions de minute, comme le ferait un pendule dont on pourrait à volonté faire varier la longueur. Or, je tiens à rappeler, pour en faire le rapprochement, que c'est justement dans les mouvements analogues à ceux du pendule que nous avons trouvé la démonstration la plus simple de la vibration. Nous nous trouvons donc ramenés, par cette incursion dans le domaine du rythme, exactement au point de départ de nos recherches sur les phénomènes acoustiques ayant caractère musical.

Quelle qu'en soit l'origine, il est certain que le sentiment de la division du temps en parties égales existe chez nous, mais dans des limites restreintes, et que nous ne percevons avec précision et certitude que deux modes de division les plus simples : par 2 et par 3, la division binaire et la division ternaire. Nous reconnaissons bien l'égalité en durée de huit ou seize sons émis successivement, mais c'est au moyen de cette opération mentale inconsciente : 16 : : 2 : : 2 : : 2 = 2. En 9, nous saisissons de même 3 fois 3.

La preuve, c'est que nous n'évaluons pas avec la même facilité des groupes formés de 10, 15 ou 17 sons. Pour que nous ayons la perception nette de la division du temps, il faut que nous puissions la ramener à l'un de ces deux points de comparaison : 2/1 ou 3/2, qui sont aussi bien les bases du système rythmique que celles du système harmonique.

Les combinaisons que l'on peut tirer de ces deux modes de division sont à peu près inépuisables, et nous sommes loin de les employer toutes; chez les Arabes et les Orientaux, qui ne connaissent pas l'emploi des sons simultanés, le rythme a acquis une importance et un développement plus considérables, car c'est en lui seul que consiste la richesse de l'accompagnement [1].

Ce n'est pas ici, en raison de l'ordre méthodique adopté dans ce petit ouvrage, que doit prendre place l'étude du rythme; aussi je n'en parle que pour signaler au lecteur ce fait remarquable, que tous les éléments constitutifs de l'art musical se rattachent aux mathématiques, ou, pour mieux dire, en dérivent. Est-ce pour cela qu'en général les savants, mathématiciens, physiciens, physiologistes, sont des amateurs passionnés

1. Chose singulière, ils lui donnent le nom d'*harmon e*, qui [illegible] nécessairement, dans le sens d'*accompagnement*.

de musique? En tout cas, comme ils diraient eux-mêmes, la réciproque n'est pas vraie, car il est rare, regrettablement rare, de voir un musicien se complaire dans l'étude des sciences positives, ne fût-ce que pour y rechercher la cause première des phénomènes naturels avec lesquels il joue familièrement.

Il est pourtant certain qu'en musique tout n'est que nombres et rapports de nombres.

*
* *

J'espère bien que personne ne pensera que j'aie eu la prétention de faire ici, en 61 pages, un traité d'acoustique; plus encore que la place, la science m'eût manqué pour cela. Ce que j'ai voulu démontrer, c'est que ceux qui s'intéressent à l'art musical peuvent trouver un plaisir réel à l'analyse scientifique des matériaux bruts de cet art; si j'ai réussi à leur ouvrir de nouveaux horizons, à éveiller leur curiosité, mon but est atteint, et il ne me reste plus qu'à leur signaler les ouvrages dans lesquels ils pourront véritablement étudier l'acoustique, ouvrages dans lesquels j'ai puisé d'ailleurs la plus grande partie de mes documents [1] :

HELMHOLTZ. *Théorie physiologique de la musique*, traduit par Guéroult. (Paris, Victor Masson, 1868.)
J. TYNDALL. *Le Son*, traduit par l'abbé Moigno. (Paris, Gauthier-Villars, 1869):
RADAU, *L'Acoustique*. (Paris, Hachette, 1870.)
MABILLON. *Éléments d'acoustique*. (Bruxelles, 1874.)
G. KASTNER. *La Harpe d'Eole et la musique cosmique*. (Paris, 1856.)

Je procéderai de même par la suite. Les chapitres qui vont venir ne visent à remplacer ni les Traités d'instrumentation, ni les cours d'harmonie et de fugue; ils ne prétendent pas enseigner la composition ou l'histoire de la musique; mais seulement répandre dans le public musical des notions vraies et précises sur chacune de ces branches de l'ruditien artistique, de nature à intéresser les amateurs et les curieux, comme à guider les jeunes étudiants dans la direction de leurs travaux.

1. Aux ouvrages cités par A. Lavignac, il convient aujourd'hui d'ajouter les suivants :
H. BOUASSE, *Bases physiques de la musique*. (Gauthier-Villars, 1906.)
J. BECQUEREL. *Cours de physique*, tome II (Hermann, 1926.)
A. FOCH. *Acoustique*. (Armand Colin, 1934.)
Enfin le lecteur désireux d'étudier l'acoustique dans ses moindres détails, s'adressera aux douze ouvrages qui lui ont été consacrés par H. BOUASSE. (Ch. Delagrave, éditeur.)

CHAPITRE II

LE MATÉRIEL SONORE

A) De l'Instrumentation.

Les sons qui forment le matériel musical ne peuvent être produits que par trois catégories d'instruments :

Les instruments à vent.
Les instruments à cordes.
Les instruments à percussion[1].

la voix humaine étant considérée comme appartenant à la première de ces catégories, dont elle forme le type le plus parfait.

La connaissance de ces divers agents de la sonorité, c'est-à-dire de l'étendue, du timbre particulier, de la construction et du mécanisme de chacun d'eux, constitue la science dite *Instrumentation*[2], le terme d'*Orchestration* restant plus spécialement réservé à l'art de les grouper, de les agencer et combiner

1. Instruments électriques. Dans les vint dernières années, on a inventé et mis au point divers instruments dans lesquels le son musical est engendré par des vibrations électriques.

A cette catégorie appartiennent les *Ondes musicales Martenot*, instrument d'un emploi courant dans les ensembles orchestraux contemporains, et certaines *orgues* (*Hammond* ou autres).

A dire vrai, la qualité musicale sonore de ces instruments laisse encore à désirer.

2. Connaissance des instruments; application de leurs qualités individuelles à la traduction et l'interprétation de l'idée musicale.

de toutes manières, de jouer avec eux comme un peintre avec les couleurs de sa palette.

Nous allons donc les étudier ici un à un, plaçant en tête la voix humaine, qui nous servira souvent, par la suite, de comparaison commode.

La meilleure manière de s'assimiler le mécanisme d'un instrument qu'on ne pratique pas, c'est de lire avec soin des méthodes bien écrites; c'est pour cela qu'à la suite des principaux instruments nous mentionnerons quelques méthodes spéciales.

VOIX HUMAINE

Tout le monde a une voix quelconque, bonne ou mauvaise, forte ou faible, étendue ou restreinte, juste ou fausse, le plus souvent juste et peu étendue, mais enfin une voix, c'est-à-dire la faculté de produire quelques sons ayant caractère musical. A l'état inculte, cette voix se rapproche généralement, dans nos climats, du baryton pour les hommes, du mezzo-soprano pour les femmes et les enfants, et il est rare de trouver un individu aphone, incapable, selon son âge et son sexe, d'émettre l'une des deux séries de sons suivants :

L'étude, en développant ces voix rudimentaires, n'a pas seulement pour effet d'en augmenter le volume; elle en améliore aussi le timbre, en même temps qu'elle en déplace et agrandit l'étendue, soit au grave, soit à l'aigu. Il en résulte, pour les voix cultivées, la classification suivante, qui n'est qu'approximative, car elle varie considérablement selon les écoles diverses et l'appréciation de chacun, mais qui me paraît pourtant donner une idée assez exacte de l'échelle qui appartient à chaque genre de voix nettement caractérisée.

(J'entends par nettement caractérisée une voix ayant déjà été l'objet de quelques études, par opposition aux voix incultes, natives, sur l'avenir desquelles on ne peut baser, au début, que des hypothèses.)

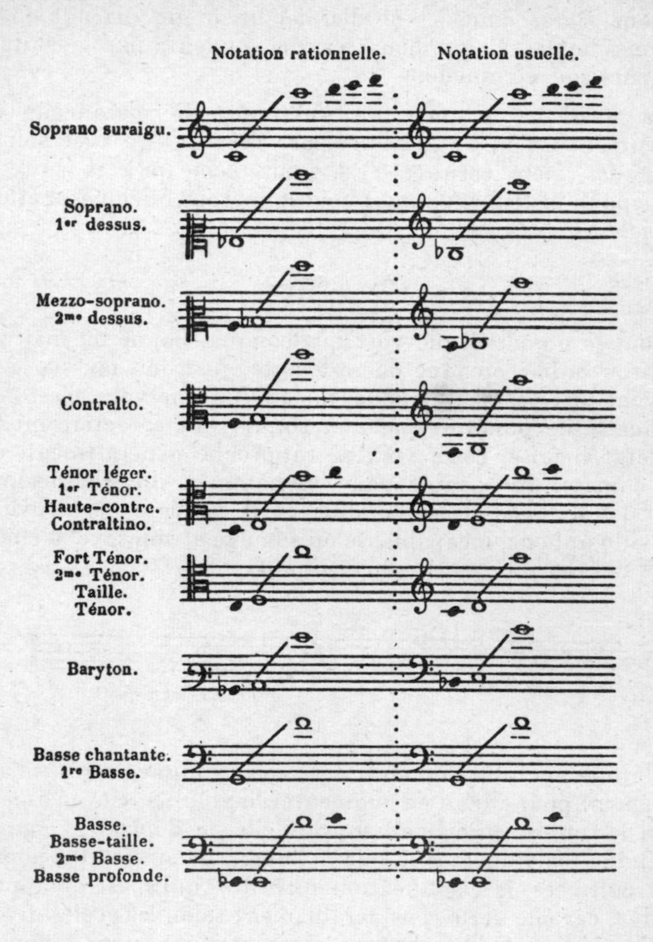

Voici le même tableau, en notation usuelle seulement, et présenté dans une forme qui permettra de mieux saisir l'échelonnement des voix, au moyen d'une échelle générale présentée sous la forme d'une double portée de piano, au bas de l'exemple.

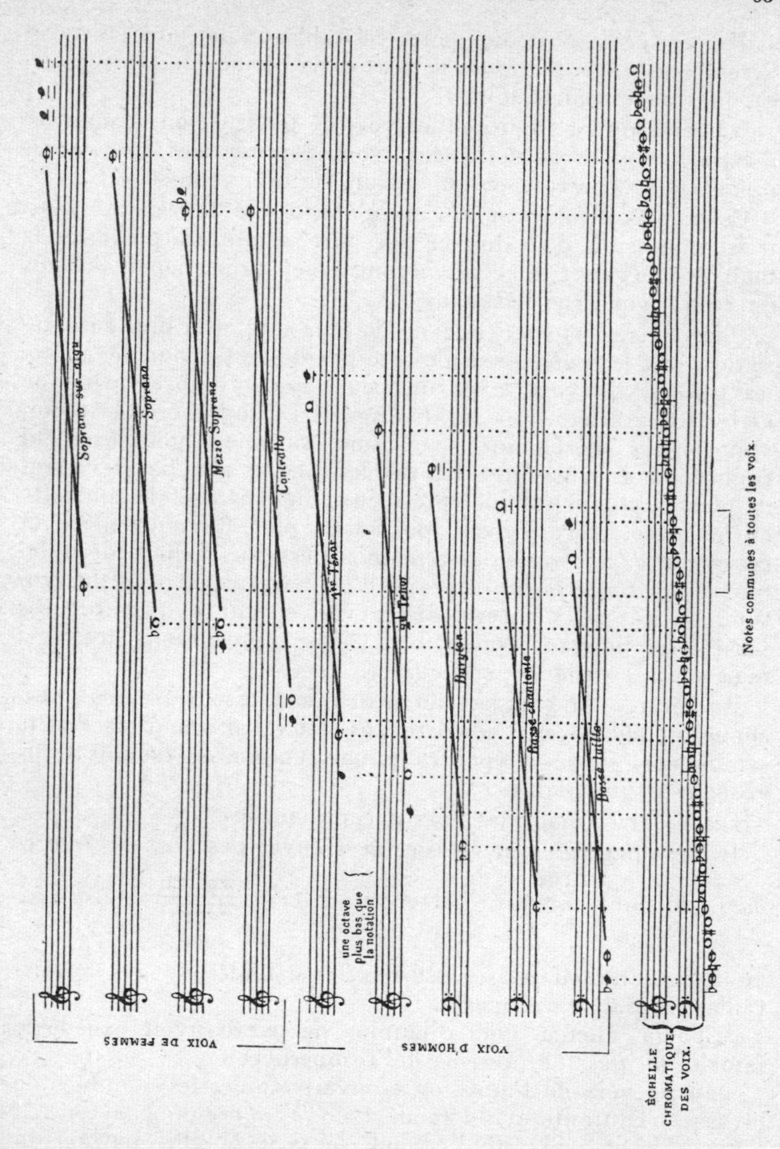
Soprano sur-aigu
Soprano
Mezzo Soprano
Contralto
1er Ténor
2d Ténor
Baryton
Basse chantante
Basse taille
une octave plus bas que la notation
VOIX DE FEMMES
VOIX D'HOMMES
ÉCHELLE CHROMATIQUE DES VOIX.
Notes communes à toutes les voix.

Il est intéressant de comparer ces tableaux des voix cultivées à celui des voix *théoriques* usitées dans l'étude de l'harmonie, qu'on trouvera plus loin.

On remarquera aussi que les voix de ténor, selon la manière d'écrire adoptée actuellement, sont représentées *une octave au-dessus* du son réel, ce qui est un véritable non-sens.

Cette classification n'a rien d'absolu, je le répète; mais il est impossible d'en donner une plus précise, les plus grands maîtres dans l'art du chant ayant à peu près chacun la leur, en ce qui concerne l'étendue.

Pour classer les voix, la chose la plus sûre et la plus caractéristique est le *timbre*; s'il n'existe pas de mots pour dépeindre les timbres de voix, avec un peu d'esprit d'observation on arrive assez aisément à les distinguer. Le soprano et le ténor, voix aiguës de chaque sexe, sont surtout vigoureusement timbrées dans leurs notes hautes, les sons les plus bas devenant de plus en plus sourds ou cotonneux; au contraire, le contralto et la basse, voix graves, possèdent plus d'homogénéité et *conservent de la force en descendant*. Il est plus difficile de différencier un ténor ou un soprano d'un baryton ou d'un mezzo-soprano, ces voix intermédiaires présentant de nombreuses variétés et pouvant donner lieu à des appréciations diverses; mais alors l'étendue peut guider.

En résumé, la voix est un instrument essentiellement personnel et *élastique*, il n'existe pas deux voix en tous points semblables, et on ne pourra jamais établir de délimitations absolues et invariables.

Disons deux mots des voix exceptionnelles.

Il n'est pas rare, en Russie, de trouver des voix de *contre-basse* qui font entendre nettement le *la* ♭,  une quinte au-dessous du *mi* ♭, qui est l'extrême limite de nos basses-tailles les plus caverneuses.

A l'aigu, aucune voix d'homme ne paraît avoir excédé le fameux *ut dièse* de poitrine de Tamberlick.

Dans la voix de Faure, on trouvait réunies les étendues de la basse chantante et du ténor avec *le timbre* du baryton.

L'admirable voix de l'Alboni, le type le plus parfait du

contralto, parcourait, en conservant partout la même richesse de timbre, cette énorme étendue [1] :

D'autres font entendre dans l'air de *la Reine de la nuit* de *La Flûte enchantée*, et sans effort apparent, le *fa* suraigu que devait également posséder la créatrice du rôle, la belle-sœur de Mozart : Josepha Weber.

Sibyl Sanderson montait couramment au *sol*

Ce sont bien là des voix extraordinaires; à quel degré devait donc l'être celle de Lucrèce Aguiari, dite « la Bastardella »,

1. J'avais demandé à l'Alboni l'étendue exacte de sa voix; en réponse, elle m'a adressé la curieuse lettre suivante, que je ne puis résister au désir de reproduire; je n'en supprime que quelques passages absolument personnels :

Paris, 26 mars 1892.

Mon cher Lavignac,

. . . .

. . . . . A l'âge de huit ans, j'avais une voix de contralto déjà formée; et celui qui m'aurait entendue, sans me voir, aurait pu croire que c'était un jeune homme de 16 à 18 ans qui chantait. J'avais une très grande facilité à retenir les morceaux que j'entendais : il m'arrivait souvent de chanter les soli du contralto, et ensuite les soli du soprano dans le registre du soprano. C'était un jeu d'enfant qui aurait pu me coûter très cher; car lorsqu'à l'âge de onze ans je commençais à étudier très sérieusement la musique et le chant, j'avais un véritable trou entre les deux registres. Je m'appliquai à corriger ce défaut avec beaucoup de soins, d'études et d'exercices, et j'arrivai ainsi à obtenir des notes du milieu, du *Si* bémol au *Ré* naturel, d'une douceur très grande; mais jamais ces notes ne furent aussi robustes que les notes basses! C'est par ma manière de chanter que j'ai pu, tant bien que mal, cacher ce défaut.

Lorsque après plusieurs années d'études ma voix fut arrivée à son complet développement, je pouvais très facilement faire une gamme du *Sol* bas, à l'*Ut* aigu des soprano : quelques fois, en faisant ces exercices, j'allais du *Fa* bas, jusqu'au *Ré* et au *Mi* bémol aigu; mais c'était pour mon amusement. En public, je ne me suis jamais permis que le *Sol* bas, et l'*Ut* aigu.

Avec mes deux registres, j'ai pu chanter le contralto et le soprano, je chantais *La Somnambule*; *Norma*; *Don Pasquale*; *Anna Bolena*; *La Fille du Régiment*, etc., etc., etc.! J'ai chanté aussi le rôle d'*Elena* de la *Donna del Lago*; *Ninetta* de la *Gazza Ladra*, etc., etc., etc. — Bien entendu, j'ai chanté aussi tous les rôles de contralto de ces différents ouvrages.

A Londres, en 1848, au Théâtre de Covent-Garden, j'ai chanté le rôle de *Don Carlos* dans l'*Hernani* de Verdi, pour faciliter les débuts d'une camarade; la troupe du théâtre n'ayant pas de baryton dans ce moment-là.

La voix de contralto étant par elle-même monotone, j'introduisais des roulades de mon cru dans les points d'orgue; mais toujours dans le style de l'ouvrage que je chantais; j'allais ainsi souvent jusqu'à l'*Ut* aigu. Mais j'avais bien soin de finir toujours par une note de vrai contralto, car c'était mes notes les plus veloutées et les plus nourries!

De cette façon j'étais sûre de mon effet.

. . . .

Marie Ziéger Alboni.

que Mozart a entendue en 1770, et qui a exécuté devant lui des vocalises jusqu'à l'*ut*[1]  de 4.138 vibrations par seconde?

Entre le *contre-la* ♭ des basses russes et l'*ut sur-aigu* de la Bastardella, il y a un écart de 5 octaves et une tierce majeure; c'est l'ultime limite de l'organe vocal, dans ses manifestations les plus rares.

Analysons le fonctionnement physiologique de cet instrument modèle.

La voix humaine, seul instrument vivant, prend naissance dans le larynx, moyennant une expiration un peu forcée. L'air, chassé des poumons, s'achemine, à travers les ramifications des bronches, vers un canal assez large d'abord, la trachée, qui se resserre rapidement de façon à l'obliger à traverser une étroite fente; c'est la glotte; les bords de cette ouverture sont formés de lames vibrantes, élastiques, les lèvres de la glotte, lesquelles, agissant à la façon des anches, tantôt permettent et tantôt interceptent le passage de l'air.

Par leur tension variable, elles déterminent la vitesse des vibrations, d'où dépend la hauteur du son, dont le timbre est ensuite modifié puissamment par la conformation, qui diffère selon les individus, du palais, de la trachée, des fosses nasales, ainsi que par la position de la langue et des lèvres au moment de l'émission.

Relativement étroite chez la femme et l'enfant, l'ouverture de la glotte s'élargit considérablement chez les jeunes garçons à l'époque de la mue, ce d'où il résulte que l'homme adulte a une voix plus grave[2]; mais elle ne perd pas pour cela la faculté de se contracter, ce qui la fait *octavier* subitement et produit la voix dite *de tête* ou *de fausset*, par opposition à la voix ordinaire, qu'on appelle voix *de poitrine*. Ces dénominations sont toutes également inexactes, puisque l'ensemble de tout l'appareil pulmonaire, laryngique et buccal, concourt à la formation de tout son vocal; pourtant, elles sont tellement consa-

1. Il est bon de tenir compte qu'en 1770 le diapason était un peu plus bas qu'aujourd'hui.
2. En moyenne elle baisse d'une octave.

crées par l'usage dans tous les pays, et en même temps elles donnent si bien l'impression de la différence des timbres, qu'il serait déraisonnable de chercher à leur substituer une appellation plus rationnelle; mais il ne nous est pas défendu, physiologiquement, de considérer les notes de voix de tête, au timbre flûté, comme quelque chose d'analogue au deuxième harmonique des tuyaux ou des instruments à vent, qui ne serait qu'un reste de la voix d'enfant.

Dans la voix de poitrine, les lèvres de la glotte vibrent dans leur entier; dans la voix de tête, seulement par leurs bords, ce que démontre l'examen laryngoscopique.

MÉTHODES DE CHANT

En plus de la célèbre méthode de chant du Conservatoire, écrite en collaboration par GARAT, GOSSEC, MÉHUL, CHÉRUBINI et autres maîtres d'alors, on a des méthodes de chant de : CARULLI, Mme CINTI-DAMOREAU, CROSTI, DELLE-SEDIE, DUPREZ, GARAUDÉ, GARCIA, etc., toutes appréciables à des points de vue divers.

OUVRAGES PLUS MODERNES.

PANOFKA	*L'Art de chanter.*
PLANEL (Jean)	*Le Chant pratique.*
LABRIOT et HUSSON	*Le Chant scientifique.*
PANZÉRA	*L'Art de chanter.*
LEHMANN (LILI)	*Mon art du chant.*
FAURE (J.).	*La voix et le chant.*

OUVRAGES RELATIFS A LA PHYSIOLOGIE VOCALE

MANDL	*Hygiène de la voix* (1879).
MANUEL GARCIA	*Observations physiologiques sur la voix humaine.*
BATAILLE	*Recherches sur la phonation.*
FOURNIÉ	*Physiologie de la voix et de la parole.*
GOUGENHEIM et LARMOYER	*Physiologie de la voix et du chant.*
Dr CASTEX	*Hygiène de la voix parlée et chantée* (1894).
WICART (A.)	*Les puissances vocales. Le chanteur.*

La grande supériorité de la voix sur tous les instruments créés par l'industrie humaine, c'est l'adjonction de la parole, qui lui permet d'exprimer avec précision, d'expliquer au fur et à mesure la nature des sentiments émis musicalement. Sans cette incomparable faculté, elle semblerait surpassée, soit comme étendue, soit comme agilité, soit comme puissance, par plusieurs des instruments de musique dont nous allons maintenant entreprendre de faire la connaissance et d'étudier les principaux caractères.

Grand Orgue.

Doit-on considérer le grand orgue comme *un instrument* ou comme *un orchestre*, un ensemble d'instruments mû par un seul individu? J'inclinerais volontiers vers la deuxième définition. En tout cas, c'est l'instrument polyphonique par excellence.

Si le violon est le roi de l'orchestre, l'orgue en doit être le dieu : car, chaque fois qu'il y mêle ses accents, c'est pour le dominer, le protéger ou le soutenir; il n'apparaît jamais qu'en maître suprême, toujours planant d'une sereine majesté au-dessus des masses sonores.

S'il est plus difficile de décrire l'orgue que tout autre instrument, cela ne tient pas seulement à ce qu'il est le plus volumineux et le plus puissant, comme aussi le plus compliqué; c'est surtout parce qu'il n'y a pas deux orgues semblables. Une simple série de tuyaux accordés chromatiquement, commandés par un clavier et actionnés par un soufflet, constitue déjà un orgue rudimentaire, l'orgue à un jeu; mais celui de Saint-Sulpice en possède 118, celui de Notre-Dame 110, et il y en a de plus considérables encore, par exemple celui du Wannamaker Hall à Philadelphie, qui a plus de 235 jeux et de 18.000 tuyaux.

Or, il faut savoir qu'un jeu représente à lui seul l'équivalent d'un instrument d'orchestre complet, d'une étendue de cinq octaves, et souvent des plus puissants.

Il est dit dans la Bible que Dieu fit l'homme à son image; je crois qu'on peut penser sans irrévérence qu'il n'a pas entendu faire un portrait flatté. Inversement, quand l'homme a voulu créer un instrument destiné à chanter Dieu et ses louanges, il semble qu'il ait pris modèle sur son propre organe vocal, et qu'à son tour il ait fait l'orgue à son image, mais fortement agrandie. En effet, dans cet instrument géant, on retrouve, en tenant compte des proportions, tous les éléments qui constituent la voix humaine : la soufflerie remplace les poumons [1], les vastes conduits qui distribuent le vent vers les différents jeux représentent les bronches et la trachée; les anches sont autant de glottes, et les tuyaux d'innombrables larynx; mais

1. Les souffleries sont maintenant partout actionnées par des moteurs électriques.

ce que l'homme n'a pu imiter, c'est la souplesse et l'élasticité de l'instrument vivant, qui lui permet de faire varier, par quelques contractions ou dilatations, à la fois l'intonation et le timbre; le facteur d'orgue doit employer autant de tuyaux d'inégale grandeur qu'il veut fournir de sons différents, et varier la forme de ces tuyaux autant de fois qu'il entend produire des timbres divers; il remplace la qualité par la quantité.

Les plus grands tuyaux d'orgue qui aient jamais été faits ont 32 pieds de hauteur, produisant l'*ut*—, de 32.3 vibrations. Le poids d'un jeu de flûte de 32 pieds atteint environ 1.960 kilos. Il n'y a pas lieu d'en construire de plus longs, car leur son ne serait pas perceptible, musicalement parlant; au-dessous de cette limite, l'oreille humaine saisit les vibrations séparément, comme des chocs isolés; elle peut les compter et n'éprouve plus la sensation d'un son déterminé. Les plus courts tuyaux arrivent à la dimension de minuscules sifflets, de huit à dix millimètres, d'une acuité extrême, confinant, par l'autre bout, à la limite aiguë des sons appréciables.

C'est dire que l'orgue parcourt toute l'étendue de l'échelle musicale, et ne connaît d'autres bornes que celles que notre constitution physiologique assigne elle-même à l'organe de l'ouïe.

La forme des tuyaux, qui peuvent être *cylindriques*, *coniques*, *évasés*, *rétrécis* à leur sommet, *rectangulaires*, plus ou moins *larges* ou *étroits* par rapport à leur longueur, *ouverts*, *bouchés*, *percés*, munis d'un *pavillon*, etc., et *jusqu'à un certain point* la matière dont ils sont formés, qui permet d'obtenir des parois intérieures plus ou moins lisses, plus ou moins résistantes, font varier à l'infini la forme de la colonne d'air ébranlée; de là résultent des différences de timbre, dont la richesse peut être considérée comme inépuisable, car elle ne dépend que du degré d'habileté et d'ingéniosité du facteur.

Les matériaux employés le plus souvent sont : les bois de chêne, de sapin rouge, de noyer, érable, poirier; l'étain pur, l'alliage d'étain avec une faible quantité de plomb, qu'on appelle *étoffe*, et un mélange d'étain et de cuivre à 1/100, auquel on donne le nom d'*aloi*.

On peut diviser les tuyaux en deux catégories bien distinctes ; les *jeux de fonds* et les *jeux d'anches*.

Les JEUX DE FONDS eux-mêmes sont de deux espèces : les *jeux de flûte* ou *jeux ouverts*, dont les tuyaux vibrent sans subdivision dans toute leur longueur, et produisent par conséquent leur son fondamental, ou encore se divisent en plusieurs segments vibrants, de façon à faire entendre leurs sons partiels 2 ou parfois 3 (dans ce dernier cas, on les appelle *octaviants* ou *harmoniques*); et les *jeux de bourdon* ou *jeux bouchés*, dont l'extrémité opposée à celle par laquelle l'air fait son entrée est hermétiquement fermée. Il résulte de cette disposition que la colonne vibrante se réfléchit au fond du tuyau et doit en parcourir une seconde fois la longueur; le son produit est conséquemment l'octave grave de celui que fournirait un tuyau ouvert de la même hauteur, ce que la théorie acoustique démontre aisément.

La sonorité des jeux bouchés est moins franche, plus sourde et plus cotonneuse que celle des jeux ouverts; mais ils occupent un espace moindre, ce qui n'est pas une considération à négliger lorsqu'on édifie un orgue. D'ailleurs, par le fait même de leur *matité*, ils contribuent d'une façon indispensable à la variété de timbres qui est une des richesses de l'instrument [2].

D'une façon générale, plus les tuyaux sont larges, et plus le son possède d'ampleur et de rondeur; au contraire, des tuyaux relativement étroits, en favorisant le développement des harmoniques, donnent au timbre un caractère plus mordant, plus pénétrant, sans toutefois en exclure complètement la douceur et la sérénité qui sont l'apanage des jeux de fonds.

Dans les JEUX D'ANCHES il y a lieu de distinguer aussi deux catégories principales : les *anches libres*, qui sont disposées de façon à se mouvoir dans l'ouverture qui leur est réservée sans qu'il y ait aucun frottement; et les *anches battantes*, qui, à chaque vibration, viennent se heurter plus ou moins violemment contre les parois du tube qu'elles commandent. Inutile de dire que les premières possèdent plus de douceur, de finesse et de distinction que les secondes, auxquelles appartiennent l'extrême éclat, le mordant, le brillant, et une puissance de pénétration allant parfois jusqu'à la rudesse.

Dans les jeux d'anches, la hauteur du son est déterminée par la longueur et l'épaisseur de l'anche elle-même; la hauteur

1. Ils n'ont que les harmoniques impairs.

du tuyau doit pourtant lui être proportionnée, et contribue beaucoup à modifier le timbre. Le tuyau agit ici comme un puissant résonateur.

Négligeant volontairement un grand nombre d'appellations fantaisistes que les *organiers* de divers pays ont attribuées à des variétés de jeux, je donne ici seulement la nomenclature de ceux que l'on rencontre le plus fréquemment dans les orgues de quelque importance, en les classant selon les divisions précédemment établies. En regard de chaque nom, je signale le diapason *ordinaire* de chaque jeu, et je mets entre parenthèses ceux qui se rencontrent rarement. Il ne faut pas oublier que ces chiffres représentent, en pieds, la hauteur du plus grand tuyau de chaque jeu; on doit donc lire : huit pieds, seize pieds, trente-deux pieds, etc., pour l'*ut* grave de chaque jeu.

JEUX DE FONDS

Tuyaux ouverts, et relativement larges.						
Principal ou montre				8.	16.	32.
Flûte			4.	8.	16.	(32).
Flûte douce			4.	8.		
Prestant			4.			
Doublette		2.				
Contrebasse					16.	32.
Diapason				8.		
Unda Maris				8.		
Piccolo	1.					
Flûte harmonique			4.	8.		
Flûte octaviante			4.			
Tuyaux plus étroits.						
Gambe			(4).	8.	(16).	
Salicional		(2).	4.	8.	(16).	
Violoncelle				8.		
Violon			(4).	8.		
Basse de violon					16.	
Viola d'amore			4.	8.		
Voix céleste				8.		
Éolien				8.	(16).	
Tuyaux bouchés.						
Bourdon			4.	8.	16.	32.
Flûte bouchée			4.	8.	16.	32.
Quintaton				8.	16.	(32).
Bourdon harmonique			4.	8.		
Cor de nuit				8.		

JEUX D'ANCHES

Anches libres.

Hautbois			8.		
Basson			8.	(16).	
Musette			8.		
Clarinette			8.		
Voix humaine			8.		
Cromorne			8.		
Cor anglais			8.		

Anches battantes.

Trompette			8.	16.	
Bombarde				16.	(32).
Trombone				16.	(32).
Clairon	(2).	4.			
Tuba			8.	16.	
Trompette harmonique			8.		
Clairon harmonique		4.			
Cromorne harmonique			8.		

JEUX DE MUTATION

Plein-jeu.
Fourniture-cymbale.
Nazard ou quinte.
Cornet.
Etc.

On remarquera, à la fin de ce tableau, une catégorie de jeux dont je n'ai pas encore parlé : les *jeux de mutation*.

Très en honneur jadis, délaissés quelque peu au XIXe siècle et dans la construction de certains instruments modernes, ces jeux, dont le principe peut paraître barbare au premier abord, n'en constituent pas moins une des applications les plus judicieuses de nos connaissances sur la constitution du son musical. Leurs tuyaux sont accordés de façon à faire entendre, non le son écrit, la note jouée, mais seulement un ou plusieurs de ses harmoniques; ainsi le jeu de nasard ou quinte, quand on joue un *do*, fait entendre un *sol*; le cornet donne, avec trois rangs de tuyaux, l'accord parfait *do*, *mi*, *sol*, une octave au-dessus; le plein-jeu ou la fourniture contiennent la presque totalité des sons partiels. Pourquoi, dira-t-on, cette cacophonie?

Pour le comprendre, il faut se souvenir qu'un son, pour avoir un caractère musical satisfaisant, doit être accompagné d'un certain nombre de sons partiels ou concomitants; sans cela il nous apparaît comme faible, indéterminé, *manquant de timbre.* Or, c'est le cas de plusieurs jeux de fonds, des bourdons notamment; ils produisent un son par trop pur pour nous plaire, trop dénué d'harmoniques, que nous trouvons fade et incolore; mais si on leur adjoint artificiellement, au moyen d'un jeu de mutation *bien approprié,* les sons partiels qui leur font défaut, notre oreille n'a nullement conscience du subterfuge, et éprouve simplement l'impression d'un son fondamental suffisamment riche et bien timbré. C'est là l'utilité des jeux de mutation qui, bien employés, sont d'un usage parfaitement musical et plein de logique.

D'autres jeux sont construits sur un principe autrement surprenant : dans la *voix humaine,* la *voix céleste,* par exemple, chaque touche commande à deux tuyaux légèrement discordés, c'est-à-dire accordés de telle façon que l'un d'eux est un peu trop haut, l'autre un peu trop bas, d'une très faible quantité à vrai dire. Assurément c'est faux, mais si peu qu'on ne s'en aperçoit que lorsqu'on le sait; et la sonorité chatoyante et ondulante qui résulte de cette singulière disposition possède un charme particulier, une sorte de vacillement et de balancement du son.

Il est bon pourtant de n'en faire qu'un usage modéré et motivé. L'abus fatiguerait vite l'oreille. De même, on évite généralement de mélanger ces jeux avec les autres, ce qui paraîtrait alors tout à fait faux.

L'*unda maris* aussi est un jeu *discordé.*

Tous les tuyaux appartenant à un même jeu, de quelque genre qu'il soit, sont chromatiquement échelonnés, par rang de taille, et plantés sur une caisse en bois, hermétique, qu'on appelle *sommier.* Dans les sommiers s'accumule et se comprime l'air envoyé par la soufflerie, qui ne peut trouver d'issue que par lesdits tuyaux; mais, à l'état de repos, ces tuyaux mêmes lui sont fermés par un double mécanisme : les *registres* et les *soupapes,* dont nous allons expliquer le fonctionnement.

On peut se représenter schématiquement les *registres* comme de longues règles plates, glissant dans des rainures, sous chaque rangée de tuyaux, et percées de trous destinés à permettre l'introduction dans ces tuyaux de l'air contenu dans le sommier; au moyen de boutons placés à droite et à gauche, ou au-dessus des claviers, l'organiste fait mouvoir les registres de façon à ouvrir ou fermer à la fois tous les tuyaux des différents jeux qu'ils *régissent*, d'où leur nom.

Un jeu étant ouvert, c'est-à-dire son registre ayant glissé dans sa rainure de la quantité nécessaire pour amener chacun de ses trous en face du tuyau correspondant, l'air n'y pénètre pas encore; car chaque tuyau, à l'état de repos, a son orifice inférieur clos par une *soupape*, qui ne peut être ouverte que par l'abaissement d'une touche du clavier.

Ainsi donc, au moyen d'un registre, l'organiste fait appel à tout un jeu; et, par une touche du clavier, il commande à une note précise de ce même jeu. Aussi bien, s'il avait ouvert tous les registres, avec un seul doigt il ferait parler toutes les notes semblables de tous les jeux; tandis que si tous les registres sont fermés la touche reste muette.

Ceci s'applique rigoureusement à un orgue très simple et n'ayant qu'un seul clavier; mais en général les grandes orgues possèdent deux, trois, quatre et même cinq claviers superposés en amphithéâtre, plus un pédalier, et les jeux sont répartis entre ces divers claviers.

Aucune règle absolue ne préside à cette répartition; je l'ai déjà dit, il n'y a pas deux orgues semblables. Dans la majorité des cas, s'il s'agit d'un orgue à 5 claviers, le premier [1], qui s'appelle *positif*, contient les jeux à articulation rapide, ceux qui prêtent à la volubilité et sont placés de manière à porter directement sur l'auditoire [2]; le deuxième s'appelle *clavier de grand orgue*, et commande aux jeux les plus énergiques; il en est à peu près de même au troisième, ou *clavier de bombarde;* le quatrième, ou *clavier de récit*, est surtout composé de jeux fins, délicats, bons à être employés *en solo;* enfin le cinquième, ou *clavier d'écho*, correspond à des tuyaux placés à une grande distance au fond de l'orgue ou dans le haut, de façon à produire l'effet de sons lointains. Les claviers sont donc ainsi échelonnés :

5e Écho;
4e Récit;
3e Bombarde;
2e Grand orgue;
1er Positif.

1. Celui du bas; on les compte de bas en haut.
2. Dans la plupart des anciennes orgues, les jeux du positif occupent un petit buffet à part, en avant du grand buffet, et entièrement séparé du reste de l'instrument.

Quand il n'y a que quatre claviers, l'écho ou la bombarde font défaut; on a alors :

4e Écho;
3e Récit;
2e Grand orgue;
1er Positif;

ou :

4e Récit;
3e Bombarde;
2e Grand orgue;
1er Positif.

Dans des instruments de moins vastes proportions, le grand orgue et la bombarde ne forment qu'un seul clavier; il en est de même du récit et de l'écho; il en résulte cette combinaison de claviers assez fréquente :

3e Récit;
2e Grand orgue;
1er Positif.

S'il n'y a que deux claviers, le plus souvent le premier tient lieu de positif et de grand orgue, le second conserve les jeux de détail :

2e Récit;
1er Positif.

Mais *rien n'est plus variable* que ces dispositions.

Il arrive très souvent, et c'est même général dans les orgues de construction moderne, qu'une partie des jeux est enfermée dans une chambre séparée, dont une ou plusieurs des cloisons sont formées de *jalousies* pouvant se fermer, s'entr'ouvrir ou s'ouvrir graduellement au moyen d'une pédale; quand cette *boîte expressive* est grande ouverte, les sons ont leur maximum d'intensité; en la fermant on obtient un effet d'éloignement très marqué. C'est surtout au clavier de *récit* que ce mécanisme est généralement appliqué; toutefois il existe des orgues qui ont plusieurs claviers et même tous leurs *claviers expressifs*.

L'étendue ordinaire donnée aux claviers est de 4 octaves et demie, d'*ut* à *sol*

Je pense inutile de répéter que cette étendue apparente n'est nullement celle de l'instrument, puisque chaque touche peut faire parler, ensemble ou séparément, cinq octaves différentes, selon que sont ouverts ou fermés les registres de 2, 4, 8, 16 ou 32 pieds. De plus, il y a le pédalier.

Le *clavier de pédales* ou *pédalier* a généralement 2 octaves et quatre notes, de *do* à *fa* ; placé sous les pieds de l'organiste, il est formé de touches disposées comme celles d'un clavier manuel, mais d'assez grandes dimensions pour permettre de remplacer le doigté ordinaire par l'emploi alternatif de la pointe et du talon, ce qu'on appelle le *doigté du pédalier*, qui exige d'assez longues études.

Le clavier de pédales étant chargé de faire entendre la basse de l'harmonie, on concevra aisément qu'il doit être riche en jeux graves de tous timbres et de toutes espèces, de 16 pieds, de 32 pieds même, si l'instrument en contient, ce qui n'exclut pas la présence d'autres jeux plus aigus, qu'on pourra employer soit comme jeux de solo, soit pour renforcer, préciser et éclaircir les sons graves.

Comme organes accessoires, mais également très importants, il y a encore les *registres de combinaison*, qui sont mus, en général, par des pédales assez semblables à celles du piano, mais s'accrochant comme celles de la harpe, et placées juste au-dessus du pédalier. Ces pédales sont de différentes espèces. Voici les principales, celles qu'on rencontre le plus fréquemment :

1° Les *pédales d'accouplement* ou *copula.* Elles permettent de réunir sur un seul clavier tous les jeux appartenant soit à deux, soit à plusieurs claviers. Si, au moyen de ces pédales, sur un orgue à cinq claviers on accouple d'abord l'écho au récit, puis le récit à la bombarde, puis la bombarde au grand orgue, puis enfin le positif au grand orgue, on a concentré sur ce dernier clavier toute la puissance de l'instrument [1].

2° Les *tirasses*. Celles-ci ont pour effet de mettre en communication un ou plusieurs claviers avec le pédalier, afin d'augmenter soit la puissance, soit la variété de timbres de ce dernier. Ainsi, avec la combinaison précédente, si on ajoutait la tirasse grand-orgue, on obtiendrait au pédalier une intensité égale à celle de tous les jeux réunis des cinq claviers, *plus* les propres jeux du clavier de pédales. Pour atténuer cette force on pourrait n'employer que la tirasse de la bombarde ou celle du positif.

3° Les *appels d'anches*. Dans beaucoup d'orgues modernes, les jeux d'anches les plus bruyants, bien qu'ouverts, ne parlent que si on abaisse une pédale correspondante, ce dont il résulte qu'on peut les préparer d'avance, et en réserver l'usage pour le moment voulu. Cette pédale relevée, ils redeviennent muets.

Il peut y avoir une pédale d'appel d'anches pour chaque clavier, ou une seule pour tout l'instrument [2].

4° La *pédale expressive*, dont nous avons déjà parlé (jalousies expressives).

5° Quelques autres pédales ayant un caractère artistique plus douteux : le *tremolo* ou *tremblant*, au moyen duquel on fait chevroter le jeu de *voix humaine* (ce qui n'a rien de particulièrement flatteur pour les chanteurs qu'il s'agit d'imiter); l'*orage*, qui abaisse simultanément *toutes les touches les plus graves* du pédalier, produisant ainsi un vacarme imitatif, mais antimusical, etc.

Ces derniers engins peuvent rarement trouver leur emploi sans choquer le bon goût.

1. Dans les instruments modernes, on a beaucoup employé des pédales d'accouplement parlant soit à l'octave grave, soit à l'octave aiguë. Ces pédales, qui permettent de jouer sur un clavier à l'octave réelle tout en faisant parler les autres à des hauteurs différentes et de combiner les différentes octaves entre elles, rendent possibles de notables économies dans la construction des orgues où l'on peut supprimer certains jeux de 4 ou de 16 pieds qui perdent ainsi de leur utilité.

2. Dans les orgues modernes, des systèmes électriques d'enregistrement permettent à l'organiste, en appuyant sur un simple bouton, d'obtenir une registration préalablement enregistrée. Comme certains instruments possèdent un assez grand nombre de ces boutons de combinaison, l'organiste peut préparer à l'avance et enregistrer toutes les combinaisons nécessitées par ses différents morceaux; puis faire toutes ses manœuvres lui-même au moment de l'exécution en appuyant simplement sur les boutons.

Il ne me paraît pas nécessaire d'appeler davantage l'attention du lecteur sur l'effroyable complication de mécanismes divers que comporte un grand orgue, dans lequel tous les jeux, à quelque clavier qu'ils appartiennent, doivent pouvoir se grouper deux par deux, trois par trois, sans autre limite que celle de la composition de l'instrument. Cela tient à la fois de l'horlogerie et de la serrurerie, et, par la multiplicité des mouvements divers, des transmissions, des réglettes, des leviers, des soupapes, qu'il a à mettre en œuvre, l'art du facteur d'orgues ou organier exige autant de connaissances en mécanique que de science acoustique. Aussi, jusqu'en ces derniers temps, ainsi qu'on peut le constater sur les instruments de date ancienne, le maniement des claviers était d'autant plus lourd et pénible que l'organiste désirait accumuler et faire mouvoir plus de jeux simultanément. Aujourd'hui, grâce à l'emploi des leviers pneumatiques [1], grâce aussi aux transmissions électriques qui suppriment ou simplifient extraordinairement tout mécanisme, le toucher de l'orgue est devenu aussi doux que celui du piano le plus docile.

Mais un emploi inconsidéré de l'électricité a été tenté, qui consistait à placer les claviers à une grande distance des sommiers et des tuyaux, par exemple les claviers dans le chœur d'une église, et les tuyaux au-dessus du portail, leur place ordinaire.

Cela était assurément très séduisant, l'artiste se trouvant ainsi en communion plus directe avec l'officiant; de plus, le même organiste pouvait ainsi commander alternativement à l'orgue d'accompagnement du chœur et au grand orgue, qui n'ont pas à se faire entendre ensemble; il en résultait donc une économie réelle. Malheureusement, on avait négligé de prévoir que si la transmission par l'électricité est instantanée, il n'en reste pas moins vrai que les ondes sonores ne se propagent qu'à la vitesse moyenne de 340 mètres par seconde, de sorte que l'infortuné organiste, titulaire d'un de ces instruments à longue portée, n'entend jamais l'accord ou la note qu'il joue, mais l'accord qu'il vient de jouer ou quelque note émise précédemment, ce dont seul un sourd pourrait s'accommoder.

1. Inventés par Barker en 1844.

Collection du Musée du Conservatoire

1. Harpe de Marie-Antoinette. — 2. Violon. — 3. Violoncelle.
4. Clavecin de Ruckers (xviie siècle).

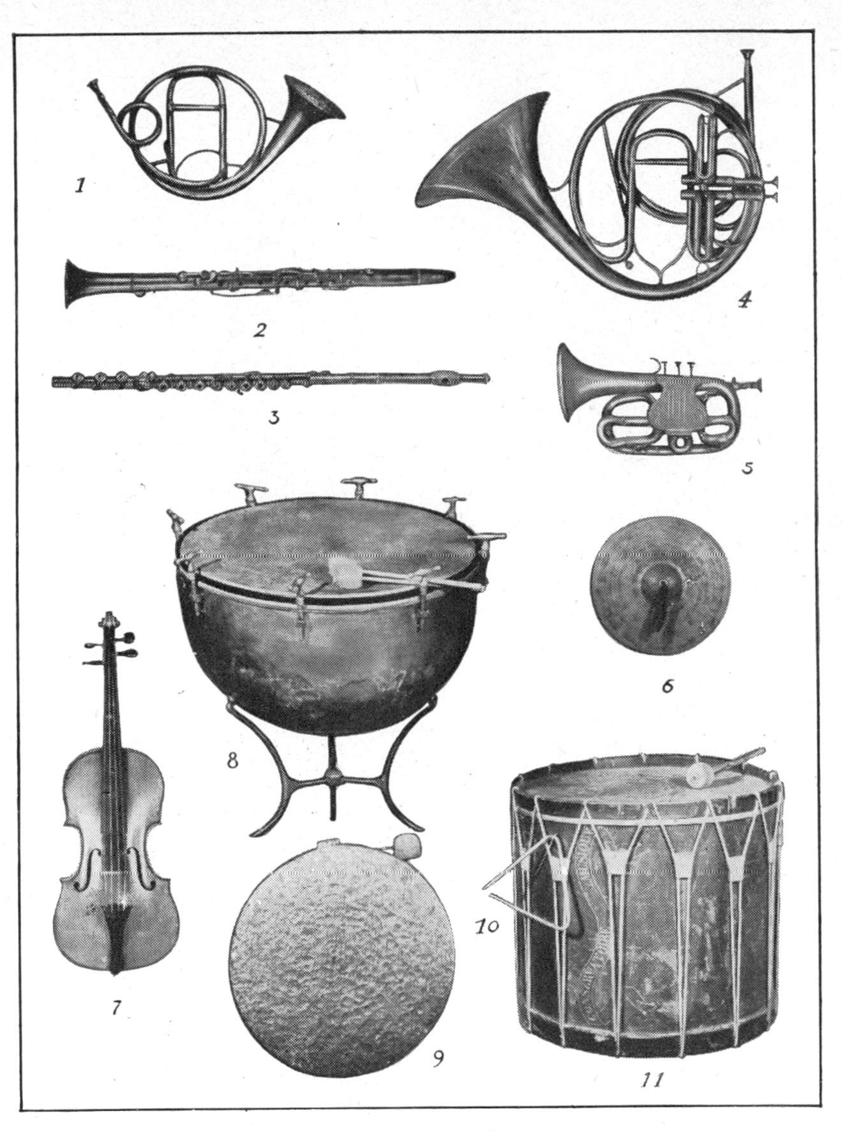

Collection du Musée du Conservatoire

1. Cor naturel. — 2. Clarinette. — 3. Flûte traversière. — 4. Cor à pistons.
5. Trompette à pistons. — 6. Cymbales. — 7. Alto. — 8. Timbale à baguettes.
9. Gong. — 10. Triangle — 11. Tambour.

Et les organistes ne sont pas des sourds, tant s'en faut; ils sont, de tous les virtuoses, ceux dont la pratique exige le plus de sagacité et d'à-propos, comme aussi la plus grande somme d'érudition. La connaissance approfondie de leur instrument complexe; son maniement, qui exige une parfaite netteté d'exécution; le groupement des jeux, qui est une véritable orchestration; l'étude spéciale du clavier de pédales et de la riche littérature musicale de l'instrument, ne constituent qu'une faible partie de leur savoir, si l'on songe qu'ils sont tenus, de par les exigences de la liturgie, à improviser presque constamment. Si donc l'orgue est réellement *l'instrument des instruments*, comme le dit son nom latin *(organa)*, l'organiste est aussi *le musicien des musiciens;* il doit posséder, outre les sciences techniques, harmonie, contrepoint, fugue, la facilité d'improvisation et une présence d'esprit spéciale, sans laquelle tout son savoir serait frappé de stérilité.

L'orgue s'écrit sur trois portées, les deux d'en haut pour les mains, la troisième pour les pieds. En ce qui concerne le choix des jeux, le compositeur, s'il n'est pas organiste lui-même, fera bien de s'en tenir à des indications générales, telles que : 8 *pieds*, 16 *pieds*, *jeux de fond*, *jeux d'anches*..., qui, jointes à des signes de nuances, seront interprétées par l'exécutant selon l'effet à produire et les ressources de l'instrument dont il dispose.

Où doit-on chercher l'origine de l'orgue?

La Bible dit qu'il fut inventé par Jubal, et il semble, d'après le Talmud, qu'un instrument analogue était connu des Hébreux sous le nom de *magrepha.*

D'autres en attribuent l'invention soit à Archimède, soit à Ctésibius, qui vivaient tous deux environ 200 ans avant Jésus-Christ, soit à quelque autre philosophe musicien de cette époque. Plusieurs auteurs latins en parlent; Tertullien notamment, qui écrivait au IIe siècle, en donne une description qui paraît, par un prodige inconcevable, s'appliquer à l'instrument moderne : « *Voyez*, dit-il, *cette machine étonnante et magnifique, cet orgue composé de tant de parties différentes, de tant de jointures, de tant de pièces formant une si grande masse de sons et comme une armée de tuyaux, et cependant tout cela pris ensemble n'est qu'un seul instrument!* »

L'orgue alors en usage était l'orgue hydraulique, dans lequel l'eau servait à égaliser la pression de l'air fourni par les soufflets, par un procédé resté longtemps mystérieux, mais dont M. Cl. Loret a trouvé la clef dans Vitruve; d'assez grands modèles apparurent en Orient, à Constantinople, au IVe siècle. Plus tard vint l'orgue pneumatique, *organum pneumaticum*, où l'horreur de la nature pour le vide était exploitée comme de nos jours.

Au début, l'orgue était de très petites dimensions et portatif[1]; quand on en construisit de plus grands, qui devaient être *posés* sur le sol, on les nomma *positifs*[2]; ce nom est resté à un clavier de l'instrument actuel, qui actionne, comme on l'a vu, un petit orgue séparé du reste des jeux.

Donc, il est hors de doute que l'orgue appartient à la plus haute antiquité.

Si l'on veut maintenant remonter encore le cours des siècles et rechercher l'idée première, le germe, on le trouve dans trois instruments très anciens et rudimentaires.

La *flûte de Pan* ou *syrinx* a fourni la première série graduelle de tuyaux ouverts, ayant déjà l'aspect et la conformation d'un *jeu de flûtes;* tous les auteurs grecs en parlent comme d'une chose *déjà ancienne en leur temps*, — le *cheng*, ou orgue chinois, est décrit dans les livres chinois tel dès son origine que nous le voyons aujourd'hui; c'est une rangée de *tuyaux à anches*, mus directement, comme la syrinx, par le souffle humain; — enfin la cornemuse ou ses antécédents, connus chez les anciens sous le nom générique de *tibiæ utriculariæ* (flûtes à outre, à réservoir), nous offre le premier exemple d'emmagasinement d'air comprimé. Ces trois éléments réunis ont certainement donné naissance aux premiers essais d'orgues; il n'y manquait plus que le clavier, qui n'a dû apparaître que vers le VIe ou le VIIe siècle, à l'état rudimentaire de touches larges de plusieurs pouces, qu'il fallait enfoncer à coups de poings, comme dans les carillons flamands, pour constituer la première ébauche de l'instrument géant dont la description qui précède ne donne qu'une idée bien mesquine.

OUVRAGES TRAITANT DE LA FACTURE D'ORGUE.

DOM BÉDOS DE CELLES — *L'Art du facteur d'orgue* (1766).
CAVAILLÉ-COLL — *De l'Orgue et de son architecture.*
CELLIER ET BACHELIN — *L'Orgue.*

1. *Organum portatibile.*
2. Du latin *ponere.*

Harmonium.

Cet instrument a pour but de remplacer le grand orgue dans les locaux de dimensions restreintes; disons qu'il y parvient de façon toute relative.

Sa sonorité grêle et nasillarde, *de peu de portée*, l'absence du pédalier qui enrichit l'orgue d'une sorte de troisième main, le peu de variété des timbres et d'autres choses encore, rendent l'imitation bien imparfaite; mais dans de petites chapelles, pour accompagner les chants, mélangé avec d'autres instruments, violon, violoncelle, piano, harpe, etc., il peut rendre de grands services; on l'emploie parfois aussi au théâtre, *incognito*, dans la coulisse, pour guider, soutenir et même renforcer les chœurs, sans accompagnement. C'est donc un instrument utile, pratique, et qu'il est bon de connaître.

Le clavier de l'harmonium n'a que cinq octaves :

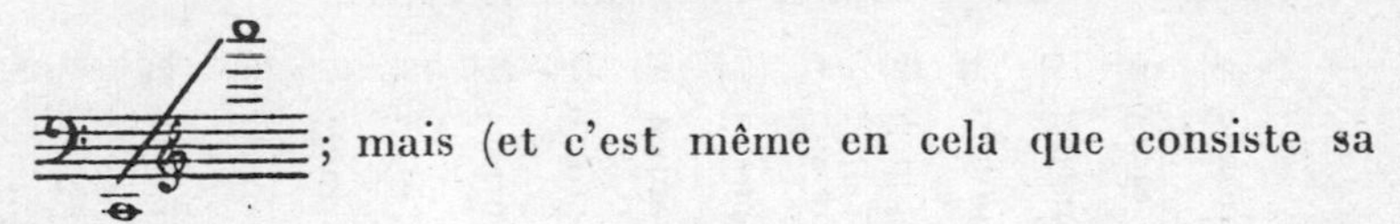

; mais (et c'est même en cela que consiste sa plus proche similitude avec l'orgue) chaque touche commande, au moyen de registres, non seulement à des jeux faisant entendre la note écrite (comme des 8 pieds d'orgue), mais à d'autres jeux plus graves ou plus aigus d'une octave (comme les 16 pieds et les 4 pieds), ce qui fait qu'un seul doigt peut produire à volonté, sans changer de touche, soit un, soit deux, soit trois sons, en rapport d'octave ou de 15e :

Les accords se trouvent multipliés, renforcés et redoublés de la même manière , ce qui produit, joint à la continuité du son, une petite illusion d'orgue dans un local peu spacieux.

Le principe sonore de l'harmonium est l'*anche libre,* sans

adjonction de tuyau [1]. Il semble donc que le timbre devrait être toujours à peu près le même; l'habileté des facteurs est parvenue à créer, par des dispositions ingénieuses, des jeux présentant des variétés assez appréciables.

Chaque jeu est divisé en deux demi-jeux; il a un registre pour la partie aiguë du clavier et un autre pour la partie grave, ce qui permet d'employer une combinaison de jeux pour la main droite et une autre pour la main gauche; des numéros, placés sur les boutons, permettent de saisir tout de suite la corrélation entre les demi-jeux; la scission a lieu, généralement, entre le *mi* et le *fa* du médium :

Voici la composition ordinaire d'un harmonium à 4 jeux, ce qui est considéré comme l'instrument-type :

(S)	(0)	(4)	(3)	(2)	(1)	(G)	(E)	(1)	(2)	(3)	(4)	(0)	(T)
Sourdine.	Forte.	Basson.	Clairon.	Bourdon.	Cor anglais.	Grand jeu.	Expression.	Flûte.	Clarinette.	Fifre.	Hautbois.	Forte.	Tremblant.

Les numéros (1) et (4) produisent le son écrit.
Les numéros (2) le transportent à l'octave grave.
Les numéros (3), à l'octave aiguë.

Il y a *en général* peu de rapport entre ces jeux et l'instrument d'orchestre qu'ils sont censés représenter. On remarquera, aux extrémités, des registres que nous n'avons pas encore expliqués; à gauche, la *sourdine* (S), qui est un numéro (1) (grave) adouci; à droite, le *tremblant* (T), dont j'aime mieux ne pas parler, et dont les gens de goût feront bien de ne pas se servir; des deux côtés, les (0), qui augmentent la force des jeux (3) et (4), par un système de jalousies analogue à la boîte expressive de l'orgue; au centre, le grand jeu (G), qui ouvre tous les jeux à la fois, et l'expression (E), qui permet d'augmenter ou diminuer l'intensité par la pression des pieds sur la

1. Voir page 72 la différence avec les jeux d'anches de l'orgue.

soufflerie, et auquel l'instrument doit son nom d'*orgue expressif*. Dans l'harmonium *à percussion*, le jeu (1) est renforcé par une série de marteaux qui viennent frapper sur l'anche au moment où la touche s'abaisse, ce qui produit une émission plus rapide, une plus grande volubilité.

Un perfectionnement de la plus grande importance, est la *double expression*, inventée par Mustel en 1854, qui permet, au moyen de deux genouillères, de faire varier les nuances d'intensité d'une façon indépendante dans chacune des deux moitiés du clavier.

Il existe des harmoniums rudimentaires à 1 jeu; on en construit aussi qui ont 12, 15 jeux ou plus, à plusieurs claviers aussi, et même avec pédalier, dont la puissance s'accroît en conséquence; mais tous procèdent du même principe.

MÉTHODES D'HARMONIUM : *Renaud de Vilbac, Lefébure-Wély, Clément Loret.*

Le grand orgue et l'harmonium sont, parmi les instruments à vent, les seuls *autonomes;* grâce à leur étendue et à leur réservoir d'air, ils forment à eux seuls un tout complet, comme, dans d'autres familles, le piano et la harpe.

Voyons maintenant les instruments *à souffle humain.*

FAMILLE « FLUTE », INSTRUMENTS A EMBOUCHURE LIBRE

Flûte.

Tuyau ouvert et cylindrique, le seul dans lequel l'ébranlement vibratoire soit produit par une embouchure latérale. Se construit en bois, en argent, en maillechort. Étendue totale

chromatiquement, trois octaves pleines [1].

Les sons de la première octave grave sont d'une sonorité assez faible; ceux de la deuxième (harmoniques 2), produits par le même doigté en renforçant le souffle, sont plus vigoureux; ceux de la troisième (harmoniques 3, 4 et 5), qu'on obtient

1. Quelques virtuoses montent jusqu'au *mi* ♭ suraigu.

en augmentant encore la pression, deviennent durs et perçants; ils conviennent en principe à la nuance *F* ou *FF*, mais l'habileté des virtuoses parvient à atténuer cette dureté et à égaliser cette échelle.

Les caractéristiques de la flûte sont, d'une part la douceur et la rondeur de la sonorité, d'autre part une rapidité incomparable. Trilles, arpèges, broderies, gammes diatoniques et chromatiques, sons liés et détachés, notes répétées rapidement (double coup de langue), tout lui est familier. C'est dire qu'elle est à la fois l'instrument qui convient aux mélodies expressives et aux traits de virtuosité brillante.

Voici cependant quelques trilles ou batteries qui sont impossibles ou très gauches[1].

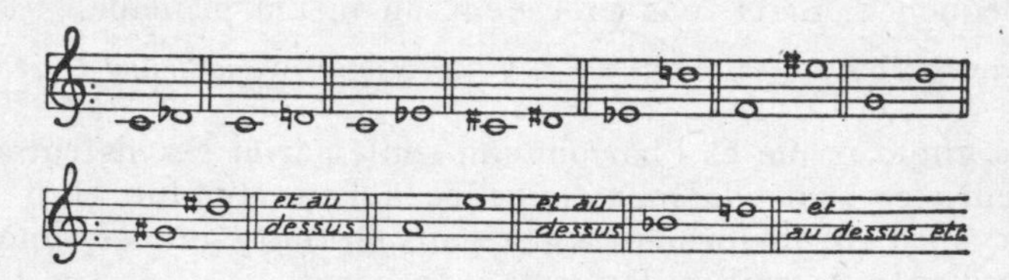

Il existe des flûtes transpositrices accordées dans plusieurs tons (en *sol*, *la*, *si* ♭, au-dessous du diapason de la flûte ordinaire). La flûte en *sol*, notamment, est d'une sonorité excellente; Ravel l'a employée dans *Daphnis et Chloé*.

Des flûtes accordées au-dessus du diapason et employées autrefois, seule subsiste encore, dans les orchestres militaires, la flûte en *mi* ♭.

MÉTHODES DE FLUTE [2]

DAMARÉ — *Nouvelle méthode complète de flûte.*
DEVIENNE et GAUBERT — *Célèbre méthode complète de flûte.*
HOTETERRE LE ROMAIN — *Méthode pour apprendre... à jouer de la flûte.*
MOYSE — *Enseignement complet de la flûte.*
QUANTZ — *Essai d'une méthode pour apprendre à jouer de la flûte.*
TAFFANEL et GAUBERT — *Méthode complète de flûte.*

1. Nous ne parlons ici que de la flûte d'orchestre actuelle (système Bœhm). L'origine de cet instrument se perd dans la nuit des temps; mais ce n'est qu'à une époque récente qu'on a imaginé de placer l'embouchure latéralement, ce qui lui a fait donner d'abord le nom de *flûte traversière*, par opposition aux anciennes *flûtes à bec*, qui se tenaient comme le hautbois ou la clarinette. (Voir plus loin.)

2. Cette bibliographie comprend, à côté d'ouvrages anciens classiques, des ouvrages récents traitant de l'instrument tel qu'il est pratiqué actuellement; il en sera de même pour tous les instruments.

Petite flûte.

S'écrit comme la grande flûte, mais résonne à l'octave supérieure (l'*octava* est sous-entendu); même doigté, même mécanisme.

Sonorité éclatante et dure; ne convient qu'aux effets de force et d'agilité; manque de charme et de douceur. C'est l'instrument le plus aigu de l'orchestre symphonique, le plus criard aussi.

Flageolet.

C'est la flûte des *pifferari*, l'ancienne flûte à bec, absolument démodée pour cause de trop grande imperfection, mais que Gluck, Hændel et Mozart ont encore employée en guise de petite flûte; on l'écrivait une douzième au-dessous du son réel :

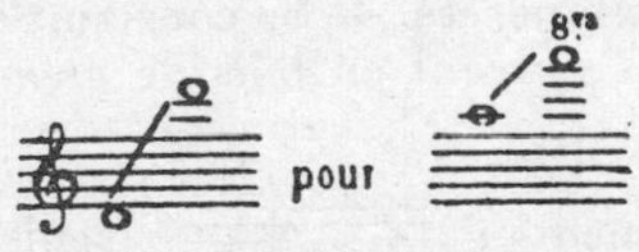

Cet instrument tend à disparaître et ne se rencontre plus guère.

Flûte douce ou flûte à bec.

Instrument basé sur le principe du sifflet; la colonne d'air pénètre par le bec, traverse un orifice épais d'environ 3 m/m, et va se heurter contre un biseau.

C'est le type le plus ancien de la flûte, seul employé ou à peu près jusqu'au XVIIIe siècle, maintenant abandonné dans les orchestres pour la flûte traversière, infiniment plus perfectionnée et qui permet une virtuosité impossible sur la simple flûte douce.

Mais la douceur du timbre de cet instrument et sa facilité d'exécution l'ont fait adopter ces dernières années par les mouvements de jeunesse à la recherche d'un instrument facile pour des amateurs ne disposant pas du temps nécessaire à l'étude d'un instrument d'orchestre.

Certains compositeurs modernes (notamment Hindemith) ont composé spécialement des morceaux d'exécution facile pour des ensembles de flûtes douces.

La famille des flûtes douces comporte quatre instruments :

Flûte soprano, en *do*.
Flûte alto, en *fa*.
Flûte ténor, en *do*.
Flûte basse, en *fa*.

MÉTHODE DE FLÛTE DOUCE

AESCHIMANN.

FAMILLE « HAUTBOIS », INSTRUMENTS A ANCHE DOUBLE

Hautbois.

Tuyau conique, dans lequel l'état vibratoire de la colonne d'air est obtenu au moyen d'une anche double, c'est-à-dire de deux anches juxtaposées. — Se construit en bois, comme son nom le dit, le plus souvent en bois de *grenadille*. Son étendue est, chromatiquement :  ; seuls, les hautbois de quelques facteurs français possèdent un *si* ♭ grave. Le doigté se rapproche beaucoup de celui de la flûte.

Le timbre est homogène : sons graves d'une très belle intensité, sons moyens se prêtant aux nuances et aux genres d'expression les plus divers. Les sons suraigus seuls sont d'une moins bonne qualité de timbre.

Le hautbois est traditionnellement l'instrument rustique et pastoral par excellence; mais, en fait, il convient à toutes les mélodies situées dans sa tessiture. Il n'a certes pas l'agilité de la flûte, mais il peut pourtant aborder certaines formules relativement rapides : gammes ou arpèges, trilles, coulés ascendants plutôt que descendants, et même notes répétées, à condition qu'elles ne soient pas trop rapides, car l'articulation est simple et ne comporte pas le double coup de langue.

MÉTHODES

BAS	*Méthode nouvelle de hautbois.*
BROD et GILLET	*Méthode de hautbois.*
PARÈS	*Méthode de hautbois.*

Cor anglais.

C'est le même instrument que le hautbois, mais *une quinte* plus bas. Son timbre est essentiellement triste et mélancolique; c'est là sa note caractéristique.

C'est un hautbois en *fa*. On l'écrit une quinte au-dessus de la note véritable :

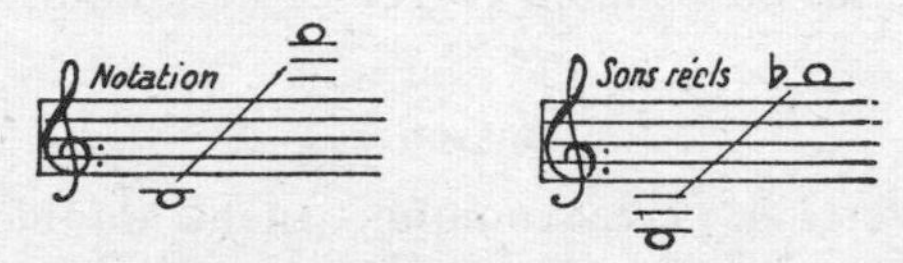

il en résulte une grande aisance pour l'exécutant, qui conserve son doigté du hautbois [1], mais pour le lecteur l'obligation de lire en clef d'*ut* seconde, en transposant à la quinte inférieure, comme l'instrument le fait lui-même automatiquement.

Le cor anglais, qui est un instrument fort ancien, fut d'abord et pendant longtemps construit dans une forme assez fortement recourbée, qui était considérée, vu sa longueur, comme d'un maniement plus commode; de plus, il était généralement recouvert d'une sorte de sac en peau; le tout contribuait à lui donner une certaine ressemblance avec un *cor* ou une *corne*, une sorte de *cor des Alpes ;* on peut voir là l'origine probable de ce singulier nom de cor, qui n'est justifié ni par le timbre de l'instrument ni par la famille à laquelle il appartient. Maintenant, pourquoi anglais? Je l'ignore, et j'en ai pourtant bien cherché l'explication; mais il n'est pas sans intérêt de savoir que les Anglais l'appellent, à l'occasion : cor français *(French horn).*

On l'appelait souvent autrefois *hautbois de chasse (oboe da caccia).*

MÉTHODE DE COR ANGLAIS

CHALON.

Hautbois d'amour.

Intermédiaire entre le hautbois et le cor anglais, le hautbois d'amour, instrument tombé en désuétude, était très employé au temps de J. S. Bach. C'est un hautbois en *la*.

1. Le cor anglais est toujours joué par un hautboïste.

Son étendue était : , qu'on écrivait ,

selon le principe qui régit tous les instruments transpositeurs. Son timbre doux et voilé, moins mordant que celui du hautbois, moins caverneux que celui du cor anglais, avait un grand charme, et on peut en regretter l'abandon.

Basson.

Tuyau ouvert, à perce conique, anche double; peut être considéré comme la basse du hautbois.

Étendue considérable pour un instrument à vent, trois octaves : , avec tous les degrés chromatiques.

Comme dans la flûte et le hautbois, les notes les plus graves sont des sons fondamentaux, celles du médium des harmoniques 2, et les plus aiguës des harmoniques 3, 4, 5, qu'on obtient par le même doigté que les sons fondamentaux, en forçant le souffle pour déterminer le partage en deux, trois ou quatre segments de la colonne d'air. Il en résulte des variétés de timbre.

La sonorité est inégale; très belle quinte grave, assez bon médium, puis quatre notes faibles suivies d'un excellent registre aigu, sonnant un peu comme le cor, et enfin quatre notes suraiguës très faiblement timbrées.

Le basson emploie l'articulation simple, il peut détacher ou répéter tous les sons, il articule très aisément et avec une grande agilité les sauts en notes détachées; les articulations liées sont plus faciles en montant qu'en descendant.

Enfin, la sonorité et le caractère du basson lui permettent de se fondre aisément avec les différents groupes de l'orchestre et d'occuper les emplois les plus divers avec une égale efficacité.

MÉTHODES DE BASSON

BOURDEAU	*Grande méthode complète de Basson.*
DHÉRIN	*Nouvelle technique du Basson.*
OUBRADOUS	*Enseignement complet du Basson.*
OZI	*Nouvelle méthode de Basson.*

Contrebasson.

Cet instrument figure plus souvent sur les partitions que dans les orchestres, où on le remplace généralement par un *sarrusophone* ou quelque autre basse à anche.

Son étendue normale serait à l'octave grave du basson; mais on ne se sert que des sons compris entre  qui sonnent, bien entendu, *à l'octave au-dessous.*

Même avec cette étendue restreinte, c'est l'instrument le plus grave de l'orchestre.

MÉTHODES DE CONTREBASSON

COYON

Sarrusophone[1].

Instrument en cuivre, à tuyau conique et à anche double, ayant du rapport avec le hautbois et le basson, quoique d'un timbre plus volumineux; on en a fabriqué de beaucoup de grandeurs, *soprano*, *alto*, *ténor*, etc. Le seul en usage dans les orchestres est le *sarrusophone contrebasse*, qui fait entendre l'octave grave de la note écrite : 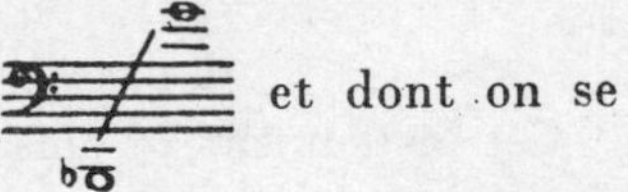 et dont on se sert pour remplacer, avec grand avantage, le contrebasson.

Le doigté se rapproche beaucoup de celui du saxophone.

INSTRUMENTS A ANCHE DOUBLE AVEC RÉSERVOIR D'AIR

Cornemuse, Biniou, Zampogna, Bag-pipe, Musette, etc...

Ces divers instruments, dont on trouve encore quelques représentants dans le midi de la France, en Bretagne, en Italie et en Écosse, appartiennent à une même famille, d'origine très ancienne.

1. Du nom de l'inventeur, *Sarrus*, ancien chef de musique de l'armée française.

Ils se composent essentiellement d'une outre en peau (ou une vessie) qu'on remplit d'air; à ce réservoir viennent aboutir des tuyaux sonores de différentes dimensions, dont les uns donnent un son fixe et immuable, une pédale (dans le sens harmonique du mot), le plus souvent même une double pédale, tonique et dominante, tandis que les autres, percés de trous et munis d'une anche de hautbois, permettent de jouer des airs assez variés et rapides, mais dans une étendue très restreinte.

Les *binious* bretons et les *bag-pipes* écossais présentent souvent des gammes qui sont des vestiges d'anciennes tonalités aujourd'hui abandonnées; à ce point de vue, ils sont intéressants pour l'histoire de la musique.

Il est impossible aussi de ne pas voir dans ce groupement de tuyaux autour d'un réservoir d'air, chez des instruments d'origine indubitablement très ancienne [1], une idée qui a pu précéder celle de l'orgue et y conduire.

Cet instrument n'a jamais figuré dans l'orchestre.

En Angleterre, la musique de certains régiments écossais est entièrement formée de bag-pipes et de fifres.

FAMILLE « CLARINETTE », INSTRUMENTS A ANCHE SIMPLE

Clarinette.

Cet instrument, le plus riche par son étendue et sa variété de timbre de tous les instruments à vent, est soumis à une loi spéciale et fort curieuse. Son tube est absolument cylindrique, ouvert, et mis en vibration par une anche flexible en roseau; or une particularité des tuyaux de telle construction, c'est qu'un nœud de vibration vient se former non en leur point milieu, mais à l'extrémité où se trouve l'anche, de telle sorte que le mode de subdivision de la colonne aérienne est le même que dans un tuyau fermé. La clarinette ne possède donc que les harmoniques impairs, ce qui rend son doigté très différent de ceux de la flûte, du hautbois et du basson. Il semblerait que cela dût la constituer en infériorité; loin de là, elle se

1. On en trouve des traces chez les Hébreux.
Les Romains les appelaient : *tibia utricularis*.
On retrouve aussi en Perse la cornemuse, sous le nom de « nay ambânah ».

prête avec une admirable souplesse à tout ce que le compositeur veut lui confier.

Son étendue, la plus grande de tous les instruments à vent

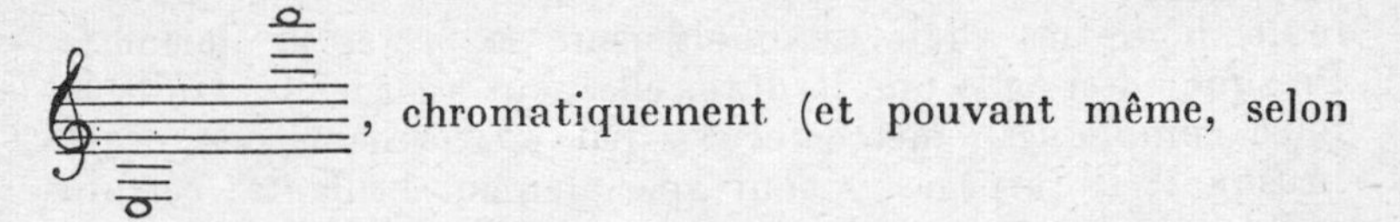

, chromatiquement (et pouvant même, selon l'habileté du virtuose, aller au delà à l'aigu), est pour beaucoup dans cette richesse d'expression. Mais la diversité des timbres appartenant à ses régions grave, moyenne et aiguë, doit être considérée comme la véritable supériorité de l'instrument.

La sonorité du registre grave, produit par les sons fondamentaux (qu'on appelle aussi *sons de chalumeau*, en souvenir de l'instrument rudimentaire qui a donné naissance à la clarinette, et ne possédait que ces notes graves) est vibrante, mordante, d'une intensité dramatique; ce registre s'étend de à . Le registre aigu, obtenu par le même doigté, mais *quintoyant*, c'est-à-dire faisant entendre l'harmonique 3, possède un éclat et une chaleur incomparables. On l'appelle *registre de clairon* [1], et c'est de lui qu'est dérivé le nom même de l'instrument; la clarinette est un *chalumeau* doué de la faculté de faire entendre ces sons clairs à la douzième de la fondamentale : à . Entre les sons graves du *chalumeau* et les sons énergiques du *clairon* se trouve une étendue de quatre sons qui est la partie la plus faible de l'instrument, le *medium*. Puis, au-dessus du *clairon* viennent les notes *suraiguës* [2], d'un caractère perçant parfois

1. Il n'y a aucun rapport à chercher avec l'instrument du même nom qui sert aux appels militaires.
2. Douzièmes de celles du *medium* et obtenues par le même doigté.

désagréable, difficiles à employer autrement que dans la force :

, etc. On voit par ce tableau succinct l'extrême multiplicité des effets auxquels peut se prêter la clarinette. Presque aussi agile que la flûte, elle peut aborder les traits les plus compliqués, même ceux qui contiennent des écarts brusques; les arpèges y sont spécialement brillants; certains trilles, pourtant, sont d'une exécution plus difficile.

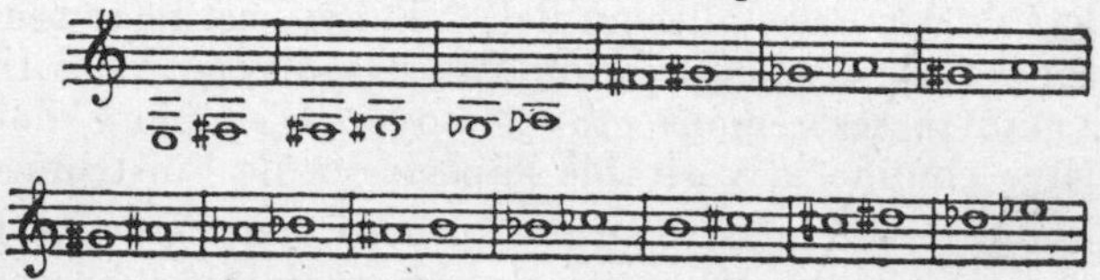

Il faut également tenir compte que les tonalités les plus voisines du ton d'*ut* sont les plus convenables pour des dessins rapides ou compliqués, et que les tons chargés de plus de deux ou trois altérations entraînent des difficultés d'exécution.

Afin de rendre pratique l'usage de la clarinette dans des morceaux d'un ton quelconque, on construit cet instrument de trois grandeurs différentes; celui que nous venons de décrire, c'est la *clarinette en ut*, qui fait entendre les sons tels qu'ils sont écrits.

Un peu plus longue est la *clarinette en si ♭*, qui s'écrit de la même manière, mais produit chaque son une seconde majeure plus bas :

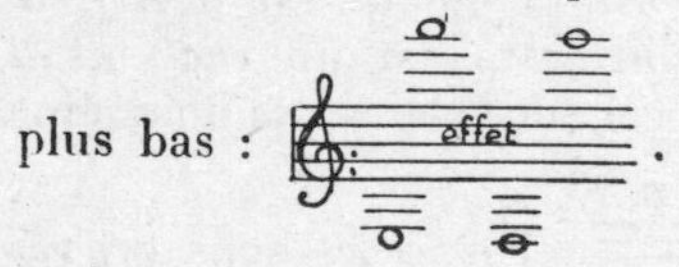

.

On doit donc la lire en clef d'ut 4e, avec le changement d'armature convenable.

Un tube encore un peu plus long fournit l'échelle de la *clarinette en la*, qui sonne une tierce mineure au-dessous de la note écrite :

, et doit être lue conséquemment au moyen de la clef d'ut 1re.

Ces deux dernières sont donc des instruments *transpositeurs*.

Indépendamment des différences d'étendue réelle, et indépendamment aussi des qualités de timbre appartenant à leurs différents registres, *les trois clarinettes*, en *ut*, en *si* ♭, en *la*, possèdent chacune leur caractère spécial et bien caractérisé.

La clarinette en *ut* est éclatante, joyeuse, rude.

La clarinette en *si* ♭ a un timbre riche, chaud, brillant et velouté.

La clarinette en *la* a la douceur, la plénitude, la noblesse du son.

On voit par là que la *Clarinette en si bémol* est la plus riche et la plus complète de la famille; aussi est-elle presque uniquement adoptée par les grands virtuoses, qui arrivent, à force d'habileté, à exécuter sur ce seul instrument ce qui est écrit pour les deux autres, sauf, bien entendu, le son le plus grave de la clarinette en *la*, qui leur demeure inaccessible.

En agissant ainsi, dans l'intérêt de leur commodité personnelle et de la simplification de leur matériel, ils ne veulent pas s'avouer à eux-mêmes qu'ils dénaturent jusqu'à un certain point la pensée de l'auteur, en ne lui fournissant pas exactement le *timbre* par lui désiré.

MÉTHODES DE CLARINETTE

BEER	*Méthode complète.*
BLATT	*Méthode complète.*
KLOSÉ	*Méthode complète.*
LE FÈVRE	*Méthode complète.*
MIMART	*Méthode nouvelle.*

Clarinette-alto ou **cor de basset.**

C'est une clarinette en *fa*, qui fait entendre la quinte grave de la note écrite :

Même principe de construction, même doigté que la clarinette ordinaire, quoique le maniement en soit un peu plus lourd.

Le caractère dominant de cet instrument est une gravité pleine d'onction, un grand charme s'alliant à la dignité.

Pour la lecture, on doit nécessairement supposer la clef d'*ut* 2e, comme pour le cor anglais.

Clarinette-basse.

Cet instrument s'écrit comme la clarinette en *si bémol*, mais résonne une octave plus bas, c'est-à-dire une 9e majeure au-dessous de la note écrite : 

Le lecteur de partition doit donc employer la clef d'*ut* 4e, et supposer un *octava bassa* perpétuel.

Les dimensions du tuyau et le caractère du timbre de cet instrument s'opposent à l'emploi de dessins trop rapides et légers, sauf pourtant certains arpèges qu'il exécute non sans quelque souplesse, surtout dans ses meilleures tonalités, qui sont, comme pour toutes les clarinettes, celles qui contiennent le plus de notes naturelles, dans le ton écrit.

Mais on l'emploie surtout dans le grave où son timbre est plus caractéristique; il convient admirablement aux mélodies graves.

MÉTHODE DE CLARINETTE-BASSE

SAINTE-MARIE *Méthode pour la clarinette-basse.*

Petites clarinettes.

On a fait des clarinettes aiguës en *ré*, en *mi* ♭, et en *fa*. Seule, celle en *mi* ♭ est d'un usage constant, mais seulement dans les orchestres militaires. Elle possède toutes les qualités de la grande clarinette, comme agilité; toutefois son timbre est toujours cru et aigre.

Son étendue écrite est la même que celle de la clarinette,

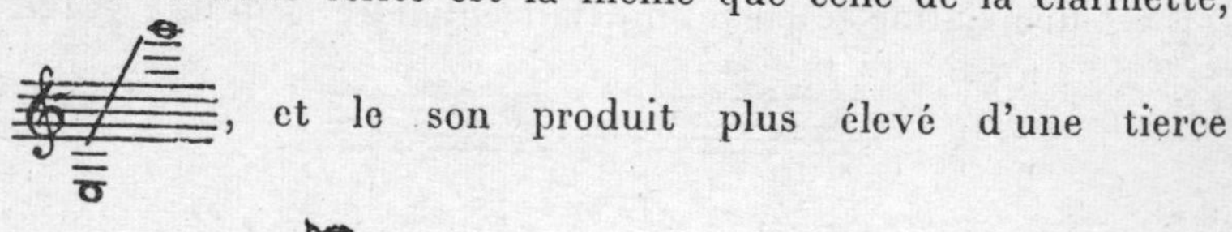

, et le son produit plus élevé d'une tierce mineure .

(Gluck, Berlioz et Wagner ont introduit *exceptionnellement* cet instrument dans l'orchestre.)

Saxophone.

Le saxophone [1] tient de la clarinette par son anche, mais son tuyau est conique, ce qui rend son doigté assez semblable à celui du hautbois, et il est généralement construit en cuivre. C'est un instrument hybride.

Son timbre ne peut se confondre avec aucun autre; il participe, si l'on veut, tout en ayant un volume plus considérable, de la clarinette-alto et du cor anglais; toutefois il s'impose et attire l'attention à un plus haut degré.

L'étendue écrite est à peu près celle du hautbois; mais, en faisant varier la grandeur de l'instrument, on obtient, comme nous l'avons déjà vu pour la clarinette, des étendues réelles diverses.

Celui qui jusqu'à ce jour a été le plus fréquemment employé à l'orchestre est le *saxophone alto en mi ♭*, dont je mets ici en parallèle l'étendue écrite et l'étendue réelle :

Doué d'une sonorité pénétrante et intime, cet instrument peut pratiquer, grâce à l'habileté des virtuoses, tous les traits d'agilité accessibles aux autres instruments à vent.

Dans la musique militaire, les saxophones tiennent une place importante; les variétés les plus employées sont :

Sopranino en *mi* ♭;
Soprano en *si* ♭;
Contralto en *mi* ♭;
Ténor en *si* ♭;
Baryton en *mi* ♭;
Basse en *si* ♭.

Le saxophone basse en *si b* est peu pratiqué; on le remplace généralement par le sarrusophone.

Tous ont le même doigté; de la note la plus grave du saxophone basse en *si* ♭ à la plus aiguë du sopranino en *mi* ♭ il y a cette énorme échelle : .

1. Du nom de l'inventeur, Adolphe Sax.

Le saxophone joue un rôle capital dans la musique de jazz où certains spécialistes y atteignent à une très grande virtuosité. Les compositeurs contemporains lui font d'ailleurs une place de plus en plus large dans l'orchestre symphonique.

MÉTHODES DE SAXOPHONE

BLÉMANT	*Nouvelle méthode pratique.*
DECRUCK	*École moderne de saxophone.*
KLOSÉ	*Méthode de saxophone.*
RAWSON	*Méthode complète.*

FAMILLE DES CUIVRES

Cor.

Bien que le cor simple soit désormais complètement abandonné, il est intéressant de le connaître pour mieux comprendre d'abord la façon dont les classiques l'ont employé et ensuite le mécanisme du cor chromatique.

C'est un tube enroulé sur lui-même, relativement étroit près de l'embouchure et s'élargissant graduellement jusqu'au pavillon; c'est donc un tuyau conique. Il n'est percé d'aucun trou, et la colonne d'air qu'il renferme vibre constamment dans toute son étendue. Il n'a pas d'anche, mais une simple embouchure, et ce sont les lèvres de l'exécutant qui font l'office d'anche. C'est donc, comme principe acoustique, et selon les apparences, le plus simple des instruments, mais il n'est pas pour cela le plus facile à manier.

Selon la longueur du développement de son tube, il peut être en *ut*, en *ré*, en *mi* ♭, etc., ce qui signifie que sa note fondamentale, celle que *fournirait* le tube vibrant dans son entier sans subdivision, est un *ut*, un *ré*, ou un *mi* ♭, etc.

Par une légère modification dans la pression des lèvres sur l'embouchure, l'artiste arrive à déterminer la colonne d'air à se diviser en 2, 3, 4... 15 ou 16 segments vibrants, et à produire ainsi tous les harmoniques du son fondamental. L'échelle naturelle du cor est donc, théoriquement, la série des sons harmoniques, déjà fréquemment exposée au cours de cet ouvrage. Mais les dimensions du tuyau rendent l'émission du son fondamental très douteuse et d'un timbre flasque, sans caractère, on n'en fait jamais usage, et la note la plus grave que puisse donner un cor est en réalité le son 2 de la série des harmoniques.

Voici l'échelle, ou, comme on dit quelquefois assez improprement, la *gamme* du *cor en ut,* dont la fondamentale (impraticable) serait l'*ut* , au diapason réel où chaque son est entendu :

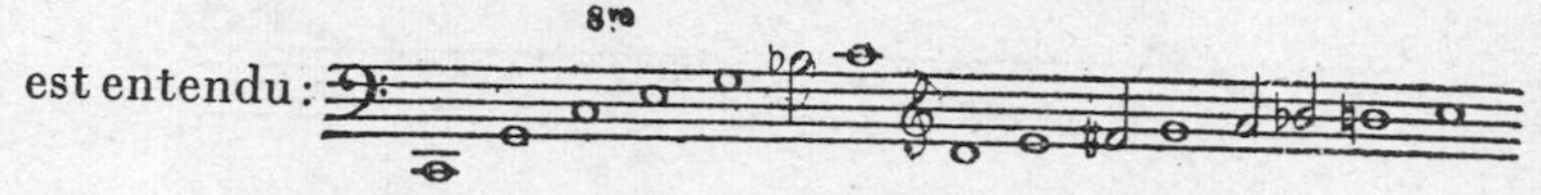

Et voici comment on l'écrit :

Ceci donne lieu à deux remarques intéressantes :

1° Il est d'usage, je ne sais trop pourquoi, de noter constamment le son le plus grave (et celui-là seul) en clef de *fa.* Les autres sont écrits en clef de *sol,* mais une octave au-dessus du son réel, comme cela a lieu pour les voix de ténor.

2° Cette échelle est loin d'être homogène; certains sons ne sont pas justes (sons 7, 11, 13, 14), et ont besoin d'être corrigés par l'habileté de l'exécutant. Pour les rectifier, et pour compléter les vides de l'échelle, les cornistes, en mettant leur main dans le pavillon et en bouchant la moitié de la colonne d'air, arrivaient à faire sortir des sons placés un demi-ton au-dessus des harmoniques naturels. Ils créaient ainsi une sorte de gamme chromatique factice dans laquelle les sons ouverts sonnaient éclatants et énergiques, les sons bouchés en demi-teinte avec une couleur très particulière.

La difficulté de jouer des passages compliqués ou rapides avec des moyens d'exécution si délicats a conduit les facteurs de tous temps à fabriquer des instruments dans plusieurs tons, ou, ce qui revient au même, à créer des pièces mobiles, des tronçons de tube recourbés, qu'on nomme *corps de rechange, tons de rechange* (ou, en langage courant, *tons*), qui, interposés dans le circuit général, viennent allonger ou raccourcir le tuyau sonore. Ceci permettait de faire varier la fondamentale muette, et avec elle tous ses harmoniques. Il existait des corps de rechange dans tous les tons. Ceux qu'ont employés les maîtres classiques sont les suivants dont je transcris, en regard des sons réels, le mode de notation adopté.

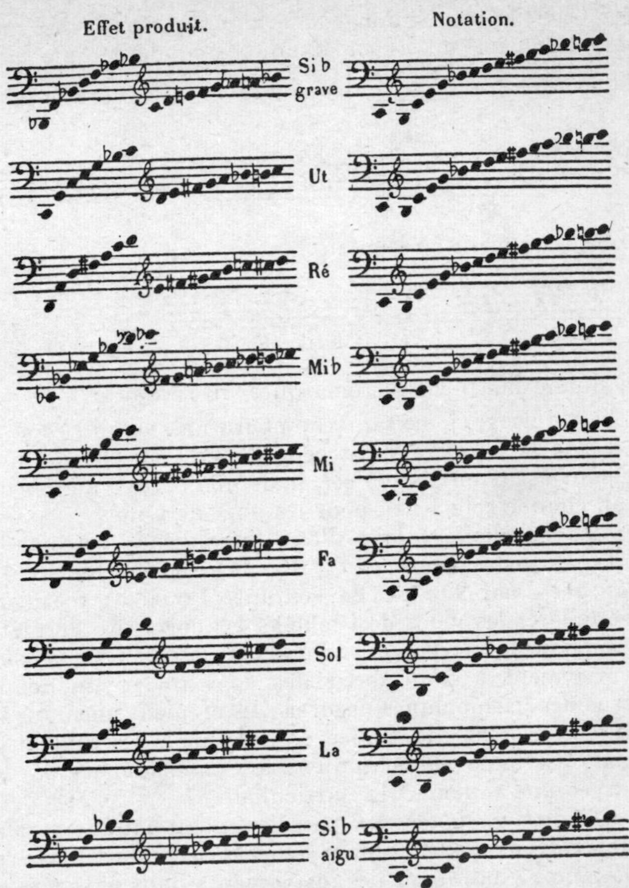

Ainsi que nous l'avons déjà dit, le cor simple est désormais abandonné et remplacé à l'orchestre par le cor à pistons, *cor chromatique en fa.* Cet instrument peut émettre avec une égale facilité toutes les notes de à , soit en sons ouverts, soit en sons bouchés ; un grand nombre d'entre elles pouvant s'obtenir par plusieurs doigtés, ce qui est une richesse précieuse. Notons cependant que les sons aigus et les sons graves nécessitent un entraînement spécial des lèvres, et qu'un corniste est difficilement bon à la fois en haut et en bas. Les facteurs d'instruments construisent donc maintenant deux sortes de cors qui, par une légère modification dans la facture, rendent plus faciles les uns les sons aigus *(cors ascendants)*, les autres les sons graves *(cors descendants)*. Dans l'écriture orchestrale, les *premier et troisième* cors sont *ascendants*, les *deuxième et quatrième* sont *descendants*.

Notons aussi que le cor à pistons, comme le cor simple, dispose de tons de rechange; ces tons ne sont en réalité employés que pour faciliter l'exécution de passages très aigus et très dangereux; l'instrumentiste prend alors les rallonges de *fa* ♯, *sol*, *sol* ♯, *la*, *si b*.

Le timbre du cor peut être utilisé de mille manières; il est tour à tour héroïque ou champêtre, sauvage ou d'une exquise poésie, et c'est peut-être dans l'expression de la tendresse, de l'émotion, qu'il développe le mieux ses qualités mystérieuses.

Rappelons que le cor moderne dispose pour chacun des sons de son échelle de trois colorations différentes : le son *naturel*, le son *bouché* (sonorité douce *pp* obtenue par l'emploi d'une sourdine et indiquée par le mot *sourdine)*, et le son *cuivré* (obtenu par la main oblitérant la moitié de la colonne d'air, et indiqué soit par une +, soit par le mot *cuivré)*.

MÉTHODES DE COR

A) Cor simple.

DAUPRAT	*Méthode de cor.*
DOMNICH	*Méthode.*
HAMPL	*Seule et vraie méthode.*
MEIFRED	*De l'étendue, de l'emploi et des ressources du cor.*
MEIFRED	*Méthode.*

B) Cor chromatique.

DEVÉMY	*Méthode de cor chromatique.*
GARIGUE	*Grande méthode de cor à pistons.*

Cor de chasse.

C'est un simple cor d'harmonie en *ré*, sans pistons ni tons de rechange, fabriqué peut-être avec moins de soins, mais en tous points semblable. La plupart des sonneurs de trompe ignorent pourtant que leur instrument peut fournir *naturellement* un *si* ♭ (qui donne *do* ♮), et qui est l'harmonique 7; de même qu'ils ne songent pas à introduire la main dans le pavillon pour produire des sons bouchés. Les seuls sons employés dans les fanfares de chasse sont donc :

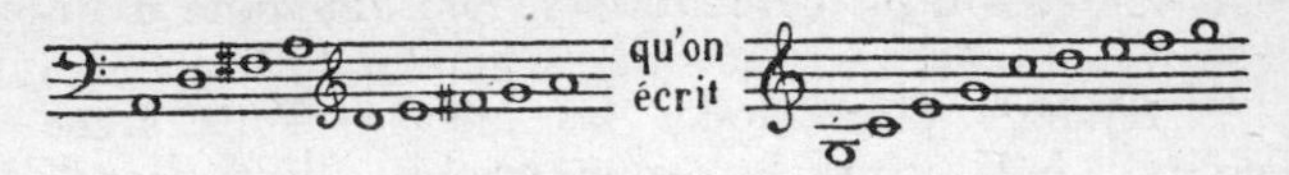

Je ne crois pas que cet instrument ait jamais figuré dans l'orchestre en dehors de l'ouverture de la *Chasse du jeune Henry* de Méhul, où, en entonnant bruyamment une fanfare connue, il vient produire un effet des plus pittoresques et des plus entraînants.

Trompette.

La trompette naturelle a un mécanisme semblable à celui du cor dont elle est en quelque sorte le soprano.. Elle possède à peu près la même échelle harmonique, mais se meut dans une région à la fois plus aiguë et plus restreinte. Voici l'échelle des sons que peut donner la trompette naturelle en *ut* grave, échelle transposable, comme celle du cor, au moyen des tons de rechange. Les sons bouchés, très mauvais, sont inemployables.

Cet instrument, instrument pompeux et héraldique par excellence, d'une sonorité magnifique, mâle et impérieuse, ne possédait donc qu'une échelle très incomplète. C'est pour cette raison qu'il a dû être remplacé à l'orchestre par la trompette à pistons. Celle-ci dispose d'une échelle chromatique complète entre 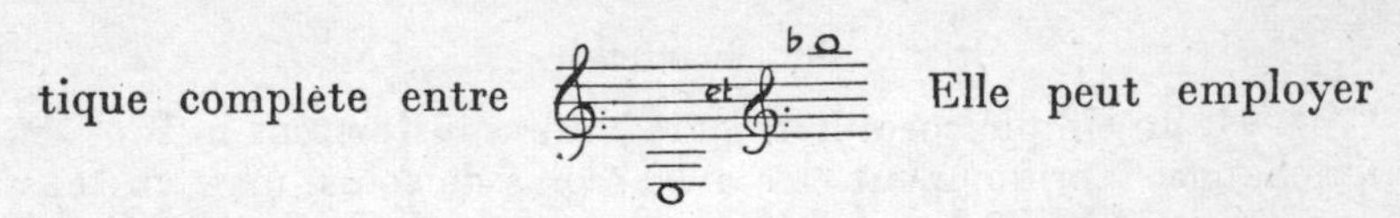

Elle peut employer la sourdine qui est d'un usage très courant depuis Wagner. Très agile, usant comme la flûte de l'articulation triple, la trompette se prête admirablement aux dessins rapides, aux arpèges, surtout aux notes répétées. En dehors des fanfares éclatantes, des appels stridents, elle est apte à produire dans la nuance *p* ou *pp* des effets d'une extrême douceur. L'adjonction des pistons semble pourtant avoir légèrement modifié le timbre de l'instrument; il est moins éclatant, un peu plus empâté, mais ces défauts sont assez peu accusés et largement compensés par la richesse et l'étendue de l'échelle.

Ce qui, plus que les pistons, a contribué à changer le caractère de la trompette et à lui faire perdre de sa puissance et de son éclat, c'est l'habitude qu'ont prise peu à peu les exécutants d'adopter la trompette en *ut aigu*, la plus élevée, la plus facile à jouer dans le haut. Les compositeurs, en écrivant de plus en plus haut, sont en grande partie responsables de ce changement, changement regrettable, car la sonorité de la trompette en *mi* ou en *fa* est incomparablement plus belle, plus mâle, plus énergique que celle de la petite trompette moderne.

PETITE TROMPETTE EN RÉ

On sait le problème posé par l'exécution des œuvres de Bach et de Haendel où les parties de trompette atteignent des hauteurs vertigineuses et semblent destinées à un instrument différent des nôtres en tout cas, mais sur lequel nous sommes assez mal renseignés. C'est à peu près exclusivement pour jouer ces œuvres qu'on emploie la petite trompette en *ré aigu* dont les sons les plus élevés perdent quelque peu de leur timbre.

MÉTHODES DE TROMPETTE

A) Trompette naturelle.

DAUVERNÉ	*Méthode pour la trompette.*
FRANZ	*Méthode de trompette.*
MAYER	*Méthode de trompette de cavalerie.*
SCHILTZ	*Méthode complète.*

B) Trompette chromatique.

BIZET	*Grande méthode moderne de trompette.*
FRANQUIN	*Méthode complète de trompette moderne.*

Cornet à pistons.

L'instrument qui demande le moins d'étude, mais aussi le plus vulgaire; son tube très court ne lui permet d'émettre que les harmoniques graves, de 2 à 8 au plus, et son timbre manque totalement de noblesse et de distinction. Il a pour lui une étonnante facilité d'émission, il triomphe dans l'exécution des notes répétées, des trilles, des traits rapides de toute forme, même chromatiques, et il chante aisément toute espèce de mélodie, en lui transmettant son caractère commun et trivial; à l'occasion, il prétend imiter le cor et la trompette, instruments héroïques; mais cette imitation ressemble souvent à une charge; c'est le gamin de Paris de l'orchestre, et il est mieux à sa place dans les orchestres de bals publics ou de café-concert qu'à l'Opéra ou dans les grands concerts symphoniques.

Pendant une cinquantaine d'années, on l'a cependant employé assez souvent pour remplacer la trompette à cause de sa facilité, de son aptitude à tout faire. Mais, depuis l'invention de la petite trompette à pistons en *ut*, il a à peu près perdu le terrain gagné précédemment et disparu des formations orchestrales modernes.

Le cornet à pistons en *si* ♭, le plus répandu, a pour étendue réelle, chromatiquement, l'intervalle de [notation musicale] à [notation musicale] qui s'écrit naturellement un ton plus haut, comme l'indiquent les petites notes entre parenthèses.

On en fait aussi dans d'autres tons, surtout en *la*, mais le cornet en *si* ♭ est l'instrument type, le grand soliste des fanfares populaires et de la musique militaire.

MÉTHODES DE CORNET A PISTONS

Arban	*Grande méthode complète.*
Clodomir	*Méthode élémentaire.*
Petit	*Nouvelle méthode complète.*

Trombone ordinaire ou à coulisse.

Il y a trois variétés de trombones à coulisse : le *trombone-alto*, le *trombone-ténor*, et le *trombone-basse*, qui s'écrivent chacun dans la clef propre à la voix dont ils portent le nom (*ut* 3e, *ut* 4e, *fa* 4e). Les trombones diffèrent des autres instruments de cuivre à embouchure en ce qu'ils ne sont pas transpositeurs, mais font entendre le son réel tel qu'il est noté. Voici l'étendue de chacun d'eux, chromatiquement :

avec sa traduction dans les clefs du piano, et voici maintenant le principe de construction qui permet d'obtenir cette étendue considérable (je prends comme type le trombone-ténor; les autres fonctionnent de la même façon, l'un à la quarte supérieure, l'autre à la quarte inférieure) :

La coulisse étant entièrement fermée, c'est-à-dire le tube réduit à sa plus courte dimension, l'instrument produit, en modifiant, comme on le fait sur le cor, le souffle et la pression des lèvres, les harmoniques de depuis 2 jusqu'à 8, soit : ; c'est ce qu'on appelle la première position.

En allongeant un peu la coulisse, ce qui augmente la longueur du tube, on est à la deuxième position; la fondamentale devient : , et les harmoniques sont :

Un nouvel allongement donne la troisième position, qui

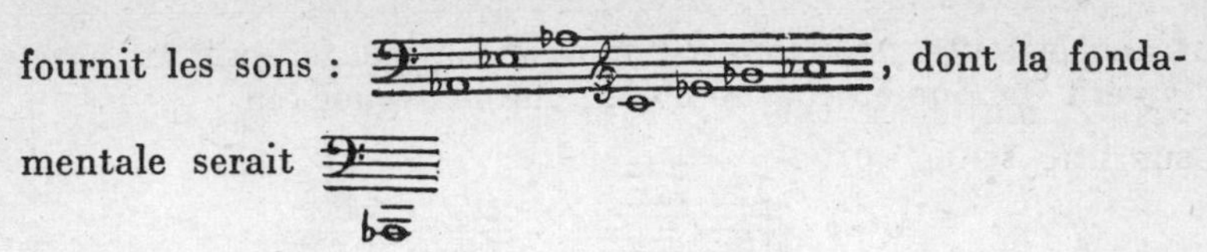

fournit les sons : , dont la fondamentale serait

Et ainsi de suite, à chaque nouvelle extension donnée à la coulisse; en abaissant la fondamentale, on abaisse toute la série des harmoniques.

Les quatrième, cinquième, sixième et septième positions donnent donc les sons suivants :

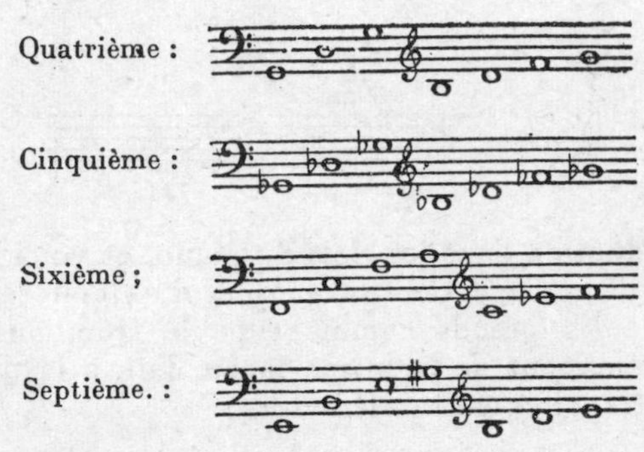

Réunissez méthodiquement toutes ces notes, et vous aurez l'échelle complète, chromatique, du trombone-ténor. D'habiles virtuoses arrivent à faire résonner, à l'aigu, les harmoniques 9 et 10, ce qui enrichit l'instrument des notes ; ou, au grave, les fondamentales des deux premières positions, ; mais ce sont des cas exceptionnels, et le registre de la meilleure sonorité est entre

Il vaut mieux aussi éviter d'employer les notes les plus graves du trombone-basse; car cet instrument étant très pénible à jouer, même par les artistes doués de poumons vigoureux, il est souvent remplacé par un deuxième trombone-ténor, qui ne les peut fournir.

Quand les trois trombones jouent ensemble, ce qui est le cas le plus fréquent, il est plus commode de les réunir sur une seule portée, dans l'une de leurs clefs; au lieu de

qui prend beaucoup de place, on écrit plus simplement

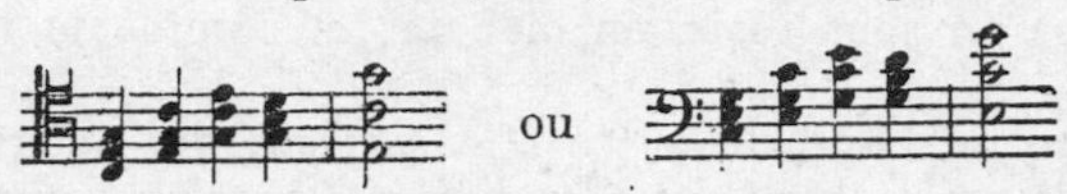

Le timbre du trombone est essentiellement majestueux et imposant. C'est un superbe instrument, d'une haute puissance dramatique, qui peut dominer un orchestre complet et qui produit avant tout l'impression d'une force surhumaine. Dans le *ff*, il n'est pas d'instrument plus pompeux, plus noble, plus grandiose, ni parfois de plus terrifiant. Mais il peut aussi donner des sons *pp* d'une extrême douceur, se fondant complètement dans l'orchestre. Il peut dans la douceur lier des mélodies.

MÉTHODES DE TROMBONE A COULISSE

Berr et Dieppo	*Méthode complète.*
Couillaud	*Méthode de trombone.*
Lafosse	*Méthode complète.*

Trombone à pistons.

C'est un trombone-ténor dans lequel la coulisse est remplacée par un système de pistons analogue à ceux du cor et du cornet, ce qui rend son maniement infiniment plus commode, mais dénature et abâtardit sa sonorité. Le trombone à pistons, d'un usage courant dans certains orchestres étrangers, notamment en Allemagne, n'est pas employé dans les orchestres français.

MÉTHODES DE TROMBONE A PISTONS

Clodomir	*Méthode élémentaire.*
Parès	*Méthode.*

Ophicléide.

Bien qu'il possède quelques notes de plus à l'aigu, l'étendue pratique de cet instrument doit être ainsi délimitée :  avec tous les degrés chromatiques.

Sonorité rude, grossière; peu de souplesse; justesse des plus douteuses. L'ophicléide a disparu de l'orchestre, où il renforçait ou remplaçait le 3e trombone, et a cédé la place au tuba, qui lui est infiniment supérieur.

Il s'écrit en sons réels, en clef de *fa*, comme le trombone basse.

L'origine de l'ophicléide [1] est le *serpent*, qui accompagnait autrefois le plain-chant dans les églises, et qu'on trouve encore dans les campagnes.

MÉTHODES

Guilbaut, Cornette.

Tuba ou Bass-Tuba.

Instrument en cuivre, de la famille des saxhorns.

Pourvu qu'on ne lui demande pas des dessins trop rapides, le *tuba* peut être utilisé dans cette étendue :  ; muni de pistons, il possède tous les degrés chromatiques; mais le registre de la meilleure sonorité va de  à  Il a un timbre d'une extrême vigueur, peut donner toutes les nuances du *ff* au *pp* et fournit en toutes circonstances une basse superbe au groupe des instruments en cuivre.

1. Étymologie : serpent à clefs.

MÉTHODES DE SAXHORN

ARBAN	*Grande méthode complète.*
CLODOMIR	*Méthode élémentaire.*
FESSY	
PARÈS	

Le tuba est le seul représentant, du groupe des *saxhorns*, dont les nombreuses variétés figurent dans les bandes de musique militaire ou de fanfare. J'en donne seulement la nomenclature, avec l'étendue en sons réels.

MÉTHODES DE SAXHORN OU BUGLE A CLEFS

ARBAN, CLODOMIR, FESSY et ARBAN, FORESTIER, GUILBAUT, SAX (Saxhorns et Saxotrombas).
G. PARÈS.

FAMILLE DES INSTRUMENTS A CORDES ET A ARCHET

Violon.

C'est incontestablement le roi de l'orchestre. Aucun instrument ne peut rivaliser avec lui, en quoi que ce soit, ni comme richesse de timbre, ni par les infinies variétés d'intensité, ni pour la vitesse d'articulation, et encore moins pour la sensibilité presque vivante de la corde vibrant directement sous le doigt qui la presse. Il partage avec la voix humaine la faculté inappréciable de faire varier à l'infini la hauteur absolue des sons, et seul avec l'orgue il possède le pouvoir de les prolonger indéfiniment.

Ces incomparables qualités se retrouvent, il est vrai, dans les autres instruments de la même famille (alto, violoncelle, contrebasse), mais c'est chez lui qu'elles s'épanouissent, sans conteste, avec leur maximum d'intensité.

Le violon ne possède pourtant que quatre cordes, en boyau de mouton, tendues au moyen de vulgaires chevilles de bois,

1re 2me 3me 4me

ainsi accordées :  [1] et dont la quatrième est entourée d'un fil métallique qui la rend plus lourde [2].

En attaquant ces cordes *à vide* [3], on n'obtient que les quatre sons ci-dessus; mais en raccourcissant la portion vibrante de l'une d'elles par la pression d'un doigt de la main gauche, on lui fait produire une succession continue, insensiblement graduée, passant par tous les degrés diatoniques, chromatiques ou enharmoniques, et par leurs plus infimes subdivisions, et s'élevant ainsi jusqu'aux sons les plus aigus, sans autre limite que celle assignée à chaque exécutant par son habileté personnelle. Il n'y a donc de sons fixes, invariablement justes dès que l'instrument est bien accordé, que ceux des quatre cordes à vide; tous les autres sons doivent être *faits* par l'artiste, qui les peut faire varier *à l'infini.* En un mot, le violoniste a la faculté de jouer faux, faculté dont il abuse quelquefois, mais

1. La première corde s'appelle aussi « chanterelle ».
2. C'est ce qu'on appelle une corde *filée.*
3. Vibrant dans toute leur longueur, sans autre contact que l'archet.

qui, bien employée, constitue une inépuisable richesse d'intonations variées, une puissance d'expression et d'émotion à nulle autre pareille. Le violon chante véritablement, comme aussi il rit, pleure et crie; il ne lui manque que la parole pour égaler la voix humaine, avec une étendue bien plus considérable.

L'archet, enduit de colophane [1], agrippe la corde, soit en tirant, soit en poussant (signes conventionnels de notation : *Tirez* ⊓ ou ⊔; *Poussez* Λ ou V), et détermine ainsi, avec une admirable sensibilité, les nuances, les ponctuations du discours musical; de lui dépendent aussi, en grande partie, les fluctuations du timbre; c'est lui qui détermine la vibration, en règle l'intensité et en modifie le timbre, tandis que la main gauche gouverne, comme on l'a vu, l'intonation.

Indépendamment des sons *ordinaires* ou *naturels* dont nous venons d'étudier le mode de production, le violon peut aussi émettre des sons *harmoniques* d'un caractère particulièrement doux et séraphique, qui ne sont pas sans analogie avec le timbre de la flûte ou les sons *de tête* de la voix humaine[2], et peuvent acquérir une certaine intensité; pour les produire, le violoniste ne doit plus *presser* sur la corde pour en diminuer la longueur, mais seulement l'*effleurer* en certains points déterminés [3], de façon à éteindre le son naturel, dont alors l'harmonique se dégage dans toute sa pureté.

Les *harmoniques naturels* sont ceux des cordes *à vide :*

(On les indique par un petit zéro au-dessus de la note

.)

Mais on peut produire aussi des *harmoniques artificiels* en appuyant avec un doigt, qui détermine un són fondamental,

1. Mélange de deux parties de *résine* et d'une partie de *poix blanche*; se fabriquait *autrefois* à Colophon (Asie Mineure); on disait alors *colophone*.
2. En Allemagne, on les appelle : *sons de flageolet*.
3. Ses divisions naturelles : la moitié, le tiers, le quart... Voir page 9.

puis en effleurant avec un autre doigt pour effectuer la subdivision de la portion vibrante .

Ce procédé exige une certaine habileté; il n'est pas à la portée de tous les violonistes, et le compositeur doit en user avec la plus grande prudence s'il n'est pas violoniste lui-même.

Si, abandonnant l'archet, on pince la corde avec le doigt *(pizzicato)*, on obtient un son sec, sans durée appréciable, d'une intensité faible ou moyenne, ayant quelque rapport, quoique plus mat, avec celui des instruments à cordes pincées (guitare, mandoline), qui, bien qu'assez restreint dans ses emplois, constitue encore une nouvelle ressource. Pour indiquer la fin d'un passage en *pizzicato*, le compositeur écrit : *col'arco*, avec l'archet.

Enfin, le violon, bien qu'étant par essence un instrument mélodique, principalement destiné à l'émission de contours ayant caractère vocal, est apte, sous certaines conditions, à faire entendre deux sons à la fois, ou même des arpèges composés de trois ou quatre sons *presque* simultanés; là se bornent ses aptitudes polyphoniques, qui ne sont pour lui qu'un accessoire secondaire.

J'allais oublier la sourdine. C'est une sorte de pince d'une forme particulière, qui vient s'emboîter sur le chevalet, et qui, en l'alourdissant, intercepte dans une certaine mesure la transmission des vibrations de la corde à la table d'harmonie, au coffre du violon, lequel n'est pas autre chose qu'un admirable *résonateur*, dont elle atténue l'énergie.

On indique l'emploi de la sourdine par les mots : *con sordino* ou *avec sourdine*, et sa cessation par : *senza sordino* ou *ôtez la sourdine*. Un silence de quelques secondes suffit pour cette manipulation.

Par la simplicité et la souplesse de ses organes, par la richesse et la variété de leurs effets, comme aussi par ses dimensions commodes et maniables, par sa légèreté, et encore plus par l'absence totale de tout mécanisme interposé entre la corde sonore et la volonté de l'artiste, le violon est certainement l'instrument le plus docile, celui qui permet le plus complet développement de la virtuosité.

On n'attend pas que nous donnions ici le doigté du violon, pas plus qu'un aperçu même succinct des formules innombrables qui lui sont familières; c'est l'affaire des méthodes de violon et des traités d'instrumentation; tout ce que nous pouvons faire, c'est de signaler ce qui doit être considéré comme impossible, ou tellement difficile d'exécution qu'il est plus sage de ne pas le demander, au moins à l'orchestre, car depuis Paganini le virtuose violoniste ne connaît pour ainsi dire plus d'impossibilités.

Or donc, à l'orchestre, il est prudent de ne pas excéder, comme limite aiguë, le *la*  ce qui fournit déjà une belle étendue  . De plus, il ne faut pas oublier que la limite d'extension sur une seule corde est la quinte diminuée; la limite d'extension sur deux cordes, la neuvième mineure, laquelle est d'ailleurs difficile.

Quand on emploie le *pizzicato*, on ne peut guère espérer un bon effet des sons qui dépassent le *do* ou le *ré* aigus :  ; ils deviennent par trop secs et cassants.

Les sons *harmoniques naturels* sont seuls d'un emploi certain, et cela encore *dans un mouvement modéré;* pour les employer autrement, il faut de toute nécessité posséder soi-même la pratique du violon ou d'un autre instrument à cordes. Il en est un peu de même pour les *doubles cordes*, et à plus forte raison pour les *triples* et *quadruples cordes*, dont ne peut faire un usage certain, surtout *dans des mouvements rapides*, que celui qui a étudié le doigté de l'instrument. Donc, quand on n'est pas quelque peu violoniste soi-même, il faut s'*abstenir* d'écrire les intervalles suivants :

1° Tous ceux dont les deux notes sont inférieures au *ré*  , comme  qui sont totalement impraticables, par la simple raison que les deux sons qui les composent appartiennent exclusivement à la seule corde grave *sol*, qui n'en peut fournir qu'un à la fois; 2° Les *secondes* au-dessus de ; 3° Les *tierces* au-dessus de  , de même que celles-ci :  qui ne sont pas sans présenter quelque difficulté; 4° Les *quartes* au-dessus de ; 5° Les *quintes* au-dessus de ; 6° Les *sixtes* au-dessus de ; 7° Les *septièmes* au-dessus de ; 8° Les *octaves* au-dessus de  , ainsi que celles-ci :  qui exigent une extension assez pénible.

Au delà de l'octave, toute double corde dont la note grave n'est pas une corde *à vide*, comme  doit être considérée comme impraticable, ou tout au moins d'une exécution dangereuse.

Il faut aussi se souvenir que si les tierces, sixtes et septièmes mineures et majeures sont faciles, les quartes et les secondes majeures sont plus difficiles, que les secondes mineures ne doivent être employées qu'avec précaution, et que les octaves et quintes justes ont tendance à être fausses.

Pour les accords de trois et quatre sons, qui ne peuvent être émis, en raison de la convexité du chevalet, qu'au moyen d'un arpège plus ou moins rapide, les plus commodes sont naturellement ceux qui contiennent des cordes à vide, comme : 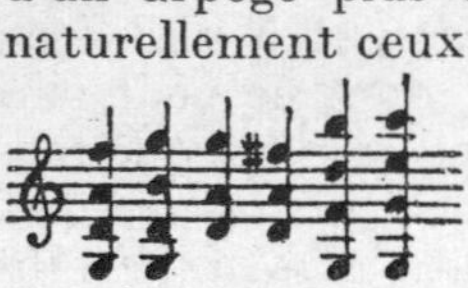 etc.; en dehors de ceux-ci, il n'est prudent d'écrire que des accords disposés en quintes et en sixtes mélangées, tels que :  . On peut encore admettre quelques septièmes, ainsi disposées sur les trois cordes aiguës, depuis  jusqu'à : ; mais ce n'est guère que dans les parties d'accompagnement, ou au contraire lorsque le violon est traité en instrument *solo* (deux cas diamétralement opposés), qu'il y a lieu d'employer fréquemment les doubles, triples et quadruples cordes. Le violon est avant tout un organe mélodique, le splendide et étincelant soprano des instruments à cordes, le plus riche en effets variés, le plus agile, le plus expressif et le plus passionné des éléments de l'orchestre.

Toutes les tonalités lui sont accessibles, mais il est d'autant plus à son aise qu'il peut faire un usage plus fréquent des *cordes à vide.* En conséquence, les tons les plus commodes, comme aussi les plus sonores, sont ceux qui contiennent peu d'altérations; toutefois il n'y a guère à tenir compte de cela que dans les mouvements rapides, en raison de l'extrême habileté des violonistes actuels.

Il n'existe pas d'instrument dont la connaissance intime soit utile au même degré pour quiconque veut s'occuper intelligemment d'instrumentation. Tout compositeur ayant souci de bien écrire pour l'orchestre devrait avoir tenu un violon en main, ne fût-ce que pendant quelques mois, et aucun traité d'instrumentation, quelque parfait qu'il soit, ne pourra jamais remplacer les notions pratiques ainsi acquises.

L'origine du violon et des autres instruments de la famille dont il est le chef doit être recherchée dans l'Inde. Du temps de Ravana, roi de Ceylan, qui vivait environ 5.000 ans avant l'ère chrétienne, fut inventé le *Ravanastron*, qui paraît être le plus ancien type des instruments à archet. (On le retrouve encore dans cet état primitif entre les mains de pauvres moines bouddhistes appartenant à des ordres mendiants.) Cet instrument rudimentaire possédait déjà tous les éléments constitutifs du violon : les cordes en intestins de gazelle, le chevalet, la caisse sonore, le manche, les chevilles et l'archet, dont nous suivrons plus loin le développement. Son premier perfectionnement fut l'*omerti*, qui a fourni le modèle de la *kemangh-a-gouz* des Arabes et des Persans, puis de leur *rébab.* Il n'est pas très difficile de découvrir comment, au moyen âge, le rebab pénétra en Europe, où il donna naissance successivement aux instruments qui figurent dans tous les musées : *rubèbe*, *rebelle*, *rebec*, *rebecchino*, dont les noms seuls suffiraient, à défaut de documents historiques, pour établir la filiation.

Au moyen âge, la *vièle*, qui est fort en honneur, a déjà beaucoup des caractéristiques du violon. Peu à peu, elle se perfectionne et, sous le nom de *viole*, nous la voyons au XVIe et au XVIIe siècles, constituer une famille complète d'instruments, d'ailleurs différente et distincte de celle des violons, et dont nous parlerons plus tard.

Quant au violon proprement dit, on en attribue le premier modèle à *Duiffopruggar*, luthier lyonnais, mort en 1570. Ensuite vient la grande époque de la lutherie italienne qui a créé les types définitifs que s'efforcent d'imiter les facteurs de nos jours; ses plus illustres représentants sont, par ordre de date [1] :

	Date de la naissance	Période de fabrication		Date de la mort
	—	—		—
Gasparo de Salo		*1560*	*1610* env.	
Jean-Paul Magini		*1590*	*1640* env.	
André Amati	1520			1580 env.
Jérôme Amati	?			1638
Antoine Amati	1550 env.			1635
Nicolas Amati	1596			1684
Jérôme Amati	1649			1672
André Guarnerius		*1650*	*1695*	
Joseph-Antoine Guarnerius		*1683*	*1745*	
François Ruggieri		*1670*	*1720*	
Pierre Guarnerius		*1690*	*1720*	
Vincent Ruggieri		*1700*	*1730*	
J.-B. Ruggieri		*1700*	*1725*	
Pierre-Jacques Ruggieri		*1700*	*1720*	
Pierre Guarnerius		*1725*	*1740*	
AN. STRADIVARIUS	1644			1737
Ch. Bergonzi		*1725*	*1750*	
Michel-Ange Bergonzi		*1725*	*1750*	
Laurent Guadagnini		*1695*	*1740*	
J.-B. Guadagnini		*1755*	*1785*	
Carlo Landolfi (Landolphus)		*1750*	*1750*	

1. Je ne donne pas *toutes* ces dates comme rigoureusement exactes, mais comme très approximatives, et ayant fait l'objet de recherches sérieuses.
Celles des colonnes de droite et de gauche indiquent les années de la mort et de la naissance.
Quand je n'ai pu me les procurer, j'ai indiqué, *en italique* dans les colonnes du milieu, la période de production de chaque artiste luthier.

Puis vint l'école tyrolienne, dérivée de la précédente :

	Date de la naissance	Période de fabrication		Date de la mort
	—	—		—
Steiner	1621			1683
Matthias Albani	1621			1673
Matthias Albani fils		*1702*	*1709*	—
Matthias Klotz		*1670*	*1696*	
Sébastien Klotz et ses frères, etc.				

(Les noms les plus célèbres sont en italique.) *Guarnerius*, *Stradivarius* et *Steiner* sont élèves de *Nicolas Amati*, *Albani* père est élève de *Steiner*, ainsi que *Klotz*.

Plusieurs des élèves de *Stradivarius* répandirent en Europe les traditions de la lutherie italienne; ce sont principalement :

Médard	fabriqua de	*1680* à *1720*	et s'établit	en Lorraine.
Decombre	—	*1700* à *1735*	—	en Belgique.
Fr. Lupot	—	*1725* à *1750*	—	à Stuttgart.
Jean Vuillaume	—	*1700* à *1740*	—	à Mirecourt.

Inutile de parler ici des luthiers contemporains, dont chacun connaît les mérites.

L'*archet* primitif du ravanastron ressemblait à ceux qu'on rencontre encore chez les Arabes et les Tunisiens, aussi bien qu'à celui dont se servent encore les Chinois [1], peuples peu progressifs, chez lesquels les traditions se perpétuent indéfiniment.

Un simple bambou forme la baguette; au talon, ce bambou est percé d'un trou dans lequel est introduite une mèche de crins arrêtée par un nœud; à l'autre extrémité de la baguette, à la pointe, est pratiquée une simple fente, dans laquelle vient se fixer, aussi par un nœud, l'autre bout de la mèche; la baguette se trouve ainsi courbée en arc, d'où son nom d'archet, petit arc.

Quoique perfectionné d'abord en Arabie, cet outil reste

1. J'ai eu l'occasion d'entendre le marquis de Tseng, alors qu'il était ambassadeur de Chine à Paris, sur un *ravanastron* ou violon chinois qui m'appartient. L'instrument a cela de particulier que l'archet reste constamment engagé et comme entrelacé dans les deux cordes, qui sont accordées en quinte, mais sur lesquelles il frotte alternativement selon qu'on le porte en avant ou en arrière. Saint-Saëns l'a entendu à satiété en Chine, a même essayé d'en jouer, sans succès, et lui trouve un charme « essentiellement chinois », mais auquel on s'habitue. « C'est parfois atroce, ce n'est pas discordant », m'a-t-il écrit à ce sujet.

(Cet instrument a été légué par A. Lavignac au Musée du Conservatoire.)

assez grossier jusqu'au XIIe siècle, où, après avoir été arqué, il devient presque droit; puis enfin il se cambre, se creuse et acquiert la forme que nous lui connaissons aujourd'hui, qui est à peu près l'opposé de sa forme première.

Les principaux artistes qui ont contribué à cette curieuse transformation sont : *Corelli* (né vers 1653), *Vivaldi* (né vers 1700), *Tartini* (né en 1692) et enfin *Tourte*, un Français celui-là (né en 1747, mort en 1835), auquel il appartenait de porter l'archet à sa plus haute perfection. Il en a fixé la longueur définitive (0 m. 75 pour le violon, 0 m. 74 pour l'alto, 0 m. 72 pour le violoncelle); il a constaté que le meilleur bois pour sa fabrication était le bois de Fernambouc, jusqu'alors employé uniquement pour la teinture; il a déterminé la courbure précise qui lui donne ses qualités admirables de légèreté, d'équilibre, de souplesse et d'énergie; enfin, il a imaginé le moyen de rendre la mèche plate, au moyen d'une virole métallique, ce qui augmente considérablement le volume du son et les qualités expressives de l'instrument.

D'autres veulent faire dériver le violon du crouth breton ou *crwth*, en passant par la *rote* et la *lyra;* mais comme rien ne prouve que le crouth ne dérive pas lui-même du ravanastron indien, cette opinion ne modifie en rien ce que nous avons exposé sur l'origine de l'instrument-roi; son germe indien a pu être transporté et se développer simultanément dans diverses civilisations, mais il reste incontestable que c'est en Italie qu'il a atteint son épanouissement définitif, et cela au XVIe siècle, époque à partir de laquelle il n'y a plus rien été ajouté ou changé.

MÉTHODES DE VIOLON

BAILLOT	*L'Art du violon.*
CORRETTE	*L'Art de se perfectionner dans le violon.*
MAZAS	*Célèbre méthode complète de violon.*
PETRONIO	*Manuel de technique rationnelle du violon.*
TARTINI	*L'Arte del arco.*
ZIGHÉRA	*Méthode de violon élémentaire et progressive.*

Alto ou quinte.

On peut à volonté considérer l'*alto* comme un grand violon accordé une quinte plus bas, ou comme un petit violoncelle accordé une octave plus haut, ce qui explique à la fois ses deux noms; c'est la *quinte* inférieure du **violon**, ou l'*octave* haute *(alto)* du violoncelle :

L'extension que nous avons donnée intentionnellement à la description du violon nous dispensera d'entrer dans des détails aussi minutieux en décrivant les autres instruments de la même famille.

Construit sur un modèle analogue à celui du violon, l'alto se joue de la même manière, quoique nécessitant, par ses dimensions, un peu plus d'écartement des doigts de la main gauche; tout violoniste adroit peut en quelques semaines en acquérir la pratique superficielle, mais un vrai virtuose *altiste* doit en faire une étude spéciale et prolongée. En se reportant à l'article violon, et en lisant les exemples une *quinte* plus bas, on sera renseigné sur tout ce qui lui est possible ou impossible.

Mais une différence importante à noter, c'est le caractère du timbre, beaucoup moins brillant que celui du violon, plus mat, plus sombre, plus étouffé. Aussi l'orchestration en tire-t-elle parti, en dehors des emplois comme remplissage, pour l'expression des sentiments de mélancolie, de résignation, qu'il traduit avec une puissance communicative incomparable, depuis la morne rêverie jusqu'à l'émotion angoissée et pathétique.

Bien que l'alto s'écrive normalement en clef d'*ut* 3e, on emploie quelquefois pour les sons les plus aigus la clef du violon; l'étendue totale de cet instrument, employé dans l'orchestre, doit être ainsi limitée :  , bien qu'à vrai dire, entre des mains habiles, il puisse monter beaucoup plus haut.

En raison de ses fonctions dans l'orchestre, qui occupent le centre de l'harmonie, l'emploi des doubles et triples cordes est très fréquent dans les formules d'accompagnement.

La limite d'extension sur une corde est la quarte juste, sur deux cordes, l'octave juste.

MÉTHODES D'ALTO

ALDAY	*Grande méthode pour l'alto.*
BRUNI	*Méthode pour l'alto.*
MOLLIER	*Nouvelle méthode d'alto.*

Violoncelle.

Le violoncelle ou basse est le seul instrument qui, en raison de son étendue, donne lieu à l'emploi de trois clefs : *fa* 4e pour le grave, *ut* 4e pour le médium, *sol* 2e pour l'aigu. Voici cette étendue  telle qu'on peut l'employer à l'orchestre; il ne dépend que de l'habileté des virtuoses de la prolonger indéfiniment à l'aigu, soit en sons naturels, soit en sons harmoniques, comme pour tous les instruments à cordes.

L'accord est :  , une octave au-dessous de l'alto, une 12e au-dessous du violon. La limite d'extension sur une corde est la tierce majeure.

Les doubles, triples et quadruples cordes sont praticables au violoncelle comme au violon et à l'alto, mais il faut se souvenir que les écarts y sont à peu près doubles de ceux du violon et que l'instrument est beaucoup moins maniable.

Dans les doubles cordes, les sixtes sont excellentes, les quintes meilleures qu'au violon, les tierces médiocres et difficiles, surtout dans le grave, les quartes praticables, les secondes et octaves à éviter. Les triples et quadruples cordes sont d'autant plus facilement praticables qu'elles contiennent plus de cordes à vide, mais il convient toujours de les employer avec une certaine discrétion.

Au contraire, les *sons harmoniques* sont d'un excellent effet et d'une exécution facile, en raison du faible diamètre et de la longueur des cordes.

Les fonctions du violoncelle dans l'orchestre sont multiples; le plus souvent, il occupe, renforcé par la contre-basse, la partie grave de l'harmonie, la basse; c'est là sa place naturelle; mais parfois on lui confie la partie chantante, et alors, perdant son austérité, il devient un ravissant ténor instrumental, d'un timbre pur et chaud; sa vocalisation rapide et légère, le passage fréquent des sons naturels aux sons harmoniques, imitant celui de la voix de poitrine à la voix de tête, complètent la ressemblance avec l'organe vocal.

D'ailleurs, bien que se mouvant dans d'autres régions et éveillant d'autres sensations, le violoncelle possède une richesse de sonorités variées presque aussi considérable que le violon.

Les *pizzicati* y sont meilleurs et moins secs que sur ce dernier.

MÉTHODES DE VIOLONCELLE

ABBIATE	*Nouvelle méthode de violoncelle.*
ALEXANIAN	*Traité théorique et pratique de violoncelle.*
BAILLOT	*Méthode de violoncelle.*
GRUET	*Méthode de violoncelle.*
RABAUD	*Méthode complète de violoncelle.*

Contrebasse.

La contrebasse est accordée à l'inverse du violon, en quartes :  , et occupe la région la plus grave de l'échelle orchestrale. Aussi, pour éviter l'emploi constant de lignes supplémentaires, a-t-on adopté de l'écrire à l'octave supérieure dù son réel, ainsi :  [1].

L'échelle de la contrebasse, à l'orchestre, comprend dix-huit degrés :  [2].

Son rôle à peu près constant est de redoubler et renforcer les violoncelles, ou tout au moins la basse de l'harmonie;

1. Le même fait en sens inverse, se produit dans la notation de la petite flûte.
2. Il a existé et on rencontre encore parfois des contrebasses à trois cordes ne descendant qu'au *sol* et accordées en quintes :  . Cette contrebasse à trois cordes est sans doute celle qu'on pratiquait du temps de Beethoven.
En outre, les orchestres possèdent maintenant des contrebasses plus grandes, à cinq cordes et ainsi accordées : 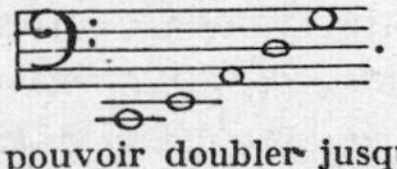 .

Cet instrument a l'avantage de pouvoir doubler jusqu'au bout à l'octave inférieure l'échelle du violoncelle. Dans les soli, aussi bien pour la facilité du doigté que pour la rondeur du son, la contrebasse à quatre cordes et même celle à trois cordes lui sont préférables.

malgré son volume considérable, et le long parcours que doit effectuer la main gauche pour se rendre d'une note à l'autre, les contrebassistes arrivent à exécuter, soit en sons liés, soit en *détaché*, des dessins assez rapides, pourvu qu'ils ne soient pas trop compliqués. Le *tremolo* y produit des effets puissants, et le *pizzicato* y est plus rond et plus moelleux que sur tout autre instrument. Les *doubles cordes* lui sont à peu près inconnues, et seraient d'ailleurs aussi difficiles qu'inutiles et nuisibles dans cette région de l'échelle où l'on n'a pas intérêt à entasser les notes, mais au contraire à les espacer. Les *sons harmoniques* lui seraient faciles, mais jusqu'ici on les a peu utilisés.

Beaucoup de maîtres classiques, notamment Gluck, Haydn, Mozart et même Beethoven, ont écrit des parties de contrebasse descendant jusqu'à l'*ut* [notation musicale] (note écrite); que faut-il en conclure? Que de leur vivant, et en Allemagne, on accordait les contrebasses autrement qu'aujourd'hui? C'est peu probable, car aucun auteur n'en fait mention. Croire à une négligence collective et persistante de leur part? C'est encore plus invraisemblable. C'est une question que je n'ai pu élucider.

MÉTHODES DE CONTREBASSE

BERNIER	*Méthode de contrebasse.*
BOTTESINI	*Grande méthode.*
GOUFFÉ	*Traité sur la contrebasse à quatre cordes.*
NANNY	*Enseignement complet de la contrebasse à 4 et 5 cordes.*

Violes.

Cette famille d'instruments, assez proche de celle des violons, a été extrêmement employée au XVIe et au XVIIIe siècles. C'est seulement dans la seconde moitié du XVIIe et au XVIIIe que les violes laissèrent peu à peu la place aux violons. Il ne faut donc pas oublier que nombre d'œuvres anciennes leur étaient en réalité destinées.

Parmi les différents types de violes, on peut citer, en allant du grave à l'aigu : la *viola di gamba*, ou *basse de viole*, la *viola a braccio*, le *dessus de viole*, le *pardessus de viole* ou *quinton.*

La *viole d'amour* est une transformation de l'ancienne *viola a braccio.* C'est un instrument curieux, parce qu'il est le seul dans lequel il soit fait un emploi systématique des vibrations par sympathie. Il possède sept cordes, accordées en accord parfait de *ré* majeur : ; et au-dessous de ces cordes il y en a sept autres, métalliques, donnant les mêmes sons, auxquelles l'archet ne peut toucher, mais qui entrent *spontanément* en vibration sous la seule influence des cordes supérieures.

Le timbre en est étrangement poétique; mais, le renforcement sympathique ne se produisant réellement que sur les notes de l'accord parfait de *ré*, et de plus le doigté étant très bizarre (en raison de l'accord), c'est un instrument assez imparfait.

C'est surtout dans un local restreint, dans des concerts intimes de musique de chambre, qu'on peut se rendre compte de son charme particulier, qui ne peut sans fatigue captiver longtemps l'attention.

MÉTHODES DE VIOLE D'AMOUR

CASADESUS (Henri) *Technique de la viole d'amour.*

FAMILLE DES INSTRUMENTS A CORDES PINCÉES

Harpe.

Ainsi qu'on peut le constater par de nombreux bas-reliefs antiques, l'idée primitive de la harpe remonte *au moins* aux anciens Égyptiens, c'est-à-dire à plus de six mille ans! Ils en avaient depuis 4 cordes jusqu'à 11 ou 12, et dans quelques-unes on voit déjà apparaître la forme élégante qui caractérise ce gracieux instrument. On le retrouve ensuite chez les Hébreux, puis dans toutes les grandes civilisations, toujours gagnant en étendue, mais sans aucun *mécanisme*. Or, c'est justement l'adaptation d'un mécanisme des plus ingénieux et sans analogue dans aucun instrument, mécanisme dont l'ébauche appartient à Naderman (1773-1835), mais qui doit ses derniers perfectionnements au célèbre facteur Sébastien Érard, qui a donné droit de cité à la harpe dans l'orchestre moderne, où les compositeurs s'en sont servis pour obtenir des effets très variés et très intéressants.

Voici en quoi consiste le principe, très curieux, de la harpe d'Érard, dite *à double mouvement*, et la seule employée de nos jours :

Ses quarante-six cordes sont accordées de façon à faire entendre la gamme diatonique d'*ut bémol majeur*

Sept pédales entourent sa base et peuvent être abaissées et *fixées* chacune à deux crans différents. Si l'on fixe l'une d'elles à son premier cran, toutes les cordes *fa* ♭ sont simultanément raccourcies de la longueur correspondant à un demi-ton, le *fa* devient *naturel*, et l'on a la gamme de *sol bémol majeur*; une deuxième pédale agit de même sur tous les *do* ♭, qui deviennent des *do bécarre*, ce qui produit le ton de *ré bémol majeur;* et ainsi de suite, en abaissant chaque pédale à son premier cran, on obtient les gammes de *la bémol*, *mi bémol*, *si bémol*, *fa* et *ut majeurs.* Dans ce dernier ton, toutes les pédales sont donc accrochées au milieu de leur course.

Si, revenant à la première pédale, celle du *fa*, on l'abaisse maintenant à fond en la fixant dans son deuxième cran d'arrêt, les cordes *fa* sont encore raccourcies, deviennent des *fa dièses*, d'où résulte la gamme de *sol majeur;* et en continuant ainsi à l'égard des six autres pédales, on obtient chaque fois une gamme majeure nouvelle, si bien que lorsque les sept pédales sont complètement abaissées et fixées à leur cran inférieur, l'instrument, qui était primitivement en *ut bémol*, se trouve en *ut dièse majeur.*

On voit combien ce mecanisme diffère de celui de tout autre instrument. Voyons maintenant ce qu'il en résulte pour la façon d'écrire la musique destinée à la harpe.

On ne doit jamais perdre de vue l'accord de l'instrument, éviter les changements nécessitant des mouvements de pédale trop multipliés et trop précipités, puisque chaque pied ne peut faire mouvoir qu'une pédale à la fois et que les notes doivent donc être changées une par une. Les tons les plus sonores sur la harpe sont ceux qui contiennent le plus de bémols, parce qu'ils utilisent les cordes dans leur plus grande longueur.

Les accords plaqués, *arpégés* ou brisés, les gammes et traits diatoniques, en octaves, tierces ou sixtes, sont les formules les plus familières à la harpe.

Le faible écartement des cordes permet à la main d'embrasser l'intervalle de dixième aussi facilement que sur le piano l'octave; mais dans les accords il ne faut demander que quatre notes à chaque main, les harpistes ne se servant pas du cinquième doigt.

Les notes répétées sont possibles dans le mouvement le plus rapide à condition que l'accord permette de disposer de deux cordes pour une seule note. Ex. *mi* ♯, *fa* ♭, *la* ♯, *si* ♭, etc. Le trille est bon exécuté à deux mains et dans la nuance piano. Enfin, la harpe dispose d'un effet spécial qui lui est absolument propre : le *glissando*. L'instrument étant accordé de façon à ce que l'ensemble donne une formule harmonique quelconque, l'instrumentiste n'a plus qu'à laisser glisser ses doigts pour obtenir, soit dans la nuance *P*, soit dans la nuance *F*, l'effet harmonique voulu dans une sorte de halo sonore.

Tout comme les instruments à archet, la harpe possède des *sons harmoniques;* en effleurant la corde au point milieu, avec le côté extérieur de la main, ce qui laisse les doigts libres pour pincer, on obtient le son partiel 2 (octave de la fondamentale), qui est d'une suavité ravissante, surtout dans le médium de l'instrument; la main droite ne peut attaquer qu'un seul harmonique à la fois, la main gauche deux, et dans un mouvement modéré; ils ont peu de force et ne peuvent être utilisés que du *pp* au *p*. Leur notation est très simple : on écrit le *son voulu* une octave plus bas, et on le surmonte d'un 0.

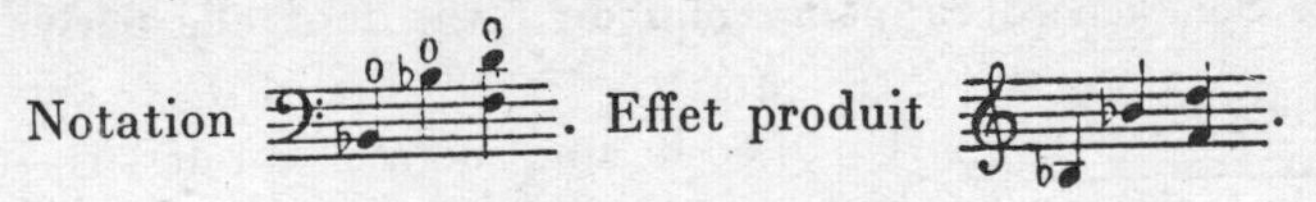

En tenant compte des particularités qu'on vient de voir, et bien que ces deux instruments procèdent d'un principe totalement différent, on peut considérer que la musique de harpe *s'écrit* à peu près comme celle de piano; les mêmes clefs et le même système de notation sont en usage, mais les procédés d'exécution sont tout autres.

MÉTHODES DE HARPE

BOUSSAGOL	*Nouvelle méthode de harpe.*
GENLIS (Comtesse de)	*Nouvelle méthode.*
LABERRE	*Méthode complète.*
NADERMANN	*Méthode.*
RENIÉ	*Méthode complète.*
SALZEDO	*Étude moderne de la harpe.*

Luth.

Le luth, qui n'est plus employé aujourd'hui, a joué un rôle capital dans l'histoire de la musique, ainsi qu'on le verra plus loin. C'est un instrument à manche et à cordes pincées, de grandes dimensions, se rapprochant un peu de la guitare. Il fut monté d'abord à quatre cordes, puis à six, vingt et même vingt-quatre cordes dont beaucoup étaient doubles pour augmenter la puissance sonore. L'*archiluth*, le *théorbe*, le *chittarone* étaient des luths de grandes dimensions. L'accord de ces instruments était des plus variables ; la musique qui leur était destinée était notée d'une façon spéciale, d'après un système basé sur la figuration du doigté et non pas sur celle des sons. On appelait cette notation *tablature* ; elle était différente selon les pays et les époques.

Guitare.

Ce n'est pas, à proprement parler, un instrument d'orchestre, bien qu'on l'y ait parfois introduite dans un but pittoresque ; en Espagne et en Italie, elle sert souvent à accompagner les voix, et ne manque pas d'une certaine poésie dans la musique intime. Son accord rappelle celui du luth, dont elle dérive :

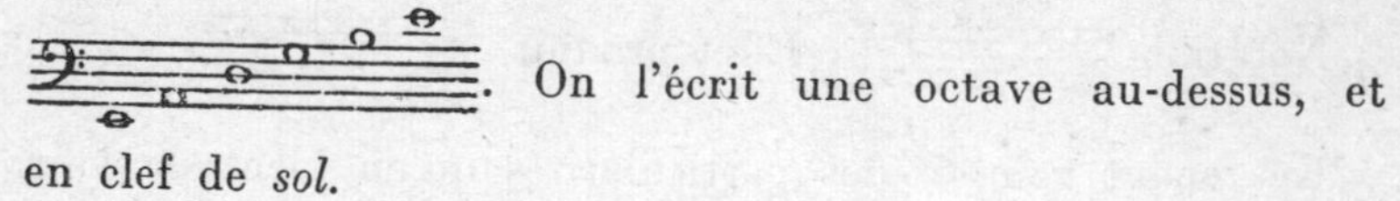

On l'écrit une octave au-dessus, et en clef de *sol*.

MÉTHODES DE GUITARE

AGUADO	*Méthode complète.*
CARULLI	*Nouvelle méthode.*
ZURFLUH	*L'École de la guitare.*

Mandoline.

Il y en a de plusieurs espèces; celle qu'on rencontre le plus fréquemment est munie de *huit cordes accouplées* et accordées comme celles du violon , d'où résulte un doigté analogue; mais il ne faut pas monter au delà du *mi* :

On ne pince pas les cordes de la mandoline directement avec le doigt, comme celles de la guitare ou de la harpe, mais avec un petit bec de plume ou un crochet d'écaille. Le but des cordes *doublées* est d'obvier à la faiblesse de la sonorité, et surtout de permettre une sorte de *tremolo* très rapide, par lequel les mandolinistes remplacent les notes tenues; c'est un effet spécial à cet instrument, dont on se fatigue rapidement.

MÉTHODES DE MANDOLINE

Bara	*Méthode.*
Cottin	*Méthode.*
Zanoli	*Grande méthode complète.*

Banjo.

C'est une guitare à long manche, d'origine africaine, montée de cinq à neuf cordes et qui est très employée dans les orchestres de jazz.

MÉTHODE DE BANJO

Billon	*Méthode.*

Clavecin.

Instrument à clavier et à cordes grattées qui est l'ancêtre du piano. Cet instrument est encore employé dans l'exécution des œuvres anciennes auxquelles son timbre convient beaucoup mieux que celui du piano. Le clavecin se présente un peu comme un piano plus petit, à deux claviers. Les cordes sont grattées par des becs de plume ou de cuir.

On peut, grâce aux deux claviers, obtenir des oppositions de sonorité, mais non pas des nuances d'intensité. Le toucher est net, précis, brillant, un peu sec.

Certains compositeurs modernes ont écrit pour cet instrument; citons notamment le *Concerto* de *Manuel de Falla.*

MÉTHODES DE CLAVECIN

COUPERIN	*L'art de toucher le clavecin.*
BACH (K. PH. E.)	*Versuch über die wahre Art das Clavier.*
CORRETTE	*Le Maître de clavecin.*
MARPURG	*Art de toucher le clavecin.*
BRUNOLD	*Traité des signes et agréments.*

FAMILLE DES INSTRUMENTS A CORDES FRAPPÉES

Piano.

Quoique le piano soit avant tout un instrument autonome, il suffirait de l'emploi qu'en ont fait des maîtres tels que Berlioz, Saint-Saëns, d'Indy, Strawinsky, et en général tous les auteurs contemporains, pour le ranger parmi les instruments qui peuvent faire partie de l'orchestre, car il y produit des effets nouveaux et personnels, qui ne peuvent être remplacés par aucun autre agent sonore. Les Hongrois n'ont-ils pas dans leur orchestre national le cembalo, qui est un piano sans clavier, et les anciens compositeurs italiens, allemands et français n'utilisaient-ils pas son ancêtre, le clavecin, dans leurs partitions et pour l'accompagnement des récitatifs, où il était écrit en basse chiffrée?

Le décrire me paraît superflu; disons seulement, pour le cas invraisemblable où ce volume irait échouer sur quelque autre planète, que c'est un instrument à cordes métalliques frappées, dont le clavier embrasse l'étendue chromatique de sept octaves,

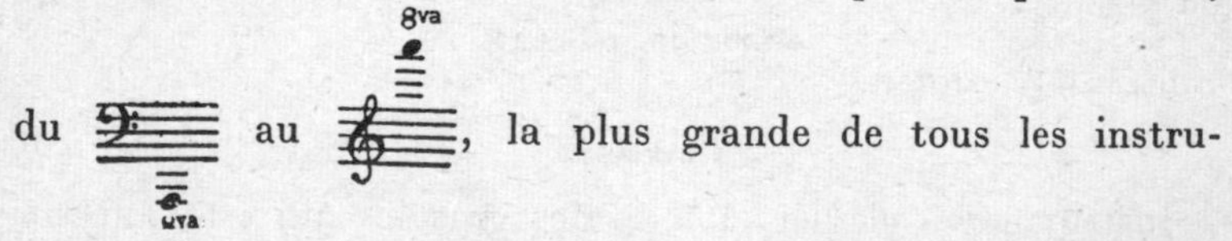

du … au …, la plus grande de tous les instruments, l'orgue excepté, et il est probable que cette étendue, déjà énorme, sera encore dépassée, car le piano a toujours été en grandissant; les premiers avaient l'étendue du clavecin, cinq octaves environ, et actuellement la plupart des pianos de concert montent jusqu'à l'*ut* de 8.276 vibrations. Il est vrai que les notes extrêmes sont d'une intonation difficile à apprécier.

On adapte parfois au piano un clavier de pédales ou *pédalier*, qui l'enrichit d'effets spéciaux, mais prive nécessairement l'exécutant de l'emploi des pédales ordinaires de l'instrument.

MÉTHODES DE PIANO

ADAM	*Méthode du Conservatoire.*
NOUNEBERG	*Le piano révélé par le film.*
BLANCHET	*Technique moderne du piano.*
CORTOT	*Principes essentiels d'une technique pianistique rationnelle.*
PHILIPP	*Exercices.*
CZERNY	*Ouvrages pédagogiques.*
LAVIGNAC	*L'école de la pédale.*

Cembalo ou Zimbalon.

Ce curieux instrument, qui apporte un mordant tout spécial aux orchestres hongrois ou tsiganes, se compose essentiellement d'une table d'harmonie trapézoïdale, sur laquelle sont tendues transversalement de fortes cordes métalliques, au nombre de trois à cinq pour chaque note, au moyen de chevilles analogues à celles du piano. On ébranle ces cordes par la percussion de deux marteaux souples, que l'artiste doit manœuvrer agilement de chaque main.

L'accord en est des plus bizarres[1], les cordes graves vibrant

1. Accord du cembalo hongrois :

Registre	Corde			
AIGU. — 5 *cordes par note*	1	*sol*$\sharp_4$	*si*$_4$	*mi*$_5$
	2	*do*$_5$	*do*$\sharp_5$	
	3	*fa*$\sharp_4$	*la*$_4$	*ré*$\sharp_5$
	4	*la*$\sharp_4$	*ré*$\sharp_4$	
	5	*fa*$_4$	*sol*$_4$	*ré*
	6		*ré*$\sharp_3$	
	7	*mi*$_4$	*la*$\sharp_3$	
	8		*do*$\sharp_3$	
	9	*ré*$_4$	*sol*$\sharp_3$	
	10		*si*$_2$	
	11	*do*$\sharp_4$	*fa*$\sharp_3$	
	12		*la*$\sharp_2$	
	13	*do*$_4$	*fa*$_3$	
	14		*la*$_2$	
	15	*si*$_3$	*mi*$_2$	
	16		*sol*$\sharp_2$	
	17	*la*$_3$	*ré*$_3$	
	18		*sol*$_2$	
	19	*sol*$_3$	*do*$_3$	
	20		*fa*$\sharp_2$	
MÉDIUM. — 4 *cordes par note*	21		*fa*$_2$	
	22		*mi*$_2$	
	23		*ré*$\sharp_2$	
	24		*ré*$_2$	
	25		*do*$\sharp_2$	
	26		*do*$_2$	
GRAVE. — 3 *cordes par note*	27		*si*$_1$	
	28		*la*$\sharp_1$	
	29		*la*$_1$	
	30		*sol*$\sharp_1$	
	31		*sol*$_1$	
	32		*fa*$\sharp_1$	
	33		*fa*$_1$	
	34		*mi*$_1$	

Les cordes 1, 3, 5, sont divisées en trois parties, au moyen de deux chevalets et fournissent chacune trois sons.

Les cordes 2, 4, 7, 9, 11, 13, 15, 17, 19, sont divisées en deux parties, au moyen d'un seul chevalet, et fournissent deux sons.

Les autres vibrent dans toute leur longueur, et ne produisent qu'une note.

dans toute leur longueur tandis que d'autres sont coupées par un, deux ou trois chevalets, de façon à fournir plusieurs sons différents. L'étendue totale est de quatre octaves, de [musical notation] à [musical notation], quelquefois plus, et on peut confier à cet instrument les dessins les plus rapides et les plus compliqués; s'il s'agit de doubles notes, une allure plus modérée est nécessaire, chaque main ne pouvant frapper qu'une seule note à la fois.

Il n'est pas sans intérêt de faire remarquer que le nom même de cet instrument établit sa parenté avec le clavi-cembalo ou cembalo à clavier, c'est-à-dire le clavecin, l'ancêtre du moderne piano.

Son origine est très ancienne, probablement orientale.

FAMILLE DES INSTRUMENTS A PERCUSSION A SON DÉTERMINÉ

Timbales.

Parmi les nombreux instruments à percussion dans lesquels le corps sonore est une peau tendue, la *timbale* est le seul dont l'intonation soit nettement déterminée.

Une *timbale* est un grand bassin hémisphérique, en cuivre, une sorte de chaudron, recouvert d'une membrane assez fortement tendue pour donner lieu à des vibrations musicales. Un système de vis équidistantes, disposées à sa périphérie, permet de modifier la tension de cette membrane, et de l'amener à produire des sons sensiblement différents; on peut ainsi en faire varier l'intonation d'une quinte environ.

On emploie généralement deux ou trois timbales, d'inégale grandeur, rarement plus. Les sons qu'elles peuvent produire sont compris entre [musical notation] et [musical notation], c'est-à-dire une octave complète.

Quand il y en a deux, ce qui est l'habitude, on les accorde le plus souvent en quinte ou en quarte, fournissant la tonique et la dominante du ton principal, la plus grande étant naturellement chargée du son le plus grave, compris entre [notation musicale]

et la plus petite fournissant une note comprise entre [notation musicale] ;

quand il en existe une troisième, on lui confie un son intermédiaire. Leur accord peut d'ailleurs, dans ces limites, varier selon le caprice du compositeur.

Les timbales se prêtent à toutes les formules rythmiques, même les plus rapides; le roulement s'indique par l'abréviation : *tr.* (pour *tremolo*). Elles possèdent aussi l'échelle complète des nuances, du *pp* le plus sourd au *ff* le plus éclatant.

Si l'on désire faire varier l'accord des timbales dans le courant d'un même morceau, il est nécessaire de leur laisser un assez long temps de silence pour cette opération; en ce cas, on écrit simplement : changez en *la ré*..., ou en *si* ♭ *fa*, etc.

MÉTHODES : *Kastner, de Sivry, Baggers.*

Carillon.

Une série de timbres ou de barres d'acier ou de bronze, disposés de façon à être frappés au moyen d'un petit marteau et accordés soit diatoniquement, soit chromatiquement, forment un carillon élémentaire.

Jeux de timbres ou Glockenspiel.

En adaptant un clavier à un carillon, on obtient un jeu de timbres d'un maniement plus commode; de plus, cette disposition permet les accords, les arpèges, les trilles et tous les dessins rapides interdits au carillon simple.

On peut donner à de tels instruments l'étendue que l'on veut; cela ne dépend que du nombre et de la dimension des lames ou des timbres.

Célesta.

Cet instrument, inventé par Mustel, remplace avec le plus grand avantage les anciens carillons ou jeux de timbres.

Il est constitué par des plaques d'acier chargées à leur extrémité d'une petite masse de cuivre soudée à la plaque. Un clavier et un mécanisme de marteaux permettent d'obtenir par la percussion des sons cristallins, purs et limpides dont le timbre est le même que celui du diapason, la sonorité un peu plus forte, mais moins prolongée. Les instruments actuels ont une étendue de cinq octaves, dont la note la plus grave est un *ut* de 4 pieds; de plus, ils sont pourvus d'étouffoirs et d'une pédale permettant d'en suspendre l'effet, comme cela a lieu sur le piano.

Xylophone.

Instrument dont l'origine se retrouve chez plusieurs peuples d'une civilisation peu avancée, chez les Malgaches, qui l'appellent *mogologondo*, dans l'Afrique centrale, etc...

Il consiste en la réunion de lames de bois, en nombre variable, de longueurs et épaisseurs calculées ou obtenues empiriquement pour donner des sons déterminés, placées sur des substances isolantes, telles que paille, fils de soie, et que l'on frappe avec deux petits maillets.

Le ton sec et mat du xylophone ne peut trouver son emploi, d'ailleurs très limité, que dans la musique imitative, descriptive ou fantastique.

Cloches.

Rien de plus faux que le proverbe : « Qui n'entend qu'une cloche n'entend qu'un son »; car de tous les agents sonores, la *cloche* est peut-être celui qui développe le plus de sons partiels, souvent même discordants, ce qui fait qu'on a parfois quelque peine à discerner le son fondamental, seul à considérer musicalement.

Plus une cloche est grosse et lourde et plus le son produit est grave; pour fournir cet *ut* : [notation musicale], une cloche doit peser 22.900 kilos environ; celui-ci : [notation musicale], 2.862,5, en raison de cette loi : *Les vibrations des cloches sont en raison inverse de la racine cubique de leur poids.* La plus grosse cloche qui existe est celle du Kremlin, qu'on n'a jamais pu installer dans un clocher, et qui repose à terre; elle pèse 250.800 kilos [1].

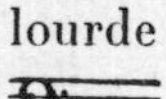

1. Le bourdon de Notre-Dame de Paris ne pèse que 16.000 kilos et donne, en conséquence, un son un peu plus aigu que le *ré* [notation musicale] (16.192 kilos). Il faudrait huit hommes pour la mettre en branle à la main.

Les grosses cloches sont maintenant presque toujours actionnées électriquement.

Au théâtre, on imite généralement la cloche par un fort *timbre* en bronze ou des *barres d'acier*, ce qui est moins dispendieux et parfaitement suffisant pour produire, dans un local fermé, l'illusion de la vraie cloche vibrant à l'air libre au sommet de son clocher.

FAMILLE DES INSTRUMENTS A PERCUSSION A SONS INDÉTERMINÉS

Grosse-Caisse.

Gros tambour, qu'on frappe avec une mailloche; plus il est gros, plus il est sonore. Il ne concourt qu'aux effets bruyants et rythmiques, dans lesquels il est fréquemment associé aux cymbales, le même exécutant faisant fonctionner les deux instruments, chacun d'une main, ce qui est facile dans la plupart des cas.

Employée *seule*, la grosse-caisse imite assez bien le coup de canon; *en tremolo*, frappée avec deux tampons, elle donne l'impression du tonnerre, et dans le *pp*, elle produit des effets qui ne manquent pas de solennité.

Cymbales.

Sont souvent employées en même temps que la grosse-caisse. Cette combinaison peut convenir dans les grands *ff* bruyants, où elle accentue, non sans brutalité, les temps forts ou les accents énergiques.

Les cymbales sont des plaques minces en bronze, de forme ronde, et légèrement concaves au centre. On les heurte ou frotte l'une contre l'autre pour obtenir divers effets. Elles ne peuvent fournir que des formes rythmiques simples : quand on ne l'éteint pas, leur état vibratoire se prolonge assez longtemps.

Tambour.

C'est le tambour militaire, il se prête à toutes les formules rythmiques par l'emploi alternatif ou simultané de ses deux baguettes.

On l'appelle aussi : *caisse claire*, par opposition à la *caisse roulante*, dont la sonorité est plus sourde.

Triangle.

Simple barre cylindrique d'acier deux fois coudée de façon à former un triangle équilatéral, qu'on frappe avec un petit maillet du même métal. La sonorité est cristalline et l'intensité peut varier du *pp* le plus ténu au *ff*. L'intonation est indéterminée, ce qui permet d'employer l'instrument dans tous les tons et sur tous les accords. Les rythmes les plus compliqués lui sont accessibles, ainsi que le trille ou tremolo.

Tambourin.

Bien que cet instrument soit en usage dans le midi de la France et le pays basque, il faut se garder de le confondre avec le tambour de basque, décrit ci-après. C'est un tambour long et mince, que l'on frappe avec une seule baguette; il ne peut donc produire que des coups isolés, d'un rythme quelconque, mais jamais de trémolo ou roulement. Souvent les tambourinaires frappent leur tambourin de la main gauche, pendant que de la droite ils jouent du fifre ou du galoubet.

Tambour de basque.

Simple cercle de bois, sur lequel est tendue une peau, et autour duquel sont fixés des grelots ou de minuscules cymbales; il possède donc deux sonorités : celle de la membrane quand on le frappe d'un coup sec, celle des petites cymbales lorsqu'on l'agite; parfois ces deux effets se confondent. De plus, en promenant d'une certaine façon un doigt sur la peau, on produit une sorte de roulement mélangé de bruits métalliques d'un effet très caractéristique. Cet instrument est populaire en Espagne et en Italie.

Tamtam ou Gong.

Le plus énergique et le plus violent des instruments à percussion. Ne convient que dans les circonstances terrifiantes, et conserve cette expression quel que soit le degré d'intensité qu'on lui imprime, au moyen d'une mailloche ou tampon recouvert de feutre ou de chiffons.

L'instrument consiste en une plaque de bronze d'un alliage et d'une trempe spéciales, dont le secret appartient aux Chinois. On en fait de toutes dimensions. Je crois pourtant qu'une hauteur de 1 m. 20 environ est une dimension maxima.

Castagnettes.

Deux coquilles de bois, reliées par une ficelle, claquant l'une contre l'autre, dans le creux de la main; voilà les castagnettes. Leur action est purement rythmique; elles ne peuvent être employées que dans des airs de danse présentant le caractère espagnol.

Crotales.

C'étaient des castagnettes *métalliques* le plus souvent, mais aussi parfois en bois ou même en coquilles, dont le cliquetis était fort apprécié des Égyptiens, des Grecs et des Latins.

Les crotales métalliques devaient produire un effet analogue à celui de très petites cymbales.

Tels sont, à peu près, je crois, tous les engins sonores dont puisse disposer un musicien actuel, et qu'on rencontre dans les partitions.

B) De l'Orchestration.

L'instrumentation, dans le sens que nous avons attaché à ce mot, est la science de ce que l'on peut demander et obtenir de chaque instrument considéré individuellement. L'*orchestration* est l'art de mettre en action les sonorités diverses de l'instrument collectif qu'on nomme orchestre au moyen de combinaisons variant jusqu'à l'infini. *Infini* n'est pas excessif, car il n'y a aucune raison pour qu'un jour toutes les combinaisons soient usées; c'est ce que je voudrais d'abord faire entrevoir en quelques mots.

Deux instruments peuvent être associés soit à l'unisson, soit à l'octave, ce qui constitue un renforcement ou un timbre complexe, soit à un intervalle quelconque, l'un ou l'autre des deux occupant la partie supérieure; voilà déjà quatre combinaisons obtenues de deux seuls instruments. Il en est de même avec trois..., dix..., trente instruments ou plus. On peut confier un dessin important à la presque totalité de l'orchestre, ne réservant que deux ou trois instruments pour l'harmonie; on peut confier, au contraire, ce même dessin à un seul instrument, dans sa région claire, en le faisant accompagner par tous les autres dans leurs régions voilées. On peut procéder par masses, en faisant mouvoir les instruments par familles, *cordes*, *bois* ou *cuivres*, ou en faire des mélanges dans des proportions quelconques... Si l'on ajoute à cela les éléments nouveaux que les facteurs créent constamment, on peut dès à présent entrevoir que l'art de l'orchestre est réellement infini. On le saisira mieux quelques pages plus loin.

Le système d'orchestration qui consisterait à admettre que l'intensité sonore est en raison directe du nombre d'instruments employés serait simplement enfantin. — On peut arriver à un *pp* absolu en faisant usage de tous les instruments réunis, même de ceux réputés bruyants, si on a utilisé dans leur échelle les notes relativement sourdes; il peut même en résulter un effet saisissant. — De même on peut obtenir un *ff* déjà puissant avec quelques instruments seuls, s'ils sont bien choisis pour cela, et si on les fait mouvoir dans la portion la plus énergique de leur étendue, dans leurs meilleures notes.

C'est entre ces deux extrêmes que sont contenues les nuances les plus délicates de l'orchestration, du coloris musical.

Tout ce que peut faire ici l'éducation artistique, après avoir fourni à l'étudiant des notions complètes sur l'étendue, le caractère propre, le principe et les moyens d'action de chacun des éléments constitutifs de l'orchestre, c'est d'appeler l'attention sur leurs affinités et les rapports qu'ils peuvent avoir entre eux, soit comme timbre, soit comme diapason...; le reste est subordonné à l'esprit d'observation, à l'intuition et à l'initiative de chacun.

Pour procéder profitablement, il importe d'abord de grouper méthodiquement, selon leurs analogies, leur caractère propre et leur mode d'émission, les instruments divers que nous venons d'étudier en détail.

Le tableau suivant, établi dans ce but, ne me paraît certes pas réaliser l'idéal de la perfection; mais, tel qu'il est, il peut nous servir de point de départ, et je ne me gênerai pas d'ailleurs pour en signaler les défectuosités quand le besoin s'en fera sentir.

Donc, momentanément, admettons que les organes sonores dont le musicien peut disposer sont ainsi groupés :

CLASSIFICATION.	INSTRUMENTS			
	CONSTITUANT L'ORCHESTRE SYMPHONIQUE CLASSIQUE	D'UN EMPLOI PLUS MODERNE OU MOINS FRÉQUENT	D'UN EMPLOI PLUS ÉPISODIQUE	SANS EMPLOI DANS L'ORCHESTRE
A embouchure libre.	Flûte.	Petite flûte. Flûtes transpositrices		Flageolet. Flûte douce.
A anche double	Hautbois. Basson.	Cor anglais. Contrebasson (Sarrusophone).		Cornemuse.
A anche simple.	Clarinette	Clarinette-alto. Clarinette-basse. Saxophone.		
En cuivre.	Trompette. Cor.	Trompette à pistons. Cornet à pistons Trombone. Tuba Cor à pistons.		 Cor de chasse.
A percussion directe	Timbales.	Grosse-caisse-cymbales. Tambour. Triangle. Tamtam.	Tambourin. Tambour de basque. Jeu de timbres. Cloches. Castagnettes. Xylophòne.	
Électriques.			Ondes Martenot.	
A cordes pincées.		Harpe.	Guitare. Mandoline.	Cembalo (cordes frappées).
A clavier.		Grand orgue. Piano	Clavecin.	Harmonium.
A archet	1er violon. 2e violon. Alto. Violoncelle. Contrebasse.		Viole d'amour.	Violes.

La première colonne contient les instruments d'un usage absolument classique dans l'*orchestre symphonique*, depuis Haydn, Mozart et Beethoven.

La deuxième nous donne ceux qui sont d'un emploi relativement moderne.

La troisième, ceux qui ne figurent dans l'orchestre qu'à *titre exceptionnel*, ou dans une intention *pittoresque* ou *descriptive*.

La quatrième enfin, ceux qui, tout en ayant un caractère parfaitement musical, *n'ont rien à voir* dans la constitution de l'orchestre [1].

Ce tableau compris, nous allons maintenant étudier séparément, non plus chaque instrument, mais *chaque groupe* par ordre d'importance, en commençant par celui qui occupe *le bas* de la première colonne, c'est-à-dire les instruments à archet, qui constituent *le fonds solide* et inébranlable de toute orchestration.

Mais auparavant quelques considérations générales sont nécessaires, sur la façon dont le compositeur peut mettre en action ces différents agents de la sonorité.

Certes, il serait téméraire d'aborder l'orchestration sans posséder de sérieuses et fortes notions d'harmonie, de contrepoint et de composition, mais ce serait une autre faute de croire qu'on doit s'astreindre servilement à la lettre des règles absolues, et traiter les instruments comme des voix théoriques; une plus grande liberté d'allure est nécessaire pour que chacun d'eux puisse développer ses moyens et mettre en relief sa physionomie particulière, tout en concourant à la belle sonorité de l'ensemble.

Si l'harmonie et le contrepoint sont la charpente solide de tout morceau de musique, le squelette nécessaire dont on doit toujours conserver le sentiment, l'orchestration est le coloris, le revêtement extérieur, l'habillement tour à tour austère ou resplendissant de la pensée musicale. Il faut donc l'envisager tout autrement, et ne pas s'étonner de voir des parties instrumentales se redoubler ou renforcer à l'unisson ou à l'octave, se croiser, se diviser, se disloquer, s'enchevêtrer de toutes les manières, se taire, reparaître de nouveau, sans cause harmonique appréciable : les octaves consécutives, par exemple,

1. Cette dernière colonne pourrait en contenir beaucoup d'autres, mais ils seraient sans intérêt pour notre étude.

sont parfaitement légitimes dans certaines conditions; il en va de même des quintes consécutives; beaucoup de fausses relations, de frottements, de duretés, sont considérablement atténués par la diversité des timbres [1]. On peut et doit donc se permettre toutes ces licences, pourvu qu'elles soient motivées et guidées par le bon goût, et qu'on sente toujours à travers elles la solidité de la trame sur laquelle elles reposent, sans quoi elles ne constitueraient que des gaucheries, des maladresses ou des incohérences de style. En un mot, il faut que l'ensemble apparaisse comme purement et logiquement conçu si, le dépouillant de sa parure orchestrale, on l'amène à son expression la plus simple, la réduction au piano, par exemple.

Anciennement, on ne procédait pas ainsi. Les compositeurs qui ont précédé Bach, et lui-même le plus souvent, traitaient les parties instrumentales à peu près comme des voix, abstraction faite de leur étendue et de leur diapason, et en soumettaient la marche aux règles du contrepoint; mais il faut considérer qu'alors le tout était soutenu et relié par un instrument autonome à clavier, l'orgue à l'église, le clavecin au théâtre ou au concert, *qui ne discontinuait pas*, et résumait constamment le fonds de l'harmonie, d'où son nom de *continuo (basse continue)*; on l'écrivait en basse chiffrée, laissant ainsi à l'organiste ou au claveciniste toute liberté dans la disposition des accords. On obtenait par ce système une orchestration solide et puissante, mais assez monotone, massive, tous les instruments étant employés d'une façon à peu près ininterrompue, et dont l'intérêt consistait dans l'élégance avec laquelle se mouvaient ces voix instrumentales.

Le procédé actuel, qui attribue plus d'importance à la richesse et à la variété de la sonorité qu'à la conduite absolument correcte des parties, est plus coloré, plus chaud et plus vivant. Sans lui, l'orchestration moderne n'existerait pas.

Le *quatuor*, masse principale de l'orchestre, où il remplit un rôle prépondérant analogue à celui des jeux de fonds dans l'orgue, est ainsi constitué :

Une partie de premiers *violons*;
Une partie de seconds *violons*;
Une partie d'*altos*;
Une partie de *violoncelles*.

1. Pour tous ces termes techniques, voir le chapitre suivant : *Grammaire de la musique* (harmonie).

Aux violoncelles sont le plus souvent associées les *contrebasses*, qui les redoublent à l'octave inférieure, et affermissent ainsi la base de l'édifice sonore, sans constituer la plupart du temps une partie indépendante [1].

(L'étendue utilisable de ces instruments a été définie au chapitre *Instrumentation;* nous ajouterons seulement, à ce sujet, que, la partie de second violon étant logiquement dévolue aux exécutants les moins habiles, il est prudent de l'écrire plus simplement que celle de premier, et de ne pas dépasser à

l'aigu le *fa* ou le *sol* 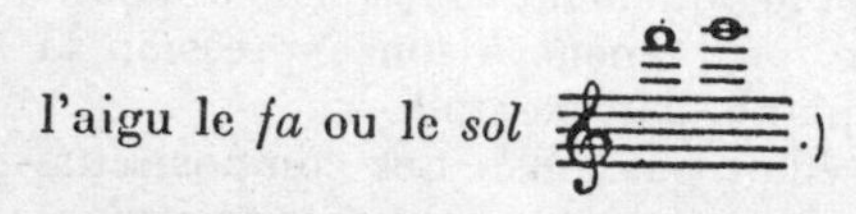 .)

Le premier violon est la partie la plus importante de l'orchestre au point de vue mélodique et expressif, tandis qu'au point de vue harmonique, cette priorité appartient à la partie de violoncelle et contrebasse, qui fait presque toujours entendre la basse harmonique, et qui a également un rôle capital. Le second violon et l'alto sont des parties relativement secondaires, qui peuvent pourtant être appelées momentanément à jouer un rôle important, soit que les deux violons dialoguent ensemble, soit que l'alto, croisant au-dessus d'eux, vienne occuper pour un instant la partie supérieure, colorant ainsi la mélodie de la teinte mélancolique qui lui est propre.

A l'exception de la contrebasse, qui ne quitte jamais la région grave, toutes les parties peuvent d'ailleurs s'entrelacer; mais le croisement est surtout fréquent entre l'alto et le second violon; c'est dans ces deux mêmes parties aussi qu'on fait le plus grand usage des doubles cordes, surtout dans les formules d'accompagnement.

Les triples et quadruples cordes sont généralement réservées aux grands *fortissimo;* la contrebasse seule n'en fait jamais usage, nous avons dit pourquoi.

Quand on veut employer le timbre spécialement sympathique du violoncelle pour mettre en valeur un contour mélodique important, on lui écrit une partie spéciale, et la contre-

1. Les contrebasses sont pour l'orchestre l'équivalent du 16 pieds au pédalier de l'orgue.

basse reste seule chargée de la note grave [1]; une autre combinaison est aussi employée dans ce même cas et affaiblit moins la basse : on *divise* les violoncelles et on écrit ainsi :

Premiers violoncelles :

Deuxièmes violoncelles
et contrebasses :

Mais alors la partie mélodique (les violoncelles) perd un peu de son intensité; on peut atténuer à son tour ce défaut en la doublant à l'unisson par les altos, procédé très employé par Beethoven et depuis.

D'ailleurs toutes les parties peuvent se redoubler à l'unisson, à l'octave ou la double octave, soit pour quelques notes seulement, soit pour de longs passages. Souvent aussi on fait taire pendant un certain temps la contrebasse pour obtenir un effet d'allégement; son retour fait toujours naître un sentiment de bien-être; l'orchestre sans contrebasses est comme suspendu, privé de son assise naturelle.

Le *pizzicato* peut s'employer simultanément dans tout le quatuor, en sons simples, en doubles, triples et quadruples cordes, ou seulement dans une ou plusieurs parties; il en est de même de la *sourdine* et des *sons harmoniques.*

Un exécutant peut aussi être détaché de son groupe pour faire entendre une partie distincte; on l'écrit alors sur une portée à part, avec l'indication : *violon solo, alto solo, violoncelle solo.*

Enfin un procédé, rarement employé par les classiques, mais très en honneur depuis la fin du XIXe siècle, consiste à subdiviser chaque catégorie d'instruments de façon à avoir un nombre plus ou moins grand de parties de quatuor, ce qui permet de disposer comme en gradins des accords formés de beaucoup de sons occupant un grand espace. Ce genre de disposition d'orchestre est particulièrement favorable à l'emploi des sons harmoniques; il est surtout praticable dans les orchestres nombreux et possédant beaucoup d'instruments à archet.

1. Elle peut être alors doublée par les bassons ou un autre instrument à vent grave.

Dans un orchestre complet bien pondéré, pour faire équilibre aux deux groupes d'instruments à vent, il ne doit pas y avoir moins de :

10 premiers violons;
10 seconds violons;
8 altos;
6 violoncelles;
6 contrebasses.

Comme limite supérieure, quinze violons à chaque partie, douze altos, douze violoncelles et dix contrebasses; au delà, les instruments à vent seraient trop effacés [1].

Aucun autre groupe n'a une importance égale à celle du quatuor, tant pour la richesse et la variété des effets que par sa parfaite homogénéité. Aussi est-il très fréquemment employé seul, à l'exclusion de toute autre sonorité, soit pour quelques mesures seulement, soit durant des morceaux entiers.

En seconde ligne vient le groupe dit *des bois* (pour instruments à vent en bois), qui contient, dans l'orchestre symphonique classique :

Première et deuxième *flûtes* [2];
Premier et deuxième *hautbois*;
Première et deuxième *clarinettes*;
Premier et deuxième *bassons*;

en tout huit exécutants; encore faut-il tenir compte que Mozart et Haydn n'employaient guère à la fois les hautbois et les clarinettes, ce dernier instrument étant joué à son origine par les hautboïstes; donc, six exécutants, tous solistes [3].

On voit de suite combien ce groupe est différent de la masse du quatuor. Chaque partie, loin d'être exécutée comme en chœur par huit ou dix instruments semblables, est confiée à un seul artiste et acquiert par cela même un caractère plus individuel.

1. Il pourrait sembler, à première vue, qu'en augmentant proportionnellement le nombre des instruments à vent, on rétablirait l'équilibre avec un nombre quelconque d'instruments à archet; ce ne serait vrai que pour des effets de masses; car, selon la conception vraie de l'orchestre moderne, il est nécessaire que les instruments à vent conservent *leur individualité*, et que chacun d'eux soit *un soliste*, ce qu'on verra plus loin.

Remarquez d'ailleurs que cette proportion ne s'applique pas aux œuvres classiques, surtout antérieures à Beethoven; celles-ci sont conçues et écrites pour être jouées avec un quatuor beaucoup plus réduit, et perdent complètement leur caractère quand on les exécute avec un effectif aussi nombreux.

2. Originairement, la flûte ne se construisait qu'en bois.

3. Nous entendons ici par soliste celui qui est seul à exécuter sa partie.

Une autre différence fondamentale, c'est qu'ici les instruments sont hétérogènes, n'appartiennent pas à une même famille et procèdent de principes différents, n'ayant guère de commun entre eux que le souffle humain. La flûte avec son embouchure libre, les hautbois et bassons avec leur anche double, la clarinette avec son anche simple, produisent des timbres tout à fait distincts.

La façon de traiter les instruments à vent doit donc être très différente de celle employée pour les cordes. Quand on met en action le groupe entier, la meilleure sonorité est généralement obtenue en distribuant les parties selon l'ordre naturel de l'échelonnement des instruments, les flûtes à l'aigu, au-dessous d'elles les hautbois, les clarinettes dans le médium, et les bassons à la basse, comme on le ferait pour des voix; on ne les fait guère croiser qu'en vue d'effets spéciaux. En revanche, on les fait très souvent parler à l'unisson, soit en réunissant les deux flûtes, les deux hautbois, etc., ce qu'on indique par : *a due (à deux)*, ou en mettant aux notes une double queue, soit en renforçant la seconde flûte par le premier hautbois, le second hautbois par la première clarinette, etc., ce qui est plus riche et meilleur dans les passages de force. On peut faire taire le deuxième instrument de chaque espèce en écrivant : 1er *solo*, ou encore donner à chacun des huit exécutants une partie différente, d'où résulte une sonorité plus diffuse et plus chatoyante.

Il n'est certes pas nécessaire de les employer toujours tous à la fois : ce serait un procédé bien lourd et des plus plats, mais lorsqu'on en supprime quelques-uns, il est loin d'être indifférent que cette suppression porte sur un timbre ou un autre. L'absence de flûtes enlève au groupe une partie de sa suavité et de sa légèreté; celle des hautbois rend l'ensemble moins clair, moins lumineux; en supprimant les clarinettes, on diminue la rondeur et le moelleux de la sonorité générale; la privation des bassons affaiblit la base, d'où résulte une impression d'allégement. Il suffit d'avoir bien présent à l'esprit le caractère particulier de chaque instrument, pour se rendre compte, selon l'effet cherché, de l'opportunité de telle ou telle suppression, aussi bien que des inconvénients qu'elle pourrait avoir.

Il est très fréquent d'associer au groupe des bois le timbre des cors, qui s'y allie admirablement, surtout dans les nuances *p* et *mf*. On doit même considérer les cors, au point de vue de la pratique et malgré le métal dont ils sont formés, comme appartenant presque autant à la famille des bois qu'à celle des cuivres, ou, si on aime mieux, comme des agents sonores d'une catégorie particulière, placés comme à cheval entre ces deux groupes, dans lesquels ils peuvent être alternativement utilisés pour des effets divers.

Par leur adjonction, la sonorité des bois, qui était peut-être un peu grêle, acquiert une plénitude considérable, les bassons ne sont plus seuls à meubler la région grave; le cor, en se chargeant parfois de la note de basse, amène de la variété dans les combinaisons; d'autres fois il se mélange soit aux clarinettes, soit aux bassons; il peut aussi, par sa grande étendue, aborder la partie mélodique principale, si elle est placée dans le médium de l'échelle générale, qui pour lui est l'aigu, et la parer de sa sonorité généreuse [1].

Les maîtres classiques emploient deux cors, premier et second, presque toujours dans le même ton; ce ton peut changer dans le courant du morceau.

La remarque que j'ai faite précédemment [2], concernant l'étendue à donner aux premiers et seconds violons, est applicable à tous les instruments de quelque espèce qu'ils soient, numérotés premier et deuxième; mais elle acquiert une importance particulière en ce qui concerne les cors [3], par cette raison que l'exécutant emploie une embouchure plus ou moins étroite selon qu'il joue le premier ou le deuxième cor. Le premier seul peut donc atteindre aisément à ses notes les plus aiguës, et les sons les plus graves lui sont interdits; c'est le contraire pour le deuxième.

Il est assez rare que le groupe des *bois* soit employé tout seul autrement que pendant quelques mesures; pourtant on voit qu'il est bien complet et peut se suffire à lui-même, surtout avec l'adjonction des cors; on peut s'en convaincre par l'audition ou la lecture des nombreux quintettes, septuors ou octuors écrits pour instruments à vent seuls.

1. Dans le tableau de la page 137, je n'ai pu faire figurer les cors que dans un seul groupe, celui des cuivres. C'est une des lacunes de ce tableau.
2. Page 140.
3. Et tous les cuivres.

Le troisième groupe de l'orchestre classique est le moins important comme le moins nombreux; il réunit les instruments les plus bruyants :

Premier et deuxième *cors* (rarement troisième et quatrième);
Première et deuxième *trompettes*;
Une paire de *timbales*.

En tout, cinq ou sept exécutants.

Il n'est employé isolément que dans des cas assez rares, fanfares de chasse, bruits de guerre, appels avec ou sans écho.

Le plus souvent, les deux cors et les deux trompettes sont dans le ton principal si le mode est majeur [1], et dans le ton majeur relatif lorsque le mode est mineur; les timbales sont accordées en quarte ou en quinte, de façon à fournir la tonique et la dominante, ou, plus rarement, la tonique et la sous-dominante. Mais il arrive fort bien qu'on mette les cuivres dans d'autres tons, ou même dans des tons différents les uns des autres; cela dépend des dessins qu'on a l'intention de leur confier (n'oublions pas que ce sont des cors et des trompettes simples); de même, les timbales peuvent être accordées à tout autre intervalle que ceux de quarte ou quinte, bien que ceux-ci soient les plus usités par les anciens maîtres.

Dans l'emploi des cuivres, les plus grandes licences sont admises en ce qui concerne la marche harmonique des parties; on tire le meilleur parti possible des quelques sons qu'ils peuvent émettre. C'est ainsi que les anciens compositeurs faisaient sauter la septième de l'accord de 7e de dominante, et la faisaient suivre de la tonique lorsqu'elle ne pouvait trouver sa résolution naturelle et normale dans l'échelle des instruments de cuivre.

Les divers groupes de l'orchestre classique peuvent enfin se mélanger entre eux.

C'est ici que l'enchevêtrement de toutes les combinaisons imaginables devient réellement indescriptible. Nous ne pouvons que donner une idée des plus usuelles, en signaler quelques-unes et laisser entrevoir l'incommensurabilité de l'ensemble.

Quand on veut renforcer la sonorité du *quatuor*, la première idée qui se présente est de redoubler, au moyen des *bois*,

1. Quand on emploie quatre cors, en général le troisième et le quatrième sont dans un autre ton que les deux premiers; cette disposition a l'avantage d'augmenter le nombre des sons disponibles. Le plus souvent aussi le troisième est aigu, le quatrième grave.

(Cette remarque est périmée en ce qui concerne le *ton* des cors. Dans les orchestres contemporains, les 4 cors sont en *fa*). De même les trompettes sont toutes en *ut*.)

toutes ses parties constituantes ou seulement celle à laquelle on désire donner la prépondérance; c'est ainsi qu'on souligne un dessin de premier violon en le redoublant avec une flûte, un hautbois, une clarinette; un dessin d'alto, avec quelques notes de clarinette ou de basson; un contour mélodique ou un mouvement de basse de violoncelles en leur adjoignant un ou deux bassons; cela attire immédiatement l'attention; on peut la commander plus énergiquement par l'adjonction de plusieurs instruments, soit à l'unisson, soit à l'octave grave ou aiguë. Si on veut que chaque partie harmonique du quatuor conserve une importance égale, et que tout l'ensemble soit renforcé dans une même proportion, il est tout naturel d'accoupler chaque instrument du *quatuor à cordes* avec celui qui lui correspond dans le *quatuor des bois*, autant que le permet leur étendue comparative.

Encore faut-il tenir compte, dans ces divers redoublements ou renforcements, du caractère propre, des moyens d'action de chaque instrument; ainsi les instruments à vent renforceront mieux un *tremolo* des cordes par de simples tenues que par des notes répétées, où ils perdent de leur force; on ajoutera à l'éclat du violon dans l'aigu en lui associant la flûte, tandis que dans le médium ou le grave, le hautbois ou la clarinette atteindront mieux le but désiré, etc.

Pour obtenir plus de force encore, on fait appel aux cors, puis aux trompettes; mais ici, il s'agit rarement de redoublement pur et simple, les cuivres naturels, avec leur échelle incomplète, ne pouvant guère aborder les mêmes formules que les instruments à l'étendue chromatique ininterrompue. Ils affectent une tout autre allure, et ont pour mission de raffermir l'harmonie bien plutôt que d'aider à dessiner un contour mélodique quelconque, à moins que ce dernier ne soit d'une grande simplicité et formé de leurs bonnes notes, ce qui n'arrive guère que lorsqu'il a été créé pour eux et en vue de cet effet spécial.

Le plus souvent, ils procèdent par tenues plus ou moins prolongées, ou bien ils accentuent le rythme par de vigoureux accords placés sur les temps ou à contretemps, par des notes répétées; dans ces derniers cas, on leur adjoint souvent les timbales, et alors tout l'orchestre est en jeu.

Une combinaison d'un emploi fréquent consiste à faire dialoguer deux groupes : *cordes* et *bois*, ou *bois* et *cuivres*, ou toute la masse des *instruments à vent* opposée à celle du *quatuor*, chacun d'eux étant disposé de façon à former un tout complet; on obtient ainsi des effets d'opposition énergiques et bien tranchés.

Un mélange plus rarement employé est celui des cuivres et des cordes, qui manque de cohésion; en général, l'absence des bois produit en ce cas une sensation de vide.

Pas plus dans leurs mélanges que séparés, les groupes ne sont condamnés à marcher constamment en masse compacte; le plus souvent, au contraire, on voit un ou plusieurs instruments d'un groupe s'associer à d'autres organes d'essence différente, un trait de violons accompagné par quelques instruments à vent, un chant de flûte ou de cor soutenu par une partie du quatuor, un duo de hautbois ou de clarinettes sur un *pizzicato* des cordes, avec une tenue de cor pour établir un lien, etc. C'est ici qu'on doit commencer à entrevoir la variété infinie des combinaisons symphoniques et la possibilité, malgré tout ce qui a été fait, de créer encore des groupements nouveaux, d'obtenir des effets de sonorité jamais entendus, tout comme on inventera encore pendant longtemps de nouvelles mélodies et des harmonies neuves avec les sept notes de la gamme et les sept figures de valeurs. Et il importe de bien concevoir que toutes ces combinaisons, en nombre incalculable, peuvent, depuis la plus banale jusqu'à la plus saugrenue, être d'un excellent emploi si elles sont bien placées, ou devenir ridicules ou impuissantes si elles sont employées hors de propos.

C'est dans ce tact spécial que réside l'art de manier l'orchestre et que se manifeste le talent ou le génie d'un symphoniste.

Chez l'orchestrateur habile, rien n'est laissé au hasard, tout a son but ou sa raison d'être; on trouve de l'ingéniosité et de l'esprit dans chaque note, et la lecture d'une partition finement instrumentée est un régal intellectuel sans pareil pour tout initié.

Avant d'aller plus loin et d'ébaucher quelques considérations sur l'emploi d'instruments d'un usage plus récent, il me paraît bon de faire la synthèse de ce que nous venons de dire, en présentant au lecteur un tableau [1] de *tous les sons* apparte-

1. Voir page suivante.

ÉCHELLE COMPARATIVE, EN SONS RÉELS, DE L'ÉTENDUE ACCESSIBLE A CHAQUE GENRE D'INSTRUMENTS APPARTENANT A L'ORCHESTRE SYMPHONIQUE CLASSIQUE.

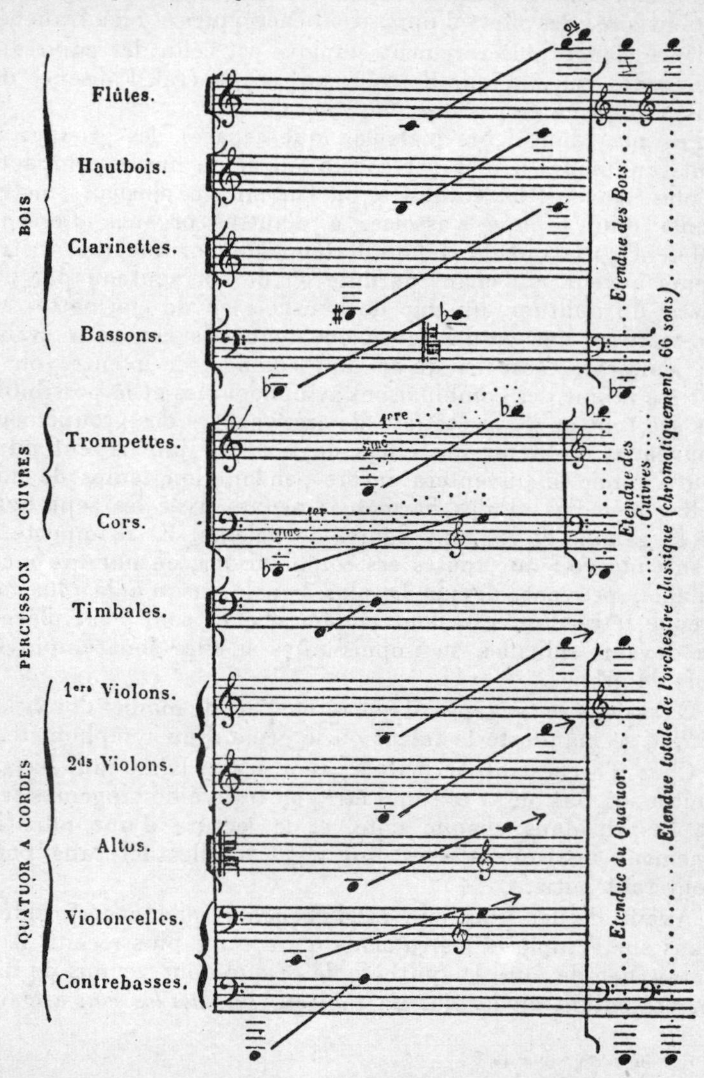

nant soit *à chaque instrument* en particulier, soit *à chaque groupe* considéré isolément, soit à l'*ensemble de l'orchestre classique*, qui reste, quelles que soient les adjonctions qu'on y puisse faire, la base solide de toute orchestration moderne.

(Pour les détails concernant chaque instrument, on devra se reporter au précédent chapitre : *Instrumentation.*)

Si donc à ce matériel orchestral classique on ajoute à présent, à titre de hors-d'œuvre ou de condiments, quelques-uns des instruments de notre deuxième colonne[1], la richesse va encore s'accroître, et cela non pas absolument en raison du *nombre* d'instruments ajoutés, mais plutôt en raison de la quantité de *timbres* nouveaux qu'ils apporteront à l'ensemble.

L'adjonction de la *petite flûte* donnera du brillant, du mordant; mal employée, elle communiquera à l'orchestre quelque trivialité.

Les *trombones* amènent avec eux plus d'ampleur, de puissance, la possibilité d'un plus grand volume sonore.

(Ces deux instruments, *petite flûte* et *trombone*, sont les seuls, avec le *contrebasson*, que Beethoven ait parfois introduits dans son orchestre symphonique, avec une grande sobriété et en portant à quatre le nombre des cors.)

Le *cor anglais* apporte sa note triste et pensive, poétique; les *clarinettes alto* et *basse* de belles voix chantantes dans le registre grave, le *saxophone*, son timbre hybride, qui accapare l'attention au point que l'oreille le cherche et le suit toujours dès qu'elle l'a entendu.

La *harpe* ne doit apparaître que pour des effets spéciaux, il convient de ne pas en abuser et de la tenir en réserve pour le moment opportun. Les compositeurs du début du xxe siècle l'emploient beaucoup dans des effets de percussion, un peu à la manière d'un pizzicato plus puissant.

Le *tuba* est à considérer comme la basse des trois trombones, dont il complète le quatuor.

L'emploi des *cors* et *trompettes chromatiques* (à pistons) enrichit le groupe des cuivres en lui donnant une liberté d'allure toute nouvelle. Dans les grands orchestres actuels, ce groupe comprend généralement :

2 trompettes à pistons;
4 cors à pistons;
3 trombones;
1 tuba.

1. Voir page 137.

dix exécutants, ce qui lui donne une belle étendue et une forte puissance.

Les *cornets*, bien qu'ayant été employés par des maîtres avant l'invention de la trompette chromatique, doivent disparaître de l'orchestre symphonique, où leur trivialité jette une note criarde, et se réserver pour la musique militaire, dans laquelle leur rôle devient au contraire très important, et où ils sont à leur vraie place. Dans un seul cas, ils peuvent acquérir une certaine noblesse; c'est lorsqu'ils redoublent à l'octave aiguë un chant large confié à un autre instrument de cuivre, le trombone par exemple.

Les instruments à percussion sans note déterminée, *grosse-caisse*, *tambour*, *tambourin*, *tambour de basque*, etc., ne peuvent servir qu'à accentuer des rythmes, en leur communiquant toutefois un certain caractère de convention; le *tambour* est militaire, la *castagnette*, espagnole, ainsi que le *tambour de basque;* le *tambourin* est provençal, le *triangle argentin* appelle la gaîté, tandis que le *tamtam* est plutôt lugubre. Ce sont là des accessoires de mince importance, et qui ne peuvent être appelés qu'à jouer un rôle secondaire, purement pittoresque.

Il faut considérer tout autrement les jeux de timbres dont le *célesta* est la plus parfaite expression, et surtout le *piano*, qui appartient normalement à la tablature d'orchestre de beaucoup de compositeurs modernes et qui joue un rôle très important au point de vue percussion. La *guitare* et la *mandoline*, instruments de sérénades, aussi bien que la *viole d'amour*, n'ont jamais apparu qu'épisodiquement, en vue d'effets spéciaux.

Quant au *grand orgue*, qui apporte avec lui, tant en puissance qu'en richesse de timbres, l'équivalent d'un deuxième corps d'armée, soit qu'il dialogue avec les instruments symphoniques, soit qu'il ajoute ses éléments à leurs combinaisons, il est toujours d'un magnifique et imposant effet, tant à l'église qu'au théâtre, dans les scènes ayant caractère religieux, dans l'oratorio, ou même dans la symphonie.

L'usage de tous ces instruments-annexes ou tels autres qu'on pourrait imaginer est des plus aisés pour quiconque sait manier ceux qui forment la base même de l'orchestre, le *quatuor*, les *bois* et les *cuivres* classiques; c'est donc ceux-là qu'on doit vraiment étudier. Il en est de même de la réunion d'un chœur à l'orchestre; le chœur peut former à lui seul un tout complet, auquel s'adjoint l'orchestre, soit pour en renforcer chacune des parties ou quelques-unes seulement, soit, ce qui est plus fréquent, pour créer un réseau de broderies et dessins divers enveloppant la trame chorale sans en déranger la marche. En ce cas, la masse sonore totale peut être considérée comme contenant quatre groupes distincts :

Les chœurs;
Le quatuor;
Les bois;
Les cuivres;

ayant chacun leur degré relatif d'importance.

Quand il s'agit d'accompagner un soliste, chanteur ou instrumentiste auquel on désire laisser la prédominance, la principale chose pour le ménager n'est pas d'employer peu d'instruments, mais de les faire mouvoir dans une région de leur échelle plus terne que celle occupée par le soliste, et surtout de choisir pour cet accompagnement des instruments dont le timbre ne puisse se confondre avec le sien propre et lui porter ombrage.

C'est ainsi qu'un solo de flûte ou de clarinette trouvera les meilleurs éléments d'accompagnement dans la région moyenne ou grave du quatuor; qu'une phrase de violoncelle se détachera mieux sur un fond d'instruments à vent que si on l'entoure de sonorités appartenant au groupe des cordes; que la voix humaine, qui est un instrument à vent, tranche bien plus sur les violons, altos et violoncelles que sur des cors, des bassons ou des clarinettes. Mais il faudrait se garder de considérer ce procédé comme absolu; il n'y a rien d'absolu en orchestration. Dans certains cas, au contraire, on pourra désirer établir une sorte de cohésion intime entre le soliste et les parties d'accompagnement, qu'il sera tout indiqué alors de choisir dans sa famille, mais en les maintenant dans une région peu éclatante de leur étendue. On peut dire, d'une façon générale, que lorsqu'il s'agit d'orchestrer un solo instrumental, il sera mieux de ne pas employer, dans l'accompagnement, un timbre absolument identique à celui qu'on veut mettre en relief; dans cet ordre d'idées, l'orchestre d'un Concerto de clarinette ne devrait pas contenir de clarinettes, à moins d'un effet particulier cherché. Il n'en peut être de même d'un Concerto de violon; car on ne voit guère l'orchestre privé de premiers et seconds violons; mais on leur donne en ce cas un rôle effacé, secondaire, afin de laisser le soliste en premier plan. Le Concerto de piano, lui, s'accommode de tous les timbres, puisqu'il ne peut se confondre avec aucun d'eux.

Ce que je dis ici au sujet d'un solo étendu, d'un Concerto, s'applique nécessairement à tous les fragments d'une composition orchestrale quelconque où l'on a en vue d'attirer l'attention, ne fût-ce que pendant quelques mesures ou même quelques notes, sur un instrument déterminé, qui devient momentanément un soliste; il faut éviter de le noyer dans des ondulations sonores semblables aux siennes, et chercher, soit dans d'autres groupes, soit à un autre niveau, le fond sur lequel pourra le mieux se détacher son contour mélodique.

L'art de l'orchestration ne vit que par les contrastes, soit entre les timbres divers employés simultanément, en vue de faire prédominer un ou plusieurs d'entre eux; soit entre les combinaisons successives, afin de fixer l'attention de l'auditeur, en lui présentant sans cesse des sonorités nouvelles, appropriées au caractère de la musique, ou, s'il s'agit de théâtre, aux circonstances ou aux sentiments qu'on a pour but de dépeindre. C'est en cela que consiste le côté pittoresque si puissant de l'orchestration, comme sa participation efficace à la couleur locale. Je ne parle pas ici de l'emploi de l'orgue dans les scènes d'église, du cor dans les chasses, ou de la harpe, instrument favori des séraphins, dans les apothéoses, mais de quelque chose de bien plus subtil et qui ne peut être saisi que par ceux-là seuls qui sont doués d'un sens artistique fin et délicat.

Les peintres emploient couramment cette métaphore : *la gamme des couleurs*, à laquelle les musiciens peuvent opposer celle-ci, non moins juste : *le coloris de l'orchestre*[1]. L'*art de l'orchestration* me paraît en effet assez assimilable à l'*art du coloris* chez le peintre; la palette du musicien, c'est sa tablature d'orchestre; il y trouve tous les tons nécessaires pour revêtir sa pensée, son dessin mélodique, son tissu harmonique, pour y produire des lumières et des ombres, et il les mélange à peu près comme le peintre le fait de ses couleurs.

1. A propos du coloris de l'orchestre, il est intéressant de rappeler l'histoire, mi-plaisante, mi-triste de ce malheureux aveugle de naissance auquel un ami avait entrepris de faire comprendre la couleur rouge. « Elle est, lui expliquait-il, violente, éclatante, fatigante, superbe quoique brutale; elle tue les couleurs voisines. — Ah! dit l'aveugle, je comprends enfin : *la couleur rouge doit ressembler au son de la trompette !* »

En opposition avec cette variété, cette richesse de coloris de la musique d'orchestre, la musique de piano, destinée à un instrument qui dispose d'un seul timbre, peut être comparée à une gravure, à un dessin noir sur blanc. Aussi, de même que le dessin arrive à reproduire un tableau et à en faire pressentir les tons, au moins dans une certaine mesure, par des valeurs relatives, le piano est l'instrument par excellence de la transcription, qui, dans le domaine des sons, est une opération identique. Entre des mains habiles, il arrive à donner l'illusion des timbres, et c'est pourquoi de grands maîtres n'hésitent pas à lui confier, à écrire spécialement pour lui des choses conçues et pensées pour l'orchestre.

Quels sont les moyens d'acquérir l'habileté nécessaire au maniement de l'orchestre? C'est une chose très difficile pour quiconque n'en possède pas l'intuition. Celui qui veut arriver à bien orchestrer, devra tout d'abord lire beaucoup d'œuvres en partition, en s'attachant à comprendre les raisons qui ont porté l'auteur à employer, dans chaque cas, tel instrument, tel groupe ou telle combinaison; il devra assister fréquemment à des concerts symphoniques, en suivant sur la partition d'orchestre, qu'il aura préalablement étudiée et qu'il relira ensuite en cherchant à reconstituer mentalement les sonorités, et à se rendre compte des moyens par lesquels elles ont été obtenues.

Ensuite il pourra se livrer à un exercice pratique excellent, qui consiste à orchestrer lui-même des fragments ou des morceaux entiers, ouvertures, entr'actes, pièces symphoniques, d'après une bonne réduction au piano, puis à prendre ensuite connaissance de la version originale.

Par ces procédés ou autres analogues, on arrive assez rapidement à écrire des choses exécutables, à orchestrer avec bon sens; mais la véritable habileté, la souplesse et la sûreté de main qui font qu'on peut se sentir certain qu'à l'exécution il n'y aura aucune surprise, qu'on a bien écrit ce qu'on voulait, ne s'acquiert que par une longue pratique et l'expérience, et n'appartient qu'à l'élite des compositeurs.

Un excellent conseil à donner à tous ceux qui veulent étudier à fond cette branche importante de l'art musical : c'est d'acquérir par eux-mêmes la pratique, fût-elle très superficielle, de plusieurs instruments appartenant à des groupes différents;

celui qui, étant déjà pianiste (tout le monde est pianiste au degré que j'entends ici, — il ne s'agit pas de virtuosité) et sachant écrire, voudra et pourra consacrer quelques mois à l'étude de chacun de ces trois instruments : violoncelle, clarinette et cor, sera par cela même infiniment plus apte que tout autre à s'assimiler ce qui a trait à l'instrumentation et à l'orchestration. Je ne signale pas cela comme une chose indispensable, loin de là, car beaucoup s'en sont passés, mais comme une chose avantageuse au plus haut degré, un moyen certain de gagner du temps et de s'épargner bien des mécomptes.

La fréquentation des orchestres, la participation personnelle, à un titre quelconque, aux exécutions ou répétitions, développent puissamment le sens de l'orchestration, et l'on pourrait citer de nombreux exemples de maîtres parvenus au summum de l'habileté après avoir exercé, pendant des mois et des années, les fonctions, aussi modestes que pleines de responsabilité, de timbalier.

A ceux qui voudraient entreprendre d'une façon sérieuse l'étude de l'instrumentation et de l'orchestration, nous signalerons les ouvrages principaux traitant de cette matière :

Kastner	*Cours d'instrumentation.*
—	*Traité général d'instrumentation.*
Berlioz	*Grand Traité d'instrumentation et d'orchestration modernes.*
Gevaert	*Nouveau Traité d'instrumentation.*
—	*Cours méthodique d'orchestration.*
Guiraud-Busser	*Traité d'instrumentation.*
Rimsky-Korsakoff	*Principes d'orchestration.*
Strauss (Richard)	*Commentaires et adjonctions au traité de Berlioz.*
Widor	*Technique de l'orchestre moderne.*

CHAPITRE III

GRAMMAIRE DE LA MUSIQUE

Ici nous entrons dans le domaine musical pur. Par grammaire, nous entendons l'*harmonie* et le *contrepoint* qui effectivement régissent l'orthographe musicale.

Nous supposons donc le lecteur pourvu de notions élémentaires, connaissant la notation et les termes techniques que nous ne pouvons éviter d'employer. S'il en était autrement, il ne pourrait mieux acquérir ces connaissances que par la lecture de l'un des ouvrages suivants :

A. GRUET	*Théorie musicale.*
A. GABEAUD	*Éléments de théorie musicale.*
KŒCHLIN (CH.)	*Théorie de la musique.*
DANHAUSER	*Théorie de la musique.*
CHAILLEY et CHALAND	*Théorie de la musique.*

Signalons aussi le *Dictionnaire musical des locutions étrangères* de ROUGNON, qui donne la traduction et l'explication de tous les termes italiens, allemands, latins ou autres employés dans les éditions des différents pays.

A. Exposé du système harmonique.

Toute série de sons émis ou entendus successivement, comme par une seule voix, constitue une *mélodie*.

Il y a *harmonie* dès que deux sons différents, ou plus, sont produits ou perçus simultanément.

Les mêmes sons qui, placés horizontalement, sur une seule portée, ne formeraient qu'un contour mélodique :

 appartiennent au domaine de

l'harmonie si on les écrit verticalement, que ce soit sur une ou plusieurs portées.

(Dans la composition, surtout dans la composition instrumentale, il arrive très souvent que les notes constitutives d'un accord ne sont émises que successivement; on dit alors que l'accord est *brisé*, ou *arpégé*. Mais, au point de vue purement théorique, on doit par la pensée les ramener à la simultanéité, et c'est ainsi que l'harmoniste les doit toujours considérer.)

Nous n'avons donc à envisager ici (sauf quelques retours sur les contours mélodiques) que les combinaisons simultanées de sons, qu'on nomme *accords*.

L'accord de deux sons n'existe pas. Il ne serait pas suffisamment caractérisé. Ce n'est qu'un intervalle harmonique, un accord incomplet, imparfait, dont un des éléments reste indéterminé.

Il n'y a d'accords véritables que ceux de trois sons, de quatre sons, de cinq sons [1].

A l'état primitif, qu'en harmonie on appelle aussi *fondamental*, ces accords sont formés par des tierces superposées, dont l'origine n'est pas difficile à découvrir dans le phénomène de la résonance des corps sonores, déjà longuement étudié au chapitre Ier, et sur lequel nous aurons encore à revenir.

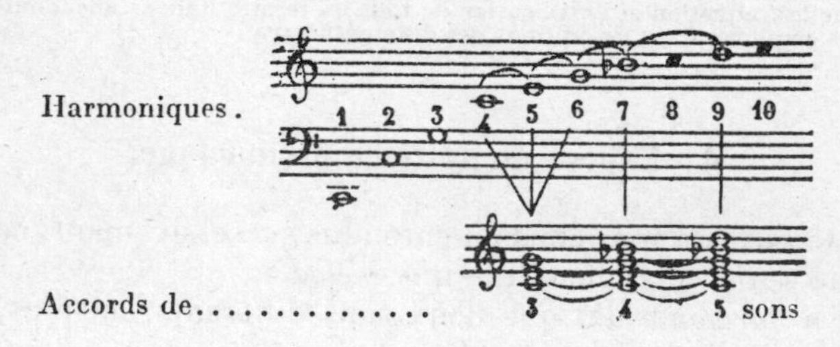

Les premiers harmoniques (principalement 4, 5, 6) fournissent l'accord de trois sons ou *accord parfait;* en y adjoignant l'harmonique 7, on obtient un accord de quatre sons ou *accord*

1. Certains accords en contiennent même *six*.

de septième; enfin, l'harmonique 9 [1], ajouté aux précédents. produit l'accord de cinq sons ou *accord de neuvième.*

Sont seuls dits *consonants* les accords de trois sons.

C'est par eux qu'il convient de commencer cette étude.

ACCORDS CONSONANTS

Le type par excellence, c'est l'*accord parfait majeur*, composé d'une tierce majeure et d'une quinte juste. Cette combinaison d'intervalles se rencontrant en majeur sur les 1er, 4e et 5e degrés (notes tonales), et en mineur sur les 5e et 6e degrés, l'accord parfait majeur peut occuper ces diverses positions, et nulle autre :

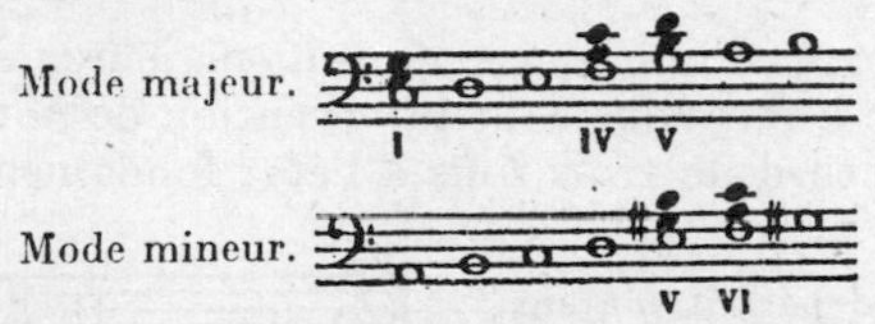

Si on abaisse sa tierce, on obtient l'*accord parfait mineur* (produit artificiel), formé d'une tierce mineure et d'une quinte juste.

Accords parfaits. Majeur Mineur

Ces deux intervalles ne pouvant se trouver réunis qu'en majeur, sur les 2e, 3e et 6e degrés, et en mineur sur les 1er et 4e, il s'ensuit que c'est seulement sur ces degrés que l'accord parfait mineur peut trouver son emploi.

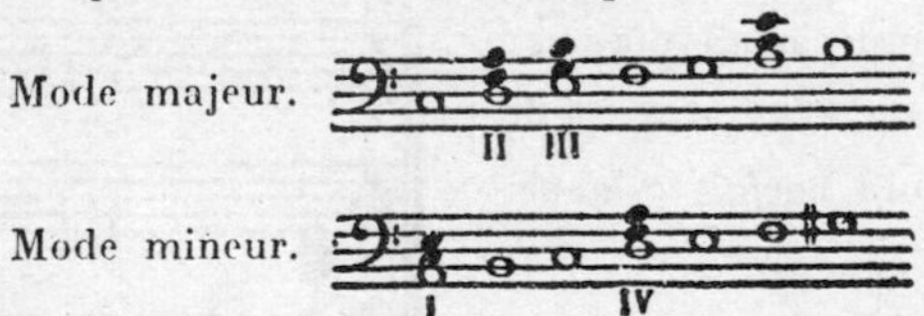

Si à son tour on abaisse la quinte de l'accord parfait mineur, il en résulte un *accord de quinte diminuée* (produit encore plus

1. Le 8e *(do)* ferait double emploi avec 1, 2 et 4. Le 10e *(mi)* ferait double emploi avec 5. Il n'y a pas à en tenir compte.

artificiel), qui contient une tierce mineure et une quinte diminuée.

Cet accord ne peut être formé au moyen des sons de la gamme diatonique, que sur le 7e degré en majeur, et sur les 2e et 7e en mineur ; il ne peut donc occuper d'autres positions que celles-ci :

Chaque degré d'une gamme, soit majeure, soit mineure, est donc apte à recevoir, sans intervention de notes étrangères au ton, un accord de trois sons à l'état fondamental :

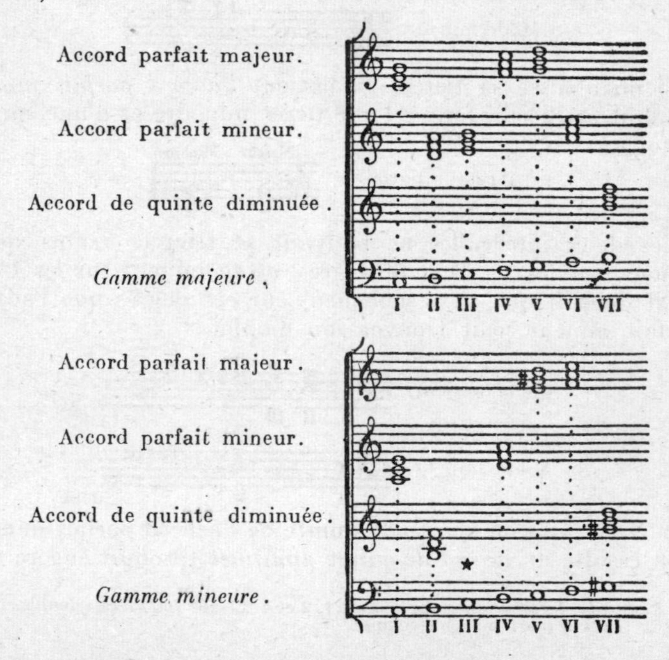

Sur le troisième degré du mode mineur (marqué*) se place un accord de quinte augmentée qui ne peut être considéré comme consonant, puisque la quinte augmentée est une dissonance. L'accord de quinte diminuée lui-même est assimilé aux accords consonants par une sorte de tolérance, dans le but de rendre le système plus homogène en meublant chaque degré de la gamme majeure d'un accord de trois sons, car sa note caractéristique, la quinte diminuée, est elle-même une dissonance [1].

On admet donc qu'il existe trois accords de trois sons, appelés *accords consonants*, formés, dans leur état fondamental, par deux tierces superposées, et qui sont : l'*accord parfait majeur*, l'*accord parfait mineur*, et l'*accord de quinte diminuée.* Chacun de ces accords appartient exclusivement à certains degrés de chaque mode, en dehors desquels il n'a pas d'emploi [2].

Les accords se renversent comme les intervalles; mais, tandis qu'un intervalle ne peut avoir qu'un seul renversement, un accord en a autant qu'il contient d'intervalles distincts. Un accord de trois sons (deux tierces superposées) en possède donc deux. On les obtient en transportant la note la plus grave de l'accord, la note de basse, à l'octave supérieure, c'est-à-dire au-dessus des autres notes.

Le premier renversement d'un accord consonant quelconque s'appelle *accord de sixte*, du nom de l'intervalle qu'il introduit dans le système. Le deuxième, *accord de quarte et sixte*, par une raison analogue. Chacun d'eux demande à être examiné séparément. Procédant par ordre, commençons par les *premiers renversements*.

1. Il convient de rappeler que l'accord de quinte diminuée n'a pas été admis sans difficulté. Il contient, à l'état de renversement, le terrible *triton*, qui a été d'abord absolument prohibé, et qu'on appelait, au moyen âge, *diabolus in musica*, le diable en musique. (Voir chap. V.)

2. Sauf introduction du chromatisme, comme nous le verrons plus tard.

Celui de l'*accord parfait majeur* est formé d'une tierce mineure et d'une sixte mineure, deux intervalles mineurs, ce qui n'a rien de surprenant pour qui veut se souvenir que le renversement intervertit la qualification des intervalles.

La même raison fait que le premier renversement de l'*accord parfait mineur* ne contient, au contraire, que des intervalles majeurs, une tierce et une sixte.

Le premier renversement de l'*accord de quinte diminuée* se compose d'une tierce mineure et d'une sixte majeure, dont les notes forment entre elles, à l'intérieur de l'accord, l'intervalle de quarte augmentée, renversement de la quinte diminuée.

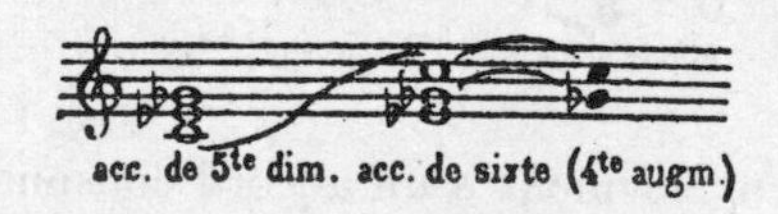

L'origine même de ces accords indique la place qu'ils peuvent occuper dans la gamme. Issus des accords fondamentaux, ayant comme basse les tierces de ces derniers, et étant formés par les mêmes sons, autrement groupés, renversés, ils doivent nécessairement trouver leur emploi sur le degré qui forme tierce avec celui qui fournit l'accord dont ils émanent.

On peut donc former, sur chacun des degrés d'une gamme

majeure ou mineure, un accord de sixte, premier renversement des accords fondamentaux :

sauf sur le cinquième degré du mode mineur, auquel correspond le renversement de l'accord (inusité dans le style classique) de quinte augmentée 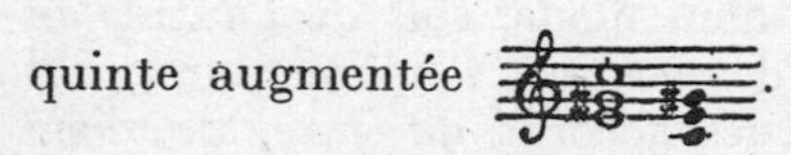.

Passons aux *deuxièmes renversements.*

Celui de l'*accord parfait majeur* contient une quarte juste et une sixte majeure.

Celui qui provient de l'*accord parfait mineur* n'en diffère que par la sixte, qui est mineure, la quarte restant juste,

tandis que dans le deuxième renversement de l'*accord de quinte diminuée* se retrouve, accompagné d'une sixte majeure, son renversement, la quarte augmentée.

Aussi désigne-t-on le plus souvent ce dernier sous le nom spécial d'*accord de quarte augmentée et sixte.*

Tout accord fondamental fournissant un deuxième renversement tout comme un premier, par la simple interversion des sons qui le composent, on rencontre tout naturellement les éléments d'un accord de quarte et sixte sur chacun des degrés de la gamme diatonique, soit d'un mode, soit de l'autre, en prenant pour basse la quinte des accords fondamentaux, qui est en même temps la tierce des accords de sixte, premiers renversements.

C'est ce qu'on voit dans le tableau suivant, où chaque degré d'une gamme, d'abord majeure, ensuite mineure, est présenté pourvu de son accord de quarte et sixte :

à l'exception du septième degré de la gamme mineure, sur lequel se trouve le second renversement de l'accord de *quinte augmentée (quarte diminuée et sixte)*, inusité dans le style classique.

L'ensemble du système des *accords consonants*, que j'ai dû, pour plus de clarté, étudier préalablement accord par accord, se trouve donc résumé et placé sous l'œil dans les tableaux suivants, en majeur et en mineur :

On voit qu'il dérive directement du système de la tonalité, dont il n'est, pour mieux dire, que l'extension, la conséquence forcée. — Il en est de même pour celui des

ACCORDS DISSONANTS

que nous allons voir de suite, et qui ne présente pas plus de complication.

Une tierce et une quinte, c'est-à-dire deux tierces superposées, formées sur un degré quelconque, nous ont fourni des accords de trois sons, des accords consonants, à l'état fondamental. Surélevons ces édifices sonores par l'addition d'une nouvelle tierce, supérieure bien entendu, et nous obtiendrons ainsi, sur chaque degré, un accord nouveau formé de quatre sons, ou *accord de septième*, lui aussi à l'état fondamental, ne différant de l'accord consonant du même degré que par cette troisième tierce ajoutée, qui forme *septième* avec la basse, et apporte dans l'accord l'élément dissonant qui le caractérise.

C'est ainsi que se trouvent constitués, toujours sans immixtion de sons étrangers à la gamme diatonique, les accords de *septième majeure*, qui occupent en majeur le 1er et le 4e degrés, et en mineur le 6e seulement,

et sont formés de la réunion d'une tierce majeure, d'une quinte juste et d'une septième majeure.

Les accords de *septième mineure*, qui ne sont que des accords parfaits mineurs surmontés d'une troisième tierce, formant avec la basse l'intervalle de septième mineure, se trouvent en majeur sur les 2e, 3e et 6e degrés, et en mineur sur le 4e seulement.

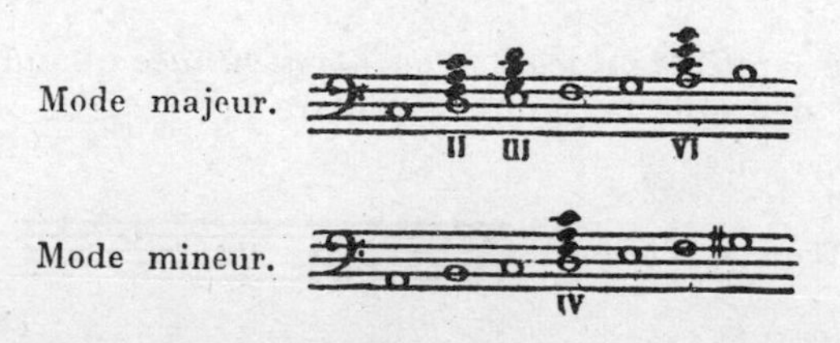

Si c'est à un accord parfait majeur qu'on ajoute une septième mineure, il en résulte l'accord de *septième de dominante*, ainsi nommé parce qu'il trouve normalement sa place sur le 5e degré dans un mode comme dans l'autre.

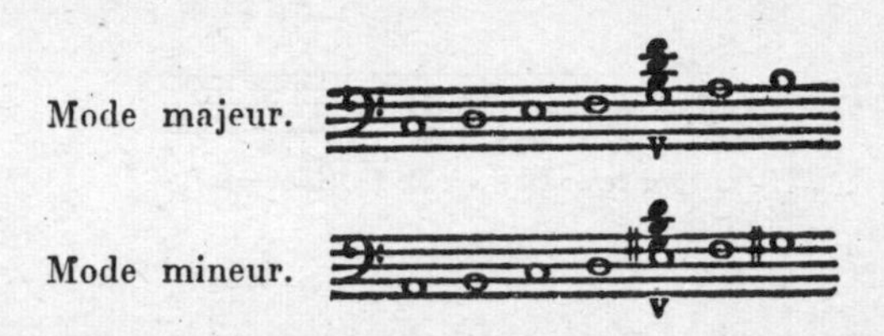

L'accord de septième de dominante est le plus employé des accords de septième; il est aussi le moins dissonant, étant formé de la réunion des harmoniques 4, 5, 6 et 7 (tandis que tous les autres accords de septième contiennent des sons étrangers aux harmoniques de leur fondamentale).

Si enfin c'est à un accord de quinte diminuée qu'on adjoint une septième, on pourra obtenir deux accords différents, selon que cette septième sera mineure ou diminuée.

Mineure, elle donne le groupement suivant : , qui porte le nom de *septième de sensible* sur le 7e degré de la gamme majeure :

et s'appelle *septième mineure et quinte diminuée* quand il appartient au 2e degré de la gamme mineure :

Diminuée, elle fournit l'accord de *septième diminuée*[1] :

, qui trouve son emploi normal sur le 7e degré du mode mineur :

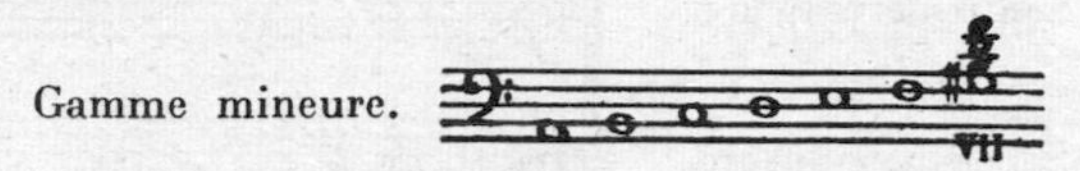

Il y a donc un accord de septième, un accord dissonant de quatre sons, praticable sur chacun des degrés de la gamme majeure ou mineure, sauf sur le premier degré en mineur, qui porte un accord parfait mineur auquel se superpose une tierce majeure et sur le troisième degré en mineur, qui porte un accord de quinte augmentée auquel se superpose une tierce mineure

Ainsi, la gamme majeure contient :

1 accord de septième de dominante.
2 accords de septième majeure.
3 accords de septième mineure.
1 accord de septième de sensible.

Total : 7, un par degré.

La gamme mineure contient :

1 accord de septième de dominante.
1 accord de septième majeure.
1 accord de septième mineure.
1 accord de septième mineure et quinte diminuée.
1 accord de septième diminuée.

Total : 5 usités et 2 inusités : 1 accord de septième majeure avec tierce mineure, 1 accord de quinte augmentée et septième majeure. Ces deux accords sont inusités dans le style classique à cause de la quinte augmentée qu'ils contiennent.

1. On peut considérer aussi ces deux derniers accords, quand ils sont placés sur le 7e degré, comme des accords de neuvième privés de leur son fondamental. (Voir page 174.)

Ce que démontre le tableau suivant :

On remarquera la parfaite corrélation entre les accords de septième et les accords consonants dont ils émanent.

Il ne faudrait pas croire que toute combinaison contenant une quinte augmentée est rejetée du sein de l'harmonie; ce serait une lourde erreur. De telles agrégations sont d'un emploi fréquent et excellent, et seront expliquées en temps voulu [1]. Mais il convient, pour la pureté de la classification, de ne pas les considérer comme constituant des accords à proprement parler, parce qu'elles n'en ont pas le caractère et donnent lieu à l'application de règles spéciales. C'est une simple question de nomenclature.

Les accords de septième, contenant quatre sons, fournissent *trois renversements.*

Tout premier renversement est composé d'une tierce, d'une quinte et d'une sixte, dont les qualifications changent selon la conformation de l'accord fondamental. On l'appelle, d'une façon générale, *accord de quinte et sixte,* en spécifiant, quand il y a lieu, que la *quinte* est *diminuée,* ou que la *sixte* occupe le septième degré, *note sensible.*

Voici d'ailleurs ces accords avec leurs noms, l'indication du degré sur lequel on peut les former, et celle de l'accord fondamental dont ils émanent.

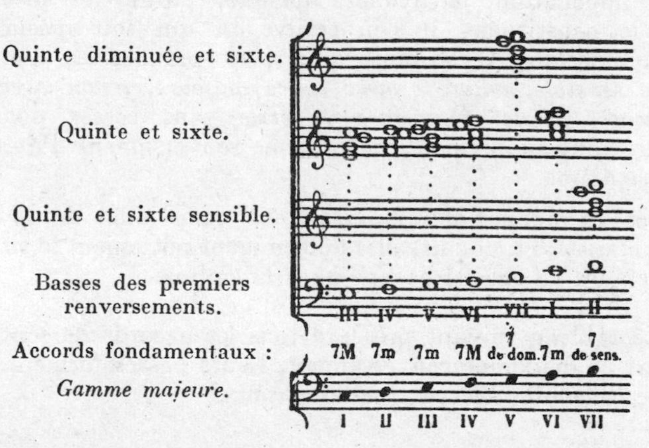

1. Voir *Altérations,* page 000.

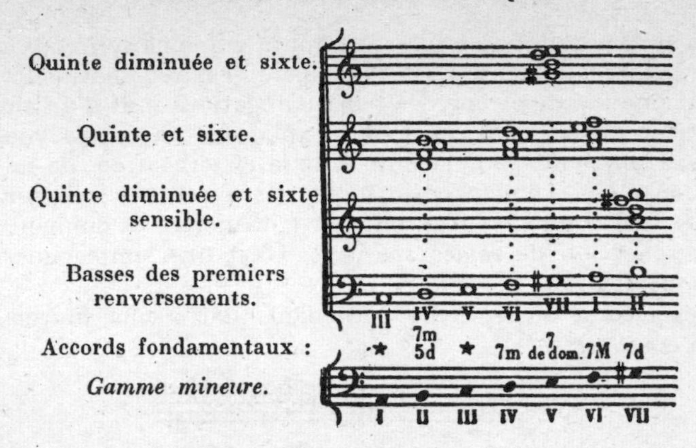

La basse des premiers renversements est nécessairement la tierce de celle des accords fondamentaux.

Le deuxième renversement comporte une tierce, une quarte et une sixte, de qualifications variables. D'une façon générale, on l'appelle *accord de tierce et quarte,* parce qu'il est le seul qui réunisse ces deux intervalles, qui forment entre eux la dissonance, la seconde. Toutefois, on lui attribue volontiers une appellation particulière lorsque, parmi les intervalles qui le constituent, il s'en trouve un qui soit spécialement caractéristique. C'est ainsi qu'il peut prendre les noms de : *sixte sensible, triton* [1] *avec tierce majeure, triton avec tierce mineure, quarte augmentée et sixte,* sans cesser pour cela d'être tout simplement le deuxième renversement d'un accord de septième.

Ces dénominations diverses ont pour effet de le mieux caractériser, et, de fait, elles déterminent nettement la situation exacte qu'un accord occupe dans la gamme.

Le tableau suivant présente tous les accords de septième à l'état de deuxième renversement. Leurs basses forment quinte avec celles des accords fondamentaux.

1. *Triton,* vieille appellation de la quarte augmentée, qui contient *trois tons.*

Les troisièmes renversements forment la famille des *accords de seconde*, dont la basse est en rapport de septième avec celle de l'accord fondamental. Selon les circonstances, on leur donne les noms de *seconde sensible*, *seconde augmentée*, *accord de triton*, qui font connaître leur composition ou leur position, ce qui revient au même, car, chaque degré étant constitué différemment, en sachant la composition on trouve le degré, et vice versa.

(Ceci n'est pas rigoureusement absolu, certains accords pouvant se rencontrer sur deux ou trois degrés différents; mais, comme on le verra par la suite, il n'en résulte jamais aucune confusion.)

Voici donc les troisièmes renversements, avec l'indication du nom qu'ils portent sur chaque degré, soit en majeur, soit en mineur :

Ainsi que je l'ai fait pour les accords consonants, je résume le système des *accords de septième* dans un tableau synoptique, pour chaque mode séparément.

1er, 2me et 3me renversements.
Mode majeur.
Accords fondamentaux.
Septième de dominante. de Dom 1
Septième majeure. M M 2
Septième mineure m m m 3
Septième de sensible. de sens 1
1er, 2me et 3e renversements.
Mode mineur.
Accords fondamentaux:
Septième de dominante. de Dom 1
Septième majeure. M 1
Septième mineure. m 1
Septième diminuée. d 1
Septième mineure et quinte diminuée. 7m 5d 1

Il ne nous reste plus, pour avoir une connaissance de tous les accords employés dans l'harmonie classique, qu'à étudier les accords dissonants de cinq sons, ou *accords de neuvième;* ce ne sera pas long, car ils sont au nombre de deux, et tous les deux posés sur le même degré, ce qui indique suffisamment, je pense, qu'ils appartiennent à des modes différents [1].

En ajoutant à un accord de septième de dominante une tierce supérieure, qui sera forcément, selon le mode, majeure ou mineure, on obtient soit l'*accord de neuvième majeure de dominante*, soit l'*accord de neuvième mineure de dominante.*

Cet accord contient deux dissonances, la septième et la neuvième [2].

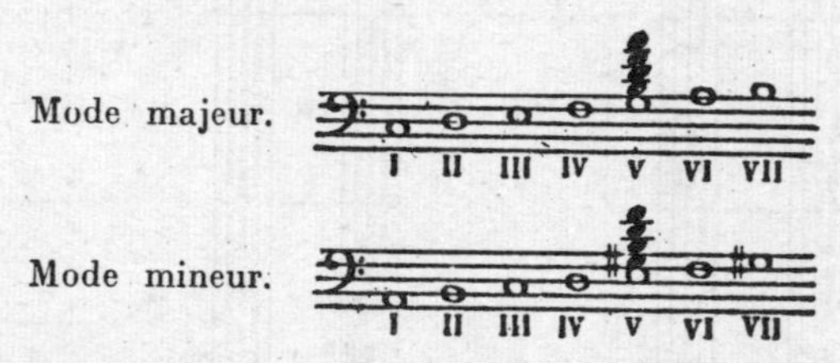

Les renversements sont si peu usités que je n'en parle que pour mémoire; le quatrième est même impraticable, le neuvième excédant l'octave, limite du renversement.

Les accords de 7e *de dominante*, de 7e *de sensible*, de 7e *diminuée*, de 9e *majeure* et de 9e *mineure de dominante*, qui constituent, comme on le verra plus tard, un groupe spécial (celui de l'*harmonie dissonante naturelle*), présentent une particularité intéressante. Ils peuvent tous admettre la tonique comme basse, *au-dessous de leur basse normale*, et sous cette nouvelle forme ils revêtent de nouveaux aspects, sans cesser d'être, pour cela, les mêmes accords qu'ils étaient auparavant.

1. D'autres accords de neuvième peuvent être formés en ajoutant une tierce supérieure aux accords de septième autres que la septième de dominante. Ces accords, inusités dans l'harmonie classique, sont employés par les compositeurs modernes.
2. Si l'on supprime la basse d'un accord de neuvième, il en résulte un accord de septième de sensible ou de septième diminuée. Voir p. 167 (note).

Prenez un accord de 7e de dominante , un accord de 7e de sensible ,, un accord de 7e diminuée , un accord de 9e majeure et un de 9e mineure ; donnez-leur à tous comme basse leur tonique commune *(ut)*, et vous aurez sous les yeux la famille des accords dits : *sur-tonique.*

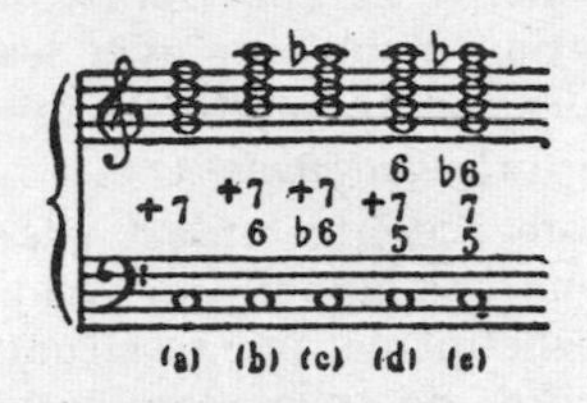

(a) Accord de 7e de dominante sur-tonique.
(S'appelle aussi, dans certains traités, accord de 11e de tonique.)
(b) Accord de 7e de sensible sur-tonique.
(c) Accord de 7e diminuée sur-tonique.
(d) Accord de 9e majeure de dominante sur-tonique, résumant les accords *a* et *b*.
(e) Accord de 9e mineure de dominante sur-tonique, résumant les accords *a* et *c*.
(Les accords *b, c, d, e* s'appellent aussi parfois accords de 13e de tonique.)

Les trois premiers contiennent cinq sons, les deux autres en présentent six; aucun d'eux ne peut être soumis à l'opération du renversement qui, en déplaçant la note de basse, leur enlèverait leur caractère spécial d'accords sur-tonique.

Les accords décrits ci-dessus peuvent être soumis à bien des transformations, qui vont jusqu'à les rendre presque méconnaissables pour tout œil insuffisamment exercé.

Quelques-unes de ces transformations peuvent être expliquées dès ici. Ce sont celles qui ont trait au *redoublement* ou à la *suppression* de certaines notes et aux diverses *positions* des accords. Les autres ne pourront être comprises qu'un peu plus loin, après l'exposé des lois qui régissent les enchaînements d'accords.

Une succession d'accords peut être écrite à 3, 4, 5, 6 parties ou plus, selon le nombre de voix dont on prétend disposer. (Dans le langage musical, le mot *voix* est très souvent pris comme synonyme de partie.) Toutefois, comme beaucoup d'accords [1] ne pourraient jamais être présentés au complet avec trois parties seulement, et comme, d'autre part, il en est peu qui exigent la présence de cinq voix [2], on a à peu près généralement adopté l'usage d'écrire à quatre parties, et c'est ainsi que la plupart des exercices harmoniques sont présentés dans toutes les écoles sérieuses.

Les accords consonants ne contenant que trois sons, on se trouve dans l'obligation, pour employer les quatre parties, de redoubler un de leurs sons constitutifs.

Telle est l'origine du *redoublement.*

Le choix de la note à doubler n'est pas chose indifférente; il importe que cette note, à laquelle on va apporter un renforcement, soit déjà par elle-même, par sa situation, la note la plus importante de l'accord, de telle sorte que l'équilibre ne soit pas dérangé, mais que la prédominance qu'on lui donne ne puisse qu'accentuer davantage le sens tonal.

Les meilleures notes à redoubler sont donc nécessairement (lorsqu'elles se trouvent faire partie de l'accord) le premier, le quatrième et le cinquième degré : *tonique, sous-dominante, dominante,* c'est-à-dire les *notes tonales,* cordes génératrices de la gamme; quelques auteurs les appellent les *bonnes notes.*

En plus de celles-là, il est rare que le redoublement de la note fondamentale de l'accord soit nuisible, puisque sa fonction même lui assigne un rôle prépondérant.

Les moins bonnes notes à doubler, en principe, sont les *notes modales* (sauf exception); mais un redoublement qu'il faut toujours éviter, c'est celui du septième degré, *note sensible,* qui ne pourrait manquer d'entraîner des fautes graves de réalisation.

Ces données générales sont trop vagues; il convient de les préciser en prenant les accords les uns après les autres.

Dans l'*accord parfait, majeur* ou *mineur,* le meilleur redoublement est celui de la *basse,* d'abord parce qu'elle est la fonda-

1. Tous les accords dissonants.
2. Les deux accords de neuvième seulement, et les accords sur-tonique.

mentale, puis parce que ces accords ont leur emploi le plus fréquent, le plus logique, justement sur les notes tonales.

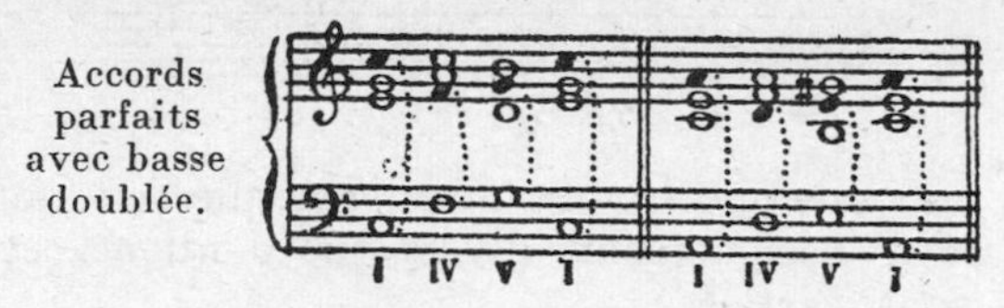

On peut aussi doubler leur *tierce*, et c'est même souvent d'un très bon emploi pour les accords du sixième degré, parce qu'alors la note redoublée se trouve être la tonique.

Quant à la *quinte*, son redoublement est plus rarement employé; il peut cependant parfois produire un effet satisfaisant, surtout dans les cas où elle est une des *bonnes notes* du ton, une note tonale.

Le redoublement de la basse est tellement supérieur aux autres que très souvent, plutôt que de doubler la tierce ou la quinte, il vaut mieux *tripler* la basse (la quinte est alors supprimée) :

ce qui est d'ailleurs tout à fait conforme à l'ordre naturel, puisque, dans la série des dix premiers harmoniques, on voit le son fondamental, générateur, être seul répété quatre fois, tandis que la tierce et la quinte n'y figurent chacune que deux fois.

(Je ne puis m'empêcher de faire remarquer une fois de plus la quantité d'enseignements divers que contient cette simple série des sons partiels.)

Chacun de ces redoublements, qui ne sont au fond que des renforcements d'un des éléments constitutifs des accords, possède un caractère propre :

Le redoublement de la basse rend l'accord plus puissant, plus sonore, plus vigoureux; il accentue sa base, sa fondamentale, et rend l'ensemble sonore plein et énergique. — Celui de la tierce souligne davantage la modalité, et, sauf sur le sixième degré (où il renforce la tonique), il affaiblit le sentiment tonal; il donne des accords doux, suaves, mais sans force, sans éclat, si on les compare à ceux qui ont leur basse doublée. — Tout au contraire, le redoublement de la quinte produit une certaine dureté, qui fait qu'en principe on doit plus rarement l'employer. Il suffit de jouer les trois accords suivants, sur un harmonium ou un piano bien accordé, pour se rendre compte de ces divers caractères :

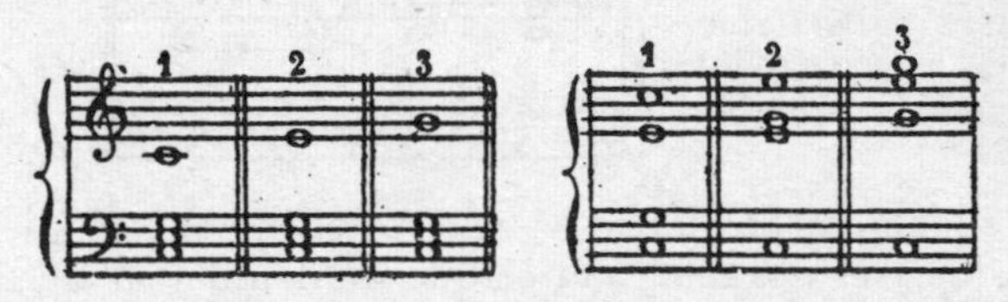

Le premier est riche, bien pondéré; le deuxième est relativement faible, mou; le troisième, par comparaison, est dur, rauque. Qu'on les transforme de majeur en mineur, en remplaçant le *mi* naturel par un *mi* bémol, l'impression restera la même.

En ce qui concerne les *accords de quinte diminuée*, on ne peut en aucun cas doubler la quinte, à cause de sa tendance attractive, qui amènerait forcément des défauts de réalisation [1].

1. *Des Octaves consécutives.*

On ne peut donc doubler que la tierce ou la basse, en évitant même ce dernier redoublement autant que possible quand la basse se trouve être la note sensible, toujours à cause de l'attraction, dont nous parlerons plus loin [1].

Donc, dans l'*accord de quinte diminuée du septième degré*, majeur ou mineur, on double de préférence la *tierce*, dans celui du *deuxième degré* en mineur, la *basse* ou la *tierce*.

(tierce) (tierce) (basse) (tierce)
Ut. maj — La min.
VII VII II II

Les mêmes raisons qui font qu'un redoublement est bon ou mauvais dans un accord à l'état fondamental, agissant de semblable manière sur ses renversements, nous n'aurons plus lieu, à l'égard de ceux-ci, d'entrer dans autant de considérations.

Pour les *accords de sixte*, provenant d'accords *parfaits*, l'ordre de préférence en général est celui-ci : *sixte, tierce, basse.* Pour ceux qui émanent de l'accord de *quinte diminuée* du *septième degré : tierce* ou *basse ;* de celui du *deuxième degré : sixte* ou *basse.*

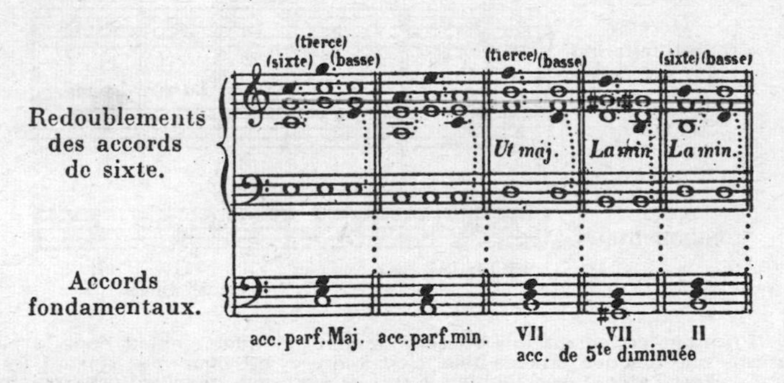

1. Page 206.

Le redoublement de la basse étant souvent le plus défectueux, il convient d'en faire un usage judicieux, et notamment de ne le placer qu'à bon escient en évidence.

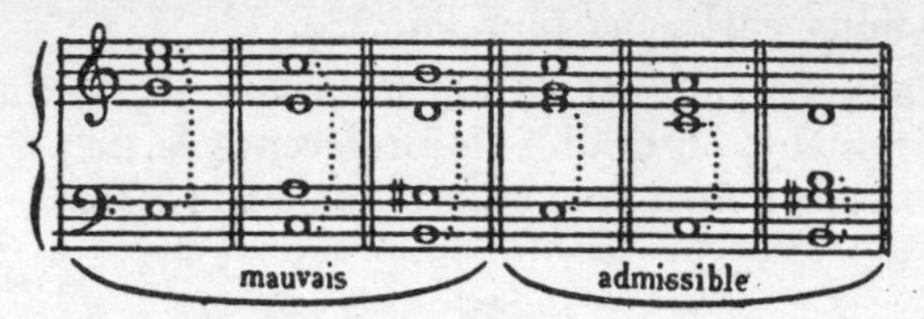

Cette règle sera étudiée plus en détail au chapitre de l'enchaînement des accords. Nous pouvons pourtant dire dès ici que la doublure de la basse de l'accord de sixte est très admissible sur le quatrième degré, et cela, même à la première partie, parce qu'elle vient renforcer une note tonale, la sous-dominante.

Passons aux deuxièmes renversements.

Dans les *accords de quarte et sixte*, renversements d'accords *parfaits*, les meilleurs redoublements sont : *basse* ou *quarte.* Dans les accords de *quarte augmentée et sixte*, il y a lieu de distinguer : ceux qui ont pour fondamentale l'accord de *quinte diminuée du septième degré* des deux modes n'ont qu'un seul bon redoublement, la *sixte*, tandis que ceux qui reconnaissent pour origine l'accord du *deuxième degré* de la gamme mineure en présentent deux : la *quarte* et la *sixte* [1].

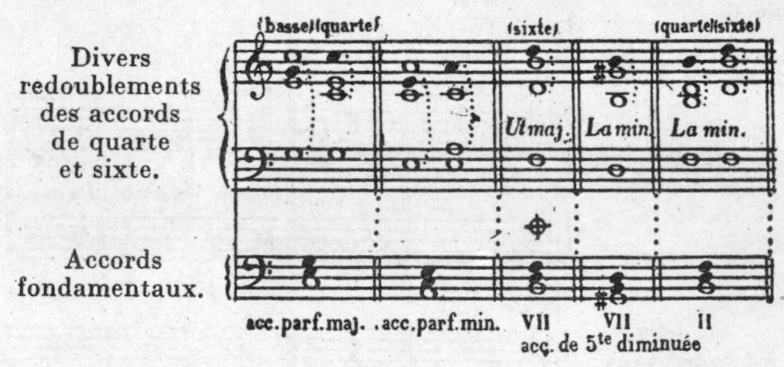

1. Précisons cependant que l'accord de sixte et quarte ayant dans la phrase musicale une fonction ornementale, c'est-à-dire ayant pour rôle, suivant les cas, soit d'amener l'accord principal qui le suit, soit d'orner un accord principal duquel il vient et auquel il retourne, soit de relier entre eux deux accords, le choix de la note à doubler est en fonction de ces cas différents.

Il est bon de remarquer que ces redoublements sont rigoureusements logiques. Tous viennent renforcer soit une des notes tonales, soit la fondamentale de l'accord, ce qui est conforme au principe énoncé précédemment; sauf l'exception signalée dans le tableau précédent, où, étant dans l'impossibilité de redoubler ni la basse ni sa quarte (à cause de leurs tendances attractives), on est forcé d'appliquer le redoublement à la troisième note de l'accord, la sixte, qui, dans l'espèce, se trouve être le deuxième degré de la gamme, ce degré en quelque sorte neutre, qui n'est ni tonal ni modal, donc le moins important ou le moins caractéristique de tous.

Dans les *accords dissonants*, qui sont composés de quatre sons, on ne peut, en écrivant à quatre parties, opérer un *redoublement* qu'au prix d'une *suppression.*

Cela n'a jamais lieu que dans les accords fondamentaux, et même pas dans tous. (Les renversements sont toujours employés complets; autrement ils ne seraient pas reconnaissables). Le seul redoublement admissible est celui de la *basse*, avec *suppression de la quinte.*

Il est très usité dans les accords de *septième de dominante*, de *septième majeure*, de *septième mineure* et de *septième mineure et quinte diminuée;* plus rarement appliqué dans l'accord de *septième de sensible*, et jamais dans celui de *septième diminuée.*

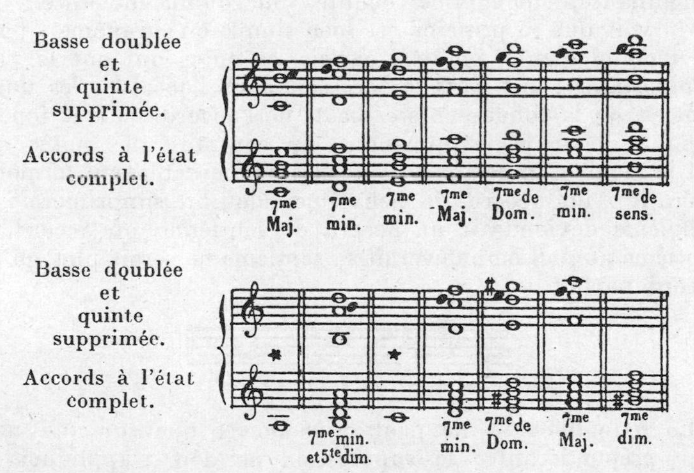

Dans l'écriture à quatre parties, si l'on fait usage des *accords de neuvième*, qui comportent cinq sons, on est dans l'obligation de supprimer l'un d'eux, c'est toujours sur leur *quinte* (2e degré de la gamme) que porte cette suppression.

Dans les accords sur-tonique, qui contiennent déjà cinq ou six sons, il ne saurait être question de redoublements; on en supprime les notes les moins essentielles.

Accords sur-tonique au complet, puis avec les suppressions adoptées.

Remarquer dans ce tableau que les suppressions portent le plus souvent sur le 2e degré, c'est-à-dire sur la note la plus insignifiante, soit comme tonalité, soit comme modalité.

On voit que le principe est bien simple en lui-même : pour les redoublements, on doit choisir les notes qui ont le plus d'importance, soit dans le ton, soit dans l'accord : les notes tonales, ou la fondamentale (basse de l'accord à l'état fondamental); pour les suppressions, au contraire, les notes qui ont le moins d'importance, ou celles qui caractérisent le moins l'accord : un accord de neuvième dont on supprimerait la neuvième deviendrait un accord de septième; un accord de septième auquel on enlèverait sa septième ne serait plus qu'un accord parfait.

Le redoublement ne peut donc porter que sur une note déjà prépondérante; la suppression ne doit s'appliquer au contraire qu'à une note d'importance secondaire, qui sera facilement sous-entendue, devinée en quelque sorte par l'auditeur.

Tous ces accords, qu'ils soient fondamentaux, renversés, complets, incomplets, avec redoublement ou avec suppression, peuvent affecter une quantité innombrable de *positions* diverses, c'est-à-dire que les notes qui les composent peuvent être interverties au gré du compositeur, à l'exception toutefois de la basse, qui doit toujours occuper la partie grave, sans quoi on se trouverait en présence, non plus d'un changement de position, mais d'un renversement.

Voici un accord parfait : .

De quelque façon qu'on arrange ses notes, qu'on en redouble, supprime, qu'on en transporte à une octave ou à une autre,

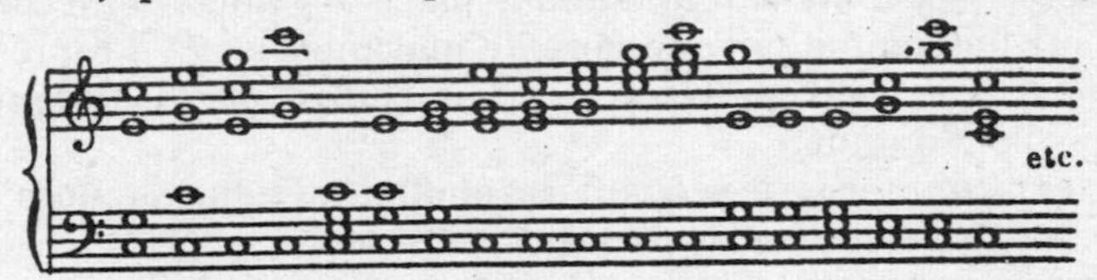

il ne cesse pas pour cela d'être l'accord parfait majeur *d'ut ;* mais qu'on vienne à déplacer sa basse, qu'on en fasse ceci :

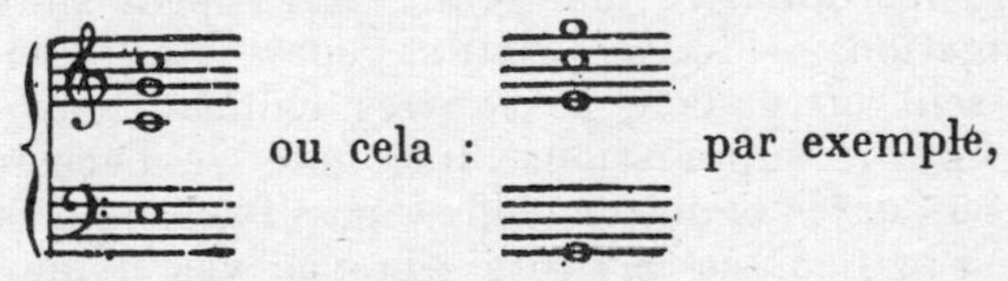

c'est tout autre chose : l'accord change alors de caractère et de nom, il devient l'un de ses renversements, et réclame un nouveau *chiffrage.*

Ceci me conduit à expliquer ce qu'on entend en harmonie par le *chiffrage des accords.*

C'est un système abréviatif, d'ailleurs très incomplet, qui consiste à n'écrire en notes que la basse de l'accord, et à représenter les autres sons par certains chiffres ou signes de convention.

D'un emploi général de la fin du XVIe siècle au commencement du XVIIIe, il n'est pas invraisemblable qu'il ait eu pour inventeur Vincent Galilei, père du célèbre Galilée, lequel vivait vers 1550 et composait de la musique.

Après avoir longtemps servi à noter de façon évidemment très approximative tout ce qui était non pas partie concertante, mais accompagnement, la basse chiffrée fut conservée par l'école italienne pour l'accompagnement des récitatifs, consistant alors presque exclusivement en accords plaqués. Actuellement, elle n'est plus guère connue que des harmonistes, auxquels elle rend des services réels comme écriture abrégée sommaire, et surtout comme procédé d'analyse.

Voici ce système dans toute sa simplicité.

Tout *chiffre* posé sur une note de basse représente d'abord l'intervalle numériquement correspondant, et en même temps que lui, un accord dont il doit nécessairement faire partie, les autres notes restant sous-entendues; en cela réside la convention. — Un *signe d'altération*, placé à gauche d'un chiffre, agit sur lui comme sur une note de musique. Isolé, il représente toujours une tierce altérée. — Un chiffre *barré* indique un intervalle diminué.

Une *petite croix*, précédant le chiffre, désigne la note sensible. — Isolée, elle s'applique à la tierce.

Une *ligne horizontale* s'étendant à la suite du chiffre, sur deux ou plusieurs notes consécutives, fait savoir que l'accord précédemment émis doit être maintenu. On l'appelle souvent ligne de prolongation. — Le *zéro*, enfin, représente, selon qu'il est employé seul ou associé à d'autres chiffres, soit le silence complet, soit la suppression d'une note de l'accord. — On emploie toujours le moins de chiffres possible, ce qui est logique, puisqu'il s'agit d'une écriture abréviative, d'une sorte de sténographie harmonique, si incomplète qu'elle soit.

Donc, l'accord *parfait* se chiffre par un 3, un 5 ou un 8. (Quelques auteurs ne le chiffrent pas du tout, ce qui est encore plus simple.) Quand sa tierce est altérée, l'altération seule suffit, la quinte juste est sous-entendue, ainsi que le redoublement s'il y en a un.

5 ou 3 ou 8 ♭ ♯ 5 ♭

Le chiffrage par 5 est le plus usité. (Quelques théoriciens réservent le 3 pour l'accord mineur.)

L'accord de *sixte* se chiffre par 6. Quand la sixte est altérée, on met un accident à gauche du 6; si c'est la tierce, on place l'accident isolé au-dessous du 6.

Signification des chiffres.

Basse chiffrée.

L'accord de *quarte et sixte* se chiffre $\begin{smallmatrix}6\\4\end{smallmatrix}$.

L'accord de *quinte diminuée* se distingue des accords parfaits par son 5 barré ($\not{5}$), mais ses renversements se chiffrent de la même manière que les précédents,

sans qu'il puisse jamais exister de fausse interprétation : d'abord parce que les degrés sur lesquels ils sont placés indiquent leur nature, leur origine, puis parce que les signes d'altération font connaître clairement, s'il y a lieu, les intervalles qui les composent.

L'accord de *septième de dominante* se chiffre $\begin{smallmatrix}7\\+\end{smallmatrix}$, ce qui indique que la tierce en est note sensible; ses renversements, $\begin{smallmatrix}6\\5\end{smallmatrix}$ *quinte diminuée et sixte;* $+6$, *sixte sensible,* $+4$, *triton :*

Ici l'intervention des altérations est inutile, chaque accord ayant ses chiffres et signes caractéristiques.

L'accord de *septième de sensible*, et l'accord de *septième mineure et quinte diminuée*, formés d'intervalles semblables, se chiffrent tous deux $\genfrac{}{}{0pt}{}{7}{5}$; leurs renversements, $+\genfrac{}{}{0pt}{}{6}{5}$, *quinte et sixte sensible;* $+\genfrac{}{}{0pt}{}{4}{3}$, *triton avec tierce majeure;* $+\genfrac{}{}{0pt}{}{4}{2}$, *seconde sensible*, pour le premier :

$\genfrac{}{}{0pt}{}{6}{5}$, *quinte et sixte;* $\genfrac{}{}{0pt}{}{4}{3}$, *tierce et quarte augmentée;* 2, *seconde*, pour le deuxième :

L'accord de *septième diminuée* se chiffre 7; et ses renversements $+\genfrac{}{}{0pt}{}{6}{5}$, *quinte diminuée et sixte sensible;* $+\genfrac{}{}{0pt}{}{4}{3}$ *triton avec tierce mineure;* $+2$, *seconde augmentée :*

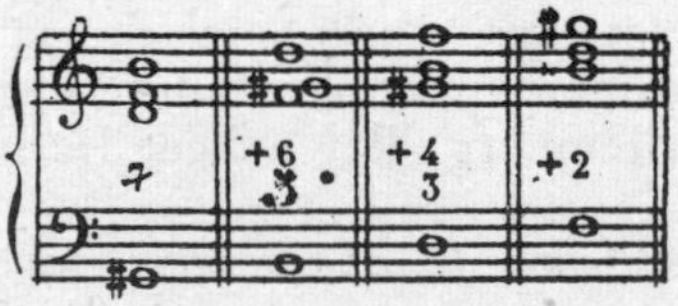

Quand il y a lieu, on ajoute les altérations nécessaires :

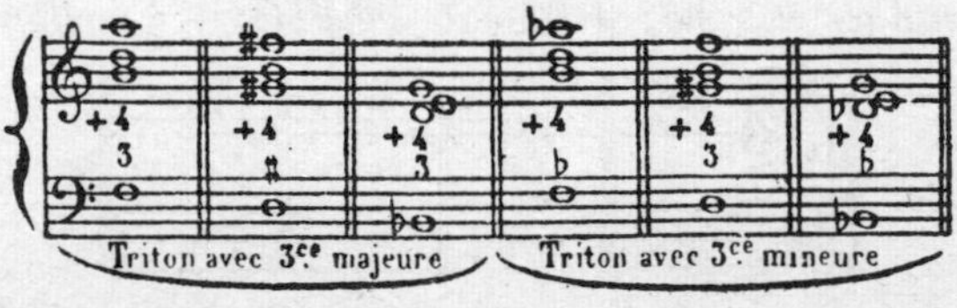

En l'absence de toute altération, un chiffre est toujours considéré comme représentant la note telle que la demande l'armure de la clé.

Les accords de *septième*, soit *majeure*, soit *mineure*, se chiffrent indifféremment par 7, sans qu'il puisse en résulter d'équivoque plus que pour les accords parfaits, une altération placée soit devant le 7, soit au-dessous pour la tierce, faisant connaître la nature de ces intervalles quand c'est nécessaire; la quinte reste toujours juste, ce qui dispense de la chiffrer; leurs renversements, $\begin{smallmatrix}6\\5\end{smallmatrix}$ *quinte et sixte;* $\begin{smallmatrix}4\\3\end{smallmatrix}$ *tierce et quarte;* 2 *seconde :*

Les accords de *neuvième* sont les seuls qui exigent trois signes; ils se chiffrent $\begin{smallmatrix}9\\7\\+\end{smallmatrix}$, avec un signe d'altération placé devant le 9, s'il le faut, pour faire distinguer les accords de *neuvième majeure* de ceux de *neuvième mineure :*

Les accords de septième de dominante sur-tonique et les accords de neuvième de dominante sur-tonique, que dans certaines écoles on appelle accords de *onzième tonique* et de *treizième tonique*, sont ainsi représentés :

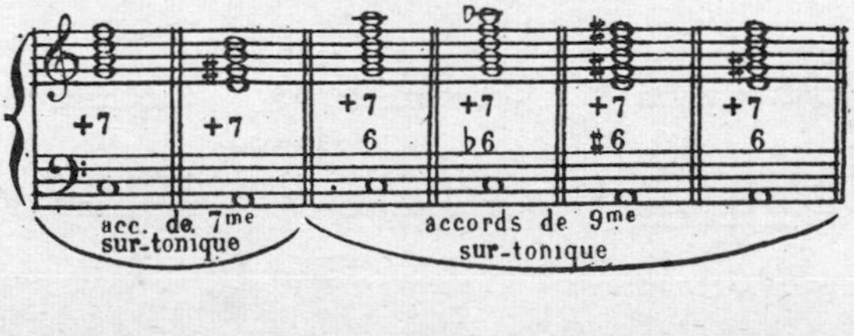

acc. de 7me sur-tonique — accords de 9me sur-tonique

Quand on accumule les chiffres les uns sur les autres, ou qu'on les présente dans un ordre insolite, cela a pour but de préciser une position, but qui n'est que très imparfaitement rempli. Ainsi, le groupe $\genfrac{}{}{0pt}{}{3}{5}$ fait bien pressentir que la tierce doit se trouver au-dessus de la quinte, à la première partie, mais il peut être traduit de ces diverses manières et d'autres encore :

La forme $\begin{matrix}3\\8,\\5\end{matrix}$ quoique mieux déterminée, laisse encore le choix entre ces trois traductions :

On voit donc que le chiffrage, s'il fait connaître avec clarté les accords et leur composition, laisse une très grande latitude à l'interprète pour le choix des positions, qu'il n'indique jamais que d'une façon vague, et même le plus souvent pas du tout.

Revenons donc aux *positions*.

Elles ne sont pas toutes également bonnes ; les meilleures sont en général les plus symétriques, celles dont les notes sont étagées à des espaces à peu près équidistants, tels que :

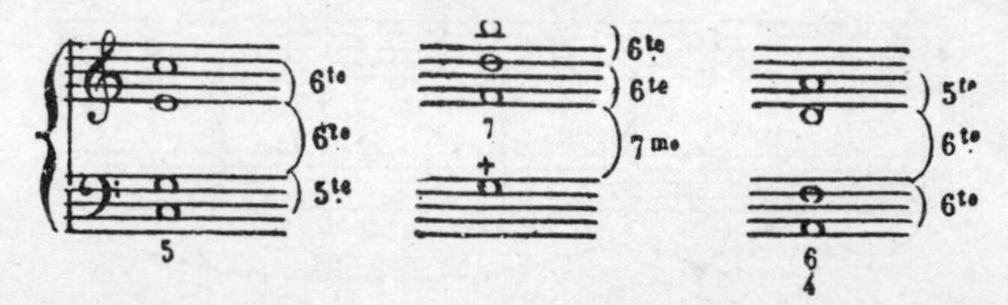

Un seul accord permet une symétrie absolue; c'est l'accord 7 (septième diminuée) [1], qui est formé de trois tierces mineures superposées.

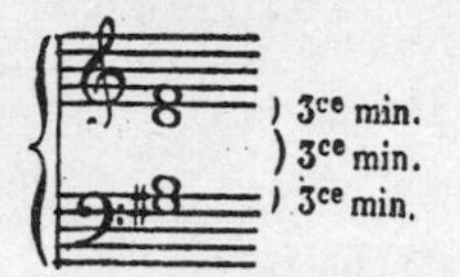

(Il est encore rigoureusement symétrique si on intervertit l'ordre des notes ci-contre, ce qui produit un accord de 2de augmentée en position espacée, au lieu de l'accord fondamental en position serrée. On a alors la superposition de trois sixtes majeures).

Plus on s'écarte de la symétrie complète, et moins la position est satisfaisante; pourtant des groupements comme ceux-ci sont encore très acceptables :

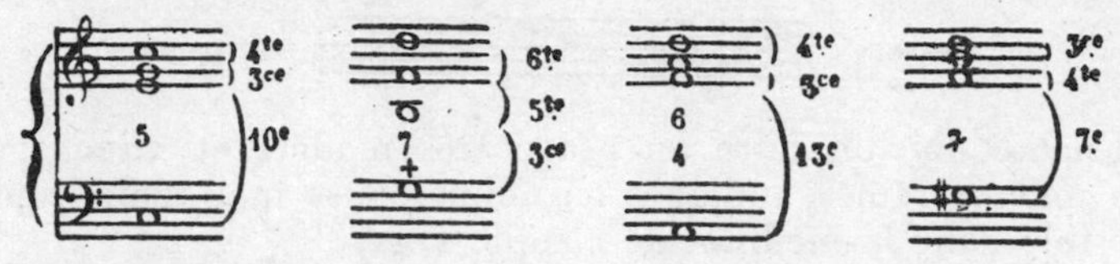

Ce qu'il faut le plus éviter, c'est de serrer les notes dans la région grave en les éparpillant dans l'aigu; de semblables positions sont les plus mauvaises, les plus mal équilibrées de toutes :

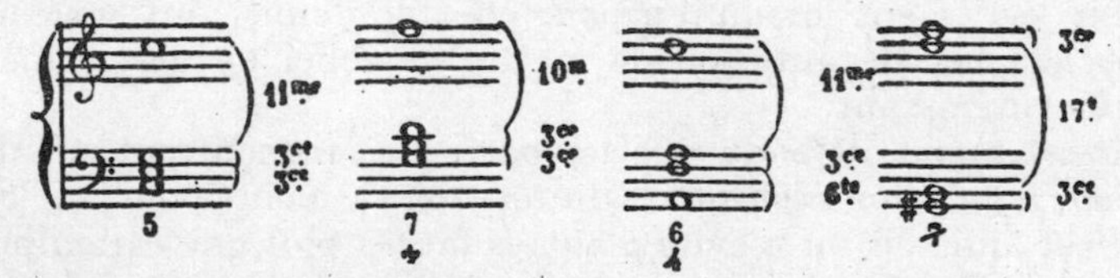

Dans la musique *chorale*, les plus grands effets de force sont obtenus par le groupement des sons en masses compactes, *serrées;* et la sonorité pleine, nourrie, par les positions symétriques et *espacées.*

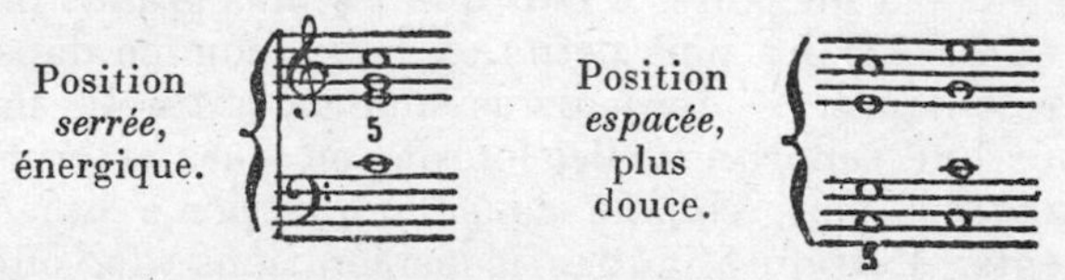

Position *serrée,* énergique.

Position *espacée,* plus douce.

1. Je désignerai souvent à l'avenir les accords par leur chiffrage, autant pour abréger que pour familiariser le lecteur avec ce procédé d'écriture, ingénieux et souvent pratique pour le compositeur.

Or, en harmonie, on considère toujours écrire pour des voix. Les quatre voix théoriques, ou parties, sont limitées à l'étendue moyenne que voici :

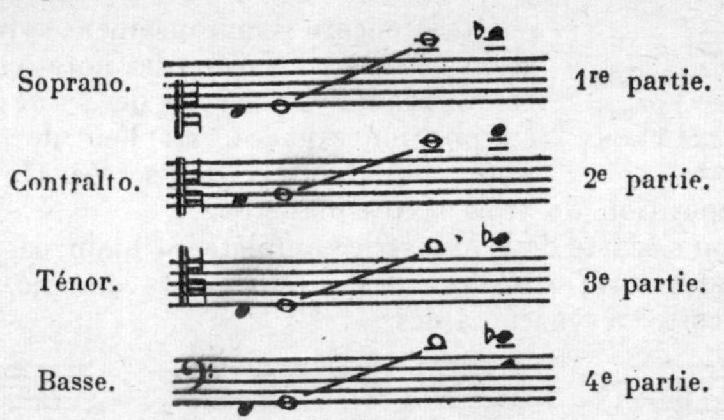

Encore doit-on faire un usage très modéré et circonspect des sons extrêmes, indiqués en noires, et se maintenir le plus possible dans le médium de chaque voix.

De plus, les parties doivent rester échelonnées selon leur ordre normal, de telle sorte qu'aucune d'elles ne vienne chevaucher sur une de ses voisines, ce qui s'appelle un *croisement ;* le croisement est interdit dans l'harmonie élémentaire. On le tolère seulement lorsqu'il a pour effet de donner aux voix une marche plus élégante, ou de mettre en relief un dessin mélodique intéressant.

Il est même défendu que les parties se rencontrent sur une même note, d'où résulterait un *unisson,* à moins pourtant que par cet unisson on n'évite d'autres fautes plus graves; en pure théorie, elles ne doivent pas plus se confondre que s'entrecroiser; chacune d'elles doit toujours conserver son rang : le soprano et la basse sont les parties *extrêmes ;* le *contralto* et le ténor, les parties *intermédiaires.*

Quand il y a inégalité, il faut que les plus grands intervalles soient en bas, et les plus petits en haut (comme dans la série des harmoniques, — toujours le modèle naturel), sous peine d'obtenir une sonorité molle, lourde, ou dure et crue, parfois les deux à la fois, comme dans le quatrième des exemples précédents. Certaines autres considérations doivent encore influer sur le choix d'une position. Ainsi on doit toujours, de préférence, placer à la première partie, qui est la plus en évidence, une des meilleures notes de l'accord. Dans les accords de quinte et sixte sensible, de triton avec tierce majeure, de neuvième majeure de dominante, on doit éviter le frottement désagréable de seconde, en disposant certains sons en rapport de septième.

Jusqu'ici nous n'avons envisagé que des accords considérés individuellement. C'est ce qu'on appelle, en langage technique, des accords au repos. Mais la partie la plus intéressante des études d'harmonie consiste dans la mise en mouvement de ces mêmes accords, dans la façon de les enchaîner, de les souder les uns aux autres, de les grouper pour former avec eux des phrases, des périodes, et enfin des discours musicaux complets. En termes du métier, on appelle cela *réalisation*, par opposition à ce que laisse dans le vague le système du chiffrage. Les règles de réalisation sont donc celles qui concernent l'enchaînement des accords.

RÈGLES GÉNÉRALES DE RÉALISATION

I. — Tout *mouvement mélodique* difficile à chanter ou désagréable à entendre est défendu; restent donc seuls permis les mouvements mélodiques suivants :

Demi-ton chromatique;
Secondes majeure et mineure;
Tierces majeure et mineure;
Quarte juste;
Quinte juste;
Sixte mineure;
Octave juste;

et, exceptionnellement, la seconde augmentée, dans le mode mineur, en montant seulement, et à la condition qu'elle soit suivie de la tonique.

D'une façon générale, les plus petits mouvements sont les meilleurs. (Quelques auteurs tolèrent le saut de sixte majeure, surtout en montant.)

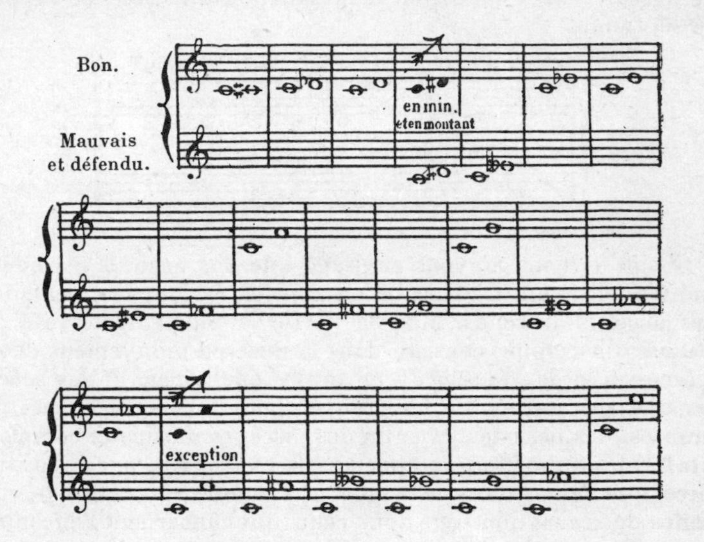

Naturellement, tous les intervalles composés sont défendus. De plus, il faut éviter de faire entendre une septième ou une neuvième en trois notes, quand ces notes marchent dans le même sens, à moins que celle du milieu ne soit en rapport conjoint avec l'une des notes extrêmes.

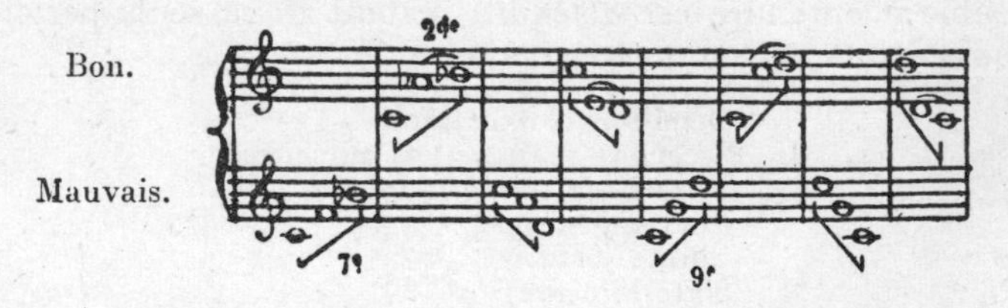

Un autre contour mélodique à éviter, c'est la quarte augmentée en trois notes, dans la même direction, ascendante ou descendante, en tenant toutefois compte de cette exception : la quarte augmentée en trois notes cesse d'être défectueuse si la dernière note du groupe, se trouvant être la plus haute, monte ensuite d'un demi-ton diatonique; ou encore si la dernière note, se trouvant être la plus basse, descend ensuite d'un demi-ton diatonique; en un mot, si cette dernière note, quelle qu'elle soit, obéit ensuite à sa tendance attractive [1].

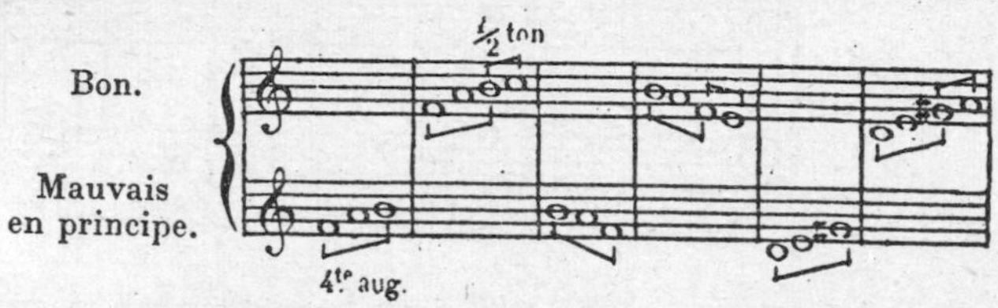

II. — Plusieurs mouvements mélodiques simultanés constituent le mouvement *harmonique;* il est *direct*, ou *semblable*, lorsque toutes les parties se meuvent selon la même direction, ascendante ou descendante.

Le mouvement direct est peu gracieux, et de plus il occasionne souvent d'autres fautes; il faut donc ne l'employer que rarement; même, à quatre parties, on doit le considérer comme totalement défendu, à moins que l'une des parties ne procède chromatiquement, ce qui peut être apprécié comme un mouvement mélodique presque nul, puisqu'il n'y a pas de changement dans le nom de la note.

Il est encore toléré lorsqu'il aboutit au quatrième degré portant accord de sixte.

1. La note sensible doit monter, la sous-dominante descendre.

Le *mouvement contraire* a lieu lorsque les diverses parties se meuvent en sens opposé, les unes montant pendant que les autres descendent.

Ce mouvement est excellent; il faut le rechercher et en faire un emploi fréquent.

Encore meilleur que lui est le *mouvement oblique*, caractérisé par l'immobilité d'une ou plusieurs des parties, pendant que les autres ou l'autre exécutent des mouvements mélodiques dans une direction quelconque.

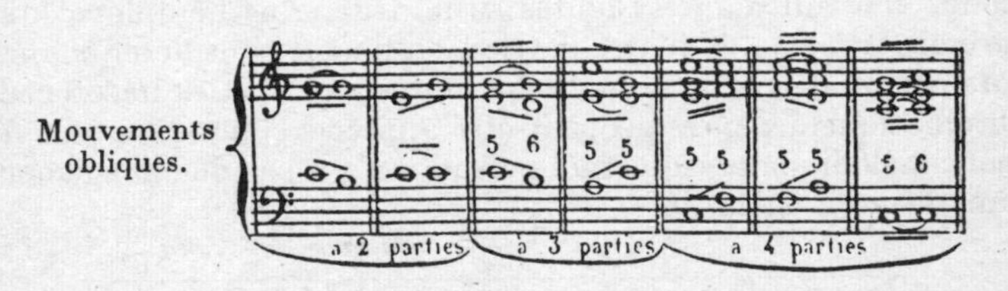

Quand le choix est libre, il doit être préféré au mouvement contraire.

En résumé, il n'y a à éviter que le mouvement direct des quatre voix, sauf les restrictions signalées.

III. — Lorsque deux parties procèdent par mouvement harmonique direct, il est très mauvais et absolument défendu qu'elles fassent entendre consécutivement *deux quintes* justes ou *deux octaves* justes.

Si même, de deux quintes, la première est diminuée, la défense est maintenue; mais si c'est la deuxième, l'impression produite n'a plus rien de désagréable, et conséquemment l'interdiction est levée.

Pour les octaves, il n'y a pas d'exception.

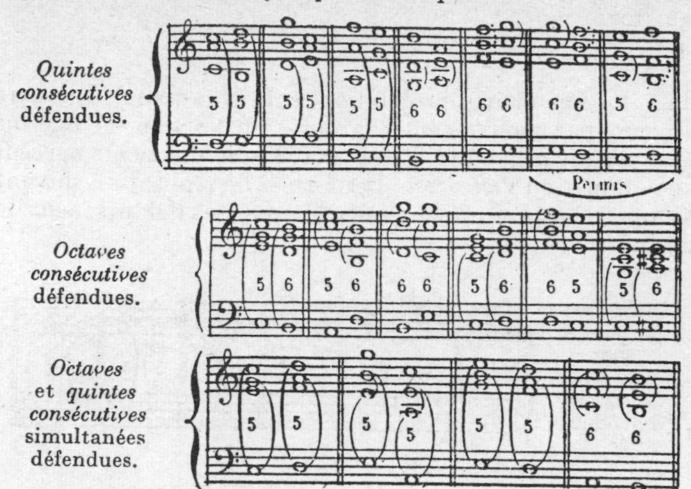

Deux quintes de suite produisent une grande dureté. Deux octaves donnent un sentiment de pauvreté harmonique, ce qui est facile à comprendre, puisque par leur fait le nombre des parties se trouve réduit, deux voix se doublant mutuellement. La dureté des quintes est moins aisée à expliquer [1].

1. Si l'octave est le deuxième harmonique, la quinte est le troisième. Une suite de quintes est donc presque aussi pauvre qu'une suite d'octaves. De plus, elle est dure à l'oreille, parce qu'elle entraîne l'idée de deux parties se mouvant dans des tonalités différentes :

Il semble que le même reproche pourrait s'appliquer à une suite de quartes, mais ce n'est vrai qu'à moitié, et seulement en ce qui concerne la dureté; la quarte n'étant pas un harmonique du son fondamental, l'impression de pauvreté disparaît en partie; c'est donc plus admissible, sans être à rechercher.

Toutefois, on peut considérer que l'interdiction absolue des octaves ou quintes consécutives dans l'harmonie classique est le reste d'une réaction violente contre les procédés de la polyphonie primitive qui employait uniquement les intervalles de quarte, de quinte et d'octave, obtenant ainsi des sonorités considérées comme intolérables par les harmonistes de l'époque classique.

Les maîtres modernes, réagissant à leur tour contre l'harmonie classique, recherchent de nouveau ces sonorités, ou d'autres, qui leur sont apparentées, et la règle concernant les quintes et octaves consécutives n'est plus en vigueur qu'à l'école.

Mais elle existe, c'est un fait indéniable, et il faut absolument les éviter.

IV. — La même prohibition subsiste quand les parties marchent par mouvement contraire, un unisson ou une quinzième venant à la suite d'une octave, une douzième succédant à une quinte, ou vice versa. Les formes de réalisation suivantes, ainsi que celles qui présenteraient les mêmes défauts, sont donc interdites.

V. — La dureté des quintes, la pauvreté des octaves consécutives, émises par mouvement direct, se font encore sentir lors même que ces intervalles sont séparés par quelques notes, sauf dans les mouvements excessivement lents. On doit rejeter comme fautifs des arrangements de ce genre :

Il faut qu'entre les deux octaves ou les deux quintes il existe un accord intermédiaire pour qu'elles cessent d'être désagréables ; et c'est ici que le chiffrage va pour la première fois nous être un moyen commode d'analyse. Des deux exemples suivants, presque semblables, le premier est mauvais et contient deux octaves ; le deuxième est bon, parce que ces deux mêmes octaves sont séparées, non plus par une note, mais par un accord intermédiaire qui efface le sentiment de la première octave avant que la deuxième se fasse entendre.

De même ici pour des quintes, qui sont fautives dans le premier exemple, et n'existent plus dans le deuxième, parce qu'un accord étranger est venu s'interposer entre elles.

Cette règle s'adoucit quand les octaves ou les quintes sont placées sur des temps faibles, où elles prennent nécessairement moins d'importance; mais les vrais puristes savent les éviter, comme on le verra plus loin à l'article *Contrepoint*.

Toléré [1],
mais
à éviter.

Le seul cas où les quintes consécutives, séparées par une simple note, sont vraiment permises, même sur les temps forts, c'est lorsqu'elles sont articulées par un mouvement de syncope, comme dans l'exemple suivant :

1. Il importe de faire une distinction entre ce qui est signalé comme *bon* par exception, et ce qui n'est que *toléré*, admissible.

Quelque simple que soit cette règle, il faut croire que son application est assez difficile, puisqu'on voit souvent des élèves fort bien doués, et déjà très avancés dans les études d'harmonie, retomber dans cette lourde faute d'orthographe, qui pourtant dès le début leur est signalée comme capitale.

VI. — Une autre disposition défectueuse qu'il faut savoir éviter, c'est celle qui produit des *octaves* ou *quintes directes.* Voici en quoi elle consiste :

Octaves ou *quintes directes* défendues.

On peut ainsi formuler la défense : « Lorsque deux parties procèdent par un mouvement harmonique direct, elles ne doivent pas aboutir à une octave ou à une quinte. »

A vrai dire, cette règle n'est applicable dans toute sa rigueur qu'entre la première et la quatrième partie, et perd beaucoup de son importance dès qu'une des parties intermédiaires entre en jeu. De plus, elle est soumise à plusieurs exceptions faciles à préciser.

En ce qui concerne les octaves directes, elles sont permises et même recommandables, toutes les fois que la partie supérieure monte d'un demi-ton diatonique.

De leur côté, les quintes directes sont excellentes lorsque la basse vient aboutir à la tonique ou à la dominante, tandis que la partie supérieure procède par mouvement conjoint (seconde majeure ou mineure).

Elles sont encore très tolérables lorsqu'elles ont lieu entre un accord fondamental et l'un de ses renversements, comme :

Quand les parties intermédiaires entrent en jeu, il y a lieu à des distinctions plus subtiles, qui ne peuvent trouver leur place ici.

VII. — Nous avons maintenant à décrire un genre de faute d'harmonie tout différent de ceux qui précèdent. Ce ne sont plus deux notes contiguës, appartenant à la même partie, comme les mouvements mélodiques, ni deux notes simultanées, comme celles qui produisent les octaves ou les quintes, qu'il s'agit d'envisager ici; ce sont deux notes appartenant à la fois à deux parties différentes et à deux accords consécutifs. (Deux notes formant un mouvement mélodique, bon ou mauvais, sont rangées sur une même portée, selon une ligne horizontale : ————; deux notes formant un intervalle harmonique se trouvent placées, dans l'écriture musicale, l'une au-dessous de l'autre, dans une même ligne verticale : | ; celles qui constituent les *fausses relations*, dont il nous reste à nous occuper, se présentent, par rapport l'une à l'autre, obliquement, en diagonale :

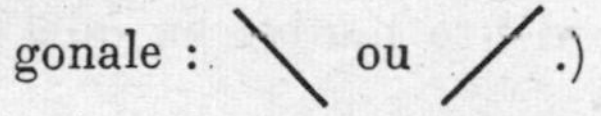

La *fausse relation chromatique* est caractérisée par le rapport *(diagonal)* de deux parties quelconques formant entre elles l'intervalle de demi-ton chromatique.

Fausses relations chromatiques défendues.

C'est tout ce qu'il y a de plus désagréable à entendre, et de plus c'est d'une exécution vocale très pénible, surtout pour les chanteurs qui ont l'oreille juste. On conçoit donc facilement que c'est à éviter.

Il en est de même de la *fausse relation d'octave*, qui n'est que la reproduction, à une ou plusieurs octaves de distance, et toujours suivant une ligne diagonale, de la fausse relation chromatique.

Fausses relations d'octave défendues.

Elle est défendue par les mêmes raisons, parce qu'elle produit, à l'audition, une impression de dureté inacceptable, et parce qu'elle constitue une véritable difficulté d'exécution.

Un seul cas autorise l'emploi de notes placées dans de telles conditions : c'est lorsque l'une des parties entre lesquelles se produit la fausse relation procède elle-même, mélodiquement, par mouvement chromatique. En ce cas, la dureté, si elle n'est pas entièrement supprimée, est tellement atténuée qu'on peut ne plus en tenir compte; quant à la difficulté d'exécution, elle n'existe plus, le mouvement mélodique d'un demi-ton chromatique, ascendant ou descendant, étant l'un des plus naturels et des plus faciles, en raison de sa petitesse.

Voici quelques exemples dans lesquels la fausse relation, soit chromatique, soit d'octave, cesse d'être fautive en quoi que ce soit, et pour cette raison :

Fausses relations permises.

Loin de là, ces enchaînements doivent être considérés comme des meilleurs, puisqu'il n'y est fait usage que de très petits mouvements mélodiques, ce qui a déjà été particulièrement recommandé[1].

VIII. — Quoique moins désagréable que les précédentes, la *fausse relation de triton* doit souvent être évitée. Elle consiste dans le rapport entre deux notes émises successivement par deux parties différentes et formant l'intervalle de quarte augmentée. Elle est spécialement mauvaise entre les parties extrêmes (soprano et basse), et dans l'enchaînement des accords fondamentaux du cinquième au quatrième degré. J'en donne ici seulement l'exemple le plus répréhensible :

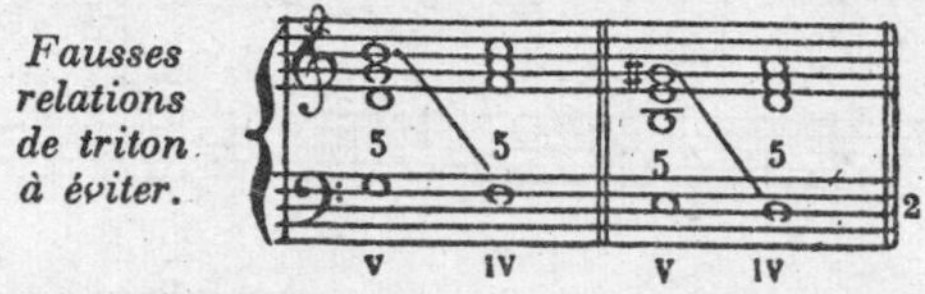

Elle doit être tolérée dans les parties intermédiaires, où souvent même elle est inévitable, et admise sans hésitation entre les deuxième et sixième degrés du mode mineur, car là elle n'offre aucun inconvénient :

Certains théoriciens ne la défendent que lorsqu'elle est produite par la succession de deux tierces majeures appartenant, l'une au quatrième degré, l'autre au cinquième, comme :

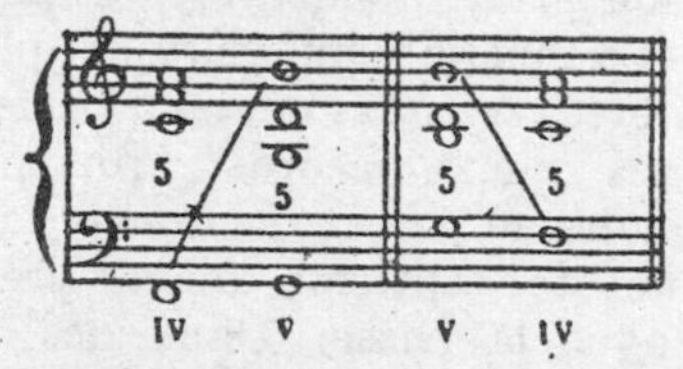

1. Page 192.
2. Chose curieuse, ces mêmes accords, présentés dans l'ordre inverse, sont d'un effet excellent.

Nous aurons d'ailleurs l'occasion d'y revenir dans l'étude du contrepoint, où elle est plus sévèrement interdite.

IX. — Il arrive très fréquemment, dans la réalisation d'une série d'accords, que la position qui était bonne pour un groupe d'accords ne peut plus convenir au groupe suivant, où elle occasionnerait des fautes.

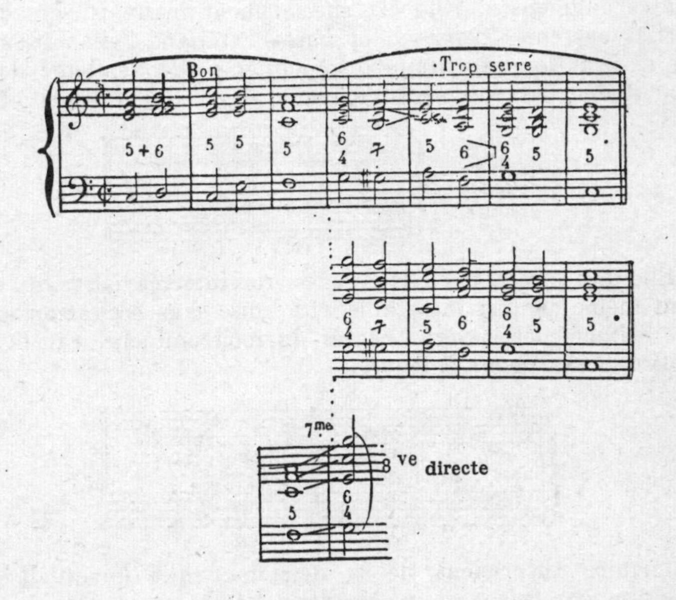

Le début est bon, mais à partir de la quatrième mesure cette autre position serait meilleure, puisqu'elle supprimerait deux unissons et donnerait un contour plus mélodique au soprano. Mais alors, ce qui devient défectueux, c'est la soudure entre ces deux accords, qui produit, outre le mouvement harmonique direct à quatre parties, un mouvement mélodique de septième à la première partie, et l'octave directe avec la basse. Dans des cas analogues et beaucoup d'autres, on a recours au *changement de position*, qui consiste, ainsi que son nom l'indique, à faire succéder sur une même note de basse deux positions d'un même accord, comme :

De cette façon, les deux groupes se relient bien entre eux et produisent partout des enchaînements satisfaisants.

C'est ce qu'expriment la plupart des Cours d'Harmonie en disant que « le changement de position est souvent nécessaire pour éviter des fautes et donner plus d'élégance à la marche des parties ».

Dans le changement de position, on permet tous les mouvements mélodiques sans exception, ainsi que le mouvement direct à quatre parties. Des dispositions comme celles-ci sont donc parfaitement correctes, malgré les défauts qui semblent s'y trouver, parce qu'elles n'offrent aucune difficulté d'intonation et ne sont pas désagréables à entendre :

Changements de position.

Une forme particulière et très fréquente du changement de position est l'*échange de notes*, qu'un simple exemple suffira à faire comprendre.

Comme on le voit dans les trois dernières mesures, il peut aussi bien être pratiqué entre un accord et l'un de ses renversements; en ce cas, la basse entre en jeu. On peut même ainsi, de proche en proche, arriver à une position très différente du point de départ :

Souvent aussi, entre les deux notes qui forment l'échange, on intercale une note étrangère à l'harmonie, qui rend le mouvement des parties plus mélodique :

C'est l'emploi le plus élémentaire de la *note de passage*, sur laquelle nous aurons à revenir. (Cette note, ne comptant pour rien dans l'harmonie, ne doit pas être chiffrée.)

Ici peut trouver place une remarque intéressante, quoique ne se rattachant qu'indirectement au sujet : c'est que dans une semblable disposition de notes, *procédant harmoniquement par mouvement contraire*, et *mélodiquement par mouvements conjoints*, si, pour une raison quelconque, on voulait faire porter un accord par cette note intermédiaire, on pourrait y placer l'accord de sixte, même avec redoublement de la basse à la première partie, ce qui est généralement défendu.

C'est un des rares cas où ce redoublement soit d'un bon emploi. Bien entendu, dès qu'elle est harmonisée, que ce soit ainsi ou autrement, cette note cesse d'être une note de passage; il n'y a plus échange, mais trois accords distincts, ce qu'indique d'ailleurs le chiffrage.

X. — Toutes les fois que la *note sensible* fait partie d'un accord quelconque, il est à désirer qu'elle monte à la tonique, si toutefois la tonique appartient à l'accord suivant.

Bon.

Mauvais.

De même, chaque fois que se trouvent réunies dans un même accord deux notes formant entre elles l'intervalle de quinte diminuée ou son renversement *(consonances attractives)*, elles doivent l'une et l'autre obéir à leur attraction, à moins que cela n'entraîne d'autres fautes de réalisation. Bien entendu, si l'une d'elles est redoublée, une seule des deux parties suivra cette tendance, puisque sans cela il y aurait des octaves consécutives; mais il faut éviter que cette note doublée soit le septième degré de la gamme, note sensible.

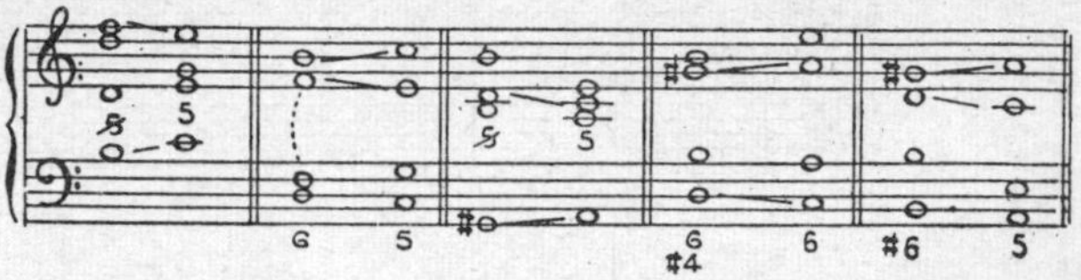

Ces dernières règles forment une sorte de trait d'union entre celles applicables à tous les accords, que nous venons de voir, et celles qui sont particulières aux accords dissonants, qui vont venir ici. Ici les tendances attractives de la quinte diminuée et de la quarte augmentée, ainsi que les mouvements obligés de certaines autres notes, vont acquérir une importance prédominante, sous le nom de *résolution.*

RÈGLES DE RÉALISATION SPÉCIALES AUX ACCORDS DISSONANTS.

XI. — Tout accord dissonant contient au moins une dissonance[1], qui est la septième dans la forme primitive de l'accord, et devient naturellement un autre intervalle dans chacun de ses renversements, sans cesser pour cela d'être la dissonance.

Or, *la dissonance* doit absolument, pour satisfaire aux lois de l'harmonie, *se résoudre* en descendant d'un degré sur une note de l'accord suivant. C'est ce qu'on appelle la *résolution naturelle.* De plus, chaque fois qu'un accord dissonant contient une *consonance attractive* (quinte diminuée ou quarte augmentée) qui est déjà presque une dissonance, cet intervalle doit, autant que possible, se résoudre lui-même selon ses propres tendances.

L'accord de $\genfrac{}{}{0pt}{}{7}{+}$ contient deux notes à mouvement obligé, la septième, dissonance, qui doit forcément descendre, et la tierce, qui, en qualité de note sensible, doit monter. Ces deux

1. Seuls, les accords de neuvième en contiennent deux, la septième et la neuvième

notes forment d'ailleurs entre elles l'intervalle de quinte diminuée et tendent par conséquent à se rapprocher.

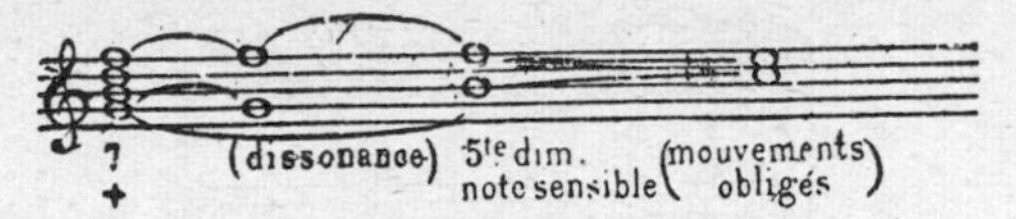

Les seuls accords sur lesquels puisse se faire sa résolution naturelle sont ceux qui contiennent les notes nécessaires à l'exécution de ces mouvements obligés ; il y en a trois, en majeur comme en mineur.

(Il peut sembler qu'il y en a un quatrième qui remplirait les mêmes conditions, l'accord de sixte du troisième degré ; mais il est impraticable en cette circonstance, car, de quelque façon qu'on dispose les parties, il occasionnerait toujours l'octave directe . Or l'octave directe n'est jamais plus mauvaise que lorsqu'elle est amenée par des notes ayant un mouvement obligé, dissonances ou consonances attractives. En ce cas, on doit la proscrire absolument, même dans les parties intermédiaires.)

La résolution naturelle des renversements a lieu de la même manière, c'est-à-dire toutes les fois que les notes à mouvement obligé trouvent dans l'accord suivant le son vers lequel elles sont attirées.

XII. — Quand ces mêmes notes à mouvement obligé, ou l'une d'elles, font partie de l'accord qui suit, elles doivent rester en place, dans la même partie, sans monter ni descendre, et alors il y a *non-résolution.*

(Dans cet exemple, j'emploie le signe de liaison ⌒ pour signaler les notes en état de non-résolution, en conservant la simple ligne droite ╱ ou ╲ à celles qui opèrent leur résolution naturelle.)

Quand on pratique l'échange de notes dans un accord dissonant ou entre ses renversements, il y a toujours non-résolution de quelques notes. Seules, celles qui forment la dernière position doivent être régulièrement résolues.

XIII. — Il existe enfin un troisième mode d'enchaînement des accords dissonants, c'est la *résolution exceptionnelle.* Dans celle-là, la note qui normalement devrait monter (la note sensible) se résout *exceptionnellement* en descendant d'un demi-ton chromatique. Ce demi-ton chromatique, ne pouvant être obtenu qu'au moyen d'une altération, introduit nécessairement un élément étranger à la tonalité régnante, d'où il s'ensuit que toute résolution exceptionnelle entraîne l'idée de la modulation. En voici quelques exemples dans lesquels, pour plus de clarté, je mets en regard : l'accord avec résolution naturelle, à l'état de non-résolution, puis avec une résolution exceptionnelle.

Résol. nat. — Non-résol. — Résol. except.

7e de dominante.

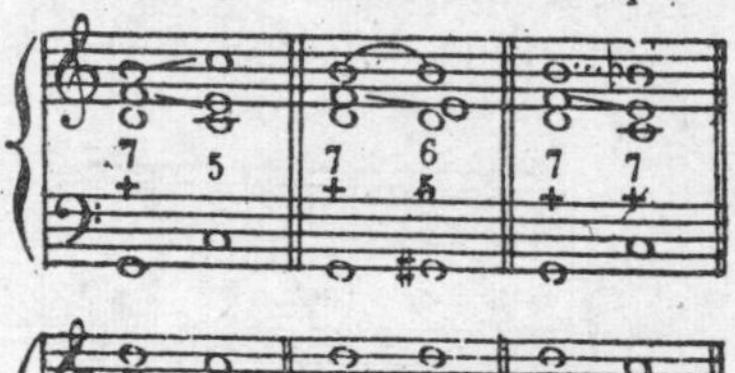

7e de sensible.

Résol. nat. — Non-résol. — Résol. excep.

7e diminuée.

(La ligne droite —— indique les résolutions naturelles; la liaison ⌒ les non-résolutions; la ligne pointillée ..... les résolutions exceptionnelles.)

Il en est de même pour les accords de neuvième, qui contiennent la note sensible et deux dissonances, c'est-à-dire trois notes à mouvement obligé, dont la première doit monter et les autres descendre, pour la résolution naturelle; dans la non-résolution, quelques-unes restent en place; dans la résolution exceptionnelle, la note sensible descend chromatiquement. C'est toujours la même chose.

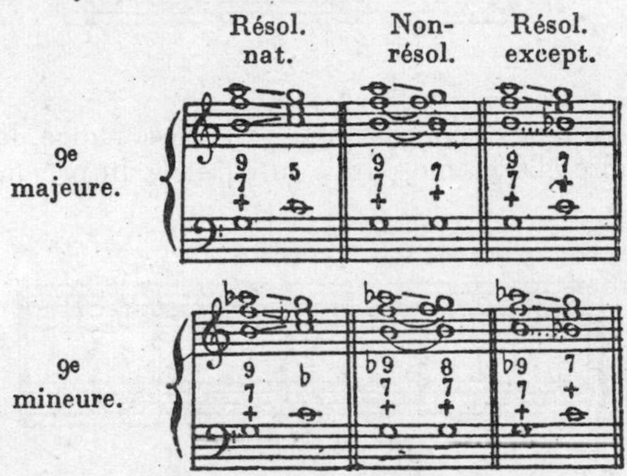

C'est avec intention, c'est pour mieux faire ressortir l'homogénéité du système, que j'ai placé tous ces exemples invariablement dans le ton d'*ut*, soit majeur, soit mineur. On voit clairement que si la dissonance, qui est toujours la septième de l'accord fondamental, peut occuper un degré quelconque, les notes à attraction mutuelle, formant consonance attractive, ne se déplacent jamais, et ne peuvent être que le quatrième et le septième degré, c'est-à-dire, dans ces exemples, le *fa* et le *si*.

Les accords qu'il nous reste à examiner au point de vue de

la résolution, ceux de septième majeure et de septième mineure, ne réunissent jamais ces deux degrés :

par conséquent, la dissonance seule s'y trouve à résoudre, toujours en descendant sur la note voisine, si elle appartient à l'accord suivant, ce qui est leur *résolution naturelle.*

Il y a aussi *non-résolution* lorsque la dissonance, la septième, se trouve faire elle-même partie intégrante du prochain accord, comme :

Mais il n'y a jamais ici, à proprement parler, de résolution exceptionnelle, puisque cette dernière résulte d'une exception apportée à la marche normale d'une des notes formant la consonance attractive, laquelle ne figure pas dans ces accords. Il y a simplement des *non-résolutions modulantes,* comme la deuxième et la quatrième de l'exemple précédent.

Dans l'enchaînement, par mouvement de quinte descendante ou quarte ascendante de la basse, de deux accords de septième, il y a toujours l'un d'eux dont la quinte est supprimée et remplaçée par la basse doublée :

ou :

autrement, on ne pourrait satisfaire aux lois de préparation [1] et de résolution, sans introduire des octaves ou des quintes consécutives dans l'harmonie à quatre parties.

Pour que les deux accords soient complets, il faudrait disposer de cinq voix ou parties.

XIV. — Une autre loi régit l'enchaînement des accords dissonants; c'est la *préparation de la dissonance*, qui consiste à la faire entendre préalablement, et à la même partie, dans l'accord précédent. Son but est d'atténuer la dureté en accoutumant l'oreille à la note qui va devenir dissonante, et qu'on présente d'abord comme consonance.

Anciennement, la *préparation* était considérée comme obligatoire pour toute dissonance. C'est à la fin du XVIe siècle

1. Voir plus bas.

qu'un puissant novateur, qui a joué un rôle considérable dans l'évolution musicale, Monteverde [1], osa, lui premier, attaquer directement, sans préparation, les dissonances contenues dans les accords de septième de dominante, de septième de sensible, de septième diminuée, et même de neuvième de dominante, formant ainsi de ces accords (qui sont entièrement fournis par les sons harmoniques) une famille spéciale, intermédiaire entre les accords consonants et les véritables accords dissonants, et qu'on a appelée depuis d'un nom fort approprié, *harmonie dissonante naturelle.*

Ce groupe mixte, en quelque sorte, est soumis aux lois spéciales des accords dissonants en ce qui concerne la résolution, mais est dispensé de préparation, ce qui le rattache, d'un autre côté, aux accords consonants.

La préparation des dissonances, et leur résolution aussi, d'ailleurs, sont actuellement périmées dans le domaine de la composition musicale; à l'école, dans les études d'harmonie, elle reste encore obligatoire pour les accords les plus dissonants : ceux de septième majeure, de septième mineure, et de septième mineure et quinte diminuée, qui, dans certains traités, sont appelés *accords avec prolongation*, et, dans d'autres, constituent l'*harmonie dissonante artificielle.*

Arrivé ici, le lecteur comprendra aisément pourquoi je n'ai pas osé fixer, au chapitre traitant d'acoustique, la délimitation précise entre ce qui est consonant et ce qui est dissonant; il y a là une question d'usage, d'habitude, de tolérance et d'accoutumance de l'oreille, qui a varié, varie et variera selon les époques, en raison des tendances individuelles des compositeurs et aussi du degré de dureté que l'éducation musicale des auditeurs les conduira progressivement à supporter.

XV. — Il va de soi que toutes les règles relatives soit à la préparation, soit à la résolution des accords dissonants à l'état fondamental, que j'ai seuls donnés comme exemples afin d'abréger, s'appliquent exactement à leurs renversements. Les notes sont interverties, mais chaque degré conserve les

1. Il est probable que Monteverde n'a pas eu conscience lui-même de l'immense portée de sa trouvaille.

mêmes tendances, la même somme de dissonance, et doit être traité de la même manière.

Quand toutes ces règles sont bien comprises et strictement appliquées, ce qui n'est pas toujours d'une extrême facilité, la réalisation est pure et correcte, l'effet sonore satisfaisant pour l'oreille.

Pour mieux les faire pénétrer dans l'esprit du lecteur, j'ai construit le tableau suivant, qui me semble les résumer. J'y suppose les accords fondamentaux divisés en quatre groupes :

Le premier, celui du bas, ne comprend que l'accord parfait majeur, accord consonant par excellence;

Le deuxième, l'accord parfait mineur et l'accord de quinte diminuée, qui ne sont consonants que par une sorte de convention, le dernier participant même déjà des accords dissonants par la présence de la quinte diminuée, consonante attractive pour les uns, dissonance pour les autres;

Le troisième réunit les accords formant l'harmonie dissonante naturelle, issue directement ou indirectement du phénomène naturel de la résonance, et qui n'exige que la résolution, selon les principes énoncés, de quelques-unes de ses notes;

Le quatrième enfin, qui contient les accords réellement dissonants, pour lesquels il y a lieu non seulement à résolution, mais à préparation.

En notes blanches, j'indique les accords appartenant à la gamme majeure, et en notes noires ceux de la gamme mineure, afin que les deux modalités soient représentées et que le tableau réunisse bien sous un même coup d'œil tous les éléments du système harmonique actuel. En lisant ce tableau de bas en haut, on y voit comment des accords consonants, libres de tous leurs mouvements, perdent progressivement cette liberté d'allures par l'adjonction de dissonances réclamant toutes leur résolution, et quelques-unes, en plus, leur préparation.

(La *résolution* est figurée par un trait suivant la note, la *préparation* par une liaison la précédant. Les lignes pointillées signalent la présence des notes ayant caractère attractif.)

Seuls ne figurent pas dans ce tableau condensé les accords sur-tonique, expliqués à la page 175 et qui sont soumis aux mêmes lois que ceux dont ils dérivent. Aucune préparation ne leur est imposée, puisqu'ils appartiennent à l'harmonie dissonante naturelle; mais ils doivent être résolus selon les principes qui régissent tous les accords de ce groupe.

Reprenons maintenant, au point où nous l'avons laissé, l'examen des modifications auxquelles peut être soumis un accord sans perdre son individualité. Nous allons en trouver de nouvelles.

Une ou plusieurs de ses notes constitutives peuvent être retardées, n'être émises qu'après les autres; c'est ce qu'on appelle le *retard.* Tout retard doit être préparé et se résoudre par mouvement conjoint, ton ou demi-ton diatonique. Le retard peut être supérieur ou inférieur; supérieur, il se résout en descendant; inférieur, en montant. Le retard supérieur est de beaucoup le plus usité et le plus classique.

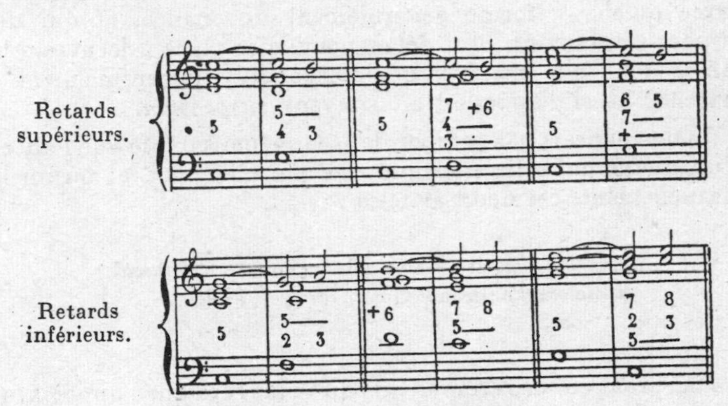

La logique la plus élémentaire fait concevoir que les notes dissonantes, astreintes elles-mêmes à la préparation, comme la septième des accords par prolongation, ne sauraient en aucun cas être retardées, car elles ne peuvent être à la fois en retard et en avance. C'est donc, le plus souvent, quelle que soit la nature de l'accord, à une note formant consonance avec la fondamentale que le retard peut être appliqué.

Le caractère dominant de cet artifice, c'est l'ampleur, la majesté; ce caractère se dessine d'autant mieux que le mouvement est lui-même déjà large et tranquille; mais il s'adapte à toutes les allures, en leur communiquant un certain degré de sévérité, presque de raideur, qui était plus recherché autrefois que de nos jours, ce qui lui donne, dans les œuvres ayant une teinte générale moderne, un air archaïque.

Je ne puis songer à énumérer ici tous les retards, ce qui serait d'ailleurs complètement inutile. Ce qui importe, c'est d'en faire saisir l'essence, le principe, et surtout d'éviter toute confusion entre le *retard* et la *prolongation*, qui, au premier abord, semblent avoir quelque ressemblance, l'un et l'autre étant préparés et résolus. Le moindre examen fait voir en quoi ils diffèrent essentiellement.

La prolongation vient créer un accord nouveau, dont elle est même l'élément caractéristique, *la septième*, et qui a sa personnalité, son existence propre; au contraire, le retard n'est qu'une note étrangère à l'accord, qui demande à être préparée parce qu'elle y forme généralement dissonance, et qui doit disparaître dans un bref délai, pour faire place à la note véritable, dont elle ne fait que suspendre momentanément la marche; aussi l'appelle-t-on souvent *suspension*.

Je ne voudrais pas tomber dans la même naïveté que l'auteur d'un dictionnaire de musique que j'ai chez moi, et où on lit, textuellement, ces deux articles :

« *Violon*, petit violoncelle. (Voyez *Violoncelle.*)
« *Violoncelle*, grand violon. (Voyez *Violon.*) »

Mais, tout en me réservant de dire plus tard que l'appogiature n'est qu'un retard sans préparation, je ne puis trouver, du retard lui-même, une définition meilleure que celle-ci : *Le retard est une appogiature préparée*. Ces deux choses s'expliquent l'une par l'autre.

De fait, il s'est un peu passé dans la seconde moitié du siècle dernier, à l'égard des retards, ce qui s'est passé lorsque, il y a trois cents ans, Monteverde a affranchi certains accords de septième de la formalité de préparation. On en vient de plus en plus à attaquer les dissonances directement, et alors elles s'appellent appogiatures.

Au point de vue de l'harmonie classique, tout retard doit être préparé; il n'est même retard qu'à cette condition. Je ne signalerai ici que ceux qui sont d'un usage courant, en mentionnant les particularités qu'ils présentent.

Dans les accords consonants, chacun des trois sons qui font partie intégrante de l'accord peut être retardé.

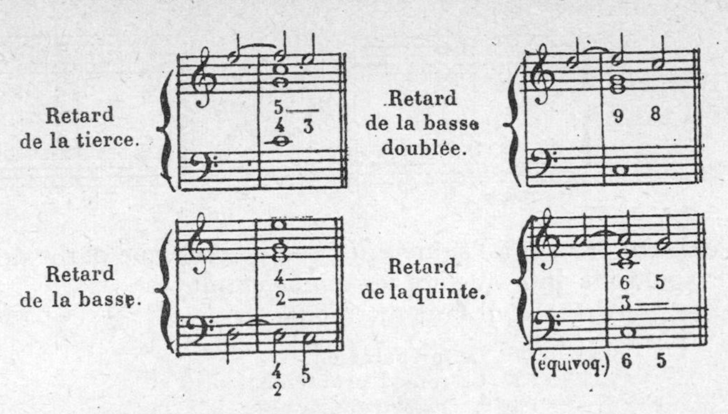

Ce dernier cas est moins usité, parce qu'il présente une sorte d'équivoque avec un accord de sixte, ainsi que le chiffrage le fait ressortir bien clairement [1].

Transportés dans les renversements, ces mêmes rètards deviennent, dans l'accord de sixte :

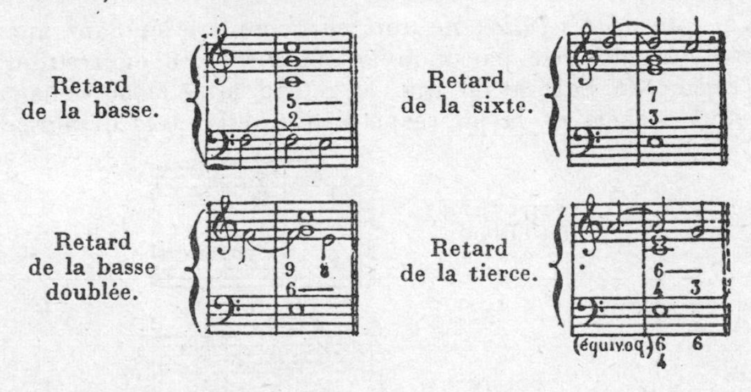

et dans l'accord de quarte et sixte :

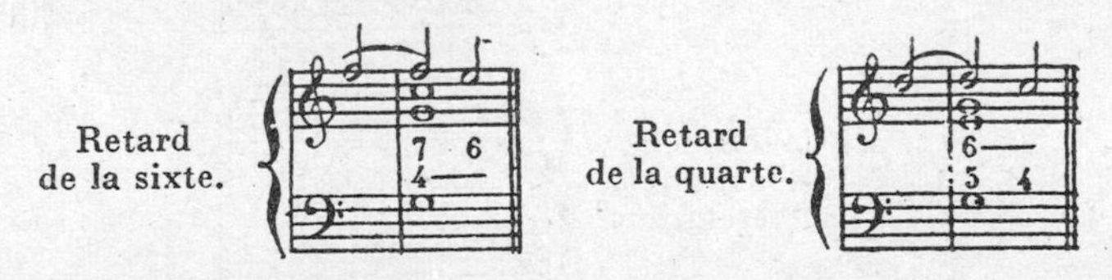

1. Je ne donne d'exemples que sur l'accord parfait majeur; l'emploi des retards est le même dans les accords mineurs ou de quinte diminuée.

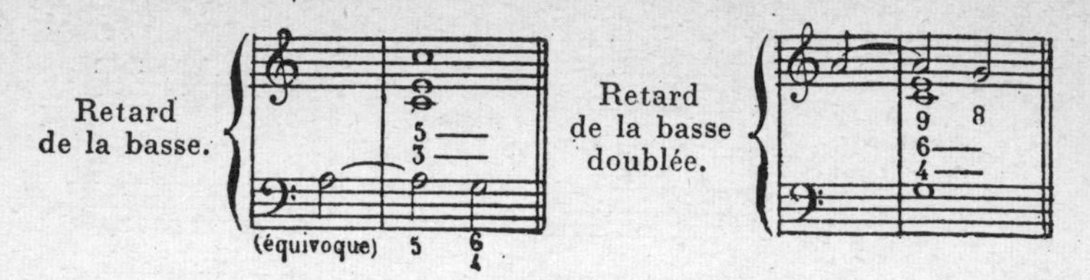

Ceux qui prêtent à l'équivoque, ce que j'indique par le double chiffrage, sont de beaucoup les moins employés.

Dans tout retard, il faut distinguer :

1° La préparation;
2° Le retard proprement dit;
3° La résolution.

La *préparation* doit avoir une durée au moins égale à celle du retard, sans quoi il y aurait syncope boiteuse [1], ce qui est absolument prohibé dans les exercices d'harmonie.

Le *retard* doit occuper un temps fort ou une partie forte de temps.

La note de *résolution* ne doit en aucun cas et dans aucune partie être doublée par mouvement direct; il en résulterait, en raison de l'attention que le retard appelle sur elle, des octaves cachées de la pire espèce, d'un effet très désagréable.

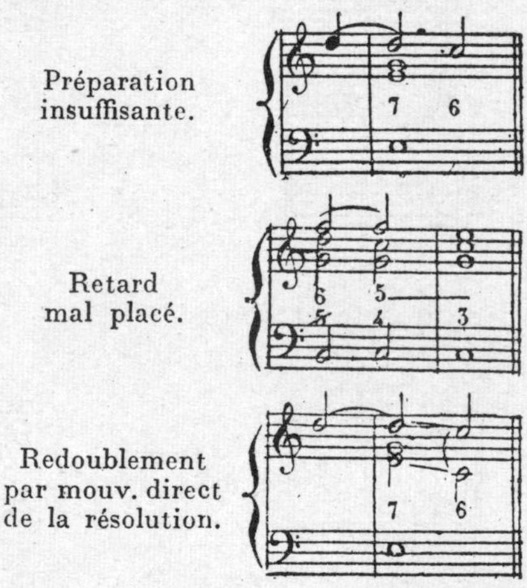

1. Celle dont la première partie est plus courte que la deuxième.

Il est illogique, pendant qu'une note est retardée, de la faire entendre dans une autre partie; c'est toujours plus ou moins dur.

Quelques auteurs permettent exceptionnellement cette licence, surtout sur les notes tonales et lorsque le retard occupe la partie supérieure, comme dans l'exemple précédent; mais il est plus pur de s'en abstenir, et c'est généralement assez aisé.

Dans tous les accords dissonants, les notes formant consonance avec la fondamentale peuvent être retardées.

A la page 217, j'ai présenté le tableau des retards possibles dans les renversements des accords consonants; ici, je simplifierai en ne donnant plus d'exemples qu'à l'état fondamental; il sera facile de trouver ceux des accords renversés, en intervertissant tout simplement l'ordre des notes. On obtient ainsi, notamment, les retards suivants :

Dans l'accord de septième de dominante :

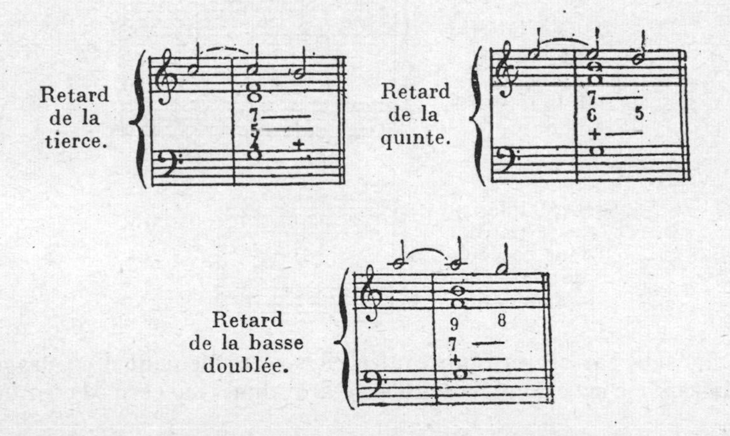

Dans l'accord de septième de sensible, ou dans l'accord de septième diminuée :

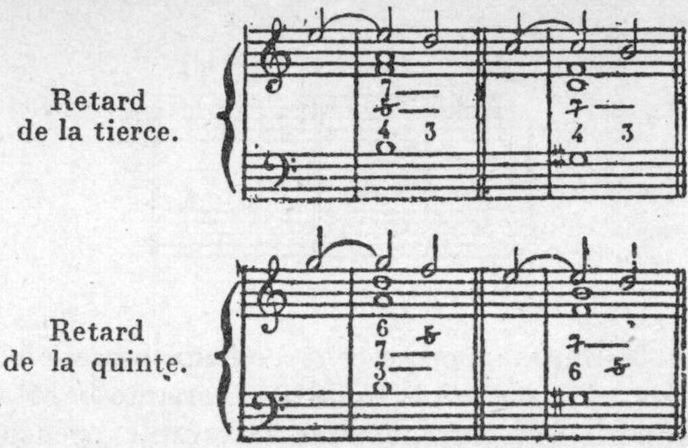

ainsi que leurs renversements, et beaucoup d'autres qu'il est facile de deviner.

En résumé, on peut dire qu'un *retard*, pour être caractérisé, doit former une *dissonance préparée* de septième ou de seconde avec une autre note constitutive de l'accord, être placé *sur un temps relativement fort*, et *se résoudre* en descendant diatoniquement.

Sauf la direction de la résolution, il en est de même des retards inférieurs ou ascendants, dont je veux donner quelques exemples quoique leur emploi soit très restreint et en général peu classique :

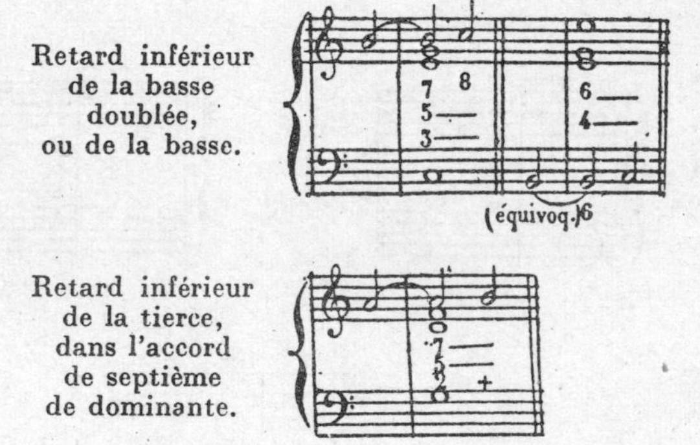

Le seul cas où un retard inférieur soit réellement d'un usage courant, c'est comme double retard dans l'accord de sixte.

Pendant que la septième, préparée, descend sur la sixte, la quinte, également préparée, monte au même degré, formant ainsi une *suspension inférieure :*

Ici, on se trouve en présence de deux retards de la sixte, l'un inférieur, l'autre supérieur.

C'est un fait unique, ces deux retards en sens inverse; d'habitude, quand deux retards ont lieu simultanément, ils suivent tous deux des directions parallèles. Voici des doubles retards d'une forme plus usuelle :

Double retard
de la tierce
et de la basse
doublée.

9 8
4 3
7 8
2 3

Le double retard est d'un excellent emploi : il n'est soumis à aucune règle spéciale autre que celles qui régissent les retards simples.

Tout retard peut se résoudre sur un accord autre que celui dont il retarde une des notes; autrement dit, l'accord peut changer au moment même de la résolution, à la condition que ce nouvel accord contienne la note nécessaire à ladite résolution.

C'est une sorte de résolution exceptionnelle, le plus souvent modulante, dans laquelle toutefois le retard lui-même effectue sa marche normale.

Je crois avoir dit à peu près, au sujet du retard, tout ce que peut comporter le cadre limité de cet ouvrage.

Quand on fait usage de cet artifice harmonique, il ne faut pas oublier que la note dite retard est par elle-même étrangère à l'accord, et n'a pas la puissance voulue pour séparer deux octaves ou deux quintes; on doit donc la supprimer par la pensée, et examiner si, en son absence, l'enchaînement serait régulier; dans le cas contraire, on doit le considérer comme tout aussi fautif avec le retard que sans lui. Des passages du genre de ceux-ci sont très désagréables à entendre et doivent être soigneusement évités :

Je les transcris ci-dessous en retirant le retard; les octaves ou les quintes apparaissent alors distinctement.

Dans certains cas, la présence du retard autorise une marche irrégulière et inaccoutumée de la note sensible; elle se trouve alors descendre d'une tierce, soit pour éviter l'inconvénient plus grand de faire entendre le retard avec la note retardée (a), soit pour que l'accord de résolution soit complet (b), comme dans l'exemple suivant :

ou bien encore, servant elle-même de préparation au retard, elle perd, à ce moment, sa tendance attractive, qui la porterait à monter, et n'a plus à obéir qu'à la loi de résolution naturelle du retard (c) :

Ces irrégularités, parfaitement classiques, sont consignées dans tous les traités d'harmonie.

Plus moderne que le retard, l'*altération* apporte à l'accord une modification moins profonde. D'abord, elle s'emploie généralement au temps faible, ou sur une partie relativement faible du temps; puis elle est le plus souvent précédée de la note réelle, ce qui fait que l'auditeur a eu prélablement la perception de l'accord à l'état normal. C'est l'introduction mélodique de l'élément chromatique dans une harmonie dont le fond reste diatonique; c'est le partage d'un espace de ton en ses deux demi-tons, par une note étrangère à la tonalité, sans que l'intervention de cette note, qui conserve le caractère de note de passage, implique la moindre idée de modulation ou de changement de ton. La définition est longue, mais elle nous évitera d'autres explications par la suite.

Toutes les fois qu'entre deux notes consécutives il se trouve un intervalle mélodique de seconde majeure, de ton, on peut songer à intercaler une altération, soit *ascendante*, soit *descendante;* mais il s'en faut de beaucoup qu'elle soit également bonne et agréable sur tous les degrés, avec tous les accords et dans toutes les circonstances. A l'inverse du retard, noble et solennel par essence, l'altération est mièvre, minaudière, efféminée; les combinaisons dans lesquelles on en abuse deviennent maniérées et prétentieuses, manquent de franchise; l'altération descendante spécialement a un caractère pleurard caractérisé, qui fait qu'on ne doit l'employer que lorsqu'elle est motivée.

Comme pour les retards, je ne citerai ici que les altérations les plus usuelles. Je supprime même toute explication de détail, les chiffres à eux seuls faisant parfaitement connaître la nature de chaque altération ainsi que l'accord auquel elle s'applique.

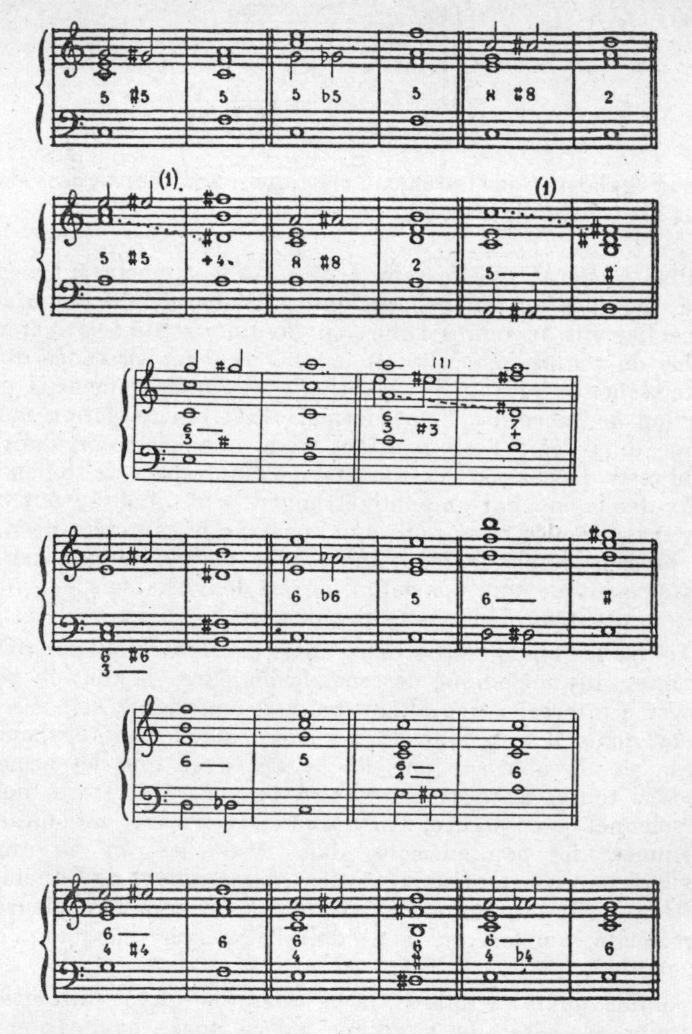

1. Mouvements mélodiques défectueux, tolérés en raison de l'impossibilité d'agencer une autre réalisation moins fautive.

(1)

1. La basse, dissonance de l'accord, doit être préparée et descendre d'un degré.

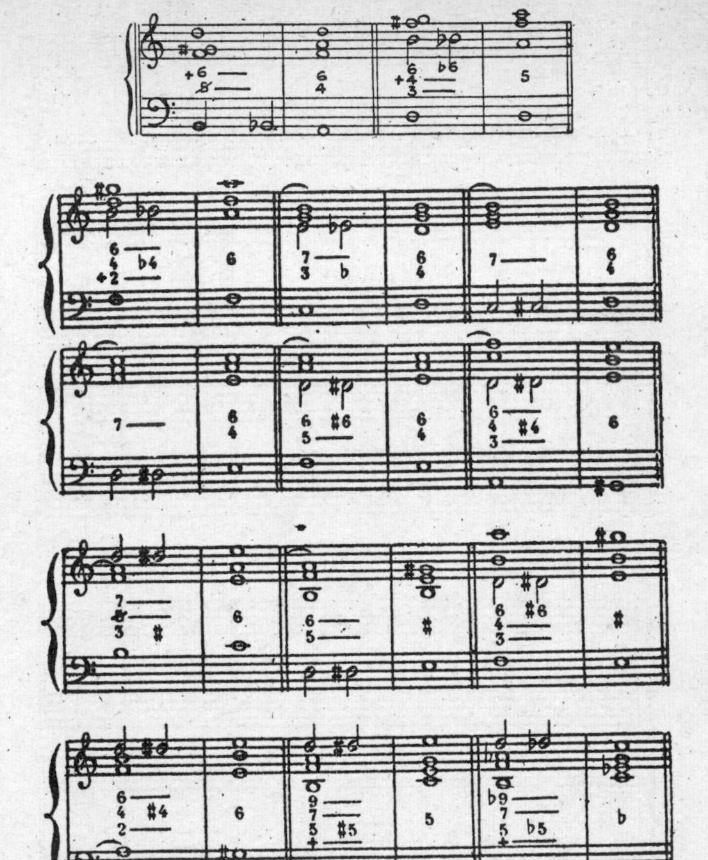

On peut pratiquer l'altération dans plusieurs parties à la fois, ce qui produit les *altérations doubles et triples :*

On peut aussi employer simultanément les *retards et les altérations* et de ce mélange résultent les combinaisons les plus nombreuses et les plus variées,

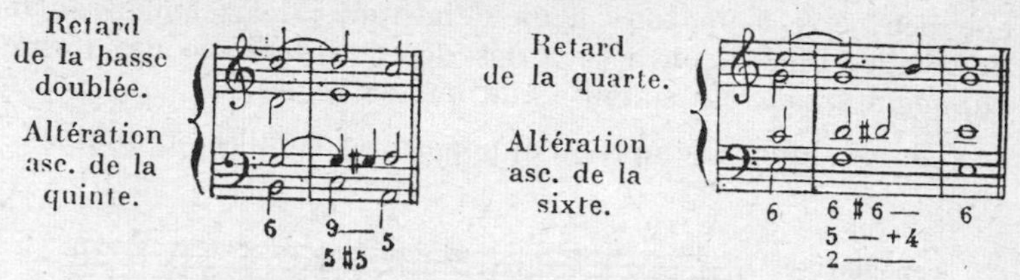

dont je ne puis donner ici qu'un léger aperçu.

Enfin de nouveaux effets, souvent imprévus et d'une grande richesse, naissent de l'attaque directe de l'accord altéré, procédé dont on tirera un parti d'autant meilleur qu'on aura mieux su s'en priver dans le courant des études techniques, où tous les théoriciens en condamnent ou limitent sévèrement l'emploi. C'est ainsi que s'explique l'accord de trois sons du troisième degré en mineur (accord de quinte augmentée); il doit être analysé comme un accord altéré attaqué directement et soumis à la loi de résolution des altérations ascendantes, ce qui ne permet pas de le classer avec les accords consonants, accords de repos dont chaque partie peut se mouvoir librement

Nous avons déjà vu des *notes étrangères à l'accord*, les retards, nous avons vu aussi des *notes étrangères au ton*, les altérations; voici venir des *notes étrangères à l'harmonie :* ce sont les notes de passage, les appogiatures, les anticipations, les broderies, enfin tous *les ornements* ayant un caractère purement mélodique et ne comptant réellement pour rien dans l'harmonisation. Il faut pourtant les connaître, ne serait-ce que pour pouvoir les éliminer dans l'analyse harmonique.

Commençons par l'*appogiature*, dont la définition sera facilement saisie, puisque nous avons déjà dit que c'est « un retard sans préparation ». Elle se place le plus souvent sur le temps fort, ainsi que l'indique son étymologie [1], ou tout au moins sur une partie de temps qui puisse porter un accent [2]; elle peut être *inférieure* ou *supérieure*, et, selon le cas, elle se

1. Italien : *appoggiare*, appuyer.
2. Placée autrement, elle prend le nom d'appogiature *faible*.

résout, soit en montant, soit en descendant, sur une note constitutive de l'accord; inférieure, elle est le plus souvent à un demi-ton diatonique de la note principale; supérieure, elle peut être à un ton ou un demi-ton, jamais aucun autre intervalle. Parfois on associe les deux espèces, ce qui forme l'*appogiature double*, soumise aux mêmes règles.

Voici quelques exemples d'appogiatures simples ou doubles :

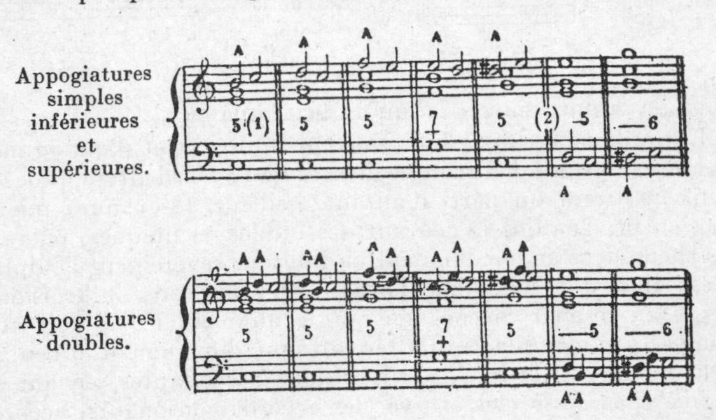

On peut aussi admettre deux appogiatures simultanées dans deux parties différentes; c'est alors l'équivalent du double retard (sauf toujours la préparation) :

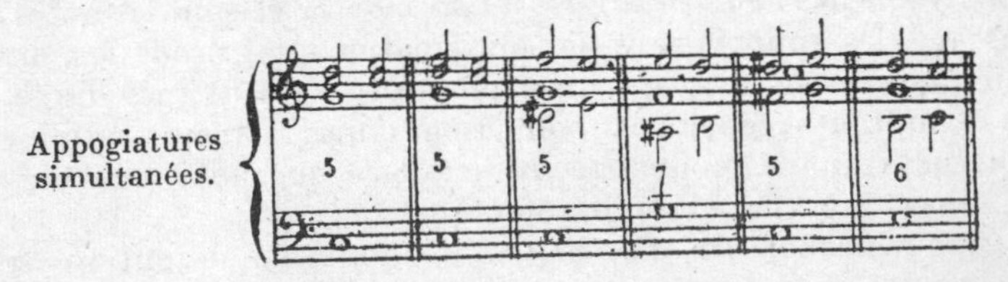

En raison de son caractère mélodique, l'appogiature, comme du reste tous les ornements, trouve son plus fréquent emploi à la partie supérieure; il faudrait toutefois se garder de prendre

1. Les ornements mélodiques ne se chiffrent pas.
2. La barre de prolongation devant le chiffre indique que l'accord est émis sur la note précédente.

ceci pour une règle absolue; elle peut être fort bien placée partout ailleurs.

Le lecteur a déjà une idée de ce qu'est la *note de passage*, par l'emploi qui en a été fait précédemment, au sujet des échanges de notes. Elle peut être diatonique ou chromatique, ascendante ou descendante; il peut y en avoir aussi plusieurs successivement.

Deux notes à distance de seconde mineure ne permettent pas l'emploi de cet ornement; mais, si elles sont séparées par un ton, on peut déjà y intercaler une note chromatique ascendante ou descendante, qui participe autant de l'altération que de la note de passage :

Entre deux notes à distance de tierce, il y a place pour une note de passage diatonique, et deux (ou trois) notes de passage, si on fait usage du genre chromatique :

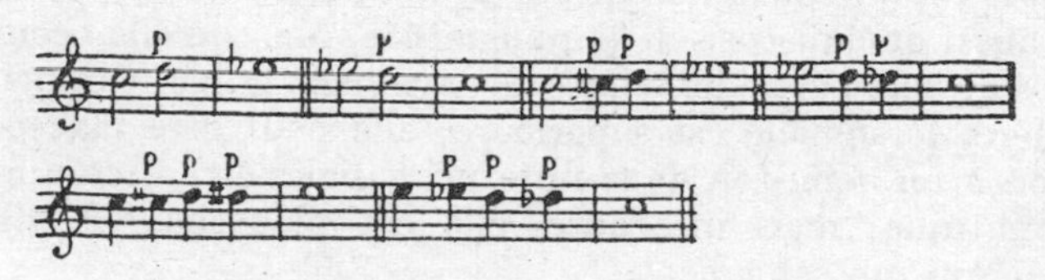

Si les deux notes sont séparées par l'intervalle de quarte, elles permettent diatoniquement l'emploi de deux notes de passage, ou de quatre avec mélange de notes altérées.

Naturellement, rien ne s'oppose à ce qu'il existe des notes de passage simultanément dans plusieurs parties.

Même exemple, avec suppression des notes de passage :

Les notes de passage occupent le plus souvent la partie faible du temps ou de la mesure.

La *broderie* est de la même famille que la note de passage, dont elle diffère en ce qu'au lieu de suivre tout droit son chemin, elle fait retour sur la note principale d'où elle vient. Elle participe aussi quelque peu de l'appogiature, bien qu'elle occupe un temps ou une partie de temps relativement faible; comme cette dernière, lorsqu'elle est supérieure, elle peut être placée à un ton ou à un demi-ton de la note principale, être diatonique ou chromatique; mais inférieure, elle est plus souvent distante d'un demi-ton seulement.

Pourtant, les anciens compositeurs employaient fort bien la broderie inférieure à distance d'un ton, comme :

ce qui n'est pas sans charme.

Elle peut se placer dans toutes les parties, et même dans plusieurs à la fois.

Ce groupe de notes peut être analysé, surtout dans un mouvement vif, soit comme résultant de quatre broderies simultanées, soit comme constituant un accord caractérisé, ce que montrent les deux chiffrages :

Cet ornement peut s'appliquer à une note quelconque, que celle-ci soit une note essentielle de l'accord, un retard, une altération, ou même une note de passage ou une appogiature.

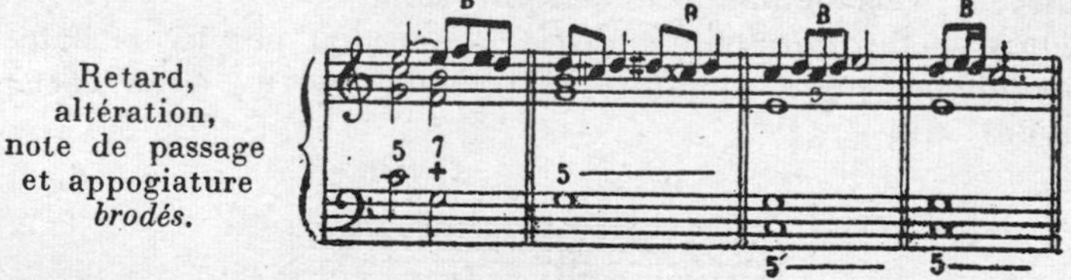

De même, pendant qu'une partie est brodée, une autre partie peut subir une altération, un retard ou tout autre artifice harmonique ou mélodique.

Il existe aussi des *broderies doubles*, à la fois inférieures et supérieures, assez semblables d'aspect aux appogiatures doubles, mais occupant, à l'inverse de celles-ci, une partie de temps relativement faible.

On évite généralement de redoubler une note brodée, à moins que ce ne soit la tonique ou la dominante.

Les notes de passage, les broderies simples ou doubles, sont des ornements qu'on rencontre fréquemment chez les auteurs classiques. Il en est de même du suivant, qui ne doit pourtant être employé qu'avec plus de ménagements, dans le pur style d'école.

Si d'une broderie on retire la note de retour, la répétition du son initial, il reste l'*échappée.*

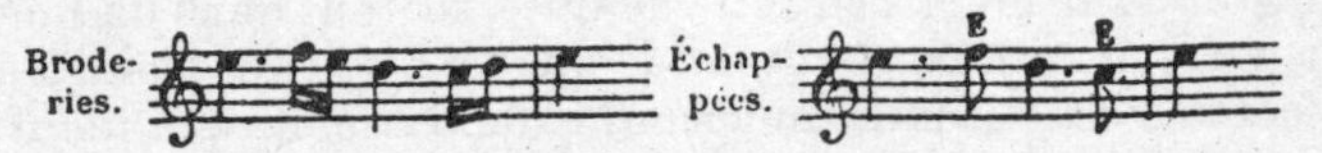

L'échappée est donc une broderie tronquée, avec élision de la note de retour, qui reste comme sous-entendue; elle ne peut trouver sa place que sur une partie très faible de la mesure ou du temps, et toujours être en rapport diatonique conjoint avec la note principale qui la précède, et dont elle constitue l'ornement.

C'est encore sur le temps faible que se place l'*anticipation*, qui consiste, ainsi que son nom l'indique, en une note émise avant l'accord auquel elle appartient. Elle peut être directe ou indirecte; ceci demande une explication.

On appelle *anticipation directe* l'émission par avance de la note même qui va figurer, à la même partie, dans l'accord suivant. Ainsi :

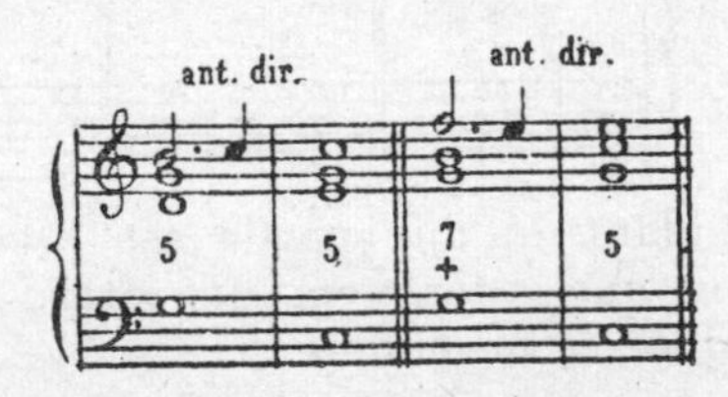

Lorsque, au contraire, la note empruntée à l'accord suivant ne reste pas, au moment de l'enchaînement, dans la partie où elle a été anticipée, il y a *anticipation indirecte.*

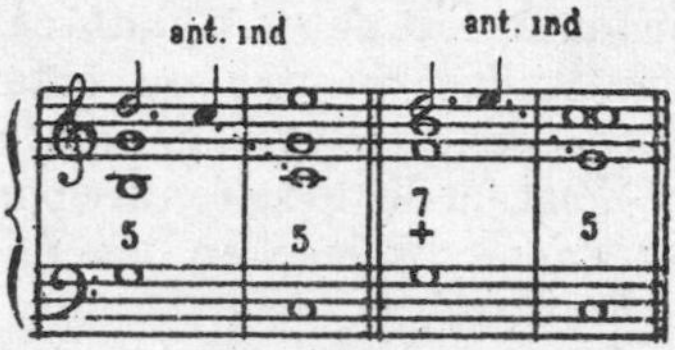

Directe ou indirecte, l'anticipation s'emploie de préférence à la première partie, et en notes de valeur brève; trop longue, et prenant par cela une trop grande importance, elle serait d'un caractère prétentieux, affecté. On peut aussi faire anticiper simultanément deux parties, ou trois, ou même quatre, c'est-à-dire tout l'accord.

Dans beaucoup de cas, l'anticipation indirecte peut, sans grand inconvénient, être confondue avec l'échappée, dont elle ne diffère qu'en ce qu'elle fait partie intégrante de l'accord qui va venir.

Quelles que soient les notes mélodiques, appogiatures, notes de passage, broderies, échappées ou anticipations, elles ne doivent jamais servir à masquer des fautes de réalisation; on doit toujours pouvoir, au contraire, en les éliminant et les remplaçant par les notes réelles dont elles ne sont que l'ornementation, retrouver une charpente harmonique d'une structure irréprochable.

Il en est de même, dans l'écriture instrumentale, à l'égard de *traits* d'un genre quelconque, gammes diatoniques ou chromatiques, accords brisés ou arpégés, mélangés de notes étrangères à l'harmonie et revêtant par là un caractère purement ornemental, même s'ils ont une longue étendue. Ils sont impuissants à dissimuler la présence d'une harmonisation défectueuse, parce qu'en supprimant les notes ayant caractère purement mélodique, il resterait des quintes ou octaves consécutives, des fausses relations, etc., ce que démontrent les exemples suivants, et ce dont il est facile de se rendre compte en les exécutant au piano, ou encore mieux en les faisant chanter par quatre voix [1].

1. Il en est de même de la plupart de nos exemples.

A plus forte raison il est inadmissible que les notes d'ornement forment soit entre elles, soit par leur mélange avec les notes essentielles, des groupements défectueux, tels que :

Il existe cependant à ce sujet quelques rares exceptions, sur lesquelles les auteurs même les plus purs ne sont pas toujours d'accord, et pour l'application desquelles le bon goût et l'instinct artistique, guidés par l'observation et la fréquente lecture des œuvres des maîtres, restent les meilleurs guides. Il faut les considérer comme des licences d'un emploi dangereux ou tout au moins risqué, et s'en abstenir à l'école, si on a quelque souci de la pureté de style.

Tous ces divers artifices pouvant être mélangés, associés, combinés entre eux de mille façons, selon les groupements les plus variés, il en résulte un véritable kaléidoscope musical aux combinaisons infinies, qui constitue la richesse inépuisable de l'harmonie. Depuis le temps qu'on écrit de la musique, il est certain, quelque surprenant que cela puisse paraître aux profanes, que toutes les formules simultanées ou successives que peuvent fournir les sept notes et les sept signes de valeurs, avec leurs nombreuses modifications, sont encore loin d'avoir été exploitées, et qu'il reste encore bien des formes à créer, à découvrir.

Donc, c'est avec ce matériel qu'on arrive à construire des phrases harmoniques ayant un sens complet et bien défini, même en l'absence de toute idée mélodique, phrases dont certaines parties caractéristiques ont reçu des dénominations spéciales qu'il importe de connaître pour pouvoir comprendre et analyser le discours musical, et aussi pour savoir discerner des cas où quelques-unes des règles précédemment énoncées doivent être appliquées dans toute leur rigueur, tandis que dans d'autres circonstances elles peuvent admettre certains adoucissements.

Une *phrase harmonique* consiste en une suite d'accords en nombre indéterminé, s'enchaînant logiquement et venant aboutir à une cadence; une phrase peut être scindée en plusieurs parties, qui sont des *membres de phrase* et doivent également se terminer par une cadence quelconque; plusieurs phrases juxtaposées viennent constituer des *périodes*, puis des *discours musicaux* complets, des *morceaux de musique*, dont la conclusion ne peut encore avoir lieu que sur une cadence, conclusive, celle-là.

On voit par là l'importance des cadences, et on conçoit qu'elles constituent l'une de ces parties caractéristiques qui demandent à être examinées et étudiées spécialement.

La *cadence* (du latin *cadère*, tomber) est la chute, la terminaison, la fin de toute phrase musicale ou d'un de ses membres. Si l'on compare la phrase harmonique à la phrase grammaticale, les accords en sont les mots, et toute cadence doit être considérée comme suivie d'un signe de ponctuation, dont elle donne d'ailleurs le sentiment très net.

Il y a plusieurs espèces de cadences; deux d'entre elles présentent seules un sens vraiment conclusif : la cadence parfaite, qui correspond au point, et la cadence plagale, très assimilable au point d'exclamation [1]. La cadence à la dominante éveille l'idée du point d'interrogation, ou dans certains cas des deux points, ou parfois encore celle d'un point d'exclamation; elle appelle toujours une suite, et bien que venant terminer logiquement une série d'accords constituant une phrase, elle ne lui donne jamais un sens achevé, positif. Elle peut cependant servir de terminaison à la phrase musicale; mais celle-ci reste alors suspendue comme sur une interrogation ou sur une exclamation.

La virgule et le point et virgule sont fort bien représentés par la cadence interrompue et la cadence rompue, qui encadrent des incises et semblent parfois ouvrir des parenthèses.

On se rendra compte de ces assimilations en étudiant séparément chaque espèce de cadence.

1. On verra plus loin (chap. V) que la cadence plagale n'est autre chose que la cadence parfaite, terminale, des anciens tons plagaux, dans lesquels la dominante était le 4e degré.

C'est le mouvement de la basse, au moment de la fin de la phrase, qui détermine la nature de la cadence.

Dans la *cadence parfaite*, la basse se porte de la dominante à la tonique.

Le sens est affirmatif, concluant. Il est à remarquer que la cadence parfaite est constituée par les deux principaux accords générateurs du ton, ceux du cinquième et du premier degré. Si on les faisait précéder de celui du quatrième degré (ce qui a lieu dans ce qu'on appelle les formules de cadences, qu'on verra prochainement), elle n'en serait que plus complètement conclusive,

chacun des sons de la gamme étant représenté, dans ce groupe d'accords, justement selon son degré d'importance relative :

La *tonique*, trois fois;
La *dominante*, trois fois;
La *sous-dominante*, deux ou trois fois (selon qu'on emploie l'accord 5 ou l'accord $\frac{7}{+}$);
La *médiante*
La *sus-dominante* } chacune une seule fois;
La *note sensible*
La *sus-tonique*, une seule fois, ou pas du tout.

C'est de là que résulte le caractère spécial, et particulièrement satisfaisant, de la cadence parfaite; elle vient en quelque sorte tout résumer, et conclut définitivement, après avoir fait entendre une dernière fois l'ensemble des notes constitutives du ton (tout en conservant à chacune d'elles le rang de prépondérance qui lui convient), sur un accord formé lui-même de ce que la gamme contient de plus pur et de plus naturel, des meilleures consonances, les premiers et les plus simples des sons harmoniques, sur l'accord parfait.

Elle justifie donc bien son nom de *cadence parfaite*, et si on étudiait de même les autres espèces de cadences, on verrait que l'impression qu'elles produisent sur nous est tout aussi facile à analyser, et résulte simplement de la façon dont sont agglomérés les sons qu'elles contiennent.

Mais ceci est une digression. Pour en revenir à la cadence parfaite, constatons qu'elle est formée par deux accords fondamentaux, l'un du cinquième degré, l'autre du premier, et que le mouvement de la basse peut indifféremment être ascendant ou descendant; c'est, ici, tout ce qu'il nous en faut savoir.

Une autre cadence à caractère conclusif, parce qu'elle aboutit aussi à la tonique, c'est la *cadence plagale;* dans celle-là, la basse se meut, soit en montant, soit en descendant, du quatrième au premier degré, tous deux portant accord parfait.

Elle a un sens un peu moins affirmatif que la précédente, parce qu'elle ne contient pas la note sensible, que notre oreille est habituée à rechercher comme guide vers la tonique. Aussi, est-il rare qu'elle soit employée autrement qu'à l'extrême fin du morceau, ou au moins d'une longue période, et précédée de la cadence parfaite, qu'elle vient seulement compléter et affirmer. C'est principalement dans la composition religieuse, dans le style large et pompeux, que son usage s'est conservé comme une sorte de parachèvement du sens musical. C'est comme le sceau après la signature.

Si l'on intervertit l'ordre des accords de la cadence parfaite, et qu'au lieu de : « dominante tonique », on dise : « tonique dominante », il est tout naturel que le sens lui-même se trouve renversé, et d'affirmatif devienne interrogatif. C'est ce qui a lieu dans la *cadence à la dominante*, dont voici la forme classique :

Mais ici le deuxième accord, sur lequel s'effectue le repos, a seul de l'importance; celui qui le précède peut être tout autre que l'accord de tonique, sans que cette cadence perde son caractère propre.

etc.

La seule chose essentielle, c'est que l'arrêt, la chute de la phrase, ait lieu sur l'accord de dominante, qui contient la note sensible; et c'est cette note sensible qui reste en suspens, qui attend et demande sa réalisation, qui produit le sens interrogatif caractéristique de la cadence à la dominante.

La *cadence imparfaite* est bien, en effet, une sorte de cadence parfaite inachevée, tronquée; la basse, dans son mouvement de translation vers la tonique, s'arrête à mi-chemin :

Cadence parfaite.

Cadence interrompue.

Le sens n'est ni affirmatif ni interrogatif, mais simplement suspensif.

La cadence imparfaite ne peut s'appliquer qu'à des membres de phrase, jamais elle ne serait capable de terminer ni un morceau, ni une période, ni même une phrase entière; c'est une virgule.

Tout autre mouvement de la basse, partant de la dominante, sur un degré quelconque de la gamme, pouvant porter accord parfait, mais tout spécialement sur le sixième, est qualifié *cadence rompue.* Cette cadence peut donc affecter des formes différentes.

Voici les formules les plus généralement employées :

(Seules les formules 2 et 4 sont employées en mineur)

Le sens de cette cadence (que j'assimile au point et virgule) est, selon la plupart des auteurs, de rompre, « briser la phrase musicale d'une manière inattendue »; d'où son nom de cadence rompue [1].

[Il y a encore une autre cadence, la *cadence évitée*, qui est un produit de la résolution exceptionnelle, et dont la définition sera donnée au sujet de la *modulation* [2].]

On entend par *formule de cadence* un groupe d'accords qui précède la cadence et la fait pressentir. Ces formules peuvent varier à l'infini. Je ne signalerai ici, et seulement pour faire comprendre la signification qu'on attache à ce mot, que les plus banales et les plus usées de toutes, en les adaptant successivement à chacune des cadences que nous avons étudiées précédemment; mais il importe de bien comprendre que cette dénomination de formule, qui sera bientôt surannée, s'applique à tout ensemble d'accords combinés de façon à conduire la phrase vers sa chute, et à aboutir nécessairement à une cadence,

1. En allemand on dit : cadence trompeuse.
2. Page 254.

quelle qu'elle soit. Chaque école, chaque compositeur a ses formules favorites.

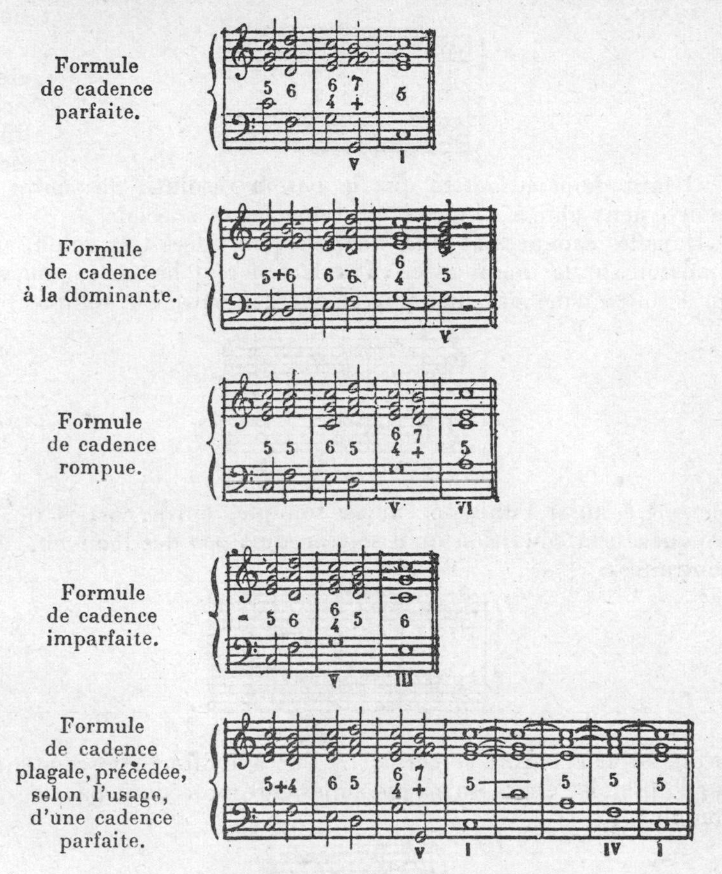

(Les mêmes formules peuvent se lire en mineur, en supposant trois bémols à la clef, et un bécarre accidentel à tous les *si*.)

Dans toute cadence dont le premier accord contient la note sensible ou la sous-dominante, la tendance attractive de ces notes acquiert une force encore plus grande que partout ailleurs, et l'auteur ne peut se dispenser de leur donner leur résolution propre que dans le cas, assez rare, où il aurait justement en vue d'atténuer ou d'amoindrir le caractère particulier de la cadence; une cadence parfaite ainsi réalisée perd toute sa force :

Il faut donc admettre que le besoin résolutif des notes à mouvement obligé s'impose ici d'une façon spéciale.

Dans les cadences et leurs formules, on tolère très volontiers l'unisson sur la dominante, entre le ténor et la basse, pourvu qu'il soit amené par un mouvement contraire ou oblique :

on tolère aussi l'unisson sur la tonique, entre parties quelconques, à la condition qu'il soit produit par des mouvements contraires :

enfin, on peut encore se permettre l'octave directe descendante sur le premier degré, la partie supérieure procédant par degrés conjoints :

dans ce dernier cas, qu'il vaut pourtant mieux éviter, la basse de l'accord final est triplée, la quinte supprimée.

La cadence plagale autorise l'unisson, par mouvement oblique, entre les deux parties inférieures, sur son accord final.

Les mouvements caractéristiques de basse qui, placés à la fin d'une phrase, constituent une cadence, ne produisent pas la même impression si on les emploie à un autre moment; ainsi, dans l'exemple suivant :

il y a cadence à la dominante en A, et cadence parfaite en B, tandis que les fragments *a*, *b* et *c*, quoique formés des mêmes accords et des mêmes notes, n'éveillent nullement l'idée de cadences et n'en sont pas.

Il ne saurait donc y avoir de cadences si la construction générale de la phrase musicale, sa courbe mélodique, son rythme ne donnent pas le sentiment d'une coupure. L'enchaînement harmonique ne fait que souligner cette coupure et en préciser le sens.

Un procédé harmonique très usité dans le style rigoureux consiste à considérer un petit groupe d'accords comme *modèle*, et à le reproduire symétriquement à des intervalles égaux, en montant, ou en descendant; les reproductions s'appellent *progressions*, et l'ensemble *marche*.

On conçoit que le même modèle, selon que ses progressions sont espacées à un, à deux ou plusieurs degrés, selon qu'elles sont prises dans l'ordre ascendant ou dans l'ordre descendant, peut donner lieu à des marches très diverses. Ainsi celui-ci, par exemple, [bass clef example] fournit les combinaisons suivantes :

et bien d'autres, infiniment d'autres même, si l'on songe qu'on peut non seulement changer les accords, mais les modifier de toutes les manières, par des retards, des altérations simples ou doubles, et y introduire tous les artifices mélodiques précédemment décrits, tels qu'appogiatures, notes de passage, broderies, échappées, anticipations, etc.

Et encore, je n'ai parlé jusqu'ici que de marches *unitoniques* ou *non modulantes*, c'est-à-dire de marches dans lesquelles il n'est fait usage, d'un bout à l'autre, que d'accords appartenant à une seule et unique tonalité.

Il en existe pourtant d'aûtres, qu'on appelle *marches modulantes*, et pour mieux faire ressortir la différence, je vais convertir ici toutes les marches unitoniques de l'exemple précédent en marches modulantes, quoiqu'il résulte de cette transformation certaines incorrections apparentes sur lesquelles je reviendrai immédiatement.

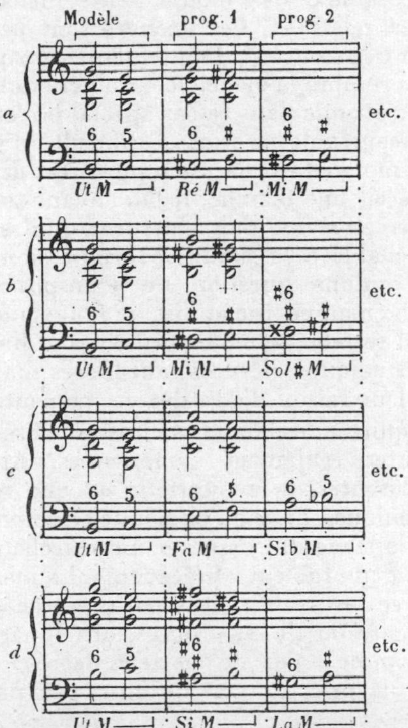

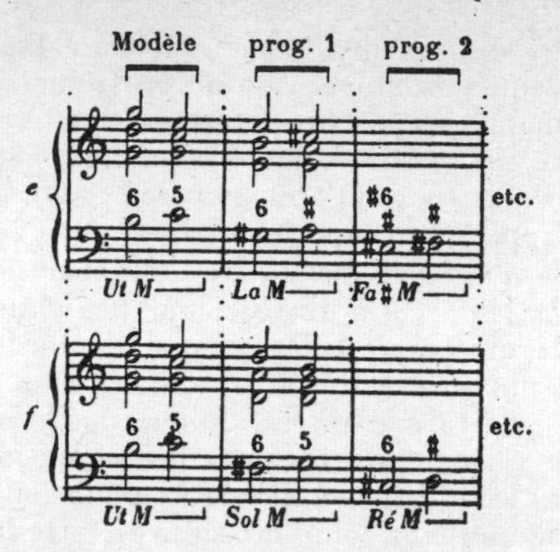

On peut être surpris en rencontrant fréquemment, dans les exemples précédents, des mouvements mélodiques défendus et des fausses relations. Ces licences sont permises dans les marches, pour deux raisons : le première, c'est qu'on ne pourrait les éviter sans rompre la symétrie caractéristique de la marche; la deuxième, c'est que dans ce cas spécial il n'en résulte aucune impression désagréable ni aucune difficulté d'exécution. On y tolère aussi le mouvement harmonique direct des quatre parties.

Quand on écrit une marche, il faut avant tout en construire le modèle correctement, puis s'assurer qu'il s'enchaîne d'une façon irréprochable à la première progression. Le reste n'est plus ensuite qu'une question de transposition mécanique. Mais quand la marche prend fin, il faut s'inquiéter que son dernier accord se relie, selon les principes ordinaires, à l'accord suivant, les quelques licences autorisées dans les marches n'ayant plus leur raison d'être dès ce moment.

Avant de quitter les marches, faisons observer qu'elles ne sont pas toutes également symétriques. Absolue dans les marches modulantes, la symétrie n'est que relative dans les marches unitoniques, ainsi qu'on peut s'en convaincre en examinant de près la structure d'une même marche prise successivement dans les deux tableaux précédents. La marche unitonique, constituée avec les seuls sept sons appartenant à une même gamme, voit chacune de ses progressions appartenir à un degré différent; et comme il n'existe pas deux degrés formés des mêmes intervalles, il ne peut y avoir qu'un à peu près de symétrie, aussi bien dans les rapports horizontaux des sons (les mouvements mélodiques) que dans leurs rapports verticaux (les accords).

Je reproduis ici l'exemple *a* du tableau des marches unitoniques.

Mesurons les dimensions verticales. Le premier accord du modèle est un accord de sixte, renversement d'accord parfait majeur; dans la première progression, il dérive de l'accord mineur, et dans la deuxième, d'un accord de quinte diminuée. Le deuxième accord du modèle, accord parfait majeur, devient mineur dans les deux progressions suivantes, et ne se retrouverait majeur qu'à la troisième progression, sur le *fa*, sous-dominante.

Des irrégularités semblables se trouvent dans les proportions horizontales : j'en ai signalé quelques-unes dans l'exemple même.

La symétrie existe pour l'œil et pour ce qui est du nom des intervalles, mais elle ne s'étend pas jusqu'aux qualifications qui en expriment la véritable mesure.

Faisons la même expérience avec l'exemple *a* des marches modulantes :

Ici au contraire toutes les proportions sont semblables, et la symétrie réelle; modèle et progressions sont tous formés identiquement d'un accord de sixte, de provenance majeure, et d'un accord parfait majeur à l'état fondamental; les mouvements mélodiques d'un groupe sont pareils à ceux des autres groupes; on ne peut relever aucune différence entre les progressions successives, si ce n'est qu'à chacune d'elles la tonique est déplacée avec tout son cortège, ce qui permet de maintenir la symétrie absolue, chaque note conservant elle-même son rang et ses fonctions dans la gamme. Il en est de même dans toutes les marches modulantes.

En résumé, la marche unitonique est un voyage dans l'intérieur d'une même tonalité; la marche modulante est un voyage à travers des tonalités diverses, plus ou moins voisines ou éloignées.

Cette étude des marches et de leurs propriétés modulantes me fournit une transition toute naturelle pour arriver à parler des *modulations*, puisqu'elle nous a, dès à présent, donné un premier moyen pour moduler.

Modulation veut dire changement de ton. En quoi ce changement consiste-t-il?

En apparence, dans la modification d'une ou de plusieurs notes appartenant au ton régnant qui sont remplacées par une ou plusieurs notes de même nom affectées d'altérations différentes et appartenant au nouveau ton. Ex. : en *do* majeur, le *fa* ♯ remplace le *fa* naturel; donc, modulation en *sol* majeur.

En fait, ceci est inexact, car l'altération peut fort bien être de caractère chromatique et ne modifier en rien la tonalité. Pour qu'il y ait réellement modulation, il faut qu'il y ait déplacement des fonctions tonales et que, dans le cas de l'exemple précédent, la fonction de tonique attachée à l'accord de *do*, la fonction de dominante attachée à l'accord de *sol* se trouvent reportées respectivement sur les accords de *sol* et de *ré*. Comment ce changement peut-il s'opérer? Au moyen d'un accord commun aux deux tonalités qui s'enchaînent, lequel sert de plaque tournante, de charnière entre les deux tons.

Ex. : étant en *do* majeur, on fait entendre l'accord mineur de *la*, qui est à la fois le sixième degré de *do* majeur et le deuxième degré de *sol* majeur, et qui sert de pont entre les deux tonalités. Une fois ce pont franchi, on peut faire entendre les notes caractéristiques du nouveau ton et employer les accords dans leurs nouvelles fonctions tonales.

Tout le mécanisme de la modulation est là; c'est donc très simple en principe; mais dans la pratique on peut se heurter à des complications imprévues.

Il faut d'abord savoir que les meilleures modulations, en ce qu'elles sont les plus simples et les plus naturelles, sont celles qui ont lieu entre *tons voisins.*

Rappelons brièvement que ce sont ceux qui ne diffèrent l'un de l'autre que par un seul signe d'altération à l'armature de la clef.

Ces modulations s'effectuent toujours par les moyens les plus simples et les plus rapides, ce qui est facile à comprendre, puisque les tonalités ne diffèrent que par une seule note et que les accords communs sont donc nombreux.

Cette théorie succincte de la modulation aux tons voisins est clairement démontrée par les exemples ci-après.

J'y présente chaque modulation sous deux formes : la première, avec l'emploi des accords consonants seuls, afin d'en bien laisser voir la charpente à découvert; la deuxième, avec l'emploi d'accords ou artifices quelconques. Dans l'une comme dans l'autre on peut se rendre compte du rôle de l'accord commun et de la note caractéristique.

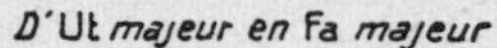

Note caractéristique *si* ♭ 4e degré de *fa* majeur.

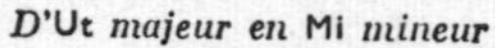

Note caractéristique *ré* ♯ 7e degré de *mi* mineur.

D'Ut majeur en Ré mineur

Note caractéristique *ut* ♯ 7e degré de *ré* mineur.

De La mineur en Ut majeur

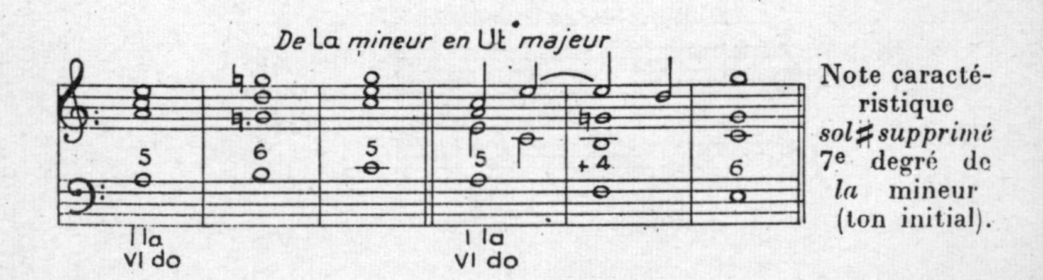

Note caractéristique *sol* ♯ *supprimé* 7e degré de *la* mineur (ton initial).

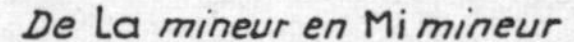

Note caractéristique *ré* ♯ 7e degré de *mi* mineur.

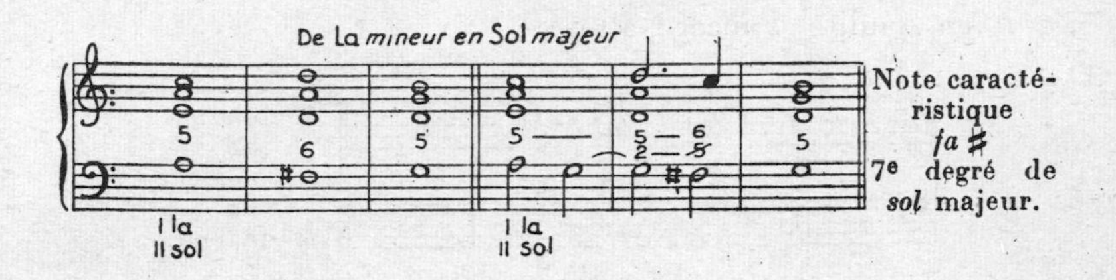

La modulation aux *tons éloignés* est basée exactement sur les mêmes principes. Seulement, il arrive souvent que l'accord commun soit altéré dans un des deux tons (le plus souvent dans le nouveau ton) :

ou encore enharmonique d'un accord appartenant au nouveau ton, soit en qualité d'accord naturel :

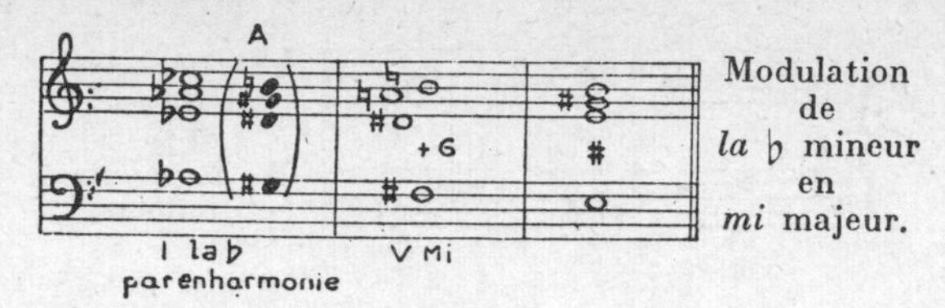

soit en qualité d'accord altéré :

soit en qualité d'appogiature :

Ce sont là les procédés rapides, mais on peut aussi bien faire ces mêmes trajets par petites étapes successives, en gagnant chaque fois une altération, c'est-à-dire en touchant aux tonalités intermédiaires, qui sont voisines entre elles,

*Exemple d'*Ut *mineur en* Ré *majeur.*

(3♭) (2♭) (1♭) (0) (1♯) (2♯)

♭ 5 5 ♯ 5 5 5 ♯ 5 ♯ ♯

Ut min. Si♭ M. Ré m. Ut M. Mi m. Ré M.

ou, enfin, combiner habilement tous ces divers procédés, pour obtenir un résultat plus imprévu ou plus intéressant.

*Exemple d'*Ut *majeur à* Si *bémol mineur.*

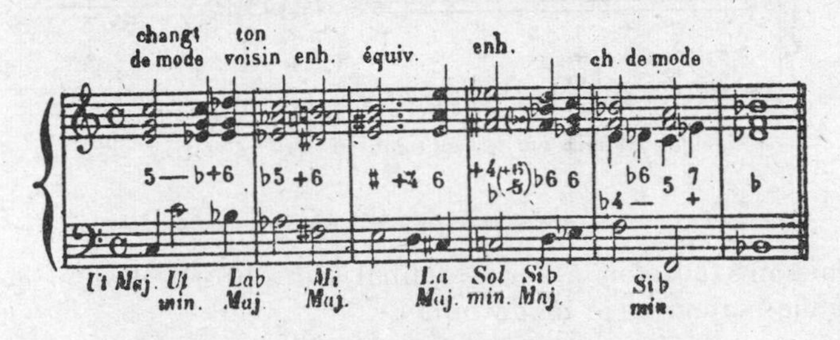

Autre exemple, de La *mineur à* Mi *bémol majeur.*

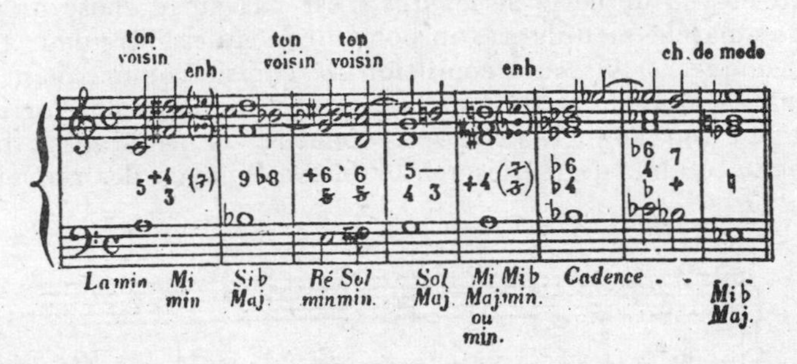

On voit que les ressources de la modulation sont absolument variées; les exemples que nous avons donnés sont des plus banals qui existent.

Certains accords prêtent d'une façon toute spéciale à la modulation. Tels sont les accords de $\genfrac{}{}{0pt}{}{7}{+}$, dont le simple enchaînement, par mouvement de quinte descendante ou de quarte ascendante (résolution exceptionnelle), fait parcourir, de dominante en dominante, tout le cycle des tonalités, la dominante de chaque ton devenant le second degré altéré du ton suivant.

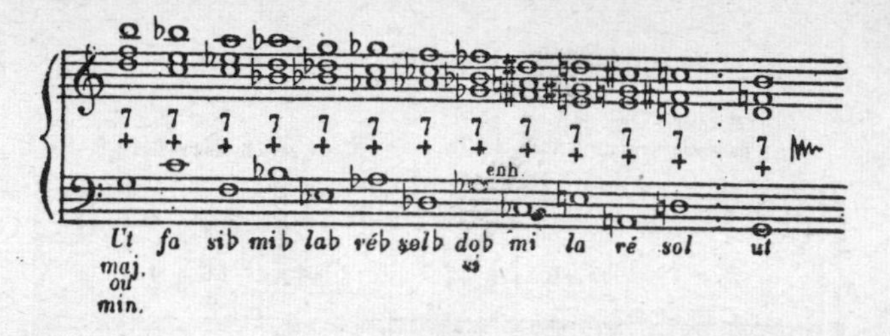

en laissant toutefois à l'accord final toute liberté d'opter entre le mode majeur et le mode mineur.

Au moyen de cette série, qui n'est pas autre chose qu'une longue marche modulante, on pourrait moduler entre deux tons quelconques, à la seule condition de choisir comme point de départ la dominante du ton initial, et comme point d'arrivée celle du ton auquel on désire aboutir; on peut aussi, bien entendu, établir des séries semblables au moyen des renversements :

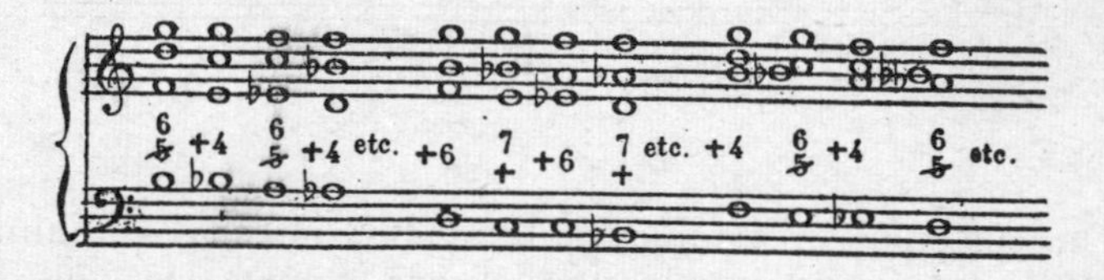

mais il est aisé de concevoir combien un pareil procédé est puéril. Je ne l'ai même décrit que pour avoir l'occasion de présenter la *cadence évitée*, que j'ai promis[1] d'expliquer à propos des modulations. Elle est constituée par deux accords consécutifs quelconques pris dans la série précédente, c'est-à-dire deux accords de septième de dominante à distance de quinte; il y a donc déplacement de la dominante, d'où résulte

1. Page 240.

en même temps qu'une cadence, une modulation, un changement de tonique.

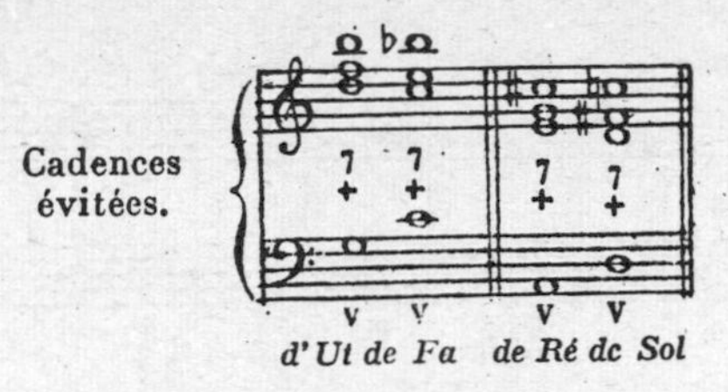

Voici la formule la plus simple de cadence évitée :

Je place en regard une formule semblable de cadence parfaite; on remarquera qu'elles ne diffèrent que par un seul accord, ou mieux une seule note, celle qui détermine la modulation à la sous-dominante, et qui est produite par la résolution exceptionnelle de la note sensible du premier accord de $\frac{7}{+}$.

D'autres accords très propices aux modulations sont les accords de 7, qui seuls présentent cette particularité singulière : *tous les renversements et l'accord fondamental sont synonymes entre eux, par toutes leurs notes;* on conçoit le parti qu'il est facile d'en tirer pour la modulation par enharmonie. On n'en a d'ailleurs que trop abusé. Sur un instrument à sons fixes, un instrument à clavier, par exemple, ces quatre accords

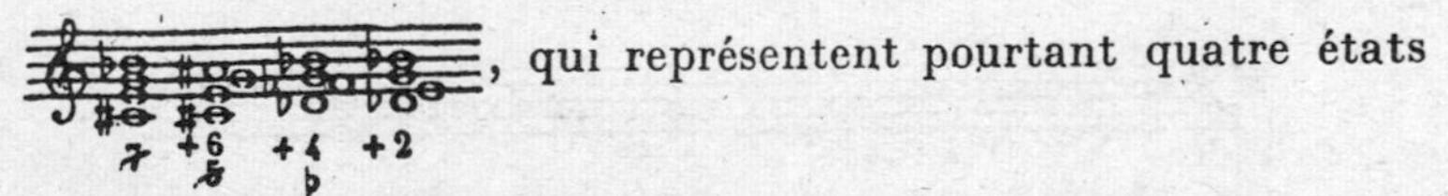

, qui représentent pourtant quatre états différents de la septième diminuée, se jouent sur les mêmes touches. En profitant de cette complète synonymie, on peut

arriver, au moyen d'un seul accord, à moduler dans tous les tons. Exemple :

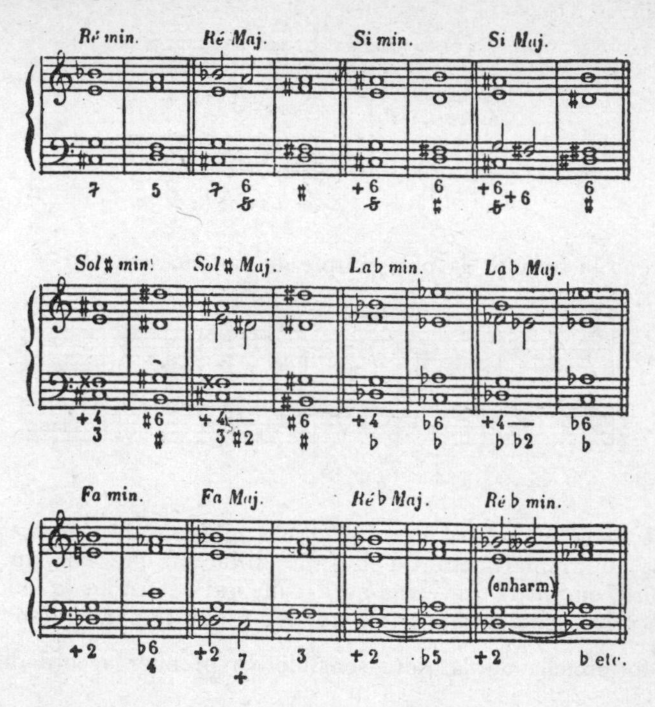

On observera que dans ces exemples, faciles à compléter, l'accord initial est constamment le même; or, tout autre accord de septième diminuée peut être pris comme point de départ. Et comme, de plus, tous les accords de cette famille peuvent s'enchaîner les uns aux autres par leur résolution exceptionnelle ou par enharmonie, et cela, aussi bien en montant qu'en descendant, on voit à quel point leur usage est commode pour se promener dans toute l'étendue de l'échelle des tonalités; mais on conçoit aussi combien un procédé si naïf, si à la portée de tous, devient facilement vulgaire et prête à l'abus.

Je ne puis songer à exposer ici un par un les divers procédés de modulation. Un harmoniste digne de ce nom doit pourtant les posséder tous et les pratiquer avec une égale facilité.

Toutefois, il doit agir avec circonspection; car, si de l'absence de modulation résulte une véritable monotonie (dans le sens étymologique du mot), leur abus ou leur emploi inconsidéré conduit à l'incohérence du langage musical. Le choix des modulations est donc une question de bon goût et d'équilibre, d'à-propos surtout. Mais nous aurons l'occasion de revenir sur ce sujet à l'article *Composition*, où il sera mieux à sa place.

En parlant maintenant des *pédales*, nous aurons épuisé, je crois, l'ensemble de faits harmoniques que peut embrasser un ouvrage aussi condensé que celui-ci.

Une *pédale*, dans le sens qu'en langage harmonique on donne à ce mot, consiste en un son soutenu avec une certaine persistance pendant que se succèdent des accords plus ou moins nombreux.

Comme son nom le fait pressentir, la pédale tire son origine de la musique d'orgue, où souvent de longues tenues sont confiées au clavier inférieur, mû par les pieds de l'organiste, et appelé pour cette raison clavier de pédales. Mais, par extension, et pour enrichir le domaine harmonique, on a été conduit à admettre de longues tenues aussi bien dans le médium ou l'aigu que dans la région grave, et on leur a appliqué, plus ou moins judicieusement, le nom générique de pédales.

C'est ainsi que nous possédons les *pédales inférieures* (les seules qui justifient leur appellation), les *pédales supérieures* et les *pédales intérieures*.

Quel que soit l'étage où on la loge, la pédale ne peut être, en raison de l'importance que lui donne sa longue durée, qu'une des notes prépondérantes de la tonalité. C'est toujours la *tonique* ou la *dominante*.

Ce qu'il importe de savoir, c'est que pendant la durée de la pédale, il peut passer sur elle, sous elle, ou au travers d'elle (dans une certaine limite néanmoins, car cela oblige à des croisements), des accords auxquels on la considère comme restant étrangère. Elle doit appartenir correctement au premier et au dernier accord; en dehors de cela, il suffit que les autres s'enchaînent régulièrement entre eux, pour que l'honneur harmonique soit satisfait, et l'oreille aussi.

Voici plusieurs exemples de pédales très correctes, parce que les accords qui se produisent pendant leur durée peuvent être analysés, abstraction faite de la note pédale, d'une façon tout à fait régulière, et parce qu'au point de départ comme au point d'arrivée ladite note fait partie de l'accord après lequel elle est quittée.

On y observera aussi que la pédale, comme toute autre note, peut être ornée, brodée, sauter d'octave, et ne doit nullement rester, de par son rôle spécial, absolument immobile, comme on pourrait être porté à le croire, et comme cela a lieu, d'ailleurs, le plus souvent.

Pédale de tonique, d'abord inférieure, puis intérieure, puis supérieure.

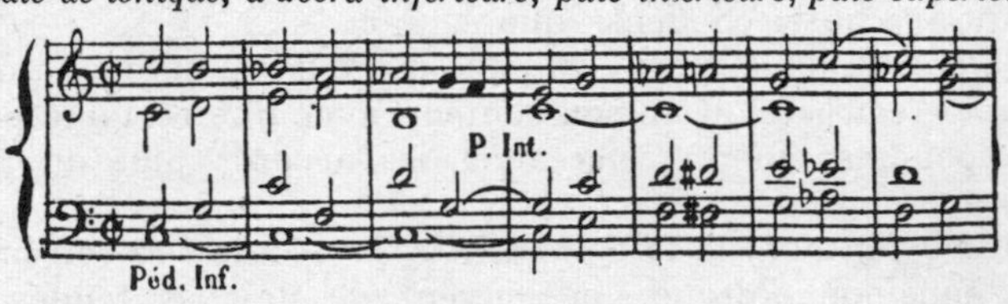

Pédale de dominante, d'abord inférieure, puis intérieure, puis supérieure.

Double pédale de tonique, inférieure et supérieure, avec broderies.

Enfin, on pratique très fréquemment la *double pédale* de tonique et de dominante.

Quand on possède la connaissance de toute cette technique, il reste à en faire l'application artistique, ce qui exige, même pour les mieux doués, une assez longue pratique et beaucoup d'observation [1].

1. Quelques natures exceptionnelles arrivent pourtant à écrire purement par la simple intuition, guidées par la lecture d'œuvres élevées et correctement écrites.

L'exercice le plus souvent employé pour acquérir l'habileté de main nécessaire, c'est la réalisation à quatre parties vocales d'un morceau de musique dont on ne connaît que la basse ou la partie supérieure (*basse* ou *chant* donné), de telle sorte qu'on doit, après avoir apprécié le style de l'auteur, s'identifier avec sa manière et reconstituer les parties absentes au moyen des procédés de l'époque ou de l'école qui convient. Cet exercice pratique, dans lequel tous les genres ont leur place, depuis le style fugué jusqu'à un style beaucoup plus moderne, fournit un vaste champ d'études à ceux qui comprennent que, parvenue à ce degré, une leçon d'harmonie est déjà une petite œuvre d'art.

L'exposé qui précède ne peut que faire entrevoir l'intérêt qui s'attache aux études harmoniques. — L'harmonie est à la fois une science et un art. — De la science je crois avoir à peu près esquissé les lignes principales; mais pour l'art, on ne peut l'acquérir qu'en mettant soi-même la main à la pâte, et cela patiemment, longuement. On se trouve alors en possession de jouissances d'une nature toute particulière, résultant de l'analyse et de la dissection des œuvres des maîtres, de l'appréciation et de la comparaison des procédés par eux employés, jouissances purement intellectuelles et n'ayant aucun rapport, même lointain, avec l'impression sensuelle qu'éprouve l'amateur du goût le plus élevé, mais non harmoniste, à l'audition d'une œuvre musicale dont il n'a aucun moyen de fouiller la contexture, quelle que soit d'ailleurs la somme de plaisir qu'il en puisse éprouver. C'est tout autre chose. Ce sont deux ordres d'idées différents, dont naissent des modes d'appréciation bien différents aussi.

L'étude de cet art est longue, d'une certaine difficulté, qu'on est souvent porté à s'exagérer, mais attachante et captivante au plus haut degré. Elle demande à être faite paisiblement, à tête reposée, sans aucune précipitation. Un minimum de deux ans d'un travail assidu, mais tranquille, est nécessaire pour celui qui veut seulement se rendre un compte exact de ses difficultés et des procédés employés pour les vaincre ou les esquiver. Quant au compositeur, il étudie l'harmonie toute sa vie, sans même y prendre garde, et découvre chaque jour quelque nouvel agencement ingénieux, quelque application imprévue. Je ne parle ici que du compositeur de génie.

De nombreux et remarquables ouvrages ont été écrits pour l'enseignement de l'harmonie; citons ici ceux dont il est fait un usage courant au Conservatoire de Paris, et quelques autres ouvrages modernes particulièrement intéressants :

Th. Dubois	*Traité d'harmonie.*
G. Caussade	*Technique de l'harmonie.*
M. Dupré	*Cours d'harmonie analytique.*
F.-A. Gevaert	*Traité d'harmonie théorique et pratique.*
Ch. Kœchlin	*Traité de l'harmonie.*
H. Riemann	*Manuel de l'harmonie.*
P. Hindemith	*A concentrated course in traditional harmony.*
W. Piston	*Harmony.*
A. Schœnberg	*Theory of harmony.*
A. Lavignac	*Recueil de leçons d'harmonie.*

B) Ce qu'est le contrepoint.

Le contrepoint n'est ni le préambule ni le complément des études harmoniques, comme on est assez généralement porté à le croire. C'est autre chose. C'est l'étude de procédés différents dont la lente élaboration au cours des siècles est antérieure à celle de l'harmonie, et qui ont eu une telle action sur la formation du style classique qu'on ne saurait comprendre celui-ci en dehors d'eux. Cette action est d'ailleurs loin d'être terminée, bien au contraire, car la musique contemporaine est beaucoup plus contrapuntique qu'harmonique et se rattache ainsi, d'un certain point de vue, à une tradition très ancienne.

Que l'étude du contrepoint doive précéder ou suivre celle de l'harmonie, ou marcher de front avec elle, c'est affaire de pure pédagogie; ce qui est certain, c'est qu'elle s'impose à tous et que nul ne doit songer à devenir un musicien complet, ni à produire des œuvres bien écrites s'il n'est d'abord un bon contrepointiste.

Le contrepoint d'école ou contrepoint rigoureux est, si l'on veut, une langue morte dont est dérivé le langage actuel, et dont le musicien a le même besoin que le littérateur du latin ou du grec. La connaissance de cette langue nous est d'ailleurs indispensable pour la complète intelligence des œuvres de maîtres tels que Bach, Hændel, Palestrina, etc., qui l'ont créée au fur et à mesure des besoins de leur génie; de plus, par la pratique du contrepoint, dont les règles sont beaucoup plus absolues que celles de l'harmonie, le compositeur acquiert une souplesse particulière, une facilité d'écriture et une légèreté de main qui le récompensent rapidement de l'effort accompli.

En quoi donc le contrepoint diffère-t-il tellement de l'harmonie?

On peut dire que l'harmonie considère la musique du point de vue vertical; elle est l'étude des accords, c'est-à-dire des agrégations de sons entendus simultanément, tandis que le contrepoint l'envisage du point de vue horizontal; il est l'étude de la mélodie, c'est-à-dire des sons entendus successivement et l'art de combiner en les superposant des mélodies indépendantes. Le contrepoint ne connait pas d'accords, sa matière première est la note. En faisant se succéder les notes, il crée des lignes mélodiques, et, pour arriver à superposer ces lignes de façon satisfaisante, il ne tient compte que du rapport existant entre les notes des différentes parties au moment où elles coïncident, c'est-à-dire des intervalles. De là son nom : note contre note, point contre point.

Si donc dans les pages qui suivent nous employons parfois quelques noms d'accords, ce sera uniquement pour nous faire mieux comprendre de ceux qui sont déjà initiés aux choses de l'harmonie.

L'attention du lecteur attirée sur ce point, l'exposé sommaire de quelques règles fera comprendre l'ensemble de ce système.

On peut écrire en contrepoint depuis deux jusqu'à huit parties.

Deux ou plusieurs parties disposées de façon à pouvoir être exécutées simultanément, et à produire ainsi un ensemble satisfaisant pour l'oreille, constituent le *contrepoint simple*, à deux, trois, quatre... parties.

Lorsque ces parties sont combinées de telle sorte qu'on puisse sans inconvénient les intervertir, le *contrepoint* est *double*, ou *triple*, ou *quadruple*, etc.; on l'appelle aussi *renversable*.

Quand les diverses parties reproduisent l'une après l'autre le même contour mélodique, soit à l'unisson, soit à l'octave, à la quinte, à la quarte..., c'est le *contrepoint en imitation*. Cette imitation peut être *régulière* ou *irrégulière;* pour être dite régulière, elle doit respecter la place des tons et demi-tons, et la ressemblance doit être complète entre l'*antécédent*, qui propose le contour mélodique, et le ou les *conséquents* qui l'imitent; irrégulière, elle copie moins servilement le modèle, se bornant à parcourir le même nombre de degrés que lui, sans égard à la qualification de l'intervalle; le dessin général seul subsiste.

L'imitation peut aussi avoir lieu *par augmentation* ou *par diminution*, c'est-à-dire en valeurs plus longues ou plus courtes que celles du modèle proposé; elle peut être *renversée* ou *par mouvement contraire*, le conséquent descendant quand l'antécédent monte, et vice versa; il y a encore l'*imitation rétrograde*, qui reproduit son modèle à reculons, en commençant par la dernière note et finissant par la première, etc.

La plupart de ces exercices se font sur une partie donnée qu'on nomme *plain-chant* ou *chant donné;* on transporte successivement ce plain-chant dans les différentes voix, et on s'ingénie à créer des parties d'accompagnement, en nombre toujours croissant, et en s'astreignant rigoureusement aux conditions suivantes :

CONTREPOINT SIMPLE A DEUX PARTIES

Première espèce. — Note contre note.

1. — On n'emploie que des consonances.

2. — On commence par une consonance parfaite, unisson, octave ou quinte [1].

3. — On termine par l'unisson ou l'octave précédés de la sensible.

4. — En dehors de la première et de la dernière mesure, l'unisson est défendu; le croisement l'est partout.

5. — Il est interdit de faire entendre la même note deux fois consécutivement.

6. — On ne doit pas faire deux octaves ni deux quintes de suite, ni d'octave ou de quinte directe [2].

1. En contrepoint, la quarte est une dissonance.
Les seules consonances sont : l'unisson, l'octave et la quinte justes (consonances parfaites); la tierce et la sixte majeures et mineures (consonances imparfaites).
Tout autre intervalle est dissonant.
2. Cette règle est la même qu'en harmonie, mais ici elle n'admet aucune exception.

7. — On ne doit pas faire plus de trois tierces ou trois sixtes de suite.

8. — On ne doit employer la sixte sur le cinquième degré qu'à la condition qu'elle puisse être accompagnée par une tierce; sans cela il en résulterait une quarte sous-entendue, et la quarte, étant dissonance, est défendue, même sous-entendue[1].

9. — Les seuls mouvements mélodiques à employer sont ceux de seconde mineure et majeure, tierce mineure et majeure, quarte juste, quinte juste, sixte mineure et octave juste[2].

10. — Les fausses relations d'octave et de triton sont défendues, sauf en mineur du troisième au sixième degré altéré.

11. — On ne doit moduler qu'aux tons voisins, et le moins possible.

12. — Enfin et surtout, on doit chercher à écrire des mélodies intéressantes, variées, de style purement vocal, évitant les formules symétriques, les répétitions, et dont la courbe s'infléchisse d'un seul élan du début à la fin.

A part céla, on peut faire tout ce qu'on veut; ce qui n'empêche qu'au début on se sent singulièrement gêné, et que pendant quelque temps il semble qu'on ne peut se mouvoir; mais on s'y fait, et on arrive à prendre un grand plaisir à ce qui a paru d'abord un casse-tête.

Et qu'on ne s'y trompe pas, ces règles ne sont nullement vexatoires; elles ont chacune leur raison d'être, même facile à découvrir; ainsi :

La prohibition des dissonances, des octaves et quintes consécutives ou attaquées directement, ainsi que des fausses relations, a pour but d'éviter la dureté; celle des séries de tierces ou sixtes, des notes répétées, des contours similaires, supprime la monotonie et développe l'indépendance mélodique; l'interdiction des croisements prévient la confusion et le manque d'équilibre entre les sonorités des différentes voix; le choix des mouvements mélodiques les plus simples et des

1. On aurait *le sentiment* de $\frac{6}{4}$.

2. Les plus petits mouvements diatoniques, plus l'octave. Aucun mouvement chromatique.

modulations les plus naturelles oblige à écrire dans un style vraiment vocal. Rien de tout cela n'est donc superflu [1].

Il en est de même des règles suivantes, concernant les autres espèces. Pour éviter les redites, je ne mentionnerai dorénavant que les dispositions nouvelles concernant chaque espèce, et il demeure entendu que *les règles une fois énoncées demeurent en vigueur tant qu'elles ne sont pas formellement abrogées ou modifiées par un nouveau paragraphe.*

Deuxième espèce. — Deux notes contre une.

Le plain-chant étant écrit en rondes, le contrepoint à composer devra contenir deux blanches par mesure.

1. — Le temps fort est toujours en consonance.

2. — Le temps faible peut être en consonance ou en dissonance.

3. — Les dissonances ne peuvent jamais être employées que par mouvement conjoint avec la note qui les précède et celle qui les unit, c'est-à-dire comme notes de passage ou comme broderies.

4. Les octaves et les quintes consécutives sont défendues entre deux temps forts et entre deux temps faibles, même par mouvement contraire.

5. — On tolère entre deux temps faibles deux quintes dont l'une est diminuée, surtout si c'est la deuxième.

6. — On doit tenir compte du caractère attractif de la quinte diminuée et de la quarte augmentée, quand elles apparaissent (comme notes de passage [2]).

1. Je ne donne ici qu'*un seul* exemple; mais l'étudiant contrepointiste est tenu d'en trouver au moins six, en plaçant la *partie donnée* trois fois au grave et trois fois à l'aigu. Les exercices de contrepoint offrent en général un développement moyen de douze à vingt mesures; j'ai dû considérablement restreindre mes exemples, en raison des dimensions de ce volume; ils n'ont pour but que de donner une idée exacte de ce genre de travail.

2. Il est bon aussi d'éviter les contours mélodiques de 6e et de 9e en trois notes par mouvement direct, avec les restrictions indiquées ci-dessus au chap. *Harmonie.* (Page 193.)

7. — On doit éviter de quitter la seconde, lorsqu'elle se produit au temps faible, par mouvement direct.

8. — Le saut d'octave sera employé avec modération.

9. — La note répétée est interdite.

10. — La dernière mesure doit contenir la tonique en ronde. Chaque fois qu'on le pourra, il sera bon de faire précéder cette tonique par la sensible entendue dans la mesure précédente.

11. — Les formules arpégées sont à éviter.

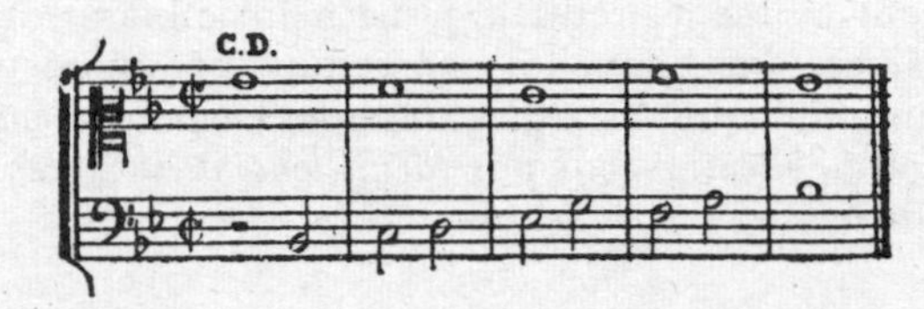

Troisième espèce. — Quatre notes contre une.

La partie donnée restant invariablement en rondes, il s'agit de l'accompagner au moyen de quatre noires.

1. — A part le temps fort, qui ne peut recevoir qu'une consonance, on est libre d'employer à volonté des consonances ou des dissonances, pourvu toutefois que ces dernières procèdent par mouvement conjoint, et puissent être analysées comme notes de passage ou broderies.

2. — Les octaves et les quintes par mouvement direct ne sont permises que séparées par quatre notes au moins; pour celles par mouvement contraire, on peut à la rigueur se les permettre après une ou deux noires.

3. — Deux quintes dont la deuxième est diminuée sont suffisamment séparées par une noire.

4. — On doit éviter le mouvement mélodique de sixte mineure.

5. — Les points extrêmes d'une série de quatre noires procédant par mouvement conjoint ne doivent pas former l'intervalle de triton.

6. — On débute par un soupir suivi d'une consonance parfaite.

7. — On termine par la tonique en ronde.

Quatrième espèce. — Syncopes.

Ici, chaque mesure doit contenir deux blanches, dont la deuxième forme syncope avec la première de la mesure suivante; on ne doit abandonner cette disposition qu'en cas d'impossibilité [1], sauf à la première et à la dernière mesure.

1. — Le deuxième temps est toujours une consonance; par le fait du déplacement rythmique, il devient ici le principal.

2. — Le premier peut être à volonté consonant ou dissonant; dans ce second cas, il doit toujours pouvoir être considéré comme un retard, préparé et résolu comme en harmonie [2].

3. — Les octaves et les quintes consécutives sont défendues sur les temps faibles et permises sur les temps forts.

4. — Il est interdit de répéter une note précédemment syncopée.

5. — La première mesure doit contenir une blanche précédée d'une demi-pause.

6. — On doit terminer par la note sensible retardée à l'avant-dernière mesure, et la tonique en ronde à la dernière.

Cinquième espèce. — Contrepoint fleuri.

Ce contrepoint, le plus amusant de tous à écrire, est un mélange absolument libre des quatre espèces précédentes, auxquelles on peut encore adjoindre, pour augmenter la variété,

1. En ce cas, on emploie momentanément des blanches.
2. Voir page 215.

des blanches pointées et des croches réunies deux par deux; à l'exclusion de toute autre formule rythmique.

Dans chaque mesure, selon l'espèce qu'il aura plu d'employer, on se conformera aux règles spéciales. Je n'ai donc à faire connaître que les règles nouvelles qui concernent les blanches pointées et les groupes de croches, qui n'ont pas encore été exposées.

1. — Le point placé après la blanche doit toujours enjamber la mesure suivante [1]; on peut, par conséquent, le remplacer dans l'écriture par une noire syncopée avec la blanche précédente.

2. — Les croches doivent occuper la partie faible des temps; on ne doit jamais en mettre plus de deux par mesure; on ne doit les employer que pour amener la syncope ou en orner la résolution.

3. — On commence, soit par une demi-pause suivie d'une blanche, soit par un soupir suivi de trois noires, soit par un soupir suivi d'une noire et d'une blanche. Dans ce dernier cas, la blanche doit être obligatoirement syncopée.

4. — Le bon goût préside seul au choix et au mélange des diverses espèces; toutefois, la sobriété est recommandée; on fera le plus souvent usage de syncopes ou de blanches, plus rarement de noires, et fort peu des groupes de deux croches.

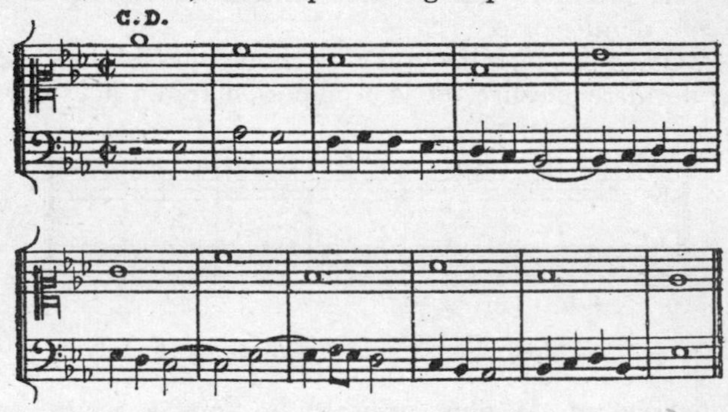

Il n'y a que ces cinq espèces de contrepoint simple mais on peut les pratiquer en mettant en jeu un plus grand nombre de parties, comme on va le voir.

1. Il en sera autrement dans le contrepoint à plusieurs parties.

CONTREPOINT SIMPLE A TROIS PARTIES

Première espèce. — Note contre note.

A partir d'ici, l'aridité des règles ira toujours en s'adoucissant, en proportion du nombre de parties, qui entraîne par lui-même, comme c'est facile à comprendre, une difficulté toujours croissante; il n'existe de rigueur complète et absolue que dans le contrepoint à deux parties.

Toutefois, il importe d'établir de profondes lignes de démarcation entre ce qui est présenté comme bon, ce qui est permis à titre d'exception, et ce qui est seulement toléré.

Les licences appartenant à cette dernière catégorie ne doivent être employées que lorsqu'on ne trouve pas le moyen de se tirer d'embarras sans leur secours.

Ceci dit une fois pour toutes, continuons notre voyage à travers les diverses variétés de contrepoints simples.

Le contrepoint de première espèce, à trois parties, consiste à accompagner le plain-chant de deux contrepoints en rondes comme lui. On le place successivement dans chacune des trois parties : l'inférieure, l'intermédiaire et la supérieure, et l'on s'efforce, en composant les deux autres parties, d'obtenir des mélodies indépendantes et satisfaisantes en même temps que des sonorités pleines, c'est-à-dire des combinaisons de notes formant le plus possible des accords complets, à l'état fondamental ou au premier renversement. (Le second renversement est entièrement prohibé.)

Les règles à observer sont les mêmes que dans la première espèce à deux parties, sauf les légères modifications ou tolérances suivantes :

1. — On tolère le croisement des voix, mais de courte durée, sauf à la première et à la dernière mesure, où il reste interdit.

2. — Si une des parties marche en tierce avec la basse, et l'autre en sixte, il est défendu de conserver cette disposition pendant plus de deux mesures consécutives [1].

1. Autrement dit : on ne doit pas faire trois accords de sixte dans la même position; ce serait monotone et faible d'invention, peu ingénieux.

3. — La première mesure peut contenir les consonances parfaites d'unisson, de quinte, d'octave, et la consonance imparfaite de tierce.

4. — La dernière mesure doit être en consonances parfaites ou en tierce, comme la première.

C.D

Deuxième espèce. — Deux notes contre une.

Une seule partie doit être écrite en blanches, l'autre en rondes, comme le chant donné.

Chacune d'elles reste soumise aux lois du contrepoint, soit en rondes, soit en blanches.

1. — Les dissonances ne peuvent trouver place que dans la partie en blanches, au deuxième temps et par mouvement mélodique conjoint.

2. — Le premier temps doit être consonant dans toutes les parties.

3. — On tolère l'unisson sur le temps faible.

4. — La formule finale peut beaucoup varier; on y autorise même le mouvement de syncope, emprunté à la quatrième espèce.

1. Un accord complet.

Troisième espèce. — Quatre notes contre une.

Une seule partie doit être composée en noires; elle est soumise aux règles de la troisième espèce à deux parties. L'autre, en rondes, est traitée en contrepoint note contre note.

1. — L'unisson est toléré mais il ne peut être amené par mouvement conjoint.

2. — Le croisement des voix est permis.

On peut mélanger la troisième espèce avec la deuxième. En ce cas, chaque voix doit obéir aux lois qui régissent son espèce.

1. — Entre la partie en noires et celle en blanches, deux quintes dont la deuxième est diminuée sont tolérées, même séparées par une seule note.

2. — Chaque partie doit commencer selon l'espèce à laquelle elle appartient; pourtant on admet que la partie en blanches n'entre qu'à la deuxième mesure. En ce cas, elle peut débuter par une consonance quelconque.

Quatrième espèce. — Syncopes.

On doit composer une partie en syncopes et l'autre en rondes, toujours en s'astreignant aux règles spéciales.

On peut pratiquer le mélange d'une voix en syncopes et d'une voix en blanches ou en noires, chaque partie restant assujettie aux règles de son espèce.

L'emploi de deux accords différents dans une même mesure est interdit.

Cinquième espèce. — Contrepoint fleuri.

Une seule des parties ou deux peuvent être écrites en contrepoint fleuri; dans ce dernier cas, il y a encore des adoucissements à la sévérité des règles.

1. On peut pointer la blanche placée sur le premier temps.

2. — On peut aussi employer un groupe de deux croches sur la partie faible du temps fort.

Il résulte de cette dernière règle qu'il peut se trouver deux petits groupes de croches dans une même mesure, en ce cas ils ne doivent jamais appartenir à la même partie. D'ailleurs, tout comme à deux voix, il est de bon goût d'user des croches avec la plus grande modération.

On pourrait s'imposer d'autres mélanges : *une partie fleurie*, et l'autre en *blanches*, en *noires* ou en *syncopes*, qui seraient de bons exercices d'assouplissement.

CONTREPOINT SIMPLE A QUATRE PARTIES

Première espèce. — Note contre note.

Ici, non seulement on doit toujours faire entendre simultanément trois notes différentes dans chaque mesure, mais l'obligation s'impose de doubler l'une d'elles pour obtenir la quatrième voix. Le choix de cette note à doubler doit être guidé par les mêmes principes qu'en harmonie; d'abord les notes tonales, ensuite le deuxième degré, qu'on pourrait appeler degré neutre, puis les notes modales, et en dernier lieu la sensible[1].

Il convient toutefois de ne pas oublier que le souci mélodique doit primer, et que les doublures ou suppressions de

1. La *basse* dans les accords parfaits, la *tierce* ou la *sixte* dans les accords de sixte. sont les meilleurs redoublements.

notes doivent être considérées en fonction de la bonne marche mélodique des parties.

1. — Le croisement est permis partout, sauf dans la première et la deuxième mesure.

2. — Jamais plus de trois tierces ou trois sixtes de suite entre les mêmes parties.

A part ces légères modifications, les règles sont les mêmes que pour la même espèce à deux et à trois parties.

Deuxième espèce. — Deux notes contre une.

1. — Les octaves et les quintes peuvent être tolérées entre deux temps faibles.

2. — Il en est de même de l'unisson, si l'on ne peut l'éviter, mais seulement au temps faible.

Troisième espèce. — Quatre notes contre une.

On pratique aussi le mélange des deuxième et troisième espèces, en écrivant une partie en blanches et une partie en noires, sans que cela donne lieu à des règles sensiblement nouvelles; chaque voix reste sujette à sa marche normale, à ses principes spéciaux, mais avec moins de rigueur que par le passé; on tolère les octaves et les quintes sur la partie faible des temps.

Quatrième espèce. — Syncopes.

Ensuite on mélange trois espèces : une partie en blanches, une en noires, une en syncopes, le tout sur le plain-chant qui reste en rondes, ce qui fait qu'en réalité les quatre premières espèces sont représentées. Toutes les tolérances précédemment signalées peuvent être utilisées, mais en ne perdant pas de vue que la perfection serait de s'en dispenser.

Cinquième espèce. — Contrepoint fleuri.

Nécessairement, il peut y avoir une, deux ou trois parties fleuries, la partie donnée restant immuablement en rondes.

Toutes les règles précédentes doivent être observées, c'est-à-dire que chaque partie doit être considérée comme soumise, pour chacune de ses notes, à l'espèce qui la régit momentanément, aussi bien dans ses mouvements individuels que dans ses rapports avec les autres parties, et n'admettre qu'en cas de nécessité les licences et tolérances énumérées ci-dessus.

(Fleuri dans
deux parties.)
C.D.

... Il me paraît inutile de décrire par le détail les règles des contrepoints simples à cinq, six, sept et huit parties, pour cette raison qu'on peut les pressentir d'après celles déjà exposées et leurs atténuations successives.

Il me suffira de dire que les principes fondamentaux restent toujours les mêmes que dans le contrepoint à deux parties, mais que les tolérances deviennent de plus en plus larges à mesure que le nombre des voix augmente, comme on l'a déjà vu.

Il n'y a et il ne peut y avoir de contrepoint strictement rigoureux qu'avec un nombre de parties restreint, et la rigidité des règles doit forcément s'adoucir en proportion du nombre de voix qu'on entend faire mouvoir simultanément, ce qui entraîne des complications inévitables, mais constitue aussi le côté amusant de ce genre de travail.

Ainsi, à huit parties, en contrepoint fleuri, on permet :

1. — Les octaves ou quintes entre temps faibles, et même entre temps forts si elles ont lieu par mouvement contraire.

2. — Celles qui sont fournies par le mouvement de syncope, sur les temps forts, et même sur les temps faibles par mouvement contraire.

3. — Deux octaves (ou unisson et octave), même en rondes, entre les deux parties les plus graves, et par mouvement contraire.

4. — L'unisson, sauf par mouvement direct.

5. — Le croisement, sauf à la première et à la dernière mesure.

6. — La répétition des notes une fois dans une partie en rondes.

7. — Au besoin (mais c'est très risqué), la rencontre d'un retard et de sa note de résolution, etc.

Malgré toutes ces licences, il est très difficile d'écrire un contrepoint simple correct à huit parties, car il reste défendu :

1. — Les octaves ou quintes entre temps forts et par mouvement direct.

2. — Celles qui sont fournies par le mouvement de syncopes et portent sur les temps faibles, sauf par mouvement contraire.

3. — Les octaves ou quintes directes entre les deux parties extrêmes.

4. — L'emploi de plus de trois tierces ou sixtes consécutives.

5. — La répétition des notes, sauf en rondes, etc.

Disons aussi que l'emploi du contrepoint à plus de quatre ou cinq parties a toujours été un fait rare et le devient de plus en plus; il exige un grand effort de combinaison, et le résultat sonore obtenu est rarement en proportion de la somme d'ingéniosité dépensée.

On ne le pratique donc plus guère qu'à l'école, et seulement à titre d'exercice d'assouplissement, en passant directement de la première espèce à la cinquième. Il n'y a pas lieu de s'y appesantir davantage.

Voici pourtant un exemple, que je crois à peu près correct, de contrepoint fleuri à huit voix, le chant donné étant à la partie grave.

Les parties entrent successivement, de façon à présenter un tissu de plus en plus touffu (et aussi s'affirmant ainsi plus nettement dans leur individualité), jusqu'au moment où les huit voix réelles se trouvent en présence et doivent concourir à l'effet de l'ensemble.

C'est là qu'il devient difficile de leur conserver une marche indépendante, et de les faire mouvoir sans qu'il y ait de conflits entre elles; c'est pourtant possible, car de grands maîtres l'ont fait, et les beaux exemples ne nous manquent pas de ce prodige de combinaison.

Une espèce toute particulière doit être décrite ici : c'est le contrepoint à *double chœur*, l'un des plus attrayants.

Les huit parties sont disposées de façon à former deux chœurs distincts; chaque chœur doit fournir, autant que possible, un ensemble complet et pouvant se suffire à lui-même, sans pourtant qu'aucune de ses parties vienne produire des fautes avec une de celles de l'autre chœur. Il est souvent intéressant de

faire dialoguer ces deux chœurs, ce qui autorise l'emploi des silences.

Beaucoup de grandes œuvres d'illustres contrapuntistes ont été écrites dans ce système, par exemple le premier chœur de la *Passion selon saint Mathieu*, de Bach, qui a pour accompagnement deux orchestres distincts, ce qui n'empêche pas par moments un choral formant une neuvième partie de venir planer sur le tout.

Je crois que dès à présent le lecteur qui aura bien voulu prendre la peine de parcourir les pages précédentes et d'en lire les exemples, sera à l'abri de cette erreur qui fait, dans l'esprit de beaucoup, du contrepoint une sorte de corollaire de l'harmonie moderne, et qu'il percevra nettement que ce sont deux techniques séparées.

La différence deviendra encore plus visible dans le

CONTREPOINT DOUBLE

qui est déjà entièrement de la composition, aucune partie n'étant plus donnée.

Ce contrepoint ressemble, au premier aspect, à un contrepoint fleuri dans deux parties, et il est soumis aux mêmes règles; mais de plus, et c'est là ce qu'il a de particulier, il doit être combiné de telle façon qu'on puisse *intervertir* les parties, faire de la première la seconde et de la seconde la première, sans qu'il en résulte aucune incorrection, d'où de nouvelles règles d'un genre spécial. Il faut prévoir, en le composant, ce qu'il deviendra par le renversement, et éviter ce qui serait fautif dans cette nouvelle position.

Je décrirai ici seulement le contrepoint double à l'octave, à la fois le plus simple et le plus important.

La quinte y devient suspecte, car, renversée, elle donne une quarte; il faut donc la traiter comme une dissonance, elle doit être préparée et résolue. La dissonance de neuvième, qui ne peut être, en contrepoint simple, que le retard de la basse doublée, devient impraticable, puisqu'il en résulterait, par le renversement, une septième dont la résolution se ferait à la partie grave, ce qui est inadmissible.

Voici, par le détail, comment on doit employer chaque intervalle pour que le résultat soit renversable à l'octave :

1. — L'*unisson* ne peut trouver place qu'à la première ou à la dernière mesure, ou sur un temps faible ou une partie faible.

2. — La *seconde*, comme note de passage ou, préparée et résolue, comme retard de la basse.

3. — La *tierce*, pas plus de trois fois de suite; ce serait une pauvreté.

4. — La *quarte*, comme note de passage ou comme retard.

5. — La *quinte*, comme la quarte.

6. — La *sixte*, comme la tierce.

7. — La *septième*, comme la seconde, c'est-à-dire en note de passage ou en retard préparé et résolu.

8. — L'*octave*, le moins possible, sauf au commencement et à la fin.

9. — La *neuvième*, uniquement comme note de passage ou broderie.

Les autres règles restent en vigueur; pas de croisements, jamais d'octaves ni de quintes consécutives, et autant de variété que possible dans les contours mélodiques et les groupements de valeurs.

Quand un contrepoint de cette nature est composé avec peu de notes, se mouvant dans l'espace d'une octave, on peut le renverser de plusieurs manières différentes, en confiant chacune de ses parties à diverses voix, soit à l'unisson, soit à l'octave, soit à la quinzième, ce qui ne l'empêche pas de s'appeler toujours contrepoint double à l'octave.

S'il excède cette limite, le renversement à la quinzième reste seul praticable sans qu'il y ait croisement.

Après le contrepoint double à l'octave, les plus usités sont ceux à la *quinte* ou douzième, et à la *tierce* ou dixième; puis viennent enfin ceux à d'autres intervalles, à la *seconde*, à la *quarte*, à la *sixte* et à la *septième*, à peu près inusités et offrant peu de ressources. Quand on emploie le terme *contrepoint double* sans spécifier d'intervalle, c'est toujours celui à l'octave qu'on a en vue.

CONTREPOINT TRIPLE

On ne le pratique guère qu'à l'octave, et plus rarement à la quinte ou à la tierce. Ici le problème consiste à combiner les trois parties de manière que chacune d'elles puisse être placée à l'aigu, au médium ou au grave.

Les règles ne sont pas sensiblement différentes de celles du contrepoint double; elles deviennent seulement d'une application plus compliquée et plus minutieuse.

Les rapports d'intervalles restent les mêmes, mais ils doivent être observés en envisageant les parties deux par deux dans toutes les positions qu'elles peuvent occuper les unes vis-à-vis des autres, puisque, par le renversement, elles peuvent être appelées tour à tour à figurer comme basse, ou comme voix intermédiaire ou supérieure.

La quinte, qui par le renversement deviendrait quarte, est donc absolument défendue comme note réelle, et ne peut trouver d'emploi qu'en qualité de retard ou de note de passage.

De cette totale interdiction de la quinte résulte l'impossibilité, pour parler le langage harmonique, de faire entendre un seul accord complet, car tout accord consonant, fondamental ou renversé, recèle nécessairement, entre deux quelconques de ses parties, une quinte ou une quarte justes. Seul, l'accord de quinte diminuée échappe à la règle, en raison même de son imperfection : il ne contient ni quarte ni quinte justes; aussi en fait-on plus largement usage que dans les précédentes espèces. Dans le contrepoint triple, tel qu'on le pratique de nos jours dans les écoles, on admet même des groupements de sons qui ne peuvent être analysés harmoniquement qu'en qualité d'accords de septième dépourvus de leur quinte. Cette licence est moderne.

Inutile de dire que la neuvième reste impraticable, puisqu'elle n'est pas renversable; qu'on ne tolère ni octaves cachées, ni croisements, etc.

CONTREPOINT QUADRUPLE

Les mêmes règles gouvernent le contrepoint quadruple, qui ne diffère des précédents que par le nombre des parties et la complication qui en résulte. Mais celui-ci a une importance considérable en ce qui concerne la structure de la fugue, dont nous parlerons bientôt, et dont il constitue l'une des plus précieuses ressources.

Il s'agit de combiner avec un chant donné trois autres parties, de façon que ces quatre voix, tout en possédant chacune une marche correcte et élégante, puissent être renversées, interverties, mises les unes à la place des autres, sans cesser de former un ensemble irréprochable.

Quelques nouvelles tolérances apparaissent; ainsi, on peut se permettre la succession de tierces ou de sixtes pendant plus de trois notes; on peut, à la rigueur, faire croiser les parties, mais le moins longtemps possible; on admet les silences, à la condition que la rentrée qui s'ensuit ne soit pas dénuée d'intérêt; mais, à part cela, toutes les prohibitions des contrepoints simples, doubles ou triples sont maintenues. Nous les avons assez souvent énumérées pour qu'il ne soit plus nécessaire d'y revenir.

CONTREPOINTS RENVERSABLES A LA 10e ET A LA 12e.

Dans les divers contrepoints renversables que nous venons de décrire, qu'ils soient à deux, à trois ou à quatre parties, l'interversion se produisait selon le renversement normal des intervalles, c'est-à-dire à l'octave.

Pour obtenir des contrepoints renversables à d'autres intervalles, on admet arbitrairement un renversement fictif qui établit de nouveaux rapports entre les intervalles et leurs renversements.

Ainsi, pour le contrepoint double à la quinte ou douzième,

on suppose que le renversement de l'unisson est la douzième, et l'on établit ces deux séries opposées de chiffres, dont chacun représente un intervalle, tandis que le chiffre correspondant, dans l'autre série, fournit le renversement de convention :

1. 2. 3. 4. 5. 6. 7. 8. 9. 10. 11. 12.
12. 11. 10. 9. 8. 7. 6. 5. 4. 3. 2. 1.

On considérera donc ici la douzième comme renversement de l'unisson, la onzième comme renversement de la seconde, etc.

Cela donnera lieu à peu de règles nouvelles, car l'octave devenant quinte et la quinte octave, et ces deux intervalles étant soumis, en ce qui est de leur succession, à des lois semblables, il suffira de les traiter à la façon ordinaire pour que le renversement ne donne lieu à aucune surprise désagréable. Mais il faudra tenir compte que la sixte devient septième, et conséquemment la traiter en dissonance, la préparer et la résoudre, afin que sa marche reste correcte et logique une fois le renversement opéré.

Pour le contrepoint double à la tierce ou dixième, les deux séries de chiffres donnent lieu à des remarques très différentes.

1. 2. 3. 4. 5. 6. 7. 8. 9. 10.
10. 9. 8. 7. 6. 5. 4. 3. 2. 1.

Ici la tierce est destinée à se transformer en octave, et la sixte deviendra une quinte; la nouvelle loi qui en résulte est facile à prévoir :

On ne devra faire ni deux tierces ni deux sixtes de suite,

puisqu'il en résulterait deux octaves ou deux quintes consécutives dans le renversement.

Quant à la seconde, à la quarte, à la septième et à la neuvième, qui restent dissonances, elles ne peuvent être employées autrement qu'en retards ou en notes de passage.

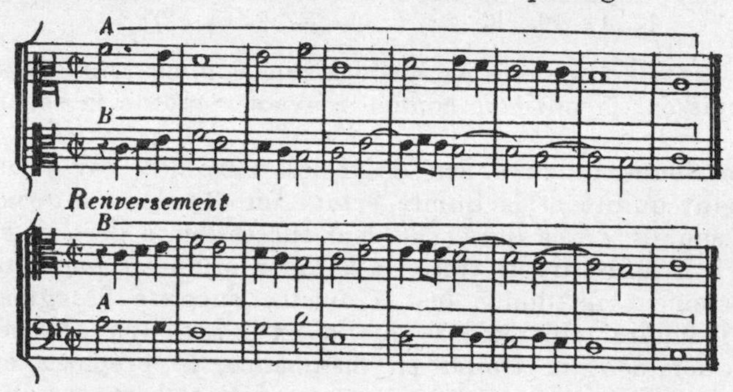

Pour obtenir des contrepoints triples ou quadruples, soit à la quinte, soit à la tierce, on n'a d'autre ressource que de doubler en tierces une des parties ou les deux parties d'un contrepoint double au même intervalle; c'est à peine si ce procédé mérite le nom de contrepoint.

Ici, par exemple, le Soprano double en tierce la voix de Basse.

Le même à 4 voix.

Ici, le Soprano et le Ténor d'une part, le Contralto et la Basse de l'autre, font entendre une série de tierces.

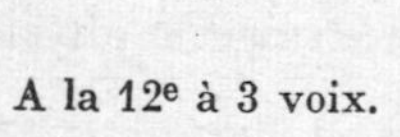
A la 12e à 3 voix.

Ici, les inévitables tierces se trouvent entre le Ténor et la Basse.

Le même (transposé) à 4 voix.

Ici, entre les deux voix d'hommes et les deux voix de femmes. C'est enfantin.

Il n'y a donc de véritable contrepoint triple ou quadruple justifiant réellement ce nom, que celui à l'octave.

IMITATIONS

Nous n'avons plus à examiner, pour terminer notre coup d'œil sur ce style si riche en combinaisons, et d'une telle vitalité qu'il vivifie encore les grandes œuvres modernes, que le *contre-point en imitations*, qui offre au compositeur des ressources infinies d'une séduction particulière.

Nous avons déjà dit qu'il existe plusieurs espèces d'imitations; il nous reste à les étudier une à une, avec quelques mots d'explication et quelques exemples pour en faire saisir la physionomie.

L'*imitation* proprement dite consiste dans le fait musical d'une partie quelconque reproduisant plus ou moins fidèlement le dessin mélodique qu'une autre partie a énoncé précédemment. Quand cette reproduction est absolument exacte, quand les espaces de tons, demi-tons diatoniques ou chromatiques de la partie modèle sont représentés dans la partie imitante par des espaces identiquement semblables, quand enfin il y a une ressemblance parfaite dans le contour de l'une et de l'autre, l'imitation est dite *régulière* ou *canonique*[1]. Disons de suite que cette imitation absolument parfaite ne peut être

1. Quelques auteurs disent : imitation *contrainte*, et qualifient de *libre* l'imitation rrégulière. Ce n'est qu'une question de mots, de nomenclature.

obtenue qu'à l'unisson, à l'octave ou à la quinte [1]. Elle est soumise à toutes les lois du contrepoint simple, fleuri, de la cinquième espèce.

Si on veut la rendre *renversable*, il faut lui appliquer, en plus, les règles du contrepoint double.

1. L'imitation régulière à la quinte, soit supérieure soit inférieure, ne peut exister, bien entendu, qu'en altérant le septième degré ou la sous-dominante de la partie imitante; c'est une véritable transposition, et les deux parties se meuvent dans deux tons différents, quoique très voisins.

Si on néglige ce détail, l'imitation à la quinte existera toujours, mais elle cessera d'être régulière.

Il n'est pas difficile de combiner ainsi des imitations régulières à trois ou quatre parties. Quand elles ont une certaine étendue, elles prennent le nom de *canon*, qui est particulièrement justifié lorsqu'elles sont conçues de telle sorte qu'une reprise perpétuelle permette à chaque partie de revenir incessamment de la fin au commencement. Voici un exemple correct de canon perpétuel :

A tout autre intervalle, on ne peut former que des imitations irrégulières, en raison même de la conformation de la gamme et de la distribution des tons et demi-tons. Dans celles-ci, la similitude est moins complète, un ton se trouve répondre à un demi-ton, une tierce qui était majeure dans le modèle devient mineure dans l'imitation, etc.; mais l'aspect général reste le même ainsi que la disposition rythmique, ce qui est parfois suffisant.

L'imitation irrégulière peut aussi être écrite en contrepoint double, et alors elle devient renversable.

Dans toutes les espèces d'imitations, la partie qui propose, celle qui fournit le modèle, prend le nom d'*antécédent*, et celle ou celles qui répètent le dessin mélodique sont autant de *conséquents.*

L'antécédent peut être confié à une partie quelconque. Il peut débuter indifféremment par la tonique, la dominante ou la médiante.

On doit éviter les redites, les redondances, les répétitions de groupes semblables, et ne faire qu'un emploi discret des silences et des croisements. Les seules modulations permises sont celles aux tons voisins.

Toutes les règles du contrepoint fleuri restent en vigueur.

IMITATION PAR MOUVEMENT CONTRAIRE

Pour composer une imitation de ce genre, il faut opposer à la gamme dans laquelle est écrit l'antécédent une autre gamme marchant en sens opposé, dans laquelle on prendra les notes qui doivent former le conséquent :

Les quatre notes prises dans l'antécédent se traduisent, dans le conséquent, par selon l'ordre numérique renversé.

On peut aussi obtenir l'imitation par mouvement contraire en opposant l'une à l'autre les deux gammes suivantes :

Gamme de l'antécédent.

Gamme du conséquent.

qui donnent comme réplique à : les notes : , toujours en vertu de l'ordre numérique restant le même dans les deux séries inverses.

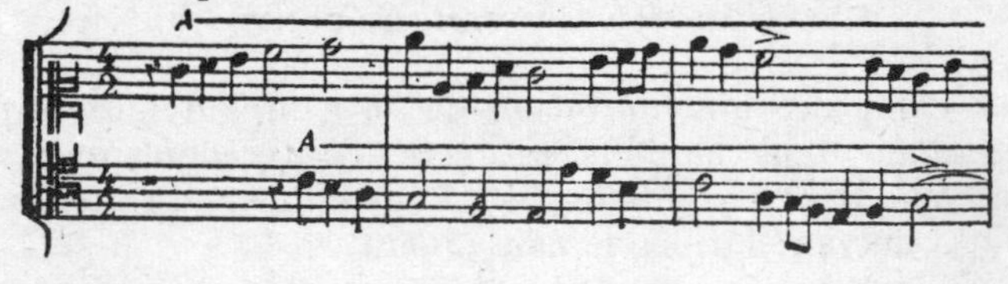

Il est à remarquer que dans aucun de ces deux systèmes la place des demi-tons n'est respectée; aussi conviennent-ils indifféremment à un ton majeur et à son relatif; mais ils ne fournissent que des imitations irrégulières.

Si l'on veut obtenir une *imitation régulière par mouvement contraire*, il faut avoir recours à cette nouvelle combinaison, dans laquelle seule les tons et demi-tons concordent exactement :

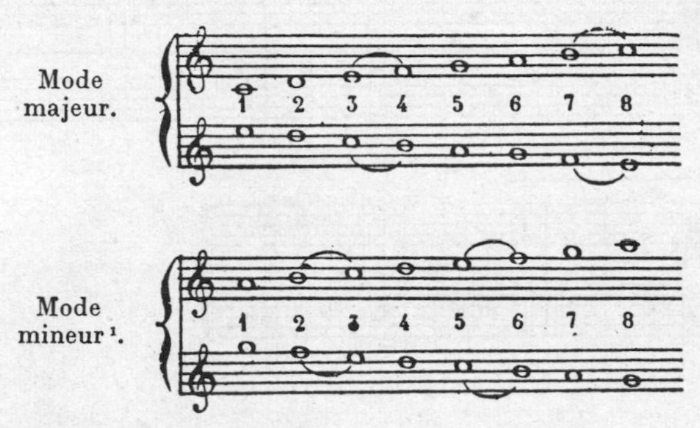

Au moyen de ces dernières gammes, on écrit des imitations irréprochables de fidélité, en mouvement contraire, qui peuvent prendre le nom de *canon renversé*, si elles sont suffisamment prolongées.

Nous aurons peu de chose à dire des autres genres d'imitations, dont le nom porte avec lui son explication.

1. Gamme mineure théoriquement pure, sans admission d'aucune altération.

Dans l'*imitation par diminution*, le conséquent emploie des valeurs plus brèves que celles de l'antécédent, en respectant pourtant les proportions rythmiques :

C'est le contraire dans l'*imitation par augmentation :*

mais cela ne donne lieu à aucune nouvelle règle; c'est une question de sagacité et d'ingéniosité de la part du compositeur.

L'*imitation rétrograde*, qu'on appelle aussi *imitation à l'écrevisse*, consiste à prendre la dernière note de l'antécédent comme note initiale du conséquent, et à rétrograder jusqu'à la première note de l'antécédent, qui devient la finale du conséquent, sans modifier la valeur des notes. Elle n'est pas plus difficile à établir que les précédentes.

Toutes ces imitations diverses peuvent être écrites à trois, quatre, cinq ou plus de voix, se combiner entre elles, et offrir ainsi des ressources imprévues autant qu'intéressantes; il arrive même que le conséquent devienne tellement différent de l'antécédent que l'imitation ne soit reconnaissable que pour les initiés.

Voici, par exemple, une *imitation régulière rétrograde par mouvement contraire et par diminution,*

dont l'intérêt échapperait certainement à tout esprit non prévenu, car, bien qu'elle soit présentée ici absolument à découvert, et avec des lettres servant de repère, il faut encore l'examiner de très près pour se rendre bien compte de la combinaison. J'engage à en faire l'expérience.

*
* *

Tel est, avec toute la complication apparente que comporte sa simplicité réelle, le mécanisme du contrepoint.

La théorie en est des plus claires; mais des difficultés surgissent à chaque pas dans l'exécution, l'application de certaines règles pouvant parfois donner lieu à des interprétations diverses, et conséquemment à des discussions entre les contrepointistes les plus habiles.

Dans certains traités anciens, on trouvera des préceptes plus absolus; dans d'autres plus récents, quelques adoucissements; ce que j'ai décrit, c'est le contrepoint rigoureux, tel que l'ont pratiqué les anciens, et dégagé seulement des tonalités du moyen âge dont nous aurons l'occasion de parler ailleurs.

On pourrait définir le contrepoint : l'art de jongler avec les notes; en effet, on observera que toutes les combinaisons qui peuvent se présenter à l'imagination du compositeur appartiennent nécessairement à l'une des cinq espèces et forment toujours, quelles que soient les licences supplémentaires qu'on entende se permettre, un fragment de contrepoint simple, ou double, ou triple, ou quadruple, ou une imitation, ou quelque autre artifice prévu par les lois de cette science; c'est tellement vrai que le plus novice des musiciens n'est pas capable d'ébaucher la plus insignifiante des mélodies et de lui appliquer un accompagnement élémentaire, sans faire, à son insu, du contrepoint, tout comme M. Jourdain faisait de la prose; la question est de savoir si cette prose est conforme aux lois de la grammaire, de la syntaxe, de la logique et de la rhétorique; et voilà pourquoi le compositeur est tenu, s'il a souci de la pureté de son style, de la correction de son langage musical, de posséder une profonde connaissance des règles du contrepoint.

C) De la fugue

La fugue est la plus haute manifestation de la composition en contrepoint. Toutes les espèces précédemment décrites y trouvent leur emploi, et de plus le morceau lui-même est astreint à une certaine forme, à un certain ordre dans les modulations, à une facture spéciale, dont on ne peut s'écarter sans enfreindre les lois qui régissent ce style, généralement considéré comme aride, mais auquel on prend le plus grand intérêt dès qu'on pénètre intimement les détails de sa structure.

Dans la fugue en effet, plus peut-être que dans aucun autre genre musical, la science, l'habileté technique, l'équilibre voulu de l'architecture jouent un rôle capital. Il arrive que ces éléments entrent seuls en jeu, et la fugue ne présente alors qu'un intérêt purement technique et assez limité; mais les grands maîtres de toutes les époques se sont souvent servis de cette forme pour s'exprimer, et les fugues qu'ils ont écrites comptent parmi les plus hauts chefs-d'œuvre de la musique.

Voyons ici ce qui constitue une fugue.

Une fugue est un morceau de musique entièrement conçu en contrepoint, et dans lequel tout se rattache, directement ou indirectement, à un motif initial nommé *sujet;* de ce lien résulte l'unité de l'œuvre; la variété est obtenue au moyen des modulations et des diverses combinaisons en canon ou en imitation. Les voix semblent donc constamment se fuir ou se poursuivre, d'où l'étymologie du mot : *fuga* (fuite).

Les éléments constitutifs indispensables de toute fugue régulière sont : 1° le *sujet* ou thème principal; 2° la *réponse*, imitation à la quinte du sujet, soumise à des règles spéciales; 3° le *contre-sujet* ou les *contre-sujets*, combinés en contrepoint double avec le sujet; 4° le *stretto* (mot qui signifie, en italien : *serré*), dans lequel le sujet et la réponse sont aussi rapprochés l'un de l'autre que possible, et se poursuivent de plus en plus près pour augmenter l'intérêt.

Les éléments accessoires sont : 1° les *divertissements* ou *épisodes*, tirés du sujet ou du contre-sujet, et servant de transitions; 2° la *pédale*, soit de tonique, soit de dominante, dont le but est de bien affermir la tonalité au moment de la conclusion.

On peut saisir dès à présent comment tous les détails se relient au sujet et en dérivent.

Mais, pour voir comment ces divers éléments peuvent être utilisés, il nous faut examiner de près le plan général d'une composition de ce genre.

PLAN DE LA FUGUE

D'abord se présente l'*exposition*, qui consiste à faire entendre le *sujet* dans la première partie, puis la *réponse* dans la seconde partie, puis de nouveau le *sujet* dans la troisième partie, et ainsi de suite en alternant jusqu'à ce que chaque voix soit entrée [1]. Chacune des parties débute donc nécessairement soit par le sujet, soit par la réponse; ensuite on l'emploie à accompagner les nouvelles entrées, au moyen du *contre-sujet* ou simplement en complétant l'harmonie; dans ce dernier cas, elle prend le nom de *partie ad libitum* (ce qui n'empêche qu'elle dérive indirectement du sujet, puisqu'elle est créée pour lui servir d'accompagnement).

Aussitôt après, précédée d'un court *divertissement*, vient la *contre-exposition*, sorte de reflet de l'exposition, dans laquelle on fait entendre d'abord la *réponse*, puis le *sujet* [2], chacun une fois seulement, et accompagnés par le *contre-sujet;* ici, on doit s'attacher, pour éviter la monotonie, à ne pas placer chacun de ces éléments dans la même voix qui l'a fait entendre lors de l'exposition; les interversions et renversements sont toujours possibles, puisque le sujet et le contre-sujet sont combinés en contrepoint double.

Souvent on supprime la contre-exposition, et dès le premier divertissement on module dans le *ton relatif*, où l'on présente de nouveau le *sujet* et sa *réponse*, avec leur inséparable accompagnement du *contre-sujet.*

Ensuite, la tonalité étant bien établie, on se promène parmi les tons voisins où l'on fait entendre le *sujet* et la *réponse*, en reliant ces expositions successives au moyen de *divertissements* de plus en plus importants, tirés de fragments du sujet ou du contre-sujet, traités en *imitations* ou en *canons*, en utilisant toutes les ressources du contrepoint [3] et en combinant le choix

1. On peut écrire des fugues depuis *deux* jusqu'à *huit* parties.
La fugue d'école est généralement à quatre parties, ce qui favorise la distribution des sujets et des réponses dans l'exposition.

2. J'aurais pu, dans le courant de ce chapitre, éviter la trop fréquente répétition des mots en appelant parfois le sujet *antécédent*, et le contre-sujet *conséquent;* mais j'ai préféré leur conserver constamment leur nom le plus usuel, au bénéfice de la clarté. Il est bon pourtant qu'on sache qu'ils peuvent se nommer ainsi.

3. Sujet par augmentation, par diminution, renversé; de même pour les contre-sujets.

des tonalités de façon à venir aboutir à la dominante du ton principal. Là peut avoir lieu un véritable *repos*, souligné même par un point d'orgue ou une pédale de dominante; mais ce repos n'est pas nécessaire, et on peut aussi bien attaquer de suite le *stretto* (en français on dit souvent la *strette*), qui est la partie la plus amusante de la fugue.

Ici, le sujet et la réponse doivent toujours empiéter l'un sur l'autre, se chevaucher en quelque sorte, et cela de plus en plus si la nature du sujet le permet; c'est la poursuite qui s'accentue et devient pressante; les divertissements eux-mêmes participent à l'action, et ne peuvent admettre que des imitations serrées. Souvent il y a plusieurs strettes, mais tout sujet de fugue bien conçu en comporte au moins une, à la fois harmonieuse et intéressante.

Après le stretto, qui ne module que peu, il faut conclure. C'est la place de la *pédale*, qu'on emploie généralement à la basse, sa position logique, et sur laquelle on fait entendre une dernière fois *sujet*, *réponse* et *contre-sujet*, le plus souvent en *stretto*, puis vient la *cadence* finale, *parfaite* ou *plagale*.

DE LA RÉPONSE

Nous avons dit plus haut que la *réponse* est soumise à des règles particulières; cela demande explication.

Il faut d'abord savoir qu'il existe deux espèces principales de fugues : la fugue *réelle*, et la fugue *tonale*.

Dans la fugue *réelle*, la réponse est une simple copie du sujet, transposé à la quinte supérieure (ou quarte inférieure), ce dont résulte une sorte de canon perpétuel plus ou moins rigoureux, plus ou moins libre, souvent intermittent, auquel on a donné premièrement le nom de fugue.

Tout autre est la réponse dans une fugue *tonale*. Ici, on considère que la gamme est partagée en deux parties inégales dont la dominante forme la jonction :

le principe est de toujours répondre à la tonique par la dominante, et à la dominante par la tonique; ainsi :

L'imitation cesse d'être exacte, puisqu'on répond à une quinte par une quarte, ou inversement, mais ce n'est qu'à cette condition que la réponse est véritablement régulière.

Voici quelques exemples de débuts de sujets faciles, avec leur réponse correcte.

Après ce changement imposé, qu'on appelle *mutation*, la réponse reproduit fidèlement le sujet, dont elle ne diffère conséquemment que par la tête; cela suffit pourtant à les faire distinguer l'un de l'autre, ce qui n'avait pas lieu dans la fugue réelle [1]. De plus, on conçoit que si le sujet a débuté en *ut* pour

1. Cette mutation du sujet et de la réponse entraîne le plus souvent une mutation du contre-sujet.

se terminer en *sol*, par exemple, la réponse se trouvera commencer en *sol* pour revenir en *ut*,

ce dont résulte une sorte de promenade perpétuelle, aller et retour, entre deux tonalités à distance de quinte, caractéristique de la fugue du ton.

Inutile d'ajouter que du sujet dépend la réponse, et qu'un sujet de fugue réelle ne saurait être traité en fugue du ton. Autrement dit, le sujet détermine et impose l'espèce à laquelle appartiendra la fugue.

Quant au *contre-sujet*, il importe, en le composant, de le faire aussi différent du sujet que possible, aussi bien par le rythme que par le contour mélodique; tous les épisodes et toutes les combinaisons devant être tirés de ces deux éléments, c'est en les créant différents l'un de l'autre qu'on aura le plus de chances d'obtenir de la variété. L'obligation de l'écrire en contrepoint double, renversable, atteint, quoique différemment, le même but, puisqu'elle permet d'intervertir les parties et de les présenter ainsi sous des aspects toujours nouveaux et variés.

On peut employer deux et même trois contre-sujets, combinés alors avec le sujet en contrepoint triple ou quadruple; dans ce cas, on dit quelquefois : fugue à deux sujets, à trois sujets, etc. Cette dénomination est impropre, une fugue n'ayant jamais qu'un seul motif principal.

En dehors de la *fugue réelle* et de la *fugue du ton*, qui sont les deux types purs et classiques du genre, il existe une quantité de formes plus ou moins fantaisistes, celles de la *fugue libre*, la *fugue d'imitation*, la *fugue irrégulière*, dont le nom suffit à faire pressentir la nature, et qu'il n'y a pas lieu de décrire ici.

La fugue trouve son cadre dans la musique instrumentale (orgue, clavecin, piano), dans la musique de chambre, dans la musique chorale, dans la musique symphonique. Malgré des exceptions célèbres, elle n'est pas une forme qui convienne normalement à la musique de théâtre; mais le style fugué et l'écriture contrapuntique conviennent à toute espèce de composition. Dans toute œuvre puissamment charpentée on retrouve au moins des vestiges du plan général de la fugue, lorsque ce plan n'est pas lui-même la base de l'œuvre; de plus, certains développements ne peuvent acquérir leur véritable intérêt que par des emprunts faits à ce style. Tel est le rôle de la fugue et du contrepoint dans l'évolution artistique, ce que j'espère pouvoir bientôt démontrer nettement.

Les principaux ouvrages à consulter sur le Contrepoint et la Fugue sont ceux de *Fux* (1660), *Marpurg*, *Albrechtsberger*, *Cherubini*. Je signale aussi le *Traité de Contrepoint* de *Fr. Richter*, traduit par *Sandré*, où les *Tons d'église* et le style des *Chorals Protestants* sont curieusement étudiés.

Comme ouvrages plus modernes :

Th. Dubois — *Traité de contrepoint et fugue.*
M. Dupré — *Cours complet de fugue.*
K. Jeppesen — *Kontrapunkt, Lehrbuch der klassischen Vokalpolyphonie.*
Ch. Kœchlin — *Précis des règles du contrepoint.*
Ch. Kœchlin — *Étude sur l'écriture de la fugue d'école.*
Krenek — *Studies in counterpoint.*
A. Gedalge — *Traité de la fugue.*

CHAPITRE IV

ESTHÉTIQUE

L'être humain correspond avec l'extérieur matériel par l'entremise des sens; parmi ces sens, deux sont particulièrement perfectionnés, la vue et l'ouïe; c'est à eux que s'adressent les manifestations d'art; à la vue, la peinture, la sculpture, l'architecture; à l'ouïe, la musique et la poésie qui, dans l'origine, étaient indissolublement liées et ne formaient qu'un seul et même art, puis se sont séparées. A vrai dire, elles se complètent l'une l'autre, et, malgré leurs scissions momentanées, elles tendent toujours à se réunir, car c'est en s'associant qu'elles peuvent atteindre leur maximum d'intensité et de pénétration, encore augmenté, dans l'opéra et le drame lyrique moderne, par le décor qui résume les arts plastiques et s'adresse aux yeux, ainsi que le costume et la danse.

S'il est pourtant un art qui, abandonné à ses seules ressources, nous transporte dans un milieu purement intellectuel et idéal, c'est certainement la musique plus que tout autre. Malgré ses attaches avec la physique et la physiologie, qui ne sont que ses moyens de production, de transmission ou de perception, malgré ses liens avec les mathématiques, qui d'ailleurs régissent l'univers, la musique est le moins matériel et le plus éthéré des arts.

Les arts plastiques, sculpture et peinture, nous représentent des objets matériels connus, hommes, femmes, animaux, végétaux, minéraux même, des scènes historiques, mythologiques ou de pure fantaisie, mais nettement déterminées; la poésie nous adresse des discours complets, fait parler ses personnages, en précise le nom, le caractère, les actes. Bien plus mystérieuse est l'action de la musique; des sons et des durées, parfois même le silence, tels sont ses seuls moyens d'action sur l'intelligence, et c'est avec cela qu'elle doit provoquer l'émotion.

A l'envisager seule, c'est-à-dire dépourvue de toute aide et dégagée de toute collaboration, il est certain que sa plus haute manifestation est la Symphonie. Ici, tout est fourni par le cerveau du musicien; son imagination a dû créer l'idée première et les motifs secondaires, leurs développements, les modulations, les variétés de rythme, le coloris de l'orchestration, sans être ni guidée ni soutenue par un art annexe; et tout l'ensemble d'émotions qu'il a su traduire par des vibrations musicales s'en va provoquer, chez l'auditeur sensible, un état d'âme analogue à celui qui a présidé à la création de l'œuvre. Y a-t-il quelque chose de beaucoup plus subtil qu'une vibration aérienne? Y a-t-il quelque chose de plus grandiose que l'émotion produite par une belle Symphonie? La disproportion entre la cause initiale et le résultat obtenu mérite de fixer l'attention et donne vraiment une haute idée de la puissance de l'art.

Aussi comprend-on fort bien le désir qu'éprouvent les natures ardentes d'arriver à créer à leur tour des œuvres comme celles qui les ont passionnées. Il ne suffit pas pour cela de savoir comment les sons sont produits, se propagent, peuvent se combiner entre eux, etc.; tout cela, nous l'avons dit, c'est la grammaire. Tout un autre ordre d'études s'impose, difficile à définir, car il diffère essentiellement selon la nature et le caractère de chacun.

Essayons pourtant de voir comment on peut devenir compositeur, ou au moins tenter de le devenir, car il s'en faut de beaucoup que ce soit à la portée de tous.

A) De la composition.

Bien que le titre de Traité de composition figure sur divers catalogues d'éditeurs, personne n'a jamais écrit un ouvrage qui enseigne réellement le moyen d'écrire de belle musique; s'il existait, cet ouvrage pourrait se résumer en trois mots : ayez du génie.

Il faut du génie, en effet, pour créer de belles et grandes œuvres; mais la véritable condition pour qu'elles soient viables, robustes, c'est que viennent s'ajouter au génie le talent acquis, la technique et l'érudition [1].

Que le lecteur veuille bien prendre la peine de faire lui-même

1. Une définition (que je crois inédite) par Gounod : « Le *génie*, c'est un fleuve tumultueux, qui tend toujours à déborder : le talent. .. ce sont les quais! »

quelques courtes recherches, il acquerra bien vite cette conviction, que tous les vrais grands maîtres dont s'honore l'art musical sont des penseurs, très érudits dans leur technique spéciale, mais aussi des esprits cultivés, des philosophes d'ordre élevé, des gens enfin qui ont quelque chose à dire, des impressions neuves ou de grands sentiments à communiquer.

Le génie est à l'art ce que l'âme est au corps : le principe immatériel qui le gouverne et le vivifie. L'étude peut contribuer à développer ce don, mais jamais le créer de toutes pièces chez l'individu qui ne l'a pas en lui-même, car la faculté de concevoir et de créer des formes nouvelles, ayant la puissance communicative de faire naître l'émotion, est indubitablement un don naturel. On ne saurait enseigner cela, mais la fréquentation d'hommes de génie, de grands artistes, peut en favoriser l'éclosion si le germe existe à l'état latent.

A l'inverse du génie, le talent n'est jamais inné, et s'acquiert par l'étude, avec l'aide du temps. Le musicien de talent, mais dépourvu de l'étincelle géniale, peut écrire de bonnes choses et même atteindre à une certaine élévation de style, surtout s'il possède la faculté de l'observation et de l'assimilation; mais il dérive toujours visiblement de ses devanciers et n'emploie que leurs procédés; quand il veut être original, son originalité est cherchée, non spontanée.

Le talent est l'intrument du génie, et plus il sera perfectionné, assoupli, plus le génie sera libre de se manifester.

L'homme de génie devance son temps; il fraye la voie dans laquelle s'engageront par la suite ceux qui l'auront admiré ou auront subi son influence, fût-ce à leur insu. C'est pourquoi il est rarement compris de suite; il vient, en quelque sorte, parler une langue nouvelle, inconnue du public auquel s'adressent, finalement, les manifestations d'art; mais une fois que ce même public a appris par lui, avec plus ou moins de bonne volonté, de temps, ce langage nouveau, il comprend aisément ceux qui, emboîtant le pas derrière leur chef d'école, viennent glaner dans son champ et exploiter ses trouvailles. De là les grands succès d'artistes estimables, mais de deuxième ordre et la méconnaissance que rencontre le plus souvent le vrai génie. Ceci n'est d'ailleurs pas vrai seulement en musique.

Donc, puisque le génie ne s'enseigne pas et se définit à peine, il est inutile de nous y appesantir davantage; au contraire, nous pouvons étudier ici les moyens d'acquérir du talent; ces moyens sont principalement l'observation et la pratique.

Par observation, il faut comprendre l'étude intelligente, par l'audition, la lecture et l'analyse, des chefs-d'œuvre de différentes époques et de toutes les écoles. Cette analyse doit surtout porter sur la forme générale de l'œuvre, sa coupe et ses proportions, puis sur la conduite des modulations, enfin sur les artifices ou procédés de détail particuliers à chaque maître.

Le cadre restreint de ce livre ne me permet pas de multiplier les exemples; j'en donnerai pourtant quelques-uns pour montrer ce qu'il faut entendre par analyse, en les choisissant parmi les œuvres les plus répandues.

Par forme, j'entends ici le plan d'ensemble d'une œuvre, son architecture dans les grandes lignes, en laissant de côté les détails d'agencement qui sont du domaine de l'harmonie ou du contrepoint; la forme, ainsi comprise, c'est la grande charpente, l'ossature musicale; et si j'insiste sur cette définition, c'est que je la crois indispensable pour l'intelligence de ce qui va suivre. De même que la coupe d'un sonnet peut être décrite ainsi : « Deux quatrains suivis de deux tercets », ce qui ne préjuge en rien de la longueur des vers et laisse une certaine liberté pour la disposition des rimes, les formes musicales ont aussi leur élasticité et ne visent pas plus le nombre des mesures que celui des notes. Nous ne parlons ici que des dimensions générales et proportionnelles d'un discours musical, dont nous étudions le plan schématique.

Or, la principale grande forme typique de musique instrumentale, c'est la *Sonate*. *Sonate* s'entend le plus souvent d'une œuvre écrite pour un seul instrument, ou quelquefois deux, en *duo;* pour trois instruments, on l'appelle *trio;* pour quatre, *quatuor;* pour cinq, six, sept, huit, neuf, *quintette*, *sextuor*, *septuor*, *octuor* ou *ottetto*, *nonetto;* mais la forme générale reste la même. La sonate d'orchestre, c'est la *Symphonie*, et lorsqu'un instrument y joue un rôle prépondérant, un rôle de soliste, accompagné par l'orchestre, c'est le *Concerto* [1]. En raison de son importance, il convient donc de décrire ici tout au moins la forme de la *Sonate*, telle que nous l'ont léguée nos classiques, et dans toute sa pureté.

1. Dans le Concerto, la forme est un peu modifiée, comme on verra plus tard, mais on y retrouve toujours la *Sonate*.

La *Sonate* est une suite de pièces de caractères différents destinées à être entendues consécutivement; la première et la dernière doivent être dans le même ton[1], celle ou celles du milieu dans des tons voisins ou choisis de façon à ce que ces morceaux puissent se succéder sans dureté, sans heurt.

Toute Sonate régulièrement construite [2] contient : un premier morceau qui s'appelle l'*Allegro;* un mouvement lent qui est l'*Andante* ou *Adagio;* et un *Finale* dans une allure animée. Entre le premier et le deuxième morceau, ou entre le deuxième et le troisième, on peut intercaler une petite pièce courte telle que *Menuet, Scherzo, Intermezzo.* Voilà pour le plan général.

Le premier morceau, la pièce de fond, est astreint à une coupe fixe, qui est sa caractéristique. Il est construit au moyen de deux motifs, de deux idées musicales : le premier motif ou thème initial (le sujet), et une autre phrase, généralement de nature mélodique, qui s'appelle deuxième motif. Il est divisé en deux reprises. La première s'appelle *exposition;* elle débute nécessairement dans le ton principal et vient aboutir au ton de la dominante (si le ton principal est mineur, la première reprise se termine généralement dans le ton du relatif). La deuxième reprise est formée de deux parties distinctes; la première, appelée *développement*, n'a pas de plan défini, elle est souvent modulante, et ramène le ton principal; la seconde, appelée *réexposition*, reste dans ce ton principal.

Examinons d'abord la première reprise. Après l'exposé du thème qui a bien établi la tonalité principale, un court divertissement conduit à un repos sur la dominante; par équivoque, cette dominante est prise pour une tonique, et dans ce nouveau ton (le ton de la dominante), qui ne sera plus quitté jusqu'à la fin de la reprise, est présenté le deuxième motif; un nouveau divertissement et une courte coda terminent cette reprise. L'usage classique est de la jouer deux fois, probablement pour que l'auditeur se pénètre bien des deux motifs principaux et les case dans sa mémoire.

Passons à la deuxième reprise. Elle débute par le développement; celui-ci peut être conçu de bien des façons; c'est la période où le compositeur peut donner le plus libre essor à son

1. Si le premier morceau est en mineur, le dernier peut être en majeur (même tonique) : le contraire serait inadmissible.
2. Les plus purs classiques ont écrit des Sonates irrégulières, fantaisistes.

imagination et s'aventurer dans des tonalités éloignées, mais sans perdre de vue qu'il s'agit de ramener le sujet, qui doit être exposé une deuxième fois comme au début et dans le même ton, et aussi aboutissant au même repos, sur la dominante, mais, cette fois, il n'y aura plus équivoque, la dominante restera dominante, et c'est dans le ton principal, qui ne sera plus abandonné, que le deuxième motif fera sa deuxième apparition; ensuite un divertissement, ne contenant que des modulations très passagères, ou pas du tout, une coda affirmant bien la tonalité, et la conclusion finale, la péroraison.

Je donne ici le plan d'un allegro de Sonate de Ph.-Emm. Bach, qui est considéré comme le créateur[1] du type; cette Sonate date de 1775 :

Exposition.	*Première reprise.*			
	—	Motif principal	8 mesures.	*La majeur.*
	—	Divertissement...........	4 mesures.	—
	—	Repos à la dominante.....		—
	—	2e motif	4 mesures.	*Mi majeur.*
	—	Divertissement...........	22 mesures.	—
		(Modulations passagères *si* majeur, *la* mineur, *ré* majeur, *mi* mineur.)		
	—	Coda	4 mesures.	—
Dévelop-pement.	*Deuxième reprise.*			
	—	Développement du 1er motif	39 mesures.	*Mi majeur.*
		(Modulations passagères en *fa* ♯ mineur, *ut* ♯ mineur, *sol* ♯ mineur, *ré* ♯ mineur, *si* majeur, *sol* ♯ mineur, *ut* ♯ mineur.)		
Réexposition.	—	Retour du motif principal ..	8 mesures.	*La majeur.*
	—	Divertissement...........	4 mesures.	—
	—	Repos à la dominante.....		
	—	Deuxième motif	4 mesures.	—
	—	Divertissement...........	20 mesures.	—
		(Modulations passagères en *mi* majeur, *ré* mineur, *sol* majeur, *la* mineur.)		
	—	Coda	4 mesures.	—
		Total :	121 mesures.	

1. Je dis comme créateur, fixateur du type devenu classique, et non comme inventeur de la Sonate, que personne n'a inventée, et qui s'est constituée progressivement par les efforts et les innovations de plusieurs générations de compositeurs. Bien antérieurement à Ph.-Emm. Bach, les Italiens avaient la *Sonate d'église*, qui débutait par un *Largo* et dont le finale était presque toujours une *Fugue;* ils avaient aussi la *Sonate de chambre*, qui contenait un *Prélude* et plusieurs petits *Airs de danse*, menuets, gigues, pavanes, etc. De plus, non seulement J.-S. Bach avait écrit de nombreuses Sonates, mais j'en connais une de Dominique Scarlatti, datée de 1726, dont la coupe est identique à celle que j'analyse ici.

J'ai indiqué le nombre de mesures seulement pour donner une idée *approximative* de l'importance accordée à chaque tonalité; c'est nécessairement très variable

Ceci est un plan d'Allegro dans sa simplicité native, on pourrait presque dire naïve; il faut y admirer surtout la pureté des lignes et la belle entente des modulations, qui, tout en amenant de la variété, entourent comme une escorte le ton principal, ne s'en éloignent jamais et contribuent ainsi à affermir le sentiment de la tonalité; il faut remarquer aussi que cette coupe n'est pas sans quelque analogie avec le début d'une fugue tonale, dans laquelle le sujet se porte de la tonique à la dominante, comme le fait ici la première reprise, tandis que la réponse, représentée par la deuxième reprise, fait retour de la dominante à la tonique; l'emploi des divertissements et le choix des tons qui y sont effleurés, mineurs pour la plupart, afin de donner plus de relief à la reprise des motifs, sont un autre point de ressemblance.

De nombreuses modifications de détail peuvent être introduites dans ce plan sans en altérer les grands traits; en voici deux très fréquentes, et dont les auteurs qui ont suivi Ph.-Emm. Bach ont tiré un parti heureux :

1° Remplacement du premier repos à la dominante, et de l'équivoque qui en est la conséquence assez maladroite, par un repos à la dominante du ton de la dominante, celui vers lequel on se dirige;

2° Attaque de la deuxième reprise dans une tonalité éloignée, ce qui produit une surprise et détermine encore plus nettement la division du morceau.

Les maîtres qui ont employé cette forme ont imaginé et tenté beaucoup d'autres modifications, mais toujours sans toucher au grand principe primordial : tonique-dominante, dominante-tonique, sauf dans le cas où, la sonate étant dans le mode mineur, la première reprise se termine au relatif majeur, c'est-à-dire dans le ton le plus voisin de tous.

L'*Andante* a une coupe moins déterminée. Ce peut être une simple *Romance* avec un milieu; ce peut être aussi un *Thème* avec des variations, comme Mozart et Haydn l'ont fait souvent; il y a encore la coupe des grands Andante de Beethoven, sortes de grandes Romances avec plusieurs strophes variées, où chaque reprise du motif est plus richement brodée et harmonisée que la précédente, et dont on peut trouver le modèle dans la Sonate op. 22, dans celle op. 31 (en *sol*), dans le Septuor et dans plusieurs Symphonies; enfin, il peut n'être qu'une simple introduction, plus ou moins étendue, précédant le finale et se liant avec lui.

Pour le *Finale*, la forme la plus fréquente est celle du *Rondo*, qu'on peut ainsi déterminer : *un motif principal* présenté *trois*, *quatre* ou même *cinq* fois, plus ou moins orné ou varié, chacune de ces reprises étant séparée de celle qui la précède et de celle qui la suit par un *divertissement*, et le tout terminé par une *coda* formant conclusion.

La forme musicale du *Rondo* dérive de la forme poétique du *Rondeau*, dans laquelle un premier vers, formant une sorte de refrain, est répété à des périodes déterminées. Les premiers Rondos furent certainement la musique de Rondeaux; puis cette coupe s'introduisit et s'acclimata dans le genre instrumental.

Voici l'analyse d'un finale en forme de rondo; c'est le *Mouvement perpétuel* de Weber, finale de sa sonate op. 24. On y remarquera, comme dans toute œuvre bien construite, la prépondérance du ton principal, et le soin avec lequel l'auteur a su éviter la répétition des mêmes modulations, sauf pour des périodes de très courte durée.

Motif principal 1............	15 mesures...........	*Ut majeur.*
1er divertissement...........	34 mesures...........	—
(Tonalités *effleurées : ut* mineur, *la* mineur, *ré* mineur.)		
Motif principal 2............	15 mesures.	—
2e divertissement............	68 mesures.	—
(Modulations *nettement établies* en		*Sol majeur.*
et en		*Mi mineur.*)
Motif principal 3............	15 mesures...........	*Ut majeur.*
3e divertissement............	105 mesures.	—
(Tonalités *effleurées : ut* mineur, *la* mineur, *ré* mineur.)		
Modulations *caractérisées* en		*Fa mineur.*
Puis ensuite en		*La ♭ majeur.*
Puis encore en.......................................		*Ut mineur.*
Motif principal 4............	8 mesures (écourté) ..	*Ut majeur.*
4e divertissement............	55 mesures.	—
(Modulations *passagères* en *la* majeur, *ré* mineur, *la* mineur, *fa* majeur, *la* mineur, *ré* mineur, *mi* mineur, puis, par une série chromatique d'accords 7, *ut* mineur, *la* mineur, *ré* mineur, *ut* mineur, etc.		
Motif principal 5............	6 mesures (écourté) ..	—
Coda non modulante	10 mesures...........	—
Total	331 mesures.	

Haydn et Mozart ont souvent donné l'exemple de finales taillés, non plus en Rondos, mais dans la forme du premier Allegro, dont ils ne diffèrent alors que par le caractère gai et enjoué du motif principal.

Les petites pièces accessoires, *Menuet* ou *Scherzo*, ont aussi leur coupe classique, qui est la même pour les deux; ils diffèrent par le caractère et le mouvement; le *Menuet* est toujours à 3/4, et empreint de la grâce cérémonieuse de la danse qu'il représente; le *Scherzo* (de l'italien *scherzare*, plaisanter) est léger, badin, spirituel; il peut être à deux ou à trois temps, mais toujours dans un mouvement vif.

Quant à leur plan, il est des plus simples. Une première reprise, assez courte, se terminant soit dans le ton principal, soit dans celui de la dominante, soit dans le relatif, de façon à pouvoir être recommencée, et une deuxième reprise commençant par un petit développement suivi d'une réexposition avec conclusion au ton principal forment le corps du menuet ou du scherzo; puis vient le *Trio* [1], qui est construit de la même manière que le menuet, avec deux reprises aussi, et qui peut être soit dans le même ton, soit dans un ton voisin, ou tout autre s'enchaînant bien, car après le trio on reprend le *Menuet*, mais cette fois sans faire les reprises : c'est la tradition. Exceptionnellement, il y a parfois deux Trios, séparés par un retour du Menuet; en ce cas, on écrit de préférence chacun d'eux dans un ton différent. Il peut aussi y avoir une Coda.

L'*Intermezzo* n'a pas de coupe arrêtée.

Ces petites pièces épisodiques sont comme les hors-d'œuvre de la sonate, elles opèrent une diversion, distraient un moment, puis l'action reprend. Je crois bien qu'Haydn et Boccherini ont été les premiers à introduire le Menuet, et Beethoven le Scherzo; l'Intermezzo est plus récent.

Il existe un grand nombre de Sonates irrégulières dans lesquelles l'auteur s'écarte du plan classique, tout en en con-

1. Dans nombre de *répons* de Palestrina et Vittoria (XVIe siècle), écrits à quatre ou cinq voix réelles, la partie du milieu ou *verset* est confiée à trois voix seules, souvent même avec cette mention : *verset en trio*.
Une disposition analogue se retrouve dans le *Kyrie* ou le *Credo* de messes des mêmes maîtres, ou d'autres de la même époque, dans le but évident de donner plus de richesse à la reprise de l'ensemble; elle a été introduite par la suite dans des pièces instrumentales, des airs de danse, et le nom de trio est resté attaché au milieu de ces petites pièces, même lorsqu'il n'est plus justifié par le nombre d'instruments ou de voix mis en jeu.

servant l'esprit; je citerai comme exemples la Sonate en *ut* ♯ mineur, op. 27, une des plus grandes conceptions du génie de Beethoven, qui débute par un Adagio, après lequel vient un très court Scherzo, et dont le Finale affecte la forme d'un premier Allegro; du même, la Sonate en *la* ♭, op. 26, dont le premier morceau est un Andante varié; la Sonate op. 7 de Mendelssohn, dont les quatre parties s'enchaînent sans arrêt, et dont le Finale se termine par un rappel du début de l'Allegro, tel un serpent qui mord sa queue; le célèbre Quintette de Schumann, dont la péroraison est une fugue où le thème principal de l'Allegro et celui du Finale jouent les rôles de sujet et de contre-sujet; il y en a beaucoup d'autres parmi les chefs-d'œuvre, mais il faut les considérer comme des exceptions, ou pour mieux dire comme des œuvres fantaisistes conçues dans un style voisin de la Sonate, et ne portant ce nom que parce qu'il n'en existe pas d'autre pour les désigner d'une façon plus précise.

J'ai déjà dit que toutes les grandes œuvres de musique de chambre, depuis le *Duo* jusqu'au *Nonetto*, sont conçues sur le même plan.

Dans la *Symphonie*, il reste identique, mais prend de plus vastes proportions. Les divertissements sont plus développés, les modulations parfois plus hardies, mais la conduite générale du discours musical et les grandes divisions restent les mêmes. Qui n'a remarqué d'ailleurs que les grandes Sonates de Beethoven, ses Trios, donnent l'impression de véritables Symphonies sans orchestre, dont on devine l'instrumentation absente comme sous de fidèles transcriptions?

La seule adjonction fréquente dans la Symphonie est celle d'une *Introduction* dans un mouvement lent servant de prélude au premier morceau, qui s'attaque ensuite sans interruption, comme d'ailleurs Beethoven l'a fait dans la Sonate Pathétique, qui suit ensuite son cours régulier.

L'*Andante*, le *Scherzo* ou le *Menuet*, et le *Finale* obéissent aux plans que nous avons décrits précédemment.

Nous arrivons donc au *Concerto*.

Ici, l'identité de coupe est un peu plus difficile à reconnaître, sans être douteuse pour cela. L'Allegro de Concerto, au lieu d'être scindé, comme celui de la Sonate, en deux reprises, dont la première se répète, est divisé en *trois soli*, précédés chacun d'un *tutti* nécessaire pour donner du repos au soliste, lui permettre de vérifier l'accord de son instrument si c'est un violoniste ou un violoncelliste, ou, s'il joue d'un instrument à vent, lui laisser le temps de rejeter l'eau accumulée dans ses tubes, opération peu élégante, mais indispensable.

Le *premier solo* correspond à la première reprise de la Sonate; comme elle, il expose le thème dans le ton principal, puis s'achemine vers la dominante pour y faire entendre le deuxième motif, et conclut dans ce même ton.

Le *deuxième solo* correspond au début de la deuxième reprise; il consiste donc en développements modulés tirés des deux motifs, en traits ingénieux, en combinaisons imprévues, souvent étrangères au sujet, en surprises, etc.

Le *troisième solo* correspond au reste de la deuxième reprise à partir du retour du thème initial jusqu'à la coda finale. Vers la fin de ce dernier solo, ou séparé de lui par un court *tutti*, se trouve un repos à la dominante accusé par un *point d'orgue;* à cet endroit, l'exécutant, s'il est doublé d'un improvisateur, est autorisé à introduire une *cadence* de son cru [1], qui peut varier depuis quelques traits de virtuosité jusqu'à une paraphrase développée de l'œuvre exécutée. (La cadence est un vestige non douteux des traditions de l'école italienne, où tous les airs de bravoure se terminaient ainsi.) Après la cadence, l'orchestre reprend et conclut.

La dimension proportionnelle des *tutti* n'est nullement déterminée. Dans certains Concertos, le premier *tutti*, celui qui précède l'entrée du soliste, prend presque l'importance et la forme d'une première reprise de Symphonie [2]; dans d'autres, il se borne à quelques mesures, comme pour appeler l'attention et imposer le silence; enfin, il n'est pas rare de le voir totalement supprimé, et le virtuose attaque alors seul et de suite le premier solo.

De l'*Andante*, rien à dire; c'est celui de la Sonate.

(Le Concerto ne comporte pas de Menuet, quelques tentatives modernes ont été faites d'y introduire le Scherzo.)

Le *Finale* est généralement conçu dans la forme Rondo, mais toujours entrecoupé de *tutti*, dont l'utilité n'est pas seulement de laisser reposer l'exécutant, mais aussi, en supprimant

1. Souvent l'auteur, méfiant, a la précaution d'écrire lui-même la cadence.
2. C'est ce qui a lieu dans le Concerto analysé ci-après.

pour un temps le timbre de son instrument, de donner plus d'intérêt à sa rentrée.

Comme l'Allegro, le Finale peut contenir une cadence destinée à faire briller le virtuose.

Plutôt que de m'appesantir sur cette description déjà longue, je préfère donner ici, en entier, et non sans quelques détails, le plan d'un Concerto célèbre avec ses proportions; cela contribuera à bien faire saisir au lecteur ce qu'il faut comprendre par *analyse* d'une œuvre au point de vue de son architecture, et je n'aurai plus à y revenir au sujet d'autres formes de composition.

Voici donc comment est construit le troisième Concerto, en *ut* mineur (op. 37), de Beethoven, pour piano et orchestre. Dans le premier morceau, il faut admirer la sobriété des modulations; on est toujours en *ut*, majeur ou mineur, ou en *mi bémol*, ton relatif, ou en *sol mineur*, ton de la dominante; d'autres tonalités ne sont que touchées en passant; aussi l'aspect général est-il imposant et grandiose.

ALLEGRO.	Ton principal		*Ut mineur.*
1er *Tutti.*	1er motif............	16 mesures...	—
—	Divertissement	33 mesures...	—
—	2e motif	12 mesures...	*Mi ♭ majeur.*
—	»	8 mesures...	*Ut majeur.*
—	Divertissement	35 mesures...	*Ut M* puis *min.*
—	Coda	8 mesures...	*Ut mineur.*
1er *Solo.*	1er motif............	19 mesures...	—
—	Divertissement	33 mesures...	—
—	2e motif	16 mesures...	*Mi ♭ majeur.*
—	Divertissement	19 mesures...	—
—	Coda	28 mesures...	—
2e *Tutti.*	Divertissement	7 mesures...	—
—	Modulation à la domin..	16 mesures...	*Sol mineur.*
2e *Solo.*	Développements divers.	60 mesures...	—
—	Modulations passagères en : *fa* mineur, *ré* bémol majeur, *ut* mineur (ton principal), *si* bémol mineur, et retour en		*Ut mineur.*
3e *Tutti.*	Reprise du 1er motif ..	8 mes. d'orch.	—
3e *Solo.*	Divertissement	23 mesures...	*Ut majeur.*
—	2e motif	8 mesures...	—
—	»	8 mes.d'orch.	—
—	Divertissement	19 mesures...	—
—	Coda	28 mesures...	—
4e *Tutti.*	Faisant repos à la dom. . *Cadenza ad libitum.*	13 mesures...	—
Péroraison	finale	27 mesures...	*Ut mineur.*

LARGO.	Ton principal		*Mi majeur.*
Solo.	Thème	12 mesures...	—
Tutti.	id	12 mesures...	—
Solo.	Dialoguant avec l'orchestre et aboutissant au ton de	14 mesures...	*Si majeur.*
—	Modulations passagères en : *sol* majeur, *la* mineur, *mi* mineur.	14 mesures...	—
—	Retour du thème ..... avec variantes modulées.	12 mesures...	*Mi majeur.*
Tutti.	Reprise du thème	8 mesures...	—
Coda.	Concertante...........	17 mesures...	—
RONDO.	Ton principal		*Ut mineur.*
Solo.	Motif (1)..............	8 mesures...	—
—	Petit divertissement...	18 mesures...	—
—	Motif (2)..............	6 mesures...	—
Tutti.	Reprise du motif......	23 mesures...	—
Solo.	2e divertissement	71 mesures...	*Ut mineur.*
	Dialogue avec l'orchestre, et module en...		*Mi ♭ majeur.*
—	puis revient directement en..........		*Ut mineur.*
—	Motif (3).............. (Avec cadenza *ad libitum* intercalée.)	32 mesures...	—
Tutti.	Reprise du motif......	23 mesures...	—
—	3e divertissement	109 mesures...	*La ♭ majeur.*
Solo.	Suite du divertissement, avec modulations en *fa* mineur (épisode fugué), en *mi* majeur, et retour au ton principal.........		*Ut mineur.*
—	Motif (4)	8 mesures...	—
Tutti.	Reprise du motif......	13 mesures...	—
Solo.	4e divertissement	88 mesures...	—
—	avec prédominance du ton d'..........		*Ut majeur.*
—	Modulations passagères en *ré* ♭ majeur, *mi* ♭ mineur, et retour à la dominante.		
—	*Presto final*	50 mesures...	—
Tutti.	—	6 mesures...	—

Le choix, pour le Largo, de la tonalité éloignée de *mi* majeur a pour but évident de causer une forte diversion, et de reposer l'oreille des tons qui, déjà exploités dans l'Allegro, vont reparaître dans le Finale; c'est un procédé très fréquent.

Le premier morceau est à 4/4, le deuxième à 3/8, le dernier à 2/4; il est bon de chercher aussi la variété par les rythmes.

Il faut remarquer également, dans la coupe du Rondo, l'heureuse proportion des divertissements et l'opportunité des modulations. Le premier divertissement, tout court et comme enclavé dans le motif principal, ne quitte pas le ton initial, qu'il contribue à bien établir; le deuxième, plus long, va toucher le ton relatif majeur; le troisième, très developpé, fait entendre pour la première fois le ton de *la* bémol, qui, bien que voisin, n'a pas été utilisé dans l'Allegro, et semble avoir été réservé pour amener ici de la variété; puis il se permet quelques modulations lointaines; tandis que le quatrième et dernier, proche de la fin du morceau, s'attache à raffermir le sens tonal en ne quittant pour ainsi dire pas le ton d'*ut* majeur. (Beethoven, d'ailleurs, est de ceux qui aiment à affirmer énergiquement la tonalité lors de la conclusion; le Finale de la cinquième Symphonie se termine par un même accord parfait répété pendant vingt-neuf mesures, précédé de six cadences parfaites et de quinze autres mesures sur l'accord d'*ut* majeur.)

Plus encore que dans la Symphonie et la Sonate, il arrive fréquemment au compositeur qui écrit un Concerto de sacrifier à la virtuosité et d'adopter une coupe fantaisiste, s'écartant du plan traditionnel dans le but de mettre en relief les qualités de l'instrument ou de l'instrumentiste; c'est absolument logique. Les deux Concertos de Mendelssohn pour piano, celui du même pour violon, le Concert-Stück de Weber, sont de remarquables exemples de formes exceptionnelles. Quand le rôle de l'orchestre prend une telle importance que l'instrument solo cesse d'être prépondérant, on voit apparaître des appellations comme *Concerto-Symphonique*, ou même *Symphonie avec alto solo*, comme l'*Harold* de Berlioz, etc. On a aussi écrit des *Symphonies concertantes* pour deux instruments avec accompagnement d'orchestre; il existe même de Beethoven un *Concerto en trio* pour piano, violon et violoncelle (op. 56), qu'on ne joue jamais, je ne sais pourquoi, car il est très remarquable. Ce sont là des genres hybrides, sortes de traits d'union entre le Concerto et la Symphonie, et par cela même très intéressants à étudier.

Je me suis attardé à plaisir sur la coupe de la Sonate et de ses dérivés, à cause de sa prépondérance dans tout le domaine instrumental, depuis le simple solo de clavecin, de piano ou de violon, jusqu'au développement complet des forces symphoniques; mais ce type, malgré son importance incontestable, n'est pas le seul qu'il faille connaître.

Il est bon par exemple, de se familiariser aussi avec l'allure et le rythme caractéristique des principaux *airs de danse* anciens, afin de ne pas commettre à leur égard des non-sens aussi choquants que le seraient une valse à quatre temps ou une marche prestissimo. En voici quelques-uns :

A DEUX TEMPS, il y a :

La *Gavotte* ($\frac{2}{2}$), dont le mouvement est modéré; elle a deux reprises et un trio, comme le menuet, et chaque phrase commence au temps levé; le trio est assez fréquemment traité en *Musette* (voir plus loin);

Le *Tambourin* ($\frac{2}{2}$), mouvement très vif; il est divisé en reprises de 4, 8, 12 ou 16 mesures, commençant chacune, le plus souvent, au temps faible; le rythme de la basse imite le tambourin;

La *Gigue* à ($\frac{6}{8}$), très animée; les reprises sont de 8 mesures;

La *Sicilienne* à ($\frac{6}{8}$), moderato; chaque temps est généralement rythmé ainsi : ♩.♪♩;

La *Bourrée* d'Auvergne, le *Rigaudon;* coupe générale semblable à celle du tambourin, mais autrement scandée : chaque membre de phrase a sa note initiale à la partie faible du temps faible;

L'*Allemande* à ($\frac{2}{2}$ ou $\frac{2}{4}$), rythme gai, mais un peu lourd.

La *Pavane* dans laquelle les danseurs se pavanaient en faisant la roue comme des paons (en italien *pavone*), ce qui en indique l'allure.

A TROIS TEMPS :

Le *Menuet*, décrit à propos de la sonate;

La *Gaillarde*, plus mouvementée;

La *Polonaise*, solennelle et élégante, qui offre cela de particulier que chaque phrase et même chaque membre de phrase se termine sur un des temps faibles;

La *Chacone*, très rythmée et modérée. Le thème, généralement de quatre ou huit mesures, se répète indéfiniment à la basse, pendant que les parties supérieures font entendre des variations.

La *Sarabande*, plus lente et plus solennelle que le menuet.

La *Courante*.

Le *Passepied*, plus animé encore que la gaillarde, et dont les reprises doivent commencer *en levant*.

La *Passacaille*, dont la forme est la même que celle de la chacone.

Indifféremment a deux ou trois temps :

La *Musette*, dont la basse forme une pédale simple ou double, mais constante, à la façon de l'instrument dont elle tire son nom; quand on l'intercale comme trio dans une gavotte, elle est nécessairement rythmée à deux temps; etc., etc.

Cet exposé est évidemment incomplet, car il est impossible de tout citer. Je ne crois pas qu'il existe d'airs de danse rythmés à quatre temps, ce qui semble réservé à la *Marche*; mais on a souvent écrit des *marches* religieuses ou solennelles à trois temps, et il est bon de remarquer que la démarche lente emprunte une noblesse toute particulière à ce fait du temps fort portant alternativement sur le pied droit et sur le pied gauche, ce qui a lieu dans la *polonaise*.

Une autre forme orchestrale est celle de l'*Ouverture*, qu'il sera bon d'analyser aussi, quoiqu'on n'en fasse plus guère (il ne faudrait pas prendre pour type celle de la *Flûte enchantée*, qui est un admirable allegro de symphonie en style fugué).

L'ouverture est comme à cheval entre l'art symphonique pur et l'art dramatique musical; elle doit donc procéder des deux.

Son but, en général, est de préparer le spectateur aux émotions du drame ou de la comédie qui va se dérouler devant lui, en le plaçant dans l'état d'esprit le plus convenable pour en éprouver vivement l'impression. Aussi est-il très fréquent de la voir construite avec les matériaux mêmes de l'ouvrage, ou remplie d'allusions à ses principaux motifs; parfois même elle devient une véritable Fantaisie sur l'opéra ou l'opéra-comique auquel elle sert de prologue instrumental. Sa coupe ne peut rien avoir de fixe, puisqu'elle doit avant tout se modeler d'après le scenario dont elle n'est que le prélude et le commentaire.

Il faut aussi étudier la forme de l'*Air* d'opéra à différentes époques, bien qu'on n'en écrive plus guère.

Il y a eu des airs à un mouvement, à deux, à trois mouvements, qui sont faciles à trouver dans les partitions célèbres, et infiniment plus simples à analyser que les sonates et les symphonies. Il faut voir comment sont construits les grands *finales* d'actes, les *morceaux d'ensemble* dans diverses écoles; ceci est plus compliqué et surtout plus variable, mais ne demande en somme que du temps et un peu d'esprit d'observation.

Lorsque, ayant étudié les chefs-d'œuvre classiques et romantiques de l'art lyrique, le jeune musicien abordera Wagner, il se trouvera en présence d'une réforme importante dont les traits caractéristiques sont : 1° l'union intime de l'action scénique et de la trame musicale; 2° la suppression de toute solution de continuité entre les diverses scènes; et 3° l'emploi systématique du *leitmotiv* symbolique soit d'un personnage (ou d'un objet), soit d'un état d'esprit, soit encore d'un fait, d'un acte, dont il devient en quelque sorte l'hiéroglyphe invariable.

Je dis avec intention *emploi systématique*, et non invention, car il ne me paraît pas prouvé que Wagner ait réellement inventé ce procédé, de la plus haute puissance expressive, et d'une intensité lumineuse incomparable. On en voit des exemples avant lui. Le récit du songe du *Prophète* n'est-il pas basé sur une allusion orchestrale à la scène du sacre? La partition entière de *Struensée* ne fourmille-t-elle pas, depuis le début de l'ouverture, des plus émouvants rappels d'une phrase symphonique qui, après s'être promenée dans tous les groupes de l'orchestre, ne trouve son explication et sa raison d'être qu'à la fin de l'ouvrage, à la scène de la bénédiction? Les ouvertures construites à l'aide des principaux motifs de l'ouvrage n'étaient-elles pas déjà une sorte de présentation des personnages, ou des caractères, ou des situations principales? Dans le domaine symphonique, où il personnifie une idée non encore définie, mais une idée fixe, on en trouve de nombreuses applications antérieures, notamment chez Mendelssohn, Schubert et Schumann, et aussi dans Beethoven. Le finale du quatuor en *fa* majeur, op. 135, avec sa curieuse épigraphe :

« Der schwer gefasste Entschluss[1].

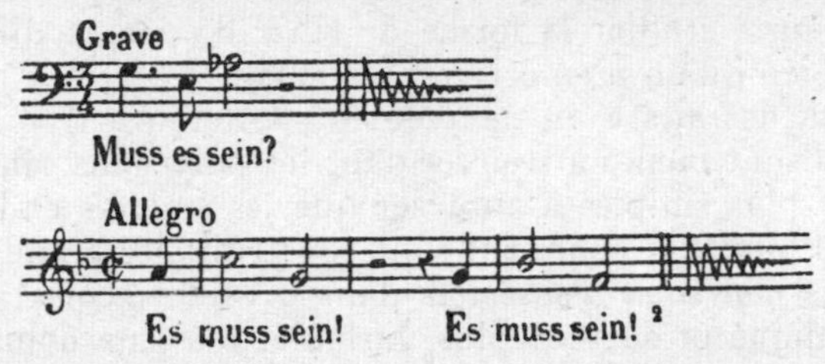

ne tient-il pas autant de l'idée des motifs typiques que des procédés de l'imitation par mouvement contraire? C'est ainsi qu'on peut remonter à la véritable origine du système, et la retrouver dans la *fugue*.

Le *leitmotiv*, dans ses curieux enchevêtrements, ses transformations si intéressantes, est traité par Wagner et ses disciples, avec toutes les ressources de l'art moderne en plus, exactement comme le sont dans la fugue le *sujet* et les *contre-sujets ;* au lieu de lui donner ces noms de pure technique, on lui attribue une signification conventionnelle et philosophique, d'où dépendra son emploi dans telle ou telle partie de l'ouvrage, à tel ou tel moment; mais, à cela près, il est travaillé selon des principes analogues, quoique modernisés, à ceux du vieux contrepoint. La seule différence, c'est qu'on attache à sa forme l'idée déterminée et invariable d'un héros, d'une action ou d'un caractère, ce qui lui permet, malgré la complication purement apparente des combinaisons, d'être un véritable fil d'Ariane conduisant l'auditeur initié à travers les méandres du drame. C'est dans cette systématisation philosophique que réside (en ce qui concerne le leitmotiv) l'invention de Wagner, qui n'aurait donc pas existé sans Bach et les grands classiques.

Bien plus importante et surtout plus *personnelle* cette autre partie de la réforme wagnérienne qui, en abandonnant

1. « La résolution difficilement prise » (mot à mot).
2. « Le faut-il? Il le faut! il le faut! »

l'ancienne division en morceaux détachés formant chacun un tout complet, souvent sans aucun lien entre eux, lui substitue la division par scènes, empruntée à l'art dramatique, la cohésion de ces scènes étant encore augmentée et renforcée par l'action symphonique ininterrompue qui la suit pas à pas, l'explique et la commente. Ceci est une véritable invention géniale, car aucune tentative similaire antérieure n'existe, et cette vaste conception est bien sortie tout entière du cerveau de Wagner.

Enfin, il arrive un moment où s'impose la lecture des œuvres actuelles les plus hardies, car le compositeur doit tout connaître, et, quelles que soient ses tendances, il n'a le droit d'ignorer les procédés d'aucune grande école. Il pourra même lire de mauvais ouvrages, afin de connaître aussi des exemples de *ce qu'il ne faut pas faire.* Pour que sa culture soit complète, il devra aussi remonter dans le passé et se familiariser avec les maîtres plus anciens, avec les écoles qui ont précédé les classiques.

De ce que je viens de dire, il ne faudrait d'ailleurs pas inférer que toute composition doive nécessairement être coulée dans un moule connu et adopté. Loin de là; le compositeur reste libre de créer des formes nouvelles, et de fait, bonnes ou mauvaises, il en crée tous les jours; c'est une de ses fonctions, un de ses devoirs. Quand elles sont bonnes, elles s'imposent, elles restent comme de nouveaux types, et viennent enrichir le domaine de l'art.

Mais tout est à observer pour les jeunes étudiants compositeurs, car ils peuvent partout trouver quelque chose à apprendre pour en tirer parti en temps opportun; il importe seulement que ces investigations soient méthodiques et sages, sans quoi elles pourraient risquer de fausser le jugement et le sens artistique.

Un des écueils les plus dangereux, c'est l'étude prématurée et surtout superficielle des chefs-d'œuvre modernes. Certes, il faut les connaître et les admirer; mais, par étude prématurée, j'entends ici celle qui n'est pas basée sur une connaissance approfondie de l'école classique et de ses procédés. Le néophyte qui ignore les formes anciennes et n'a jamais songé à les analyser considérera facilement comme exemptes de tout plan, de toute coupe, de toute structure raisonnée les œuvres dont il entend faire ses modèles, sans même saisir comment elles sont construites; il n'y verra que du désordre, dont il pourra être tenté de se faire une loi facile; ainsi parti, il ne s'apercevra jamais que ces formes nouvelles, qui le séduisent tant, ne sont que des transformations des formes précédentes, qu'elles ont leur raison d'être, leur logique, et dissimulent, sous des dehors parfois déconcertants, un squelette solidement constitué, où réside leur véritable force et leur vitalité.

L'apparence extérieure change, le fond reste; c'est ce que ne peuvent comprendre les jeunes gens qui lisent fébrilement les œuvres les plus récentes, s'en grisent en quelque sorte, avant d'avoir développé en eux l'esprit d'analyse par l'étude d'œuvres antérieures dans lesquelles le plan est plus visible, plus facile à saisir. Or, ceux-là seuls qui savent se nourrir des classiques de leur temps peuvent être appelés à devenir, à leur tour, les classiques de l'avenir, à condition toutefois d'avoir en eux l'étincelle géniale, la faculté créatrice sans laquelle ils ne seront jamais que des musiciens de talent, sans plus.

Il ne faut donc pas craindre de se replonger souvent dans la lecture des vieux classiques, car c'est encore là qu'on trouvera pendant longtemps tous les grands enseignements et le germe viable de l'école future.

Avant de quitter ces exercices d'analyse, je dois signaler ici un fait assez étrange pour surprendre et attirer fortement l'attention des esprits observateurs; c'est que, malgré l'uniformité inhérente au système du tempérament, chaque tonalité majeure ou mineure possède des caractères particuliers. Ce n'est pas au hasard que Beethoven a choisi le ton de *mi* ♭ pour la Symphonie Héroïque, et celui de *fa* pour la Symphonie Pastorale; c'est en vertu de cette mystérieuse loi qui assigne à chaque ton une physionomie propre, une couleur spéciale.

Je ne prétends pas dire que chacun de ces tons *ne peut exprimer* exclusivement les sentiments que je lui attribue ici, mais seulement qu'il y excelle et qu'il possède pour cela une aptitude particulière.

Chacun peut envisager cette physionomie selon son tempérament personnel; la caractériser d'une façon absolue serait probablement excessif; ainsi, en ce qui me concerne, voici la teinte prépondérante des diverses gammes majeures ou mineures :

Ut ♯ maj....	?	La ♯ min...	?
Fa ♯ maj. ...	rude.	Ré ♯ min...	?
Si maj.......	énergique.	Sol ♯ min. ..	très sombre.
Mi maj.	éclatant, chaud, joyeux.	Ut ♯ min...	brutal, sinistre ou très sombre.
La maj......	franc, sonore.	Fa ♯ min....	rude ou léger, aérien.
Ré maj.	gai, brillant, alerte.	Si min.	sauvage ou sombre, mais énergique.
Sol maj.	champêtre, gai.	Mi min.	triste, agité.
Ut maj.	simple, naïf, franc, ou plat et commun.	La min.	simple, naïf, triste, rustique.
Fa maj......	pastoral, agreste.	Ré min.	sérieux, concentré.
Si ♭ maj. ...	noble et élégant, gracieux.	Sol min.....	mélancolique, ombrageux.
Mi ♭ maj. ...	sonore, énergique, chevaleresque.	Ut min.	sombre, dramatique, violent.
La ♭ maj. ...	doux, caressant, ou pompeux.	Fa min.	morose, chagrin, ou énergique.
Ré ♭ maj. ...	plein de charme, placide, suave.	Si ♭ min.	funèbre ou mystérieux.
Sol ♭ maj. ..	doux et calme.	Mi ♭ min. ...	profondément triste.
Ut ♭ maj. ...	?	La ♭ min. ...	lugubre, angoissé.

Gevaert, dans la première édition de son traité d'orchestration, a dressé un tableau analogue; je ne l'ai pas consulté, et il présente pourtant de nombreux points de contact avec celui qui précède.

Si ce fait curieux ne se produisait que dans la musique écrite pour l'orchestre, on pourrait sans hésiter en trouver aisément la cause dans la structure et le doigté de divers instruments, les tons plus ou moins diésés ou bémolisés convenant à des degrés divers à chacun d'eux; mais cela devient plus bizarre quand on constate que le même phénomène se manifeste dans la musique de piano, d'orgue, et même chorale, là enfin où il semble que les tonalités devraient se ressembler complètement, étant toutes de simples transpositions les unes des autres. Pourtant, jouez en *ut* la *Berceuse* de Chopin, qui est écrite en *ré* bémol, et sa sonorité poétique et enveloppante deviendra crue et plate, presque commune. De même, la *marche funèbre* de la *Sonate op.* 26 de Beethoven, qui est originairement en *la* bémol mineur, perd beaucoup de son caractère lugubre quand elle est transposée en *la* naturel.

Pourquoi? je l'ignore; c'est un fait. Il en résulte qu'on doit tout d'abord attacher une certaine importance au choix de la tonalité principale, et la déterminer selon le caractère général que doit revêtir l'ensemble de l'œuvre entreprise; plus tard, des considérations analogues pourront influer sur la direction des modulations, afin de donner à chaque épisode un coloris convenable; mais ce ne sera pas le seul guide à suivre, et il ne faudra jamais perdre de vue la logique de l'architecture musicale résultant de la parenté des tons, telle que l'établit si magnifiquement l'admirable structure de la fugue. Je dis qu'*on ne doit jamais perdre de vue* ce modèle de solide construction musicale, et non qu'on devra toujours s'y conformer servilement; on pourra même, dans certaines occasions, s'en écarter systématiquement pour un effet spécial. Mais alors, c'est le génie lui-même, et non le froid calcul qui saura exiger les infractions convenables.

Ce n'est pas tout; sur le choix de la tonalité doit encore influer la technique spéciale, le caractère personnel de l'instrument ou des instruments pour lesquels on écrit, l'étendue de la voix ou des voix auxquelles on a l'intention de confier tel ou tel dessin, qui pourra changer tout à fait de sens selon qu'il se trouvera placé dans l'aigu, le médium ou le grave, la région éclatante, terne ou faible, de l'agent interprète, qui, lui aussi, possède son coloris propre.

On voit que c'est une question qui est loin d'être secondaire, et qui mérite d'attirer l'attention en première ligne.

Lors donc qu'on lit une œuvre au point de vue analytique, il est bon de s'attacher à comprendre quelles sont les raisons qui peuvent avoir porté l'auteur à choisir tel ou tel ton, soit pour l'ensemble, soit pour les divers épisodes.

Il faut apprendre à lire avant de songer à écrire. Quand on possède à fond une langue, on arrive non seulement à la parler, la lire et l'écrire couramment, mais encore à penser dans cette langue sans plus d'effort que dans sa langue maternelle, et même à rêver, ce qui prouve combien l'usage en est devenu naturel, facile et inconscient. C'est ainsi que le musicien doit se surprendre à penser et rêver en musique; il entend sans les solliciter des rythmes et des contours mélodiques, des groupements d'accords, des modulations, des sonorités qui se présentent naturellement à son esprit, dont il est obsédé, et qu'il ne lui reste plus qu'à fixer sur le papier pour avoir donné un corps à sa pensée, pour avoir *créé.*

A ce signe, à cette obsession, il pourra reconnaître qu'il est mûr et suffisamment développé pour entreprendre avec quelques chances de réussite l'étude pratique de la composition.

La pratique est le complément de l'observation analytique, elle qui consiste à tenter de construire soi-même, en se conformant rigoureusement au plan qu'on a extrait d'une pièce analysée (et cherchant à s'en rapprocher aussi par la nature des idées, sans imitation puérile cependant), une autre pièce ayant la même forme, c'est-à-dire devant donner lieu, si elle était analysée à son tour, à la même description technique.

En pratiquant cet exercice, il n'y a aucune raison de rechercher l'originalité des idées, mais plutôt de leur donner un tour général en rapport avec la manière de l'auteur dont on cherche à s'assimiler le style et les procédés; seulement il faut bien se garder de croire ensuite qu'on a produit une œuvre d'art; on n'a fait qu'un devoir, une étude.

Après avoir pratiqué plusieurs fois ce double exercice de *dissection* et de *reconstitution*, on peut en imaginer d'autres : prendre un thème de 8, 12 ou 16 mesures dans un auteur, avec ou sans son harmonie, et le développer, pour ensuite comparer le résultat obtenu avec l'œuvre originale; prendre un texte poétique déjà exploité par un maître, et le traiter à sa façon, toujours en vue d'une comparaison finale, qui constitue la leçon, etc.

De telles pratiques ne peuvent qu'assouplir la main et l'esprit, et, si elles ne sont pas nécessaires pour tous, plusieurs nous sauront certainement gré de les leur avoir signalées.

On peut encore, après avoir adopté un thème qui s'y prête, s'imposer de le traiter en divers styles et en différentes formes, de le varier, le transformer, le dénaturer même au point de le rendre méconnaissable. D'excellents exemples de semblables jeux sont donnés par Beethoven, dans le finale de la *Symphonie avec chœurs*; par Schumann, dans ses *Études symphoniques*, et par tous les maîtres qui ont écrit des morceaux en forme de variations.

Une des choses dont s'embarrassent parfois un peu naïvement les compositeurs novices, c'est l'application à la composition des règles de l'école. Il est évident que ces règles sont des règles de grammaire destinées à apprendre aux élèves à écrire correctement dans un style désormais périmé. Il ne saurait donc être question de les appliquer strictement. Les débutants doivent les connaître pour apprendre leur métier, former leur écriture; une fois en possession de ce métier, c'est à eux de trouver leur langage propre et les règles correspondant à ce langage.

Un autre sujet d'étonnement pour certains débutants dans l'art de la composition, c'est qu'il puisse exister, qu'il ait existé et qu'il existe encore des gammes autrement constituées que nos gammes européennes : les modes du plain-chant, les anciennes tonalités grecques, les gammes orientales, les gammes à cinq sons des Bretons, des Écossais, des Chinois, etc.

Il y a pourtant, dans le langage parlé, des choses analogues et tout aussi extraordinaires, qui nous paraissent si naturelles que nous n'y attachons aucune attention.

Ainsi, nous avons, en français, cinq voyelles et deux diphthongues : *a*, *e*, *i*, *o*, *u*, *ou*, *eu*, ce qui fait sept sonorités distinctes; mais nos voisins les Italiens, d'origine latine comme nous, n'ont jamais songé à utiliser les sons *u* ni *eu*, que leurs lèvres pourraient prononcer aussi bien que les nôtres, et s'en tiennent, sauf dans certains dialectes, aux cinq sons : *a*, *e*, *i*, *o*, *ou* (ce dernier s'écrivant *u*). Il en est de même des Espagnols.

Inversement, seuls en Europe, nous employons les voyelles nasales *an*, *en*, *in*, *on*, *un;* l'*e* muet aussi est particulier à la langue française, tandis que les langues slaves possèdent des variétés de sons tellement inconnues à nos oreilles qu'il n'y a pas à songer à les représenter ici, même en faisant usage de la prononciation figurée.

Il est facile de se rendre compte que les innombrables idiomes parlés sur des points divers du globe terrestre possèdent, soit en voyelles, soit en consonnes, des sonorités que toute bouche humaine pourrait arriver à émettre, après une étude plus ou moins prolongée, mais dont le besoin ne se fait pas sentir pour tous, que tous n'emploient pas, dont tous n'ont même pas l'idée. La preuve, s'il en fallait une, c'est qu'il n'existe pas au monde un seul alphabet qui soit capable d'écrire d'une façon satisfaisante, même en employant l'orthographe phonétique, tous les mots de toutes les langues vivantes; et la même remarque peut s'appliquer à un grand nombre de langues mortes.

La gamme des sons parlés est donc variable selon les temps et les pays. Il en est de même des dialectes de la musique. Chaque civilisation a adopté une ou plusieurs gammes, constituées, selon son degré d'avancement, plus ou moins scientifiquement ou arbitrairement, en dehors desquelles tout lui semble barbare ou anormal.

Cette impression est fausse. Il existe d'autres modes que notre gamme majeure, notre gamme mineure sous ses deux formes, et notre gamme chromatique enharmonisée par le système du tempérament. Tous les vieux modes subsistent par cela même qu'ils ont existé et qu'ils ont eu leur raison d'être logique, tous les modes exotiques méritent d'être connus et étudiés, et c'est peut-être dans un retour vers l'emploi de ces multiples tonalités mélodiques, d'une richesse expressive et pittoresque inépuisable, combinées et revivifiées par la technique harmonique moderne, embellies et parées des trésors de l'orchestration que réside en partie l'avenir prochain de l'évolution musicale.

Il est impossible de terminer ce chapitre sans exhorter les jeunes compositeurs français à s'attacher avant tout à conserver à notre art national les qualités caractéristiques qui en ont toujours fait la gloire, qu'on y retrouve à toutes les grandes époques, et qui sont : la clarté, l'élégance et la sincérité d'expression. C'est pour eux la seule manière d'être naturels et d'arriver à se créer un style propre, une personnalité; car toutes les fois qu'ils voudront s'écarter de ces traditions inhérentes à la race, au génie de la langue comme à l'esprit français, ils ne seront que des imitateurs maladroits et des plagiaires; ils feront penser à des gens qui parlent péniblement une langue étrangère avec un accent ridicule.

Wagner, peu suspect de tendresse à notre égard, a écrit ceci [1] : « *J'ai reconnu aux Français un art admirable pour donner à la vie et à la pensée des formes précises et élégantes; j'ai dit, au contraire, que les Allemands, quand ils cherchent*

(1) Lettre à M. Monod, directeur de la *Revue historique* (25 octobre 1876).

cette perfection de formes, me paraissent lourds et impuissants. » Ils ont d'autres qualités, qui chez nous deviendraient des défauts; ne cherchons pas à les leur prendre, et cultivons les nôtres.

C'est là un sujet à méditer sérieusement pour tous les jeunes qui ont la noble ambition d'apporter leur pierre à l'édifice de l'art musical; car il ne faut jamais que l'admiration, même la mieux justifiée, même la plus passionnée, des chefs-d'œuvre d'une littérature musicale étrangère, devienne assez exclusive et absorbante pour anéantir ces précieuses qualités de charme, de simplicité et de distinction, qui sont l'apanage de notre style national.

B. — De l'improvisation.

L'improvisation, c'est de la composition instantanée et qui ne laisse de traces que dans le souvenir. Nous nous retrouvons donc ici en face de ces deux grands facteurs, le génie et le talent, dont nous ne reproduirons ni le parallèle ni la définition. Mais, dans l'improvisation plus encore peut-être que dans la composition écrite, se fait sentir l'importance d'un plan logique servant de guide à l'inspiration, la maintenant dans les limites du bon sens musical et l'empêchant de s'égarer dans les voies sans issues de la divagation.

Les seuls instruments vraiment propres à l'improvisation sont les instruments autonomes, ceux qui à eux seuls forment un tout complet; au premier rang, l'orgue, puis le piano et l'harmonium, en un mot les instruments à clavier. On pourrait, à la rigueur, improviser sur la harpe ou la guitare, puisque ces instruments peuvent se suffire à eux-mêmes, mais ce n'est guère pratique. Quant aux autres instruments, cordes, bois ou cuivres, ainsi que la voix humaine, ils ne peuvent songer à improviser que des traits de virtuosité, des cadences ou points d'orgue plus ou moins développés; ce n'est pas là la véritable improvisation, telle qu'elle est définie ci-dessus. Le type parfait de l'improvisateur heureux, c'est l'organiste, quand il a sous la main un bel instrument dont il possède bien le maniement, dont il connaît bien toutes les ressources; dans ces conditions, l'improvisation est une des plus hautes jouissances musicales;

mais elle exige, en dehors des connaissances techniques les plus complètes et d'une imagination fertile et toujours en éveil, un grand sang-froid, de l'à-propos, de l'audace et une décision prompte, qualités difficiles à réunir, ce qui fait que les grands improvisateurs sont rares.

Sauf pour des pièces fort brèves, telles que de courts préludes, on ne doit jamais entreprendre une improvisation sans un plan arrêté, ou tout au moins projeté, aussi bien pour la coupe générale du morceau que pour la marche à travers les tonalités et le degré d'importance à donner à chacune d'elles; ce plan peut varier à l'infini, mais il faut qu'il existe, et l'improvisateur doit à tout moment se souvenir d'où il vient et savoir où il va, ne laissant aucune part au hasard ou à l'habitude machinale des doigts. Il lui arrivera maintes fois, entraîné par son imagination ou quelque heureuse trouvaille, de s'écarter momentanément du plan primitivement adopté, mais sans l'oublier et en tendant toujours à y revenir.

Il doit aussi ne jamais perdre de vue le motif principal ou les motifs secondaires sur lesquels son improvisation est construite, tirer de leurs fragments les développements qu'ils permettent, en faire le sujet des épisodes principaux ou de divertissements toujours nouveaux et imprévus, et chercher constamment à créer de la variété dans l'unité; car l'impression finale que doit laisser dans l'esprit une belle improvisation est celle d'une œuvre longuement mûrie, vigoureusement charpentée et écrite à tête reposée; c'est telle aussi qu'elle devrait apparaître si, ayant été enregistrée, elle pouvait être réentendue ensuite et examinée à loisir.

Une pierre de touche pour l'improvisateur, c'est la Fugue; hâtons-nous de dire qu'on n'est pas en droit de l'exiger aussi fouillée, aussi riche en combinaisons ingénieuses, qu'une fugue froidement élaborée et écrite à la table; c'est le plus souvent une fugue libre, dans laquelle on retrouve toutefois la forme générale et les éléments constitutifs caractéristiques de ce genre de composition. En dehors de ce style spécial, il peut arriver au contraire que le génie prenne plus facilement son essor en se trouvant ainsi débarrassé des entraves et des lenteurs de l'écriture. Les contemporains de Beethoven, Mozart, Mendelssohn n'assuraient-ils pas que leurs improvisations étaient encore supérieures à leurs œuvres écrites?

Les exigences du culte catholique font que l'organiste qui tient le grand orgue est presque constamment forcé d'improviser pour suivre l'office; aussi est-ce parmi les organistes qu'il faut chercher, de nos jours, les plus grands improvisateurs; et cette pratique constante, en développant chez eux la spontanéité, donne souvent à leurs œuvres écrites un caractère d'aisance tout particulier.

Pour devenir improvisateur, il faut tout d'abord ne rien ignorer de ce qui fait la science du compositeur, être un parfait virtuose sur son instrument, afin de n'être arrêté par aucune difficulté d'exécution et posséder le don naturel d'une imagination féconde. Cela étant, reste à acquérir la pratique. Pour y parvenir, il est bon de s'exercer chaque jour, mais pas longtemps de suite au début; on prend un thème, on l'écrit, avec ou sans son harmonie, et on le place devant soi sur le pupitre, en décidant, selon son caractère, son rythme, de le traiter dans une forme déterminée, d'en faire un Prélude, un Allegro de sonate, un Offertoire, un Menuet, un Air varié, un Finale, une Marche, etc. On l'analyse rapidement pour voir quels sont les fragments qui prêteront à des développements intéressants, et on s'élance hardiment. Il faut s'habituer à ne pas s'arrêter, même si l'on se fourvoie, et à rejoindre le plus tôt possible les grandes lignes du plan qu'on s'est imposé. Plus tard, il deviendra inutile d'écrire le motif, la mémoire y suppléera.

Ceux donc qui se figurent que l'improvisateur s'abandonne sans contrôle aux hasards de l'inspiration, qu'il se lance à corps perdu dans l'inconnu, ont de son art la plus fausse notion qu'on s'en puisse faire; la plus mesquine aussi; le grand improvisateur est au contraire un musicien pondéré, sage, équilibré par excellence; c'est la condition même de son existence.

Il peut, d'ailleurs, parvenant au summum de la virtuosité, se faire l'illusion de n'obéir qu'au seul caprice de son esprit, parce que cet esprit parfaitement assoupli ne saurait en aucun cas l'entraîner hors des limites du bon sens, ni ses doigts se prêter à l'exécution de combinaisons contraires à la logique.

Chez quelques rares individus, la faculté d'improvisation est native, intuitive, et existe naturellement, en l'absence de toute connaissance technique; ce sont des phénomènes que pourrait expliquer la théorie des existences antérieures, des prodiges, au même titre que les calculateurs instinctifs comme Jacques Inaudi ou Vito Mangiomele. Ceux-là feront bien d'acquérir pourtant quelques notions d'harmonie et de contrepoint, afin d'éviter les incorrections autrement que par simple esprit d'imitation ou par routine.

La fréquentation des improvisateurs habiles, l'assiduité à leurs séances ou aux offices catholiques, contribuent beaucoup à développer les nombreuses qualités requises pour l'exercice de cet art élevé, et aussi la lecture, l'analyse critique et l'audition fréquemment renouvelée d'œuvres fortement pensées de tous les temps et de toutes les écoles.

Disons, à ce sujet, qu'on est généralement porté à juger beaucoup trop hâtivement les grandes œuvres musicales. Je ne pense pas qu'il existe un seul musicien capable d'apprécier d'une manière définitive, dès la première audition, la valeur exacte d'une œuvre dont la gestation a pu demander des mois et des années.

Les critiques qui écrivent dans les journaux sont forcés par les exigences du public d'accomplir à tout instant ce tour de force présomptueux. Celui qui demanderait quarante-huit heures de réflexion ou une deuxième audition serait taxé d'incapacité et manquerait l'*actualité*. Aussi est-il curieux d'observer combien de fois il leur arrive, selon leur tempérament, d'avoir, soit à revenir sur un jugement trop précipité pour le modifier de fond en comble, soit à s'entêter dans une appréciation fausse, par amour-propre, pour ne pas paraître se déjuger.

A l'apparition de *Faust*, un très célèbre critique d'alors déclara qu'il n'en resterait que la Valse et le Chœur des soldats; plus tard, un autre non moins autorisé n'acceptait dans *Tannhauser* que la Marche (parce qu'il la connaissait déjà) et la Romance de l'étoile. De telles erreurs se renouvellent tous les jours, parce qu'on veut juger trop vite; je laisse de côté les questions de parti pris, de coterie ou de mauvaise foi, qui n'ont rien à voir ici.

Avant de juger une œuvre, il est indispensable d'avoir conscience de la comprendre dans son entier. Tant qu'il y reste des parties obscures, on doit admettre qu'elles peuvent recéler des beautés accessibles à un esprit autrement tourné que le vôtre. On peut dire d'une chose qu'elle est banale, mal en rapport avec la situation ou le caractère d'un personnage, mal harmonisée, mal orchestrée, etc., parce que cette appréciation prouve qu'on a compris cette chose, ou du moins qu'on pense l'avoir comprise. Mais il est faux de dire : « Tel morceau est mauvais, car je n'y ai rien compris; on ne sait pas ce que cela veut dire; donc, cela ne vaut rien. »

De plus, il n'est pas nécessaire, loin de là, qu'une chose soit comprise de tout le monde pour être belle.

J'entre dans une salle de conférences où j'entends un orateur faire en allemand un discours qui paraît passionner l'auditoire; j'écoute de toutes mes oreilles, mais cela ne me dit rien. Suis-je fondé pour cela à dire que tous ces enthousiastes se trompent, et que le discours n'est pas bon? Pas du tout, j'ai simplement le malheur de ne pas comprendre l'allemand.

Si, dans cette même salle, il se trouvait, par une circonstance éminemment regrettable pour le conférencier, que tous les assistants fussent dans mon cas, ignorassent la langue, sauf un, celui-là seul serait juge et aurait seul qualité pour décider si le discours est bon ou mauvais.

Il en est de même en musique; celui-là seul qui est familiarisé avec un idiome musical déterminé peut se permettre d'affirmer si une œuvre conçue dans cette manière, ce style, a une valeur réelle ou n'en a pas; en dehors de cette condition, il ne peut dire qu'une chose, c'est si elle lui plaît ou non, ce qui est fort différent.

Auber et Félicien David ne comprenaient pas Wagner et Berlioz, qui d'ailleurs ne se comprenaient pas entre eux; chacun parlait un idiome distinct.

Une objection très naturelle se présente ici. La musique, dira-t-on, s'adresse, en fin de compte, au public; et si le public ne peut rien y comprendre...?

D'accord; mais les manifestations d'art élevé s'adressent au public éclairé, à celui qui a acquis par une certaine somme d'étude l'intelligence de cette littérature spéciale et peut seul en jouir pleinement. Pour les autres il y a la musique facile, l'opérette et le café-concert.

Certains critiques superficiels aiment à se plaindre périodiquement de ce que la musique leur semble devenue, de nos jours, une science basée sur des chiffres, des calculs, des spéculations, et ils croient voir là la négation de l'inspiration, de l'art pur. Cela prouve une seule chose, c'est leur ignorance de l'art qu'ils prétendent défendre. Au temps de Bach et de Hændel, comme aussi au moyen âge, dans les temps où le déchant et le contrepoint étaient seuls en vigueur, la musique était un art tout aussi mathématique et calculé qu'à présent; elle s'adressait plus à l'esprit qu'aux sens et ne pouvait guère être comprise que des seuls initiés.

Or, la plupart, sinon tous les procédés employés par les maîtres actuels sont empruntés à cette grande période; et empruntés n'est même pas le mot juste : c'est un héritage qu'ils ont légitimement recueilli de leurs prédécesseurs, et dont ils tirent parti en l'accommodant au goût du jour, c'est-à-dire en obéissant à leur sentiment personnel et en subissant l'influence du courant artistique ambiant, comme du mouvement général d'idées moderne. Il en a toujours été et il en sera toujours ainsi; le musicien le plus génial ne pourra jamais rien créer sans s'appuyer sur les travaux de ses devanciers; car, en musique comme en toute autre chose, on est toujours le fils de quelqu'un. C'est là l'évolution.

Pour quelques-uns, qui assimilent l'évolution artistique à la mode, l'art semble tourner dans un cercle, en repassant constamment par des périodes semblables. Pour d'autres, le progrès musical paraît poursuivre droit son chemin, en s'élevant sans cesse. Ces deux conceptions me paraissent fausses ou incomplètes prises isolément, et me donnent au contraire l'impression de la vérité si on les réunit en une seule formule.

A mon sens, la marche de l'art à travers les siècles peut être représentée par une spirale ascendante qui, à chaque tour, repasse par les mêmes points d'un plan vertical, mais à des hauteurs différentes, se rapprochant sans cesse d'un point placé dans l'infini, qui est l'idéal. C'est une marche comparable à la marche hélicoïdale qui transporte le soleil, avec son cortège de planètes tournant autour de lui, pendant qu'autour d'elles tournent leurs satellites, vers un point de la constellation d'Hercule, qui semble fuir devant son approche comme le fait l'idéal devant les efforts de l'art.

L'accroissement de la sonorité, la multiplication de la dissonance, le manque de ligne mélodique aisément perceptible sont d'autres sujets de récriminations perpétuelles. Il est certain que nous n'avons plus l'orchestre de Lully, ni l'harmonisation des maîtres du XVIIIe siècle, ni la mélodie des opéras italiens.

Mais il faut se souvenir que les générations musicales se succèdent, chacune incomprise de celle qui l'a précédée et accusant à son tour d'incohérence celle qui la suit.

Il suffit de jeter un coup d'œil rapide sur quelques points de l'histoire de la musique, pour constater que l'idéal a considérablement varié selon les époques et les pays; qu'encore à présent il est loin d'être partout le même, et qu'il continuera certainement à varier dans l'avenir. D'autre part, il paraît incontestable que ce qui a été beau un jour ne peut cesser de l'être le lendemain, et que les latitudes n'ont rien à voir en cette affaire. Le beau est immuable, il est éternel et de tous les pays; ce qui varie, c'est notre façon de l'envisager.

Qu'est-ce donc que le beau en musique?

On a tenté tant de définitions, que j'ose à peine proposer la mienne; ce serait celle-ci :

Le beau musical réside dans l'heureuse harmonie des proportions, ainsi que dans l'intensité de pénétration de l'émotion communiquée.

Ces deux conditions me paraissent indispensables et se complètent mutuellement; je ne connais pas un chef-d'œuvre digne de ce nom qui ne les réunisse. Il doit avant tout émouvoir, c'est-à-dire provoquer ou dépeindre un état d'âme, mais il doit aussi résister à la froide analyse, et c'est seulement ainsi qu'il peut faire naître une admiration à la fois enthousiaste et raisonnée, c'est-à-dire durable.

On peut, jusqu'à un certain point, aimer la musique sans la comprendre, et même sans chercher à la comprendre; en ce cas, elle constitue simplement un plaisir sensuel, un délassement mondain; c'est alors ce qu'on appelle un art d'agrément, essentiellement frivole et superficiel.

Mais on ne peut la comprendre sans l'aimer, car l'analyse même des émotions qu'elle procure et des procédés par lesquels ces émotions sont produites, devient une source de jouissances intellectuelles pures et infinies, inconnues de tous ceux qui n'en ont pas fait l'objet d'études spéciales, et pour lesquels la vraie musique, la musique des musiciens, restera toujours lettre close.

CHAPITRE V

LES GRANDES ÉTAPES DE L'ART MUSICAL

A. — Les anciens.

Le chant est aussi naturel à l'homme que la parole; il paraît donc vraisemblable que les premiers humains ont dû être aussi les premiers chanteurs.

Certains cris, d'appel, de joie, de douleur surtout, ont déjà un caractère musical saisissable, puisqu'on peut les noter. La manifestation vocale a donc dû, nécessairement et partout, dans les temps préhistoriques, précéder toute velléité instrumentale, même la plus rudimentaire.

De même, il est normal de penser qu'au début de quelque civilisation que ce soit, le premier instrument inventé (découvert serait plus exact) fut le plus simple de tous, celui qu'un simple hasard pouvait faire trouver. C'est ce qui eut lieu; partout le roseau, la flûte de roseau, fut le premier outil musical; l'idée de souffler dedans pour le déboucher était bien naturelle, et c'était tout ce qu'il fallait pour l'éclosion d'un premier son instrumental.

Le modèle du rythme nous est fourni par certains mouvements naturels, tels que la marche, les battements du cœur ou ceux des tempes; par la respiration, qui, binaire à l'état de veille, devient ternaire pendant le sommeil; par les allures régulières du cheval, le trot et le pas, à deux et quatre temps, le galop, à trois temps.

Tels sont les points de départ offerts par la nature.

Ce n'est guère que par de vieux bas-reliefs, des peintures à fresque, ou quelques papyrus, que nous savons que la musique était en grand honneur chez les Assyriens et les anciens Égyptiens; nous connaissons ainsi le nom et la forme de certains de leurs instruments, nombreux et déjà perfectionnés, mais nous ignorons le parti qu'ils en savaient tirer. Ils avaient des harpes montées de trois à vingt-deux cordes, peut-être plus; des lyres, des cithares, des luths, beaucoup d'instruments à percussion, des tambours de toutes formes et de toutes dimensions, des sistres, des clochettes, des crotales, des cymbales, des flûtes simples et doubles, des trompettes. On voit que les trois grandes familles d'instruments, *à vent, à cordes, à percussion*, étaient déjà représentées (toutefois ils ne connaissaient pas l'archet); mais on en est réduit à des hypothèses sur le caractère que pouvait avoir leur musique, soit sacrée, soit profane.

On manque de documents sur l'existence d'une écriture musicale chez les anciens Égyptiens, les Chaldéens, les Syriens. La découverte récente d'un fragment cunéiforme gravé sur deux colonnes permettrait de penser qu'on se trouve peut-être en présence d'une notation musicale babylonienne; mais ce fragment n'a pas encore pu être déchiffré. Quant aux Hébreux, il est bien probable que le Talmud, qui parle de tout, n'aurait pas manqué de décrire, s'il avait existé, un procédé propre à conserver intacts les chants du culte; or le Talmud est muet à ce sujet, d'où l'on peut conclure avec une certaine probabilité que la musique hébraïque antique était transmise par la tradition orale, comme cela se voit encore chez les Arabes et les Orientaux, même assez avancés en civilisation.

On sait pourtant quel rôle important la musique jouait chez les Hébreux et dans leurs cérémonies religieuses, car la Bible en parle constamment. Leurs instruments étaient sensiblement les mêmes que ceux des Égyptiens, avec, semble-t-il, un grand emploi de la percussion pour souligner le rythme, ce qui s'explique, étant donné leur goût prononcé pour la danse. A en croire l'historien Josèphe, Salomon aurait fait fabriquer, lors de l'inauguration du Temple, *deux cent mille* trompettes et *quarante mille* autres instruments en or et en argent pour accompagner les psaumes de David. Même exagérés, ces chiffres donnent à penser que la musique n'était pas un accessoire secondaire dans les temps bibliques. A la guerre, les Juifs ne se servaient que de trompettes; les unes étaient droites, les autres courbes.

C'est surtout par les écrits de philosophes tels que Pythagore (540 av. J.-C.), Platon (430 av. J.-C.), Aristote et Aristoxène (IVe siècle), que nous avons une idée de ce que pouvait être la musique des Grecs. Les monuments qui subsistent sont rares : courts fragments d'hymnes gravés en des inscriptions dont la lecture donne lieu à des controverses.

Nous savons que les Grecs connaissaient le ton, le demi-ton, voire le quart de ton. L'étendue de leur échelle générale était d'environ deux octaves et correspondait à peu près à l'échelle parcourue par les voix d'homme mises bout à bout. Ils pratiquaient plusieurs modes, les uns d'origine nationale *(modes helléniques)*, les autres d'origine étrangère *(modes barbares)*, qui différaient entre eux par la place respective des tons et des demi-tons, et dont voici le tableau [1] :

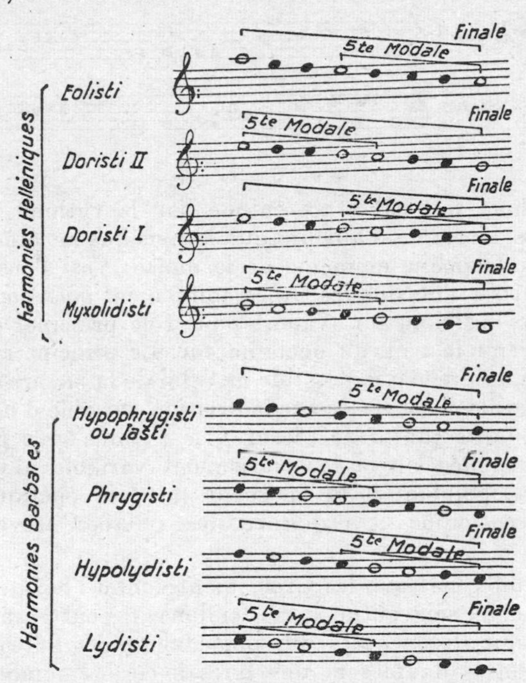

1. Ces tableaux sont donnés d'après *Maurice Emmanuel. Histoire de la langue musicale*

Chacun de ces modes pouvait être employé selon des variantes différentes, appelées *genres*, qui modifiaient la structure interne des tétracordes sans toucher les sons fixes en constituant l'ossature. Il y avait quatre genres : le diatonique, l'enharmonique, le chromatique et le néo-chromatique. Voici, à titre d'exemple, les différentes formes que pouvait prendre le mode dorien traité selon les différents genres :

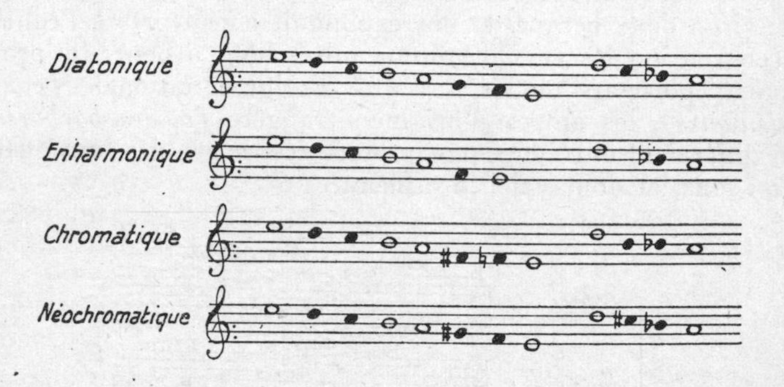

Le rythme musical était calqué sur le rythme poétique; à vrai dire, il semble d'ailleurs que la musique ait été rarement séparée de la poésie et même de la danse; c'est l'ensemble de ces trois arts réunis que les Grecs nommaient *musique*, l'art des Muses. Les instruments avaient pour rôle principal de guider et de soutenir la voix du déclamateur. Le principe rythmique était aussi différent que possible de celui de la *mesure* classique. Alors que celle-ci est basée sur la division variable d'une longue unité constante (unité de mesure), le rythme grec était basé sur la multiplication et le groupement variables d'une unité brève correspondant à la longueur du *pied* poétique et sur l'alternance voulue et ordonnée des syllabes brèves et des longues.

Il ne semble pas que les Grecs aient connu l'harmonie, ni la polyphonie, au sens où nous l'entendons. Il peut paraître assez étonnant que des peuples qui possédaient des flûtes doubles, des trompettes doubles et des lyres à cordes nombreuses, et qui avaient par ailleurs le sens artistique si développé n'aient pas fait de recherches dans le sens de la polyphonie. Les Grecs, semblables en cela aux Orientaux de nos jours qui possèdent, eux aussi, des instruments capables de produire des accords et qui, de plus, sont en contact avec l'art européen, s'en sont cependant tenus à une musique mélodique et rythmique avec tout au plus l'emploi occasionnel d'une seconde partie très simple.

Quant à leur système de notation, qui remonte environ au VIIe siècle avant J.-C., il était formé de lettres de leur alphabet, modifiées, couchées, renversées, etc. Ces lettres se plaçaient au-dessous des syllabes correspondantes et furent ensuite complétées par des signes indiquant les durées [1].

Imitant les Grecs, les Romains adoptèrent d'abord, pour écrire la musique, les quinze premières lettres de leur alphabet. A son origine, la musique latine ne pouvait d'ailleurs différer sensiblement de celle des Grecs, dont elle dérivait directement; mêmes gammes, même emploi de la lyre, de la cithare, des instruments à percussion, surtout après la conquête de la Grèce. La flûte et la trompette étaient surtout en honneur, ce qui n'empêchait pas Néron, et avant lui d'autres empereurs, de chanter en s'accompagnant sur la lyre étrusque.

Deux instruments nouveaux, bien différents dans leurs destinées comme par leur caractère, mais procédant du même principe, le réservoir d'air, datent de cette époque : la cornemuse et l'orgue. Le premier est resté l'instrument populaire de l'Écosse, de la Bretagne, de l'Italie, sous des noms différents. Quant à l'orgue, il est un perfectionnement des instruments à soufflets connus dès le Ve siècle avant J.-C. *Ctésibius d'Alexandrie* (ca. 145 av. J.-C.) paraît avoir été l'inventeur de l'orgue hydraulique qui fut employé jusqu'au IXe siècle.

Mais un événement considérable se préparait, qui allait donner à la musique un nouvel essor et ouvrir à l'art la voie nouvelle dans laquelle il devait s'engager : c'est l'avènement du christianisme. Le paganisme mourant avait trouvé ses principaux moyens d'expression dans les arts plastiques, dans la poésie. Au christianisme naissant qui, en élevant

1. On ignore quel est le pays où prit naissance l'idée de fixer les sons par l'écriture. On sait toutefois que les Hindous et les Chinois, à des époques très reculées, employaient déjà une notation musicale.

l'esprit, le dégage de sa gangue matérielle, et lui ouvre les horizons à l'infini, il fallait un art nouveau plus pénétrant, un art qui, dédaignant de dépeindre ou de représenter des objets ou des actes, fût capable d'agir directement sur l'âme; un art qui ne fût plus l'esclave de la poésie, mais qui la continuât et la dominât en s'élevant à des hauteurs qui lui sont inaccessibles, dans le domaine du pur idéal, là où les mots n'ont plus accès et deviennent insuffisants.

C'est sous l'influence de ce puissant souffle qu'est sorti péniblement, lentement, l'art encore primitif et incertain du moyen âge qui devait subir de nombreuses vicissitudes avant de donner lui-même naissance à l'art moderne.

Pendant les huit premiers siècles de l'ère chrétienne, le chant d'église reste exclusivement homophone. Les plus anciens chants chrétiens, chants en prose, tirés de l'Écriture sainte, viennent en partie du culte hébraïque (psaumes), en partie de la musique gréco-latine (antiennes, etc.). *Saint Ambroise*, évêque de Milan (340-397), compose des *hymnes* strophiques en vers latins dont plusieurs ont été conservés dans la liturgie romaine.

Plus tard, *Grégoire le Grand* (540-604), procédant à une épuration, exclut du culte les chants qui lui paraissent indignes, et créa le recueil appelé *Antiphonaire*, encore en usage, avec de nombreuses modifications, toutefois, dans l'Église catholique. Les chants qui le composent sont basés sur huit gammes différentes plus ou moins dérivées des anciens modes grecs, et qu'on appelle aujourd'hui *tons* ou *modes ecclésiastiques.*

Ils se divisent en deux groupes; les tons *authentiques* qui s'étendent sur une octave, de la *finale* (nous dirions aujourd'hui *tonique*) à la *finale*; et les tons *plagaux*, dérivés des authentiques, qui descendent une quarte au-dessous de la finale et s'arrêtent une quinte au-dessus, soit, comme nous dirions aujourd'hui, de la *dominante* à la *dominante* [1].

1. On remarquera que les noms médiévaux des tons d'église ne concordent pas avec les anciens noms grecs portés par les mêmes gammes. Cette divergence est le fait d'une erreur des théoriciens du moyen âge. En fait, les tons d'église sont normalement désignés par leurs numéros; mais il est cependant intéressant de connaître les noms médiévaux, parce qu'ils sont ceux par lesquels les maîtres classiques désignaient encore les anciens modes (Voir par exemple la *Toccata dorienne* de Bach, écrite en mode de *ré*, etc.).

C'est aussi sous le pontificat de saint Grégoire, auquel quelques auteurs attribuent personnellement cette réforme, qu'on voit les Romains réduire leur notation aux sept premières lettres, qui s'appliqueraient ainsi aux sept notes de notre nomenclature moderne :

A	B	C	D	E	F	G
la	*si*	*do*	*ré*	*mi*	*fa*	*sol*

Un fait dont le haut intérêt n'échappera à personne, c'est que ces dénominations se sont conservées intactes à travers les siècles, qu'elles sont encore en usage en Allemagne et en Angleterre, et qu'enfin nous y trouverons plus tard le point de départ et l'explication du système des clefs, tel qu'il est pratiqué actuellement; et les lettres que nous voyons encore en haut des cordes du piano ont la même origine.

Tableau des rrincipaux signes neumatiques

	XIe XIIIe XIVe siècles.
Virga....... Virgula.....	Son isolé long, origine de la note à queue (du plain-chant).
Punctum....	Son isolé bref, origine de la note brève.
Clivis, Clivus ou Flexa ...	Deux sons descendant de seconde, tierce, quarte ou quinte, le 1er long, le 2me bref.
Podatus....	Le contraire de la *clivis*. Deux sons ascendants, le 1er bref, le 2me long.
Torculus ...	Trois sons égaux, dont le second est toujours le plus élevé.
Climacus ...	Un son long suivi de 2 ou 3 sons brefs descendants, conjoints ou disjoints.
Scandivus ..	L'inverse du précédent.
Pressus.....	Origine du trille. S'employait aux fins de phrases, aux cadences.
Quilisma ...	Origine du *tremolo*, du *vibrato*. Un tremblement sans changer de note, suivi d'un son supérieur long à la tierce avec note de passage.
Distrophus.. Tristrophus.	Répétition d'une même note, selon le nombre de points juxtaposés.

B. — Du Moyen Age au XVIIIe siècle.

Il faut parler ici d'un système de notation employé pendant la plus grande partie du moyen âge, système bizarre, consistant en signes quasi hiéroglyphiques ou abréviatifs, qu'on appelait les *neumes*. Les neumes n'indiquaient pas des sons précis, d'un degré déterminé, mais des groupements de sons, un peu comme les signes du *grupetto* et du *tremblé* (∾ et ≈) dans la notation moderne; il y en avait un grand nombre.

Voici un tableau[1] des principaux neumes dressé d'après les renseignements qui m'ont été donnés à la Chartreuse, par un Père très savant en chant liturgique. Ce tableau contient :

1º Le nom du signe neumatique;

2º Ce signe lui-même, tel qu'on le traçait au XIe, au XIIIe et au XIVe siècle;

3º Sa signification;

4º Sa traduction en caractères de plain-chant;

5º Sa traduction en notation actuelle.

Les sons n'étant pas déterminés, mais seulement le contour vocal, je n'emploie pas de clefs, et ne puis songer à en employer, puisque tous ces signes ne représentent que des sortes de vocalises, de tours de voix ou d'inflexions, et sont bien plutôt des aide-mémoire permettant de retrouver un chant transmis par tradition orale que la notation déchiffrable d'une mélodie inconnue.

« La plupart des signes neumatiques se modifiaient pour indiquer les intervalles et la durée des sons qu'ils représentaient; ils étaient aussi surmontés de certaines lettres marquant le mouvement à leur imprimer; toutes choses, il faut l'avouer, qui devaient en rendre la lecture fort difficile, et qui sont devenues aujourd'hui une source de discussions et d'interprétations diverses parmi les auteurs.

» ...Ce ne fut que vers le Xe siècle que l'on commença à écrire les neumes à des hauteurs différentes au-dessus du texte, afin d'indiquer la place respective qu'ils devaient occuper sur

1. Voir page 344.

l'échelle des sons. Quand Guy d'Arezzo inventa la portée [1], il n'eut d'abord l'idée que de l'appliquer aux signes neumatiques, pour en rendre la lecture plus facile. »

Ainsi s'exprime le R. P. Fr.-Charles-*Marie*, ancien prieur à la Grande-Chartreuse, dans un ouvrage aujourd'hui fort rare : *Méthode de plain-chant selon les usages cartusiens.*

De tous les systèmes de notation connus, c'était certainement le plus barbare, jusqu'au jour où l'on imagina de l'enrichir d'une ligne horizontale généralement colorée en jaune ou rouge représentant un son fixe, au-dessus ou au-dessous de laquelle on plaçait les neumes à des distances grandes ou petites, figurant approximativement les intervalles.

C'est dans cette ligne unique qu'il faut voir le *premier germe de la portée.*

De ces deux éléments, le nom des notes désignées par les lettres grecques ou romaines, et la ligne nécessaire pour rendre intelligibles les neumes du moyen âge, va se dégager peu à peu tout le système actuel.

L'indubitable commodité de la ligne indicatrice, qui permettait d'échelonner les signes neumatiques avec quelque précision, donna tout naturellement le désir d'une précision et d'une commodité encore plus grandes par l'emploi de deux lignes au lieu d'une; en effet, avec deux lignes espacées d'une quinte, l'une rouge, l'autre jaune ou verte, on arrivait à donner une représentation graphique déjà assez satisfaisante d'une échelle de neuf sons, plus qu'il n'en fallait pour noter les hymnes catholiques.

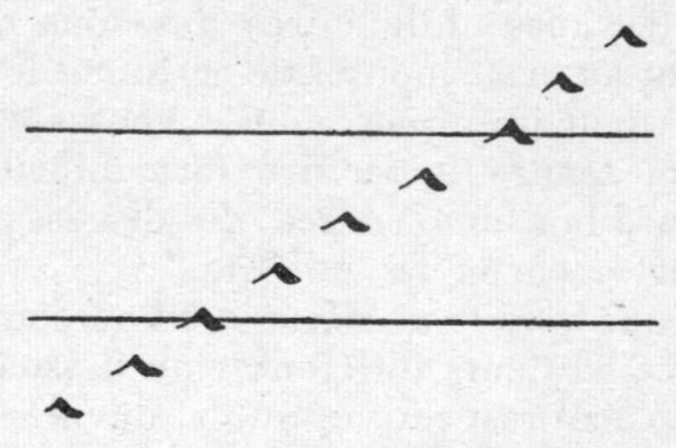

1. Voir plus loin.

Pour déterminer la hauteur absolue des sons, on mettait au commencement de chaque ligne une des sept premières lettres de l'alphabet, qui donnait son nom au signe placé sur la même ligne qu'elle, puis ensuite, par comparaison, aux autres signes. C'étaient nos clefs.

Cette voie une fois ouverte, il n'y avait aucune raison de ne pas enrichir la portée d'une troisième ligne, puis d'une quatrième, ce qui ne manqua pas d'arriver, au grand bénéfice de la clarté de l'écriture. L'utilité des neumes qui représentaient, on s'en souvient, plutôt des groupes de sons, des formules ou ornements mélodiques, que l'idée d'un son exact, disparaissait par l'adoption d'un système plus précis et plus logique; ils s'adaptèrent donc et se transformèrent peu à peu en points de forme carrée ou en losanges qui sont les véritables premières notes.

Ces tentatives longuement poursuivies pour arriver à l'établissement d'une notation complète montrent tout l'intérêt qui s'attachait dès lors au mouvement musical, dont le centre était à Rome. En effet, on voit, en 754, Pépin le Bref amener à l'abbaye de Saint-Médard deux chantres que le pape Étienne II lui avait donnés pour instruire ceux de l'abbaye. Peu après, en 784, Charlemagne, son fils, emmène à Rome ses chantres ordinaires, qui se voient bafoués par leurs confrères romains sur *leurs voix de taureaux.* Il obtint du pape Adrien Ier de nouveaux chantres pour enseigner le chant romain à ceux de sa chapelle. Chacun sait que Charlemagne fonda en Gaule au moins deux grandes écoles de musique, l'une à Metz, l'autre à Soissons.

Toutefois, c'est du début du xe siècle que date le plus ancien texte polyphonique qui nous soit parvenu. On le trouve dans le *Musica Enchiriadis* d'*Hucbald* (début du xe siècle), moine de Saint-Amand. A une mélodie de plain-chant se superpose une autre mélodie absolument semblable qui l'accompagne parallèlement à distance de quinte ou de quarte. Ce système s'appelle *diaphonie,* ou *organum.* Peu à peu, au cours d'une lente évolution, les deux voix vont acquérir leur indépendance mélodique par l'usage du mouvement contraire dans le *Déchant* (ixe siècle); leur indépendance rythmique par l'usage de la note de passage, de la vocalise, qui substituent à la simultanéité syllabique du début un rythme beaucoup plus libre. Une troisième, puis une quatrième voix vont s'adjoindre aux deux parties déjà existantes.

Dans le *conduit*, le compositeur renonce à travailler sur un thème de plain-chant pour édifier ses constructions sonores sur une mélodie originale. Enfin, dans le *motet*, chacune des voix fait entendre une mélodie indépendante, sur des paroles qui lui sont propres. C'est ainsi que deux voix pourront chanter des paroles religieuses en latin, différentes d'ailleurs pour chacune d'elles, pendant que la troisième voix chantera un texte absolument profane, en français, et que la *teneur* (plus tard *ténor*) c'est-à-dire le chant grégorien qui sert de thème à l'ensemble, sera confiée à la quatrième voix.

Ce nouvel art polyphonique atteint à son apogée au début du XIIIe siècle. L'école de Notre-Dame de Paris est alors à la tête du mouvement musical avec *Léonin*, puis avec *Pérotin le Grand*.

Il nous faut revenir en arrière, au XIe siècle, pour parler de *Guy d'Arezzo*, moine bénédictin de l'abbaye de Pomposa, savant théoricien, occupé surtout de l'enseignement du chant liturgique.

Il n'est peut-être pas d'opinion erronée plus répandue que celle qui lui attribue l'*invention* du système de notation moderne, qu'il semblerait avoir conçu d'une seule pièce, et réalisé du premier coup. On a vu comment ce système s'est formé graduellement, très lentement, selon les besoins inégalement croissants et très divers de la civilisation musicale.

Quant aux noms des notes, tirés, comme l'on sait, d'une hymne grégorienne, il ne les inventa pas pour remplacer les lettres désignant les sons, mais bien comme un procédé mnémotechnique, pour aider à résoudre certaines difficultés d'intonation provenant du système des *muances* dont nous parlerons plus tard. Il fit choix d'un chant très connu, facile à apprendre, dans lequel chaque vers se trouve débuter par un son différent et une syllabe différente, de telle sorte qu'une fois cet air gravé dans la mémoire avec ses paroles, il devient aisé de retrouver la position de chaque son.

C'est l'*hymne à saint Jean* (que je reproduis ici d'après un vieux manuscrit appartenant au chapitre de la cathédrale de

Sens [1], avec la traduction en notation moderne) qu'il employait :

Les six premiers noms de notes : *ut, ré, mi, fa, sol, la* sont seuls fournis par le texte de cet hymne; mais il est assez curieux de remarquer, ne fût-ce qu'à titre de coïncidence, que les initiales de saint Jean, S I, réunies donnaient la note *si.*

La notation de l'hymne qui précède est à peu près celle qui était en usage vers le XIIIe siècle. Les principales figures de notes : ▄▌ (double longue), ▌ (longue), ■ (brève), ◆ (semibrève), valaient chacune deux notes de la figure suivante, et

1. Il en existe plusieurs versions, différant par quelques notes.
2. Ce chant doit remonter aux premiers siècles de l'ère chrétienne.

quelquefois trois, comme dans nos triolets. Il y avait aussi certaines figures accessoires, indiquant des ornements du chant, telles que les pliques et les ligatures, dans lesquelles il est facile de voir un dernier reste du déplorable système des neumes. Ces figures se plaçaient sur la portée dont le nombre de lignes était absolument variable. Les silences plus ou moins longs s'indiquaient par des lignes verticales barrant plus ou moins la portée, et qui pourraient bien être, quoique l'emploi en ait totalement changé, l'origine de nos barres de mesure, dont la véritable apparition, avec leur signification actuelle, n'eut lieu que vers 1600.

Il nous reste peu de chose de la musique qui accompagnait les *mystères*, ces premiers essais d'un art théâtral naïf qui tirait ses sujets des livres saints. Les mystères ne furent à l'origine qu'une sorte de mise en scène liturgique des offices des fêtes principales; peu à peu, ils prirent plus d'extension et, tout en continuant à s'inspirer de sujets religieux, évoluèrent vers un théâtre sacré en langue française où s'intercalent des passages chantés, des ensembles vocaux et même des interludes instrumentaux. Cette évolution commence vers le IXe siècle pour aboutir au XVe. Dans cette même période, en dehors de tout art religieux, nos aïeux cultivaient la chanson, guerrière, sentimentale ou bachique, cette dernière souvent accompagnée de danses et soutenue par de nombreux instruments. C'est alors et surtout aux XIIe et XIIIe siècles que les chanteurs-poètes nomades, connus, selon les pays, sous les noms de *trouvères*, *troubadours*, *ménestrels*, *bardes*, *trovatori*, *minnesængers*, colportaient les *chansons*, *pastorelles*, *lais* et *virelais*, de ville en ville, enseignant le chant au peuple comme aux plus hauts personnages, et créant des écoles dites de *ménestrandie*. En même temps que les maîtrises et autres écoles de musique savante se multiplient, on voit se dessiner le progrès de l'art populaire, du gai savoir.

Citons, parmi les trouvères les plus connus, *Adam de la Halle*, dit le Bossu d'Arras (1240-1288), auteur de nombreuses chansons, de rondeaux polyphoniques, de jeux-partis, dont le plus célèbre est le fameux *Jeu de Robin et Marion* où l'on peut voir comme le premier type de l'opéra-comique français.

Un fait caractéristique de l'époque, c'est l'accroissement considérable du nombre des instruments, comme aussi leur perfectionnement. Pourtant on ne voit pas encore poindre l'idée d'orchestration; les instruments jouent tous ensemble, ou bien ils doublent les voix pour les pièces polyphoniques. Il y avait plusieurs espèces de flûtes, droites, traversières, à bec; le flageolet, le hautbois, le chalumeau, la bombarde, instruments à anches; plusieurs genres de cornemuse, musette, chevrette; les cuivres étaient représentés par le cor, le cornet, l'olifant, la trompe, la trompette, la buccine; beaucoup d'instruments à percussion, tambours, timbales ou nacaires, cymbales, triangles, clochettes, carillons, castagnettes; la famille des cordes était aussi largement fournie par les ancêtres du violon, le rebec, la viole, la gigue, et surtout des instruments à cordes pincées ou frappées : luth, mandore, guitare, harpe, psaltérion, tympanon, etc. Il y en avait beaucoup d'autres encore.

L'orgue, que nous avons laissé chez les Romains avec ses dix tuyaux, a fait de singuliers progrès; dès 951, il en existait un, à Winchester, qui avait quarante touches, quatre cents tuyaux au moins, vingt-six soufflets, et qui nécessitait, pour être mis en jeu, soixante-dix souffleurs et deux organistes, lesquels devaient taper à coups de poings et à bras raccourcis sur les touches longues d'une aune, comme les carillonneurs flamands.

Il existait aussi des petites orgues portatives, appelées régales, orguettes ou positifs; enfin, la facture instrumentale était l'objet d'efforts évidents.

Pendant ce temps, les compositeurs étaient aux prises avec un monstre qui a eu le don de les terroriser jusqu'au delà du moyen âge; c'est l'intervalle de quarte augmentée, le triton, qu'ils appelaient *diabolus in musicâ*, le diable en musique! Ce diable d'intervalle, qui ne se trouve que sur un seul degré de la gamme, ainsi que son renversement, la quinte diminuée (*fa-si, si-fa*), leur paraissait tellement étrange et dissonant, qu'ils n'osaient en faire usage qu'en qualité de note de passage, ce qui les entravait autant dans leurs compositions que dans leurs nomenclatures; car c'est à cause de lui que ni Gui d'Arezzo ni ses successeurs n'avaient voulu donner de nom à la septième note de la gamme, ce qui les avait conduits à adopter un mode de solmisation des plus incommodes, celui des *muances.*

Voici, autant qu'on peut l'exposer en deux mots, en quoi il consistait :

D'abord, chaque note n'avait pas un son fixe et invariable comme cela a lieu chez nous.

On admettait trois hexacordes ou séries de six sons, auxquels s'appliquaient indifféremment les six noms de notes, et que nous pouvons assez bien nous représenter par nos trois gammes (modernes) de *fa*, *ut* et *sol*, privées de sensible.

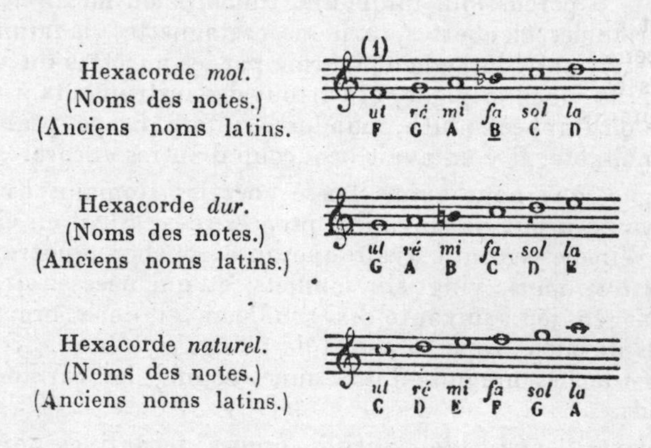

On observera que dans l'hexacorde *mol*, le son *si* (B de la notation latine), est abaissé; c'est un *B mol*; dans l'hexacorde *dur*, il est plus haut d'un demi-ton, c'est un *B carre*; enfin, dans l'hexacorde naturel, le *si* ne figure pas du tout.

De là l'ancienne expression : chanter *par nature*, *par bémol* ou *par bécarre.*

On conçoit que tant que la mélodie se mouvait dans l'intervalle d'une sixte, cela allait très bien; mais quand elle excédait cette étendue, il fallait passer d'une série à l'autre; c'est là ce qu'on appelait les *muances*, et cela entraînait les complications les plus laborieuses. Qu'on eût, par exemple, à solfier les notes suivantes, c'est-à-dire qu'on eût à passer *de nature en bécarre* (ou B dur), soit en montant :

soit en descendant :

il fallait en montant attribuer au son *la* (A) la syllabe *ré*, et en descendant reprendre la syllabe *la*, comme je l'ai indiqué dans les exemples ci-dessus, où j'ai marqué d'un M l'endroit de la muance, et souligné le demi-ton *mi-fa*, seul reconnu alors, d'où ce dicton curieux : *Mi contra Fa est diabolus in musicâ*, car c'est là que résidait le malencontreux triton.

Afin qu'on gardât le souvenir des diverses fonctions attribuées au *la* (A) comme pivot du système des muances, on appela cette note de tous les noms qu'elle recevait dans chaque hexacorde, en joignant à cette triple dénomination la lettre qui était en quelque sorte le signe de reconnaissance. Ainsi la note qui aujourd'hui se nomme *la* tout court, se nommait pompeusement jadis, comme on vient de le voir, *A mi la ré.* Il en était de même pour toutes les autres, et dans nombre de partitions bien ultérieures on voit que les auteurs avaient conservé l'usage inutile de dire, par exemple : des cors en *C ut sol*, des trompettes en *A mi la.*

Cependant, une polyphonie nouvelle qu'on appelle *Ars Nova* se substitue peu à peu à l'*Ars antica* des maîtres de Notre-Dame. La musique évolue lentement vers ce qui sera plus tard la polyphonie classique et tonale; le mode majeur prend une importance grandissante, les formules cadentielles commencent à s'affirmer; au XIVe siècle apparaît le système du *faux-bourdon* où les suites de tierces et de sixtes parallèles remplacent systématiquement celles de quartes et de quintes. Citons quelques noms : parmi les Français, *Philippe de Vitry* (1291-1361), *Johannes de Muris* (1270-1320), tous deux théoriciens; *Guillaume de Machaut* († 1377), poète-musicien, secrétaire du roi de Bohême, ensuite au service du Dauphin, le futur Charles V, et chanoine de la cathédrale de Reims, auteur de chansons monodiques, de motets polyphoniques et de la fameuse *Messe du sacre de Charles V*, la première en date et la plus ancienne des innombrables messes polyphoniques qui seront écrites au cours des siècles; et parmi les Italiens : *Francesco Landini* (1325-1397).

Au xve siècle, la prédominance politique de la Maison de Bourgogne, la ruine de la France après la bataille d'Azincourt déplacent quelque peu vers le Nord et les Flandres le centre de la floraison polyphonique. Les grands musiciens de cette époque sont l'Anglais *John Dunstable* († 1453), dont l'art marque une nette évolution dans le sens de la consonance, de la liberté, de la souplesse; le Flamand *Gilles Binchois* († 1460); *Guillaume Dufaÿ* (né à Cambrai à la fin du xive siècle, † ca. 1474), auteur de messes, motets, rondeaux, ballades, artiste de génie, esprit de vaste culture, qui voyagea à travers l'Europe et fit partie de la Chapelle papale; *Ockeghem* (1420-1495), Flamand qui passa la plus grande partie de sa vie en France; *Obrecht* (ca. 1440-1505).

L'importance de ces maîtres est énorme : évolution vers une polyphonie consonante, dégagement du principe de la tonalité, perfectionnement du canon, de l'imitation, des procédés de développement qui seront bientôt employés dans la fugue. Tout cet immense effort artistique va aboutir à l'admirable floraison musicale du xvie siècle, et tout d'abord à

Josquin des Prés (ca. 1450-1521).

Surnommé par ses contemporains le Prince des Musiciens. Élève d'Ockeghem, musicien de la chapelle papale, puis du Roi Louis XII, a écrit dans le style polyphonique des messes, motets, psaumes, chansons françaises, en nombre considérable.

Parmi les compositeurs de la génération de Josquin des Prés, citons : *Pierre de la Rue*, *Loyset Compère*, *Brumel*, *Antoine de Févin*, *Jean Mouton*. Puis, leur faisant suite, *Nicolas Gombert*, *Arcadelt* (ca. 1515-1560), *Philippe de Monte* (1521-1603), et *Orlando de Lassus*, maître de chapelle à Saint-Jean-de-Latran à Rome, dès l'âge de vingt et un ans, mort fou à Munich. Tous ont écrit dans le style polyphonique un grand nombre de messes, de psaumes, de motets, de chansons françaises, de madrigaux, etc.

A cette époque, la chanson française triomphe dans toute l'Europe occidentale. En France, *Nicolas Gombert, Claudin de Sermizy, Clément Janequin*, auteur de chansons descriptives souvent imitées, *Costeley, Claude le Jeune, Mauduit* (ces deux derniers mirent en musique les chansons en vers mesurés à l'antique de Baïf) sont les maîtres du genre. D'autre part, *Goudimel* qui fut, dit-on, le maître de Palestrina, puis *Claude le Jeune*, écrivent des psaumes calvinistes.

En Allemagne, il faut citer *Martin Lüther* (1488-1546), car la musique joua un rôle important dans sa réforme religieuse. Il avait pour principe que « la musique gouverne le monde et rend les hommes meilleurs », et il composa lui-même la musique de beaucoup de chorals qui servirent ensuite de thèmes à maints compositeurs.

Le *choral* protestant, né après la fin du moyen âge, diffère essentiellement du plain-chant catholique en ce qu'il a toujours été composé en vue d'un accompagnement polyphonique, tandis que le plain-chant, dérivé soit du culte israélite, soit d'hymnes grecques ou romaines, n'a reçu cet accompagnement qu'après coup, et gagne souvent à s'en passer. Ce sont donc deux manifestations d'art qu'il importe de ne pas confondre.

Autres musiciens allemands de la Réforme : *Hans Léo Hassler* (1564-1608), *Eccard* (1553-1611), *Johann-Hermann Schein* (1586-1630), *Michael Prætorius* (1571-1621), surtout compositeurs de musique religieuse; *Heinrich Isaak, Senfl*, qui ont écrit de beaux lieder polyphoniques.

Revenons maintenant vers l'Italie. A cette époque, le chant religieux, subissant à son tour l'influence de la musique mondaine, s'était de nouveau surchargé de fioritures de mauvais goût et d'ornements intempestifs. La musique était devenue un art spéculatif; les combinaisons de consonances et de dissonances absorbaient seules l'attention; c'était même moins un art qu'une science, fort intéressante pour l'esprit, mais assez froide. Les contrepointistes d'alors n'avaient pas renoncé au système de leurs aïeux, et aimaient toujours à prendre pour thèmes de leurs messes les chansonnettes du goût le plus léger, parfois même obscène; on croirait à peine à présent que des messes entières furent bâties sur ce principe, telles la messe *de l'Homme armé*, la messe *à Deux visages et plus*, la messe de *l'Ami Baudichon*, qui tirent leur nom même de chansons populaires. Cet état de choses parut inconvenant à juste raison, et fut interdit par le concile de Trente. Alors advint la grande réforme de Palestrina.

Palestrina (Pierluigi) (1524-1594), né à Palestrina, près de Rome, d'où son nom.

Le plus grand génie musical de son temps, doit être considéré comme le créateur du véritable style religieux, qu'il porta à son extrême perfection.

Le catalogue de ses œuvres exigerait plusieurs pages : il consiste en *messes*, dont la plus célèbre est dédiée au pape Marcel, en *motets*, en *hymnes*, *psaumes*, *litanies*... les *Lamentations de Jérémie*, les *Improperii*... et aussi des *madrigaux* à quatre et cinq voix dans le style profane du temps.

Laissant de côté les combinaisons savantes et puériles à la fois, il en revint à l'harmonie consonante et, ne recherchant que la satisfaction de l'oreille et la belle conduite des parties vocales, il atteignit ainsi à une plénitude et à une suavité sans pareilles jusqu'alors, qui n'a même pas été dépassée dans l'art d'écrire pour les voix seules. Exempt de toute passion mondaine, le style palestrinien reste le type le plus pur de la polyphonie liturgique.

Citons encore, *Clemens non papa* (1480-1557), ainsi nommé pour ne pas être confondu avec le pape Clément VII; *Animuccia*, *Anerio*, *Allegri* (1560-1652), et surtout *Luca Marenzio* († 1599) qui est sans doute le plus grand maître du madrigal italien, et dont les innovations harmoniques, le lyrisme, l'expression dramatique sont déjà singulièrement modernes.

L'école vénitienne, avec *Willaërt*, *Cyprien de Rore*, flamands qui vécurent à Venise au début du XVIe siècle; puis, avec *Andrea* (1510-1596) et *Giovanni* (1557-1612) *Gabrieli*, voit s'épanouir un art où les instruments, l'orgue se combinent avec les chœurs pour des effets décoratifs très amples qui correspondent à une conception nouvelle de l'art religieux.

Cette époque est aussi une époque de grands progrès au point de vue de la lutherie.

Amati (*Nicolas*) (1596-1684), né à Crémone, est le plus célèbre des luthiers de ce nom, mais la famille Amati est une dynastie, et nombreux sont les Amati auteurs d'instruments magnifiques. Leur contemporain *Ruckers* (*Hans*) († 1640), né à Anvers, fut le plus connu des fabricants d'épinettes et de clavecins de cette époque. Son fils et son petit-fils, tous deux ayant le prénom d'André, continuèrent et perfectionnèrent encore cette fabrication; leurs instruments sont très recherchés des collectionneurs.

A ces perfectionnements de la technique correspond un essor de la musique instrumentale. *Claudio Merulo* et les *Gabrieli* à Venise, *Girolamo Frescobaldi* (1583-1643) à Rome, *Sweelinck* (1562-1621) en Hollande, *Antonio de Cabezon* (1510-1566) en Espagne, élaborent des formes nouvelles et écrivent pour l'orgue et le clavecin des *canzoni*, *riccercari*, *toccate*, où des parties de récitatif libre et déclamé alternent avec des parties fuguées, faisant nettement pressentir les fantaisies et les fugues de Bach, cependant que le Français *Titelouze* (1563-1633) est surtout un admirable polyphoniste.

Les luthistes italiens : *Francesco da Milano*, *Vincenzo Galilei* (père de l'astronome), les luthistes français et espagnols exécutent sur leurs magnifiques instruments des transcriptions de chansons polyphoniques et perfectionnent la forme de la variation. Une notation spéciale en tablature, différente selon les pays, est propre à cet instrument [1].

Il est intéressant de constater ici les améliorations introduites dans la notation :

Au xve siècle, le système s'était enrichi, et les notes blanches avaient remplacé les notes noires; chaque valeur avait dès lors un silence correspondant :

Maxime :

Longue :

1. Voir p. 126.

Dans ces dernières figures, on voit déjà se dessiner nos croches et doubles croches, le soupir et le demi-soupir.

La portée a infiniment varié; dans le remarquable ouvrage d'*Ernest David et Mathis Lussy* [1], où j'ai puisé bon nombre de renseignements, on trouve la reproduction d'une pièce d'orgue de Frescobaldi, datée de 1637, écrite sur une double portée de quatorze lignes, dont six pour la main droite et huit pour la main gauche, et plusieurs exemples du même genre et de la même époque. Il est également très curieux de voir, dans ce même ouvrage, la série des déformations successives par lesquelles ont dû passer, sous la main de copistes maladroits ou fantaisistes, les trois lettres F, C, G, avant de devenir les clefs que nous connaissons.

Quant à nos signes d'altération, que tout esprit non prévenu serait porté à croire inventés tous les trois le même jour et par le même individu, ils sont bien loin d'avoir le même âge.

Le ♭ seul a figuré dans les livres de plain-chant. On l'y trouve dès l'année 927.

Dans quelques pièces du XIVe siècle ou de la fin du XIIIe apparaît le ♯, dans une forme légèrement différente.

Le ♮ ne date guère que de 1650 comme signe de suppression du bémol, et du XVIIIe siècle dans sa signification actuelle, annulant également le dièse.

Le 𝄫 et le × sont de création toute récente.

1. *Histoire de la notation musicale.*

Depuis le xvie siècle, le système de notation ayant acquis un par un, comme on l'a vu, tous les organes qui devaient le conduire à la perfection, il n'y fut plus tenté de modifications sérieuses que dans le sens de la simplification, et c'est encore ainsi que de nos jours il demeure quelque peu perfectible.

La plus intéressante de ces tentatives est la *basse chiffrée*, sorte de sténographie imaginée vers 1580; ce système abréviatif dont le défaut était de manquer de précision, de laisser une part trop large à l'initiative de l'exécutant, n'est plus employé que comme procédé didactique, et a été décrit au chapitre *Harmonie.*

Il faut enfin parler de l'école anglaise au xvie siècle, et citer des noms dont quelques-uns sont parmi les très grands noms de l'histoire de la musique. *Tallis* (1510-1585), *Taverner* (ca. 1530), compositeurs de musique religieuse : messes, motets, services, anthems; puis *William Byrd* (1542-1623), sans doute le plus grand musicien de l'Angleterre. Il a écrit des chefs-d'œuvre dans tous les genres, aussi bien musique profane, madrigaux anglais, que musique sacrée ou musique instrumentale. Cette dernière est destinée en général au *virginal*, instrument spécifiquement anglais, sorte d'épinette rectangulaire, d'où le nom de *Virginalistes* donné aux compositeurs anglais de cette époque. *John Bull*, *John Dowland* (1562-1626), *Gibbons*, sont parmi les virginalistes les plus connus; ils ont également, d'ailleurs, écrit de la musique vocale.

Dans la deuxième moitié du xvie siècle s'accomplit une sorte de révolution artistique qui va complètement transformer la musique. La polyphonie va faire place à la monodie accompagnée, la musique délaisse l'église et se transporte au théâtre, les modes anciens laissent définitivement la place au majeur et au mineur classiques. Un des maîtres qui personnifient le mieux ce changement est Monteverdi.

Monteverdi Claudio, né à Crémone en 1567, mort à Venise en 1643. Musicien du duc de Mantoue, maître de chapelle de l'église Saint-Marc de Venise. Cet homme de génie a ouvert la voie au drame musical.

Vers la fin du xvie siècle, les Florentins, pénétrés d'une vive admiration pour la tragédie grecque, tentèrent de la ressusciter en faisant chanter individuellement les personnages (on n'a pas oublié que jus-

chant était toujours choral ou collectif, à trois, quatre, cinq parties); qu'alors, aussi bien dans les madrigaux que dans les mystères, le on appela ce genre nouveau *monodie*, c'est là l'origine du récitatif, de la déclamation lyrique. C'est Monteverdi qui, de ces essais et de ceux tentés ensuite par les Romains, va faire naître l'opéra, et son *Orfeo*, représenté pour la première fois à Mantoue en 1600, la première en date des tragédies musicales, est encore une des plus actuelles. Auteur de neuf livres de *madrigaux* à cinq voix pour la plupart, de *musique religieuse*, de *musique instrumentale*, il a laissé en outre un admirable fragment d'un opéra perdu : *Ariana*, et deux autres opéras : *Le retour d'Ulysse* et le *Couronnement de Poppée*. Par ses innovations harmoniques, par le parti qu'il a su tirer, au point de vue expression dramatique, des recherches de ses devanciers, il ouvre une voie nouvelle à l'art et ses hardiesses aboutissent finalement à la tonalité moderne, avec son système de modulation, ses possibilités expressives si riches et si variées.

*
* *

Un ouvrage spécial pourrait seul prétendre à énumérer tous les grands musiciens du XVIIe siècle dont le renom nous est parvenu; je ne puis songer ici qu'à en citer quelques-uns parmi les plus illustres et d'abord en Italie :

Carissimi (1605-1674).

Né à Marino, près de Rome, a écrit un grand nombre de messes, de cantates, de motets et d'*oratorios*. Il est le grand maître de l'oratorio italien, appelé aussi *histoire sacrée*. Dans cette forme nouvelle, les innovations récentes du théâtre sont mises au service d'un sujet tiré de l'Écriture sainte.

Cavalli (1602-1676), *Cesti* (1618-1669), *Legrenzi* (1625-1690), sont, après Monteverdi, les représentants de l'opéra vénitien; *Stradella*, chanteur et compositeur né à Naples, (1645-1670), a, d'après la légende, désarmé par le prestige de son talent les spadassins chargés de l'assassiner; *Alessandro Scarlatti* (1659-1725), père de Domenico, fut le maître de l'oratorio et de l'opéra napolitains.

Passons maintenant à la musique instrumentale et à l'admirable école italienne du violon au XVIIe siècle :

Corelli (Arcangelo) (1653-1713), né près de Bologne.

Un des plus grands violonistes virtuose et compositeur. Ses *sonates d'église* et ses *sonate de chambres* sont les prototypes d'un très grand nombre d'œuvres classiques.

Vivaldi (Antonio) (1675-1743), né à Venise.

A composé une cinquantaine d'*opéras* et d'*oratorios*, de la musique religieuse, une très grande quantité de *sonates*, *concerti*, musique instrumentale.

Tartini (1692-1770), né à Pirano.

Célèbre comme violoniste, comme compositeur et comme acousticien, car il fut le premier à découvrir les *sons résultants différentiels*, c'est-à-dire la propriété qu'ont deux sons harmoniques quelconques, rigoureusement justes, de reconstituer et faire résonner leur son fondamental, qu'il appelait *le troisième son*. Il eut tort de vouloir édifier sur cette seule découverte tout un système d'harmonie, nécessairement incomplet.

Il a composé de remarquables *sonates* pour violon, environ cinquante, dont la plus célèbre s'appelle *la Sonate du diable*, un très grand nombre de *concertis* et des ouvrages didactiques qui ont puissamment contribué aux progrès de l'art du violon.

*
* *

Vers 1645, Mazarin avait introduit en France le goût de la musique italienne, événement à noter en raison de l'importance qu'il prendra par la suite. Relativement peu après, en 1659, Cambert fait entendre à Vincennes, devant le roi, sa *Pastorale* écrite en collaboration avec l'abbé Perrin [1]; en 1669, leur *Pomone* est joué avec un éclatant succès et ils obtiennent le privilège d'ouvrir un théâtre, situé rue Mazarine, qui fut le berceau de l'opéra actuel, ou au moins la première tentative de ce genre en France.

Cambert et Perrin ne conservèrent pas longtemps leur privilège; ils en furent dépossédés par Lully, un rusé Florentin, d'ailleurs plein de valeur et d'une rare sagacité artistique.

Lully [2] (1633-1687), né à Florence.

Célèbre comme compositeur et comme fondateur de l'Opéra français, bien qu'il y ait eu Cambert comme prédécesseur; mais, doué d'une nature intrigante, très en faveur auprès de Louis XIV, et possédant, sinon du génie, au moins un grand talent, à une époque où aucun compositeur dramatique n'existait en France, il triompha

1. Il a existé un troisième associé, le marquis de Sourdéac, qui s'occupait spécialement des décors.
2. On écrit généralement Lully : lui-même signait ainsi; mais son origine italienne démontre que cette orthographe était de pure fantaisie et que son vrai nom devait s'écrire Lulli.

aisément et obtint du roi toutes les charges et tous les honneurs qu'il put désirer.

Il était Florentin de naissance et fit son entrée en France au service de Mlle de Montpensier, vers l'âge de treize ans. Après avoir quitté sa maison, il se fit admettre dans la bande des Violons du Roi, s'y distingua comme compositeur, et fut chargé de diriger une nouvelle bande, dite des *Petits Violons*, qui devint très supérieure à l'ancienne; il avait alors une vingtaine d'années. Son caractère n'était pas à la hauteur de son talent et sa vie ne fut qu'un tissu d'indélicatesses, d'avarice et de brutalités, sans parler des mœurs, qui n'étaient pas brillantes. S'il était peu estimable comme homme, il faut le juger tout autrement comme artiste, car il sut se servir d'éléments empruntés d'une part au *ballet de cour français*, d'autre part à l'*air de cour*, à la musique instrumentale, à l'opéra italien, pour créer vraiment l'opéra français. Comprenant que le caractère français recherche et apprécie avant tout la clarté, la simplicité et le sentiment juste de l'expression, il sut abandonner à leur profit l'ornementation surabondante du style italien d'alors, et créa des ouvrages encore intéressants aujourd'hui, qui brillent surtout par la vérité de la déclamation.

Il écrivit une vingtaine d'opéras, dont *Quinault* fournissait le livret, et qu'il faisait orchestrer, d'une façon primitive, par des élèves; des œuvres importantes de musique religieuse; la musique de la plupart des ballets de Molière, où il dansait à l'occasion (le Roy y dansoit bien!), et une quantité de pièces instrumentales, danses, divertissements, morceaux de circonstance, qui contribuaient à le maintenir bien en cour.

Alceste, Thésée, Persée, Armide sont ses œuvres principales. Il est considéré, par le fait de l'élimination de Cambert, comme le c réateur de l'opéra français.

Vinrent ensuite *Campra* (1660-1738), né à Aix, auteur d'*Hésiode, Idoménée,* les *Fêtes vénitiennes*; *Destouches*, avec de nombreux opéras, des ballets, le *Ballet des Éléments*, notamment; *Marc-Antoine Charpentier, Colasse, Marais, Lalande, Desmarets*, puis enfin le grand *Rameau.*

Rameau (Jean-Philippe) (1683-1764), né à Dijon.

Bien qu'ayant manifesté dès son enfance des aptitudes spéciales pour la musique et tout ce qui la touche, ce n'est guère avant l'âge de trente-quatre ans que les circonstances lui permirent d'entrer dans la carrière. Il fut d'abord organiste à Lille, puis à la cathédrale de Clermont.

C'est là qu'il imagina son système d'harmonie, basé sur l'idée de la *basse fondamentale*, qui a eu et a encore une grande importance en ce qui concerne la structure harmonique. Ce système contenait des défauts, mais il n'en était pas moins l'œuvre d'un homme de génie.

Il a écrit sur ce sujet de nombreux ouvrages didactiques.

Comme compositeur, il a laissé beaucoup d'œuvres célèbres, parmi lesquelles on peut citer : *Hippolyte et Aricie, les Indes galantes, Castor et Pollux, Dardanus* et de nombreuses *pièces de clavecin*, des *cantates*, de la *musique de chambre*, de la *musique religieuse.*

Il était déjà âgé de cinquante ans lorsque son premier ouvrage fut joué à l'Opéra; mais en vingt-sept ans on en représenta vingt-deux, plus ou moins importants, presque toujours avec succès.

Toutefois, et malgré cette vogue, il considéra toujours ses ouvrages théoriques comme son plus beau titre de gloire.

Dans le domaine de la musique instrumentale, et en revenant en arrière :

Chambonnières (ca. 1602-1672), organiste et claveciniste; la famille des *Couperin* dont le plus illustre représentant est *François Couperin le Grand* (1668-1733), né à Paris, organiste, claveciniste et compositeur : nombreuses *pièces de clavecin, musique religieuse, musique de chambre, musique d'orgue.*

Puis, toute l'école des organistes français : *Nicolas de Grigny, Roberday, Clérembault* (1676-1749), *Marchand, Lebègue, Daquin*; puis *Jean-Marie Leclair*, chef de l'école française du violon (1697-1764).

Parmi les compositeurs exclusivement voués à la musique religieuse, il faut parler de *Dumont*, maître de chapelle (1610-1684), né à Liége, auteur des cinq *Messes royales* dans l'une desquelles se trouve le fameux *Credo* du 1er ton, d'un fort beau style, mais déjà archaïque à l'époque.

*
* *

L'Angleterre a eu au XVIIe siècle un de ses plus grands musiciens :

Purcell Henry, né à Londres en 1658, mort en 1695.

A composé de la *musique instrumentale*, de la *musique religieuse* (*anthems, odes de circonstance*), une grande quantité de musique dramatique, sous forme de musique de scène développée : *King Arthur, The Fairy Queen, Dioclétien, The Tempest, The Indian Queen*, un opéra, *Didon et Enée*; ces œuvres contiennent quantité de pages admirables par la richesse et l'originalité de la musique, la profondeur du sens dramatique.

Enfin en Allemagne, où l'évolution musicale s'est produite relativement tard, vit, cent ans avant Bach, un musicien de génie :

Schütz Heinrich, né en Thuringe en 1585, mort à Dresde en 1672.

Fut le premier à introduire en Allemagne le style dramatique du récitatif inventé par les Florentins. Ses *Passions*, ses *Histoires sacrées*, ses *Concerts spirituels*, ses *Symphonies sacrées* sont pleines de beautés extraordinaires.

En Allemagne également, une école d'orgue annonce de loin et fait pressentir Bach : *Schein*, *Scheidt* (1587-1654), *Reincke*, *Froberger* (1637-1695), *Pachelbel*, et surtout *Dietrich Buxtehüde*, né à Helsingborg en 1637, mort à Lübeck en 1707. Virtuose célèbre, sa réputation était telle que Bach, dans sa jeunesse, fit à pied le voyage de Lübeck pour aller l'entendre.

*
* *

Disons un mot de quelques savants théoriciens : *dom Jumilhac*, le P. *Mersenne*, *Kircher*, *Doni*, auquel on attribue la substitution de la syllabe *do* à la syllabe *ut*, gênante pour la solmisation; et enfin de quelques facteurs ou luthiers :

Cristofori (1653-1731), né à Padoue.

Construisit à Florence (vers 1711) un clavecin dit « à marteaux » qui précéda de cinq ou six ans l'invention du piano, et peut y avoir contribué indirectement.

Steiner (1620-1670), luthier, né à Absom (Tyrol).

Stradivarius (1644-1737), luthier, né à Crémone.

Guarnerius, famille de luthiers du XVIIe et du XVIIIe siècle, originaire de Crémone.

Ceci nous conduit à constater les nouveaux progrès de la facture effectués à cette époque. Aux instruments, déjà nombreux, cités précédemment, il convient d'ajouter : le *Violon*, qui, dès 1520, avait conquis déjà sa forme définitive et n'a plus subi de perfectionnements depuis Stradivarius[1]; des *Violes* de toutes les dimensions et des formes les plus curieusement

1. Voir à l'article *Violon*, p. 110.

variées; la *violetta* (petite viole); la *viola di braccia* (de bras), origine de l'alto; la *viola di gamba* (de jambe); la *viola bastarda*; la *trompette marine* [1], instrument monté d'une seule corde très longue, d'un son doux et mélancolique, ce qui fait que ce bon M. Jourdain n'est pas si ridicule qu'on veut bien le croire; il ferait peut-être mieux de dire mélodieux qu'harmonieux, puisqu'il n'y a qu'une seule corde; mais encore cette corde produit-elle ses harmoniques.

La famille du luth et de la mandore s'enrichit de la gracieuse *mandoline* et du majestueux *théorbe* ou *archiluth* (fin du XVIe siècle), avec son double manche et ses formes sculpturales. La *guitare* et la *harpe* subissent peu de modifications. Il n'en est pas de même du *psaltérion*, qui, par l'adjonction d'un clavier semblable à celui de l'orgue, se transforme progressivement en *épinette*, *virginale*, *clavicorde*, puis enfin *clavecin* (XIVe au XVIe).

Il y avait des *flûtes* de toutes grandeurs; les plus longues résonnaient comme des tuyaux d'orgue. L'idée de compléter les familles (idée à laquelle on revient) avait conduit à construire des *bassons* aigus et des *hautbois* graves, malgré l'apparente contradiction des mots ainsi accouplés. Les *cornets à bouquin* jouaient un grand rôle (il nous en est resté encore longtemps le serpent, puis l'ophicléide). La famille des cuivres s'enrichit d'une puissante personnalité, le *trombone à coulisse* (XVIe siècle), d'abord dénommé *sacquebute*, et créé dès l'origine en quatre types : alto, ténor, basse et contrebasse.

Vers le XIVe siècle, les pédales sont appliquées à l'orgue; à cette époque, et même antérieurement, elles faisaient mouvoir les carillons à clavier qui, du haut des clochers des cathédrales, des beffrois des hôtels de ville, répandent leur harmonie en gouttes argentines sur les villes flamandes.

La musique purement instrumentale prend un essor jusqu'alors inconnu, dans lequel apparaît pour la première fois l'idée d'un coloris orchestral; on voit se constituer des orchestres de fête, de ballet; enfin, tout montre que l'art musical, ayant acquis un à un tous les éléments nécessaires à son parfait développement : maniement des voix et formules de contrepoint, système harmonique et notation rationnelle,

1. Pourquoi « trompette » et pourquoi « marine »? Je crois bien qu'on n'en saura jamais rien.

vérité de l'accent dramatique et richesse de timbres, bien armé désormais, va pouvoir s'élancer hardiment vers des cimes de plus en plus élevées.

Nous sommes, en effet, parvenus au point où nous allons voir défiler triomphalement les *grands classiques.*

Jusqu'à ce point, nous avons pu, dans l'ensemble et sans inconvénient trop marqué, envisager l'évolution musicale comme s'effectuant en quelque sorte d'une seule pièce et parallèlement chez les diverses nations; mais à partir d'ici, il devient indispensable de se rendre compte de la part individuelle de chacune d'elles dans les progrès effectués, et de discerner bien nettement la tendance prédominante de chaque école. Cela ne veut pas dire que ces tendances diverses ne s'étaient pas encore manifestées; loin de là, car elles ont toujours existé; mais à présent que l'art est entré en possession de tous ses éléments techniques, de son outillage bien complet, chaque nationalité s'attache, encore plus distinctement que par le passé, à un objectif déterminé, toujours correspondant à son caractère propre.

De là les trois grandes Écoles *française, allemande, italienne,* que nous séparerons désormais pour les mieux étudier et mieux saisir la physionomie de chacune d'elles [1].

C. — École allemande

Nous commencerons par l'école allemande, la plus robuste incontestablement à l'époque où nous sommes parvenus, et celle à laquelle les autres écoles ont dû le plus souvent faire des emprunts. Nous y trouverons la hardiesse et la solidité architecturale, la profondeur des combinaisons.

En tête se placent deux colosses, Bach et Hændel, vénérables objets d'admiration, que les siècles n'ont fait que grandir et ne sauront jamais amoindrir.

Bach (Jean-Sébastien) (1685-1750), né à Eisenach.

Un des plus grands génies de l'Allemagne, comme du monde entier, dont l'influence sur l'évolution musicale fut immense et se fait encore sentir dans toutes les écoles.

[1] L'École russe est de date plus récente; nous l'étudierons plus loin, et avec elle, les autres écoles étrangères modernes.

Organiste et claveciniste d'une incomparable habileté, il a produit dans tous les genres connus en son temps, et aussi sous des formes nouvelles créées par lui, une infinité de chefs-d'œuvre qui ne sont pas encore tous publiés. C'est probablement le plus fécond des compositeurs. De son œuvre, on ne peut citer que les ouvrages les plus célèbres : *Messe en si mineur*, autres *messes*, *Passion selon saint Mathieu* et *selon Saint Jean*, *motets*, nombreuses *Cantates sacrées* et *cantates profanes*. Musique de clavecin : *Clavecin bien tempéré*, *inventions*, *partitas*, *Suites anglaises* et *françaises*, *fantaisies*, etc... Musique d'orgue, neuf livres de *préludes*, *toccatas*, *fantaisies*, *fugues*, *chorals*, *sonates*, etc., *Suites pour orchestre*. *L'Art de la fugue*, *L'Offrande musicale*. *Sonates pour violon seul*, *suites pour violoncelle*, musique de chambre, *Concertos brandebourgeois* pour divers instruments, etc...

Il eut onze fils et neuf filles.

La famille de Bach a fourni une quantité de musiciens, soit parmi ses aïeux, soit parmi ses descendants; on n'en compte pas moins de *cent vingt*, ayant tenu avec distinction des emplois de maîtres de chapelle, d'organistes ou de chanteurs dans les cathédrales. Je n'énumère ici que ceux dont il nous est resté des traces notables par leurs œuvres.

Bach (Jean-Christophe) (1643-1703), né à Arnstadt.

Contrepointiste et improvisateur d'une haute valeur, qui a écrit beaucoup d'ouvrages religieux ou profanes.

(Plusieurs autres membres de la même famille ont porté les mêmes prénoms.)

Bach (Jean-Ambroise) (1645- . . . .?) qui fut le père du célèbre Jean-Sébastien.

Bach (Guillaume-Friedmann) (1710-1784), né à Weimar, fils aîné de Jean-Sébastien.

Improvisateur remarquable, il a laissé de nombreux ouvrages pour orgue, clavecin, orchestre ou chœurs, restés pour la plupart à l'état de manuscrit.

Bach (Philippe-Emmanuel) (1714-1788), né à Weimar, deuxième fils de Jean-Sébastien.

Abandonna partiellement le style fugué et contrepointé de son père, et *créa la forme de la sonate* moderne qu'Haydn, Mozart et Beethoven devaient porter à son extrême perfection, et d'où est sorti le modèle de la symphonie. Il exerça donc, quoique ses ouvrages soient trop peu connus de nos jours, une action considérable sur le développement des grandes formes de la musique instrumentale et symphonique, et doit être considéré comme le trait d'union entre l'école sévère de son père et le style moins austère de l'école classique allemande à laquelle il a ouvert la voie.

Nombreuses compositions religieuses et profanes, vocales, symphoniques et instrumentales, notamment pour clavecin.

Bach (Jean-Chrétien) (1735-1782), né à Leipzig, onzième et dernier fils de Jean-Sébastien.

Autant que de son père, il était l'élève de son frère Philippe-Emmanuel et écrivit dans le style de ce dernier de la musique d'église, de la musique symphonique et de nombreux opéras.

La vie de J.-S. Bach, issu d'une véritable tribu de musiciens, fut calme et sédentaire, toute consacrée à l'étude, à la production et à la famille.

Autrement mondaine fut l'existence de Hændel, d'où son style plus extérieur, plus décoratif, dans lequel on retrouve parfois des traces indéniables de l'influence italienne.

Hændel (1685-1759), né à Halle (Saxe).

Contemporain absolu de J.-S. Bach, non moins illustre que lui il lui est trop souvent comparé et assimilé dans l'esprit du public; si bien qu'on arrive à les confondre, bien qu'ils soient, par leur style, absolument distincts.

La caractéristique de Haendel, c'est d'être toujours pompeux et solennel; les moindres de ses œuvres sont empreintes de majesté, exemptes de complications.

Né en Saxe, il habita successivement l'Allemagne, l'Italie, puis l'Angleterre, où il se fixa et mourut, et son style se modifia selon ces divers milieux, sans jamais perdre ses qualités grandioses, d'ailleurs affirmées par sa situation de musicien quasi officiel de la cour d'Angleterre et l'obligation de composer en vue de grandes solennités officielles ou privées. Ce style a trouvé ses plus hautes applications dans le genre *oratorio*; parmi les plus célèbres on peut citer : *Israël en Egypte*, *Saül*, *le Messie*, *Samson*, *Judas Macchabée*, *Suzanne*; il a aussi écrit, sur des livrets anglais, italiens et allemands, environ une cinquantaine d'*opéras* oubliés aujourd'hui; beaucoup de *musique religieuse*, et de nombreuses *pièces instrumentales* pour orgue et clavecin, des *concertos* pour orchestre.

Les Anglais le considèrent comme une gloire nationale, bien que l'Angleterre ne soit que son pays d'adoption : quelques-uns vont même jusqu'à lui attribuer la composition du *God save the King*. Malgré une évidente parenté de style, la vérité de cette affirmation n'est pas prouvée [1].

De leur vivant encore, et dérivant, avec des formes plus légères et plus spirituelles, de Bach, de son fils Philippe-Emma-

1. Autour de Hændel, il convient de citer quelques-uns de ses contemporains qui, comme lui, ont composé de la musique religieuse, de la musique instrumentale et des opéras allemands.

Mattheson (1671-1764), qui fut en outre un remarquable théoricien.

Telemann 1681-1767), *Hasse* (1699-1783), élève d'A. Scarlatti, et italianisant.

nuel, de *Stamitz* et de l'école de Mannheim[1], apparut un autre grand génie qui devait jouer un rôle de premier plan dans le développement du style symphonique :

Haydn (François-Joseph) (1732-1809), né à Rohrau (Autriche).

Fut d'abord simple enfant de chœur à la cathédrale de Vienne; né de parents obscurs (son père était charron), il pourvut lui-même, par la lecture de bons ouvrages, à son instruction musicale élémentaire, et vécut dans la misère la plus complète jusqu'au jour où il fut pensionné par divers hauts personnages, surtout par les princes Antoine et Nicolas Esterhazy auprès duquel ses fonctions tenaient autant du valet de chambre que du maître de chapelle.

Il reçut quelques conseils de Porpora, en échange de services domestiques; mais son vrai modèle, il l'a dit lui-même, fut Philippe-Emmanuel Bach, dont il adopta le style, la forme et divers procédés.

Haydn est considéré comme le père de la *symphonie*, dont, à vrai dire, il fixa le plan définitif, resté classique; il n'en a pas écrit moins de cent dix-huit, dont une vingtaine seulement est connue en France; il a aussi écrit un assez grand nombre d'*opéras* sur des poèmes allemands ou français, entièrement oubliés. Il n'en est pas de même de deux grands *oratorios*, *la Création* et *les Saisons*, qui sont de véritables chefs-d'œuvre; puis beaucoup de musique de chambre consistant en *quatuors* pour instruments à cordes, *trios* pour clavecin, violon et violoncelle, *sonates* pour piano seul, etc.; puis de la musique d'église, notamment *les Sept paroles du Christ*, des *messes*, etc...

La note dominante dans la musique de Haydn est la finesse, l'esprit; il faut aussi admirer sa puissance d'invention et ses véritables trouvailles harmoniques, souvent pleines d'audace, surtout si l'on se reporte au temps où il vivait. C'est une grande figure musicale.

Haydn eut un frère, *Michel Haydn* (1737 † 1806), organiste et professeur du plus grand talent, qui a laissé des œuvres religieuses importantes; mais sa personnalité est absorbée dans la gloire de son illustre aîné.

Je signale seulement ici *Gluck*, parce qu'il est né en Allemagne en 1714; mais l'épanouissement de son génie ayant eu lieu dans sa carrière française, c'est plus loin que nous devrons l'étudier. Il importe pourtant de constater que l'élévation à laquelle il porta la composition dramatique, l'opéra, ne fut pas sans action sur certaines parties de l'œuvre de Mozart comme sur l'art théâtral en général.

1. La cour de Mannheim possédait un excellent orchestre, dirigé par *Stamitz*, à partir de 1745. Pour cet orchestre exceptionnel, de nombreux compositeurs écrivirent de la musique symphonique. C'est l'*école de Mannheim* qui contribua pour une part importante à l'élaboration de la symphonie.

Mozart (Wolfgang) (1756-1791), né à Salzbourg.

Le plus parfait et le plus complet de tous les grands génies de l'art musical, car seul il a touché à tous les genres, en excellant dans chacun d'eux. Rien ne lui est resté étranger : composition dramatique, religieuse, symphonique, oratorios, musique de chambre, lieder, cantates, psaumes, tout lui a été familier, et partout il a semé des merveilles.

Il procède de Haydn, avec plus de cœur et de grâce, peut-être moins de finesse et d'esprit mordant, en ce qui concerne la musique de chambre et la symphonie. Comme mélodiste, il se rattache indubitablement à l'école italienne, et à Gluck dans ses grands ouvrages, par la sincérité et la puissance de l'accent.

Après avoir été le plus inconcevable des enfants prodiges, puisque à quatre ans il composait de petits menuets que son père notait pendant qu'il les jouait, il parcourut, de six ans à dix ans, sous la conduite de son père, bon violoniste et maître de chapelle, d'abord l'Autriche, l'Allemagne, puis la Belgique, la France, l'Angleterre et la Hollande, recueillant partout, dans les cours et chez les grands seigneurs, les témoignages les plus flatteurs d'admiration, qui se traduisaient, malheureusement, bien plus en baisers, en caresses et petits cadeaux, qu'en argent monnayé; un peu plus tard, il visita les grandes villes d'Italie, et revint à Paris, en 1778, se faisant entendre sur le clavecin, sur le violon, composant des sonates, des oratorios et des opéras entiers sur la demande des grands personsonnages auxquels il les dédiait, excitant toujours l'enthousiasme, mais sans arriver jamais à se créer une situation. On voit que ses débuts, pour être brillants, n'en furent pas moins difficiles.

Aussi, à l'âge de vingt-trois ans, dut-il accepter la modeste place d'organiste à la cathédrale de Salzbourg, son pays natal. C'est seulement alors que les circonstances lui permirent de prendre son essor définitif. En 1780, il écrivit *Idoménée*, qui fut exécuté à Munich avec un succès colossal; puis vinrent l'*Enlèvement au sérail*, *les Noces de Figaro*, *Don Juan*, *Cosi fan tutte*, *la Flûte enchantée*, et enfin *la Clémence de Titus*, qui fut son dernier opéra. Une douzaine de *symphonies*, dont quatre particulièrement célèbres (*ut maj.*, *ré maj.*, *sol min.*, *mi bémol maj.*), une vingtaine de *concertos* pour piano et orchestre (dont un pour deux pianos), des *concertos* pour violon, pour clarinette, pour basson et pour cor, etc., représentent son bagage symphonique. Pour l'église,il a écrit une dizaine de *messes*, de nombreux *psaumes* et *motets* (dont un célèbre *Ave Verum* à quatre voix, et une messe de *Requiem*, son dernier ouvrage, qui fut achevé par son élève Sussmayer. De nombreux *quintettes*, *quatuors* et *trios* attestent de sa valeur comme compositeur de musique de chambre, et de plus, il a laissé une inépuisable collection de pièces pour piano, *sonates fantaisies*, *airs variés*, etc.

Dans tous ces genres si divers, il s'est élevé au-dessus de tout ce qui avait été fait avant lui et le nombre de ses ouvrages d'après le catalogue de Köchel, est de six cent vingt-six, sans compter les suppléments.

Il est mort à trente-six ans, dans un tel dénuement qu'on dut l'enterrer dans la fosse commune. La scène fut navrante : c'était par un temps épouvantable, la pluie et le vent faisaient rage, et, les rares amis formant le cortège l'ayant abandonné, les fossoyeurs durent accomplir sans témoins leur sinistre besogne; quand, le lendemain, sa veuve voulut venir pleurer sur sa tombe, personne ne put la lui indiquer et on ne l'a jamais retrouvée.

Beethoven (Louis van) (1770-1827), né à Bonn.

L'un des plus grands génies du siècle. Son domaine principal est essentiellement instrumental. Depuis la simple sonate jusqu'à la symphonie, il n'a créé que des chefs-d'œuvre.

On lui reconnaît généralement *trois styles* ou époques distinctes dans sa vie de compositeur. — Le *premier* dérive sensiblement de Haydn et de Mozart, qu'il continue avec plus d'extension. — Le *deuxième* lui est bien personnel et ne saurait être confondu avec aucun autre; il s'y montre dans la plénitude de son génie. — Le *troisième* est encore supérieur au deuxième par la hardiesse des combinaisons harmoniques et l'intensité de la force expressive. Certains de ses contemporains y ont vu une sorte de décadence glorieuse, motivée en partie par la surdité qui a empoisonné la moitié de la vie du malheureux artiste. Beethoven s'y est élevé pourtant à des hauteurs jusqu'alors inconnues.

La façon dont Beethoven acquit l'instruction musicale n'est pas très connue. Il y fut d'abord réfractaire, si bien que son père usait de violence et le battait pour l'obliger à travailler son piano; il avait alors environ cinq ans. Mais après une année d'étude sous la direction de Van der Eden, il s'enthousiasma pour la musique et prit dès lors son essor. Il eut ensuite pour maître Neefe, qui lui fit étudier Bach et Haendel, au point de vue de la virtuosité; il étonna tous les artistes de son temps, y compris Mozart, par son aptitude surprenante pour l'improvisation, qui était chez lui chose innée, puisqu'il ne possédait encore aucune notion d'harmonie ou de contrepoint. Ce n'est que vers 1793 qu'il reçut quelques leçons d'Haydn, déjà âgé, qui ne comprit pas à quel génie il avait affaire et le négligea; puis d'Albrechtsberger, savant contrepointiste qui fut, avec la nature, son seul maître.

Il composait souvent en marchant, en se promenant; puis, rentré chez lui, il écrivait ce qu'il avait conçu ainsi. Il était d'une extrême originalité, confinant à la sauvagerie, bien qu'ayant fréquenté, à Vienne et ailleurs, le monde le plus élégant, notamment chez l'archiduc Rodolphe qui fut, avec Ferdinand Ries, à peu près son seul élève marquant.

Son œuvre est considérable : neuf *symphonies*, la dernière avec chœurs; six *concertos* pour piano et orchestre; dix-sept admirables *quatuors* pour instruments à cordes; de nombreux *trios, duos*; un *septuor*; un *opéra : Fidelio*; plusieurs *ouvertures : Coriolan, Egmont, Léonore (Fidelio), Ruines d'Athènes, chœurs, lieder, ballet de Prométhée*, une *messe*, trente-deux *sonates pour piano*, des *sonates pour piano et violon, piano et autres instruments*, un *oratorio* : *Le Christ au Mont des Oliviers.*

Parmi les artistes de second plan contemporains de ces grands maîtres, citons *Hummel*, *Field*, plus intéressants comme virtuoses que comme compositeurs; puis un remarquable pédagogue du clavier : *Czerny* (Charles) (1791-1857), né à Vienne.

Cette époque eut aussi ses grands théoriciens, parmi lesquels : *Fux* (1660†1741), *Marpurg* (1718†1795), l'abbé *Vogler* (1749†1814), et surtout :

Albrechtsberger (1736-1809), né à Klosterneubourg (Autriche).

Nombreux *ouvrages didactiques* sur l'harmonie, le contrepoint et la fugue; grand nombre de compositions religieuses et profanes, *motets*, *hymnes*, vingt-six *messes*, *concertos*, *sonates*, etc. C'était un grand érudit; il eut pour élèves, entre autres, Beethoven, Hummel, Ries et John Field.

Après cette énumération, que les limites de ce volume m'ont obligé à faire bien brève et bien sèche, des grands classiques allemands et de quelques-uns de leurs contemporains, il nous faut rétrograder de quelques années pour voir naître et se développer l'art romantique, dont le germe se trouve dans les dernières œuvres de Beethoven. Si Hummel, Ries, etc., furent ses continuateurs dans l'ordre d'idée purement classique, il n'est pas douteux que son génie exerça aussi sa puissante influence sur une école toute différente, dont Weber et Mendelssohn sont les chefs de file. Chez eux, les formes, sans cesser assurément d'être pures, sont plus voilées et plus fantaisistes, moins rigides, les agencements harmoniques plus libres et plus osés; l'ensemble devient plus pittoresque, plus descriptif; enfin on sent en tout la tendance un peu sensuelle qui doit conduire au romantisme moderne.

Il y eut donc à cette époque (vers 1780) une véritable bifurcation; pendant qu'un certain nombre de maîtres allemands s'efforçaient de conserver intactes les traditions de Haydn et de Mozart, d'où Beethoven lui-même était sorti, et continuaient l'art classique pur, d'autres, plus audacieux, s'élançaient hardiment à la recherche de procédés nouveaux et plus en rapport avec l'évolution littéraire allemande, qui devaient en faire, à leur tour, des chefs d'école d'abord discutés, puis universellement célèbres et admirés.

Weber (Charles-Marie de) (1786-1826), né à Eutin (duché de Holstein).

Créateur de l'opéra romantique allemand, compositeur plein d'originalité, de verve, de fougue et d'une poésie fantastique qui lui est particulière.

Un certain manque de technique se trahit par un peu de gaucherie dans l'écriture, mais la force géniale est telle qu'elle arrive à absorber seule l'attention de l'auditeur et à lui imposer l'admiration. L'orchestration est riche, énergique, colorée et pittoresque. C'est un des plus grands génies de son temps, et on doit d'autant plus admirer sa puissance expressive, qu'il a eu à lutter contre le défaut d'instruction spéciale, qu'il a dû se créer par lui-même un style.

Quatre *opéras* célèbres : *Euryanthe, Freischutz, Oberon* et *Preciosa*; deux autres moins connus en France : *Abou-Hassan* et *Sylvana*; trois *concertos* pour piano (le troisième s'appelle *Concertstück* ou *le Retour du Croisé*); deux *concertos* pour clarinette; un grand *duo* et des *variations* pour piano et clarinette; un *trio*; quatre belles *sonates* pour piano, ainsi que deux *polonaises*, un *rondo* en *mi* bémol, l'*Invitation à la valse*..., telles sont les œuvres les plus importantes, les plus célèbres, mais non les seules.

Mendelssohn-Bartholdy (1809-1847), né à Hambourg.

Remarquable symphoniste, chez lequel la science s'allie à la distinction et à une inspiration élevée.

Pianiste et organiste de la plus grande valeur, il a écrit des *sonates d'orgue* et pour le piano des *concertos*, des *sonates*, des pièces de musique de chambre; mais c'est surtout dans l'*oratorio* et la *symphonie* qu'il a pu donner toute sa mesure.

Le *Songe d'une nuit d'été*, les trois dernières *symphonies*, les *ouvertures* de *Ruy Blas*, de la *Grotte de Fingal*, de la *Belle Mélusine*, son *concerto* pour violon, ses deux *concertos* pour piano, ses deux *trios*, la *sonate* en *si* bémol et *duo* en *ré* pour piano et violoncelle, ainsi que la plupart de ses *romances sans paroles* (genre qu'il a créé) doivent être considérés comme des chefs-d'œuvre véritables.

L'orchestration de Mendelssohn est des plus riches, fertile en sonorités pittoresques et en agencements ingénieux.

Entre Weber et lui se place un très grand maître qui a laissé une œuvre considérable, bien qu'il soit mort à 31 ans :

Schubert (Franz) (1797-1828), né à Vienne.

Musicien doué d'un charme poétique tout particulier, a porté à la perfection le genre du *lied* [1] et écrit des chefs-d'œuvre universellement connus comme *le Roi des Aulnes*, l'*Ave Maria*, la *Sérénade*, la *Jeune Religieuse, l'Adieu, Marguerite*... (en tout plus de six cents

1. Lied ou mélodie allemande.

lieds) il a écrit en outre de la musique de piano (*Moments musicaux, fantaisies, impromptus, sonates, danses*), des *symphonies, ouvertures, trios quatuors* à cordes, *quintettes, octuor, musique religieuse, chœurs,* fragments d'*opéras*, musique dramatique.

Bien que *Meyerbeer* soit né à Berlin (1791), bien qu'il ait étudié avec l'abbé Vogler, je le range, comme Gluck, dans l'école française, où il a trouvé sa voie définitive. Mais je reconnais qu'aussi bien pour Chopin que pour Meyerbeer, qu'on peut penser autrement que moi.

Alors apparut un autre grand génie germanique :

Schumann (Robert) (1810-1856), né à Zwickau (Saxe).

Ce n'est guère avant l'âge de vingt ans qu'il entreprit des études sérieuses avec l'idée de faire de la musique sa carrière; jusque-là il était destiné au droit. Ce manque d'études élémentaires et techniques faites en temps voulu, c'est-à-dire pendant la jeunesse, se trahit dans son style par une certaine indécision et un peu de vague dans les formes; ses œuvres développées manquent parfois d'équilibre, son orchestration est un peu grise, manque de force, d'éclat, de lumière. Ces légères réserves faites, on doit admirer profondément la poésie intense et intime qui se dégage de ses moindres productions.

Il a composé beaucoup de pièces pour le piano : deux *sonates, Kreisleriana, Novelettes, Études symphoniques, Scènes d'enfants, Carnaval*, etc., trois *quatuors à cordes*, un *quintette*, trois *trios*, deux *sonates* pour piano et violon, un *concerto* de piano, quatre *symphonies*, des *ouvertures*; un très grand nombre de *lieds* (il est avec Schubert le grand maître du lied allemand), des *chœurs*, un *opéra : Geneviève*, une cantate profane. *Le Paradis et la Péri*, de la musique de scène pour le *Manfred* de Byron, des *Scènes tirées du Faust de Goethe*, etc., etc. Il est mort fou dans une maison de santé près de Bonn. Il avait épousé une remarquable pianiste Clara Wieck, qui, après sa mort, a continué à faire connaître sa musique.

Parlons ici d'un autre musicien-poète du même temps, de *Chopin*, bien qu'il ne soit en aucune façon allemand, mais polonais, et qu'il ait passé presque toute sa vie à Paris.

Chopin (Frédéric-François) (1810-1849), né près de Varsovie, au village de Zelazowa-Wola.

Grand virtuose et célèbre compositeur; n'a écrit que pour le piano, sauf un *trio* et une *polonaise* pour piano et violoncelle, dont la partie de violoncelle fut arrangée par Franchomme et des *mélodies polonaises.*

Ses œuvres possèdent un charme mélancolique et une exquise poésie qui lui sont absolument propres. Il a laissé deux *concertos*, deux *sonates* (l'andante de la deuxième, est la fameuse *Marche funèbre*) et une quantité de *polonaises*, *mazurkas*, *valses*, *nocturnes*, des *préludes*, deux volumes d'*études*, des *ballades*, *scherzos*.

Liszt (Franz) (1811-1886), né à Reiding (Hongrie).

Il fut d'abord pianiste, le plus extraordinaire et le plus prestigieux qui ait jamais existé, et improvisateur des plus étonnants; cédant au goût du temps, il composa alors de nombreuses fantaisies, arrangements ou paraphrases sur les opéras à la mode, hérissés de difficultés tellement vertigineuses que lui seul pouvait alors en tenter l'exécution.

C'est seulement plus tard qu'il aborda la véritable composition avec cette tournure d'esprit mystique qui était dans sa nature. Que ce soit comme virtuose ou comme compositeur, Liszt a toujours un caractère de grandeur héroïque et parfois un peu emphatique. Ceux donc qui ne sont pas de ses admirateurs l'accusent volontiers d'un certain charlatanisme, ce qui est injuste car, même dans ses exagérations, Liszt est toujours noble et sincère.

En 1865, il entra dans les ordres, on ne l'appela plus que l'abbé Liszt; mais il continua pourtant sa carrière.

L'une de ses filles Cosima a épousé Wagner, dont il était l'un des plus ardents champions; il était d'ailleurs aussi passionné dans ses admirations et ses enthousiasmes (Beethoven, Berlioz, Schumann, Wagner) que dans sa musique et son exécution, et il a toujours lutté avec le plus généreux désintéressement pour les œuvres qu'il admirait. C'était un homme de génie, dont l'existence a été des plus curieuses et des plus mouvementées. Lui non plus n'est pas Allemand, mais Hongrois, et l'influence du folklore de son pays se fait fortement sentir dans sa musique.

Il a écrit beaucoup de musique de piano, notamment une *sonate*, deux *concertos*, de la *musique d'orgue*, douze *poèmes symphoniques*, *Dante-Symphonie*, *Faust-Symphonie*, deux *oratorios : Christus* et *Sainte Elizabeth*, de la musique religieuse, des *messes*, *Requiem*, *psaumes*, etc...

Après le beau-père, le gendre. Voici venir, pour couronner royalement les efforts de l'école romantique, Richard Wagner, le puissant novateur, le prodigieux réformateur de l'art dramatique allemand.

Wagner (Richard) (1813-1883), né à Leipzig.

Le plus discuté, le plus dénigré et le plus encensé aussi de tous les compositeurs.

Il a eu deux manières distinctes. Dans la première, qui a produit

Rienzi, le *Vaisseau Fantôme*, *Tannhauser* et *Lohengrin*, rien n'empêche de penser qu'il procède de ses devanciers, Gluck, Beethoven, Schumann, Mendelssohn et Weber, tout en apportant dans sa façon d'écrire une note déjà bien personnelle, mais nullement révolutionnaire.

Il devient un novateur dans la deuxième manière, caractérisée par la division de l'œuvre dramatique en scènes se reliant les unes aux autres, ce qui anéantit l'ancienne coupe par airs, duos, trios, etc., et par l'emploi systématique et permanent du *Leitmotiv* (déjà introduit dans *Lohengrin*). C'est dans ce système nouveau que sont construits *Tristan et Iseult*, les *Maîtres chanteurs*, l'*Anneau des Niebelungen*, trilogie avec prologue, ne pouvant s'exécuter intégralement qu'en quatre séances (1° l'*Or du Rhin*, prologue; 2° la *Walkyrie*; 3° *Siegfried*; 4° le *Crépuscule des Dieux*); et *Parsifal*, la dernière œuvre du maître.

Wagner, ayant été, en même temps qu'un grand génie musical pourvu de la plus complète instruction technique, un profond philosophe et un poète, ayant lui-même créé le poème de tous ses ouvrages, présidé à leur mise en scène et dirigé jusqu'à la confection des décors, ne saurait être assimilé ou comparé à aucun des grands génies passés ou présents. Son œuvre est un monument colossal, unique, *inimitable*, qu'on ne peut contempler sans la plus respectueuse admiration.

Il résulte du double parti pris déjà exposé (division par scènes et leitmotiv), auquel on a donné le nom de *formule wagnérienne*, une cohésion, une unité et une intensité expressive incomparables, auxquelles ne peuvent prétendre les œuvres écrites en morceaux séparés, soudés par des récitatifs. Le *Drame musical* de Wagner peut être considéré comme coulé d'un seul bloc, et, par comparaison, on peut envisager les opéras écrits en dehors de cette formule comme des ouvrages de mosaïque ou de marqueterie. On voit la différence des deux procédés, abstraction faite de toute idée de supériorité.

Wagner a développé l'art de l'orchestration, du coloris de l'orchestre, jusqu'à un point inconnu auparavant, et qui semble la dernière limite; mais en art il n'y a pas de limite, et on va toujours en avant; je ne veux ici nommer personne, mais il me semble que parmi les maîtres français, il y en a un déjà qui l'a surpassé en cela. Toutefois, et en dehors des combinaisons nouvelles qu'il a imaginées entre les divers instruments de l'orchestre classique, il y a introduit des éléments nouveaux, notamment les tubas, famille intermédiaire entre les cors et les trombones, et la trompette-basse, qui figurent dans la plupart de ses partitions et enrichissent singulièrement le groupe des cuivres, sans rendre pour cela son instrumentation plus bruyante, ainsi qu'on peut le constater chaque fois qu'on entend ses œuvres dans de bonnes conditions d'exécution, ce qui est rare chez nous.

Il faut aller à Bayreuth pour se rendre compte de l'intensité d'émotion que peut produire un drame wagnérien lorsqu'il est joué religieusement et religieusement écouté, sans irruption d'applaudissements, sans : « Bravo ! brava ! », sans demande de *bis*, toutes choses rigoureusement interdites là-bas; avec les décors et la mise en scène tels que le maître les a réglés; avec l'orchestre invisible, aux sonorités délicieusement fondues, jamais bruyant; avec la salle plongée dans l'obscurité totale; avec le foyer des entractes remplacé par une campagne verdoyante et vallonnée, comme la sonnette par une éclatante fanfare envoyant aux quatre points cardinaux le *Leitmotiv* principal de l'acte suivant. Tout cela est grisant, enveloppant au suprême degré.

Nous n'avons pas ici à juger l'homme; mais en nous plaçant à un point de vue purement artistique, nous devons reconnaître que celui qui a su créer cet ensemble est bien le génie le plus colossal qu'on puisse imaginer.

Nous ne sortons presque pas de la famille en plaçant ici, un peu avant son rang chronologique, un autre membre de l'état-major wagnérien :

Bülow (Hans de) (1830-1894), né à Dresde.

Pianiste, compositeur, chef d'orchestre, a épousé une des filles de son maître, Cosima Liszt, qui est devenue plus tard Mme Richard Wagner, sans que cela parût apporter le moindre trouble dans les relations cordiales existant entre lui et le maître de Bayreuth.

Avant de quitter Wagner et son entourage direct, il est impossible de ne pas poser une question du plus haut intérêt, mais à laquelle l'avenir seul pourra répondre. Wagner a-t-il réellement opéré une réforme, créé un art nouveau et national, comme il le dit lui-même; enfin, fera-t-il école?

Jusqu'à présent, aucun successeur ne se dessine nettement. On voit bien quelques compositeurs, aussi bien en France ou en Italie qu'en Allemagne, adopter ou plutôt essayer certains de ses procédés, par exemple faire emploi de motifs typiques, ou diviser un opéra en trois actes, au lieu de quatre ou cinq qui étaient la mesure ordinaire avant lui; on en voit profiter des progrès qu'il a fait faire à l'instrumentation, et employer les cuivres nouveaux qu'il a introduits dans l'orchestre; avoir trois flûtes, trois clarinettes, compléter les familles; on en voit rejeter la division par morceaux séparés, reliés par des récitatifs, et lui préférer celle, plus logique et plus vivante, par scènes se soudant les unes aux autres sans solution de contituinité. Mais personne encore, au moyen de ces formules, pour employer le mot actuel, n'a mis debout un ouvrage qui puisse être considéré comme la continuation de l'œuvre de Wagner. Ces tentatives isolées ne prouvent qu'une chose : c'est le retentissement universel des luttes triomphales de cet homme extraordinaire, retentissement tel que, dans le monde musical entier, chacun a dû étudier le détail des procédés dont l'ensemble seul constitue sa technique générale; de cette étude nécessaire, il est résulté pour chacun un agrandissement de son horizon propre, une plus large conception de ce qu'il concevait déjà; et c'est ainsi que Wagner, au moins jusqu'à présent, aura influé puissamment sur l'évolution musicale. Pour le continuer dans le sens vrai du mot, il faudrait un homme de la même envergure que lui; et si cet homme existe, il ne consentira pas à jouer le rôle d'un imitateur : il voudra, lui aussi, inventer quelque chose de nouveau. Je me rangerais donc assez volontiers, jusqu'à preuve du contraire, dans le parti de ceux de ses admirateurs qui voient en Wagner un fait isolé, un produit nécessaire de plusieurs siècles d'efforts allemands, dont il est l'ultime expression, et non un réformateur ou un chef d'école. C'est le point culminant d'une magnifique chaîne de montagnes, dont nous venons d'explorer tous les sommets; on n'ira pas plus haut, on fera autre chose.

La figure de Wagner domine incontestablement l'Allemagne musicale de la seconde moitié du XIXe siècle. A cette même époque, cependant, d'autres musiciens allemands, écrivant, en dehors de toute recherche dramatique, de la musique pure, continuent l'évolution qui, par les classiques, puis les romantiques, va aboutir à l'art moderne.

Brahms (Johannes) (1833-1897), né à Hambourg.

A été élève de Schumann, qui avait pour lui la plus grande admiration. Moins rêveur et moins poétique que son maître, il possède en échange plus de fermeté et plus d'éclat, ainsi qu'une grande richesse de coloris orchestral.

Œuvres principales : *Requiem allemand*, quatre *symphonies*, *concerto de violon*, *concerto de piano*, beaucoup de *musique de chambre*, de *musique de piano*, *lieder*, etc.

Bruckner (Anton) (1824-1896).

Dix *symphonies*, trois *messes*, *psaumes*, *Te Deum*, etc. Ses meilleures œuvres sont ses œuvres de musique religieuse.

Mahler (Gustav) (1860-1911).

Musicien inégal dont l'œuvre, à côté de très grandes beautés, contient des pages quelque peu fastidieuses. Dix *symphonies*, une *cantate*, cycles de *mélodies* accompagnées avec orchestre, et parmi lesquels il faut citer les *Kindertotenlieder*, et *Das Lied von der Erde.*

Wolff (Hugo) (né en 1860, mort fou en 1903).

Surtout intéressant comme compositeur de *lieder*; musicien spontané et sincère, d'une grande sensibilité.

Reger (Max) (1873-1916).

Musique de chambre, musique vocale, musique d'orgue. Art contrapuntique, souvent lourd et assez gauche.

Enfin, il ne faudrait pas oublier quelques compositeurs de musique plus facile :

Lœwe (1796-1869), auteur de *ballades* pour chant et piano; *Flotow* (1812-1883), *opéras, opéras-comiques;* et la dynastie des *Strauss*, compositeurs universellement connus de *valses viennoises.*

Puis des virtuoses :

Thalberg (1812-1871), pianiste, rival de Liszt; *Busoni* (1866-1924), italien de naissance, mais de tendances et d'affinités nettement germaniques, pianiste et compositeur.

Et enfin, parmi ceux qui ont contribué aux progrès de la technique, *Bœhm*, né vers 1804, inventeur d'un système qui a beaucoup facilité la technique des bois; *Maëlzel* (1772-1838), qui perfectionna et mit au point l'invention du métronome.

D. — École classique italienne.

Si à présent nous nous transportons en Italie, en nous reportant à l'époque où vivait Bach en Allemagne, nous allons nous trouver en présence d'un art tellement différent du sien qu'on s'étonne qu'il n'y ait pas deux mots pour les désigner. L'École Italienne a eu aussi ses belles époques et ses maîtres justement illustres; mais, pour en bien apprécier les beautés, il faut savoir se placer dans l'ordre d'idées convenable, et surtout ne pas vouloir les juger par comparaison avec des œuvres d'autres écoles, dans lesquelles l'idéal du beau est autrement placé.

Ici la recherche principale, presque unique, est dans la beauté, la pureté et l'élégance du contour vocal, de la phrase mélodique considérée en elle-même et pour elle-même, dans son application au chant et à la *tessiture* [1] des voix; l'harmonie est plutôt à envisager comme un simple accompagnement, toujours subordonné à la partie principale, le plus souvent en accords plaqués, en arpèges ou dessins réguliers, mais toujours secondaire; sauf le cas de ritournelles, de répliques, confiées à l'orchestre, dans lesquelles, dès que le chant a cessé, un instrument prend momentanément pour lui le dessin mélodique (c'est en général le violon) et se fait accompagner par les autres; les modulations sont rares et simples, n'ayant pour but que d'éviter la monotonie ou de mieux placer la phrase dans la voix du chanteur; si par hasard on module ailleurs que dans les tons voisins, c'est pour produire une grande surprise, un effet dramatique considéré comme une hardiesse. Peu d'importance est accordée au sens propre des paroles; le même air pourra exprimer la tendresse ou le désespoir, pourvu que son contour soit joli, séduisant et d'une nature bien vocale. C'est l'école de la mélodie et de la virtuosité; tout est subordonné à cette seule préoccupation.

Préoccupation n'est peut-être pas le mot propre, car l'art de dessiner de belles formes mélodiques paraît comme une faculté naturelle chez les Italiens; rien ne sent l'effort, la combinaison; cela leur vient tout seul; et la facilité est un des charmes de ce style. L'instrumentation, nécessairement, ne peut jouer qu'un rôle insignifiant, sauf dans de rares exceptions; or, il se trouve que le maestro par lequel, pour procéder chronologiquement, nous devons ouvrir la série constitue justement l'une de ces exceptions.

Scarlatti (Alexandre) (1649-1725), né à Trapani (Sicile).

Auteur d'une centaine d'*opéras* et d'un nombre beaucoup plus considérable de *messes*, sans compter les autres pièces d'église et

1. En italien, la *tessitura*, c'est l'étendue de la voix considérée au point de vue de ses différents registres, des sons plus sourds ou plus éclatants, plus ou moins difficiles à émettre, des notes bonnes ou mauvaises; on pourrait traduire ce mot par : *contexture vocale*.

beaucoup de *musique de chambre*, le tout entièrement inconnu aujourd'hui.

Il possédait le sentiment de l'orchestration à un degré remarquable pour son temps, et groupait les instruments de timbres différents avec un grande habileté et hardiesse; il fut peut-être le premier à *diviser* les violons en *quatre parties*. Il modifia aussi la forme des récitatifs en les orchestrant, et créa le type des *airs* resté longtemps en usage dans l'école italienne, avec reprise du motif initial après un milieu formant divertissement (*aria da capo*).

Scarlatti (Dominique) (1683-1757), né à Naples.

Fils d'Alexandre Scarlatti, il a bien écrit des *opéras* et un peu de *musique religieuse*, mais doit surtout sa réputation à son habileté de claveciniste et à ses *compositions pour le clavecin*.

Après avoir été, pendant quatre ans, maître de chapelle de Saint-Pierre de Rome, il fut attaché d'abord à la cour de Portugal, puis à la cour d'Espagne, en qualité de claveciniste.

On a de lui de nombreuses *sonates* et de charmantes pièces de clavecin d'une exécution assez scabreuse, pleines d'innovations harmoniques et rythmiques dont certaines sont d'une audace surprenante, étant donné l'époque où il a vécu, et d'une inépuisable et merveilleuse fantaisie.

Rappelons brièvement les noms de quelques maîtres italiens de la même époque, et d'une moindre importance : *Leo*, élève de A. Scarlatti, dont la moindre gloire n'est pas d'avoir été lui-même le maître de Piccini, Sacchini, Pergolèse et autres artistes célèbres, au Conservatoire de Naples, où son enseignement ainsi que son style, d'une prodigieuse souplesse, étaient fortement appréciés, et où il eut pour successeur *Durante*, autre maître d'une rare valeur; *Marcello* (1686-1739), noble seigneur vénitien, qui a composé de la musique instrumentale, des madrigaux, des chansons, et surtout de très beaux *psaumes*. Son sentiment musical réprouvait les exagérations de fioritures et ornements de tout genre que l'art du *bel canto* répandait à profusion, au détriment de la sincérité expressive. *Hasse* (1699-1783), compositeur d'opéras allemands, et *Lotti* qui, vers la même époque, était maître de chapelle à Saint-Marc de Venise. Ce sont les pères de l'école italienne; peu après, apparut le grand

Pergolèse (1710-1736), né à Jesi.

Célèbre surtout par la *Serva Padrona*, un chef-d'œuvre d'esprit, et par le *Stabat mater*, un chef-d'œuvre de foi. Ses *œuvres instrumen-*

tales marquent une étape importante dans l'histoire de l'évolution de la forme.

Il est malheureusement mort avant d'avoir accompli sa vingt-sixième année. et ce n'est que plus tard qu'on a su apprécier sa haute valeur.

Nous retrouverons Pergolèse en France, à l'occasion des querelles suscitées par la représentation de sa *Servante maîtresse* et de son influence sur notre style national. Vinrent ensuite, à peu d'années de distance :

Jomelli (Nicolas) (1714-1774), né à Aversa (royaume de Naples).

Grand compositeur pour l'église et le théâtre; une quarantaine d'*opéras*, beaucoup de *musique religieuse*, *musique de chambre*.

Piccinni (1728-1800). né à Bari (royaume de Naples).

Élève de Léo, puis de Durante, écrivit un grand nombre d'*opéras* dans le style italien; il rencontra parmi ses contemporains deux rivaux, Gluck et Sacchini, qui le firent reléguer au second plan, non sans lutte sérieuse, car il avait des partisans convaincus, mais d'une façon qui paraît définitive.

Nous parlerons plus loin de la fameuse dispute des gluckistes et des piccinnistes.

Sacchini (1734-1786), né à Pouzzoles.

Élève de Durante, il eut lui-même Berton pour disciple.
Il a beaucoup produit pour l'église et le théâtre, mais ses ouvrages sont aujourd'hui bien délaissés.

Comme on le voit, l'objectif principal en Italie est le théâtre; en seconde ligne, l'église. Voici pourtant un grand musicien entièrement voué au style instrumental.

Boccherini (Louis) (1740-1805), né à Lucques.

Très fécond et d'une rare originalité, a écrit trois cent soixante-six œuvres de *musique de chambre* et vingt *symphonies*. Il est célèbre surtout par ses *quintettes* en nombre considérable, plus de cent cinquante, dont beaucoup sont encore inédits.

L'œuvre de Boccherini est immense, pleine d'intérêt et d'une haute valeur; il est curieux de constater que son style n'est pas sans analogie avec celui de Haydn, son contemporain; on peut parfois s'y tromper.

Paisiello (1741-1816), né à Tarente, membre de l'Institut.

A écrit quatre-vingt-quatorze *opéras*, dont trois ou quatre seulement sont encore connus, plus une quarantaine de *messes*, deux *Te Deum*, un *Requiem* et un bon nombre de pièces d'église.

Fort protégé, comme Paër et plus tard Lesueur, par Napoléon Ier, il fut maître de chapelle des Tuileries et écrivit, en 1804, une messe pour le couronnement de l'empereur.

Cimarosa (1749-1801), né à Aversa (royaume de Naples).

Élève de Fenaroli et de Piccinni, compositeur de la plus grande fécondité, qui a écrit plus de quatre-vingts partitions pleines d'intérêt, dont une seule reste connue aujourd'hui encore comme un chef-d'œuvre : *Il Matrimonio segreto.*

Salieri (1750-1825), né à Legnano, membre de l'Institut.

Grand admirateur de Gluck, il en reçut des conseils et en subit l'influence.

Il eut pour disciples Beethoven et Meyerbeer.

Zingarelli (1752-1837), né à Naples.

Auteur d'assez nombreux *opéras*, notamment un *Roméo et Juliette*, et de beaucoup de musique d'église, fut maître de chapelle de Saint-Pierre de Rome de 1804 à 1811.

Nous devons de nouveau interrompre la série des compositeurs dramatiques pour inscrire à son rang de date un grand virtuose qui, tout comme Boccherini, n'a produit que des œuvres instrumentales, et comme lui se rapproche de l'école allemande, qu'il a dû fortement étudier; il est d'ailleurs certain qu'en 1771 il entendit Haydn et Mozart à Vienne, ce qui peut expliquer le fait.

Clémenti (Muzio) /1752-1832), né à Rome.

Compositeur et organiste; a publié cent six *sonates, pour piano* avec ou sans accompagnement, beaucoup de petites pièces séparées, et le *Gradus ad Parnassum*, qui reste encore actuellement un des ouvrages de fond pour l'enseignement classique du piano. Il eut pour élèves John Field et Hummel.

Nous rentrons au théâtre avec :

Paer (Ferd.) (1771-1839), né à Parme, membre de l'Institut.

Producteur fécond, mais aujourd'hui bien démodé. C'était un des musiciens les plus appréciés de Napoléon Ier, qui l'avait attaché à sa maison dès 1806.

Excellent chanteur aussi, auteur de charmantes ariettes absolument oubliées, dans la manière italienne de Mozart, il avait séduit l'Empereur par sa façon de chanter certains airs de Paisiello que Napoléon affectionnait spécialement. Il est facile de concevoir qu'en ces années où la France et l'Italie étaient réunies sous la même couronne, une fusion était tout indiquée entre les deux arts nationaux. Un artiste que l'on pourrait qualifier de franco-italien, dont le style noble et pompeux s'harmonisait avec les tendances artistiques et le goût général de l'époque, représente assez bien cette fusion :

Spontini (1774-1851), né à Majolati (États Romains).

La Vestale, Fernand Cortez, sont les grands ouvrages qui lui ont valu une juste célébrité.

Le style de Spontini est grandiose, solennel, toujours noble et pur.

Un autre auteur de la même période, auquel l'avenir fera une part plus petite, est :

Carafa (Michel) (1785-1872), né à Naples.

Il était l'ami intime et le commensal ordinaire de Rossini, auquel nous arrivons maintenant, et qui, plus profondément italien, n'a subi l'influence française que vers 1828, pour le *Comte Ory*, un peu, et pour *Guillaume Tell*, complètement. Comme la plupart des grands génies qui ont dominé leur époque, le *cygne de Pesaro* eut des débuts difficiles et dut se former par lui-même. Travailleur infatigable, malgré la stupide réputation de paresseux qu'on lui a faite en se basant je ne sais sur quoi, dans sa vieillesse la plus avancée il écrivait encore constamment, pour le seul plaisir d'écrire, à sa table, sans l'aide d'aucun instrument, et en arrosant largement chaque page, avant de la tourner, d'une belle pincée de tabac à priser.

Rossini (Gioacchino) (1792-1868), né à Pesaro.

Le plus célèbre des grands compositeurs italiens du début du XIXe siècle, était fils d'un pauvre musicien forain et d'une chanteuse obscure. Il apprit seul la musique par intuition et observation. Je tiens de lui-même, et il ne se faisait pas faute de le répéter, que c'est en mettant en partition les quatuors de Haydn qu'il a appris l'harmonie. Sa plus grande admiration était Mozart, et il ne se cachait pas de l'avoir souvent pris pour modèle, surtout dans ses premières œuvres. Dès lors il s'éleva au-dessus de ses prédécesseurs par la pureté de lignes et l'élégance de la mélodie, toujours admirablement appropriée à l'organe vocal, par la richesse et la hardiesse de l'harmonie, par l'intérêt et la puissance de son orchestration, qui l'avaient fait surnommer par ses détracteurs *Il signor Vacarmini*.

Je ne puis donner ici la liste complète de ses quarante *opéras* sérieux ou bouffes; je me borne à énumérer les principaux, dans leur ordre d'apparition, avec quelques dates : *la Cambiale di matrimonio*, son premier ouvrage dramatique (Venise, 1810) ; *l'Inganno felice*; *Tancrède* (1813) ; *l'Italienne à Alger*, *le Turc en Italie*; *le Barbier de Séville*, écrit en dix-sept jours (Rome, 1816) ; *Othello*; *la Cenerentola*; *la Gazza ladra* (1817) ; *Moïse* (1818) ; *la Donna del Lago* (1819) ; *Bianca e Faliero*; *Maometto II* (1820) ; *Mathilda di Sabran* (1821) ; *Semiramide* (1823) ; *le Siège de Corinthe* (1826) : *le Comte Ory* (1828) ; et enfin *Guillaume Tell* (1829).

Ce dernier ouvrage fut accueilli avec stupéfaction par le monde musical tout entier; Rossini, avait, en effet, subi une prodigieuse transformation. Ce n'est plus de la musique italienne, c'est un style nouveau, tellement intéressant qu'il fait passer sur les défauts du livret. Après *Guillaume Tell*, Rossini déclare ne plus vouloir écrire, craignant de faire moins bien. Pourtant, douze ans plus tard, il produisit un *Stabat Mater* fort beau, mais qui ne fera pas oublier celui de Pergolèse, et en 1865, une *Petite messe solennelle*, pour l'inauguration de l'hôtel de son ami le comte Pillet-Will, régent de la Banque de France, mais plus rien pour le théâtre.

Dans sa vieillesse, il a composé une quantité de pièces pour piano, que ses pianistes de prédilection, Diémer principalement, faisaient entendre chez lui à ses invités du samedi. Il était Grand Officier de la Légion d'Honneur et membre de l'Institut.

Dès 1830, l'influence du romantisme s'était fait sentir en Italie. Rossini, habitant la France, y était resté étranger, poursuivant paisiblement son évolution personnelle, dans laquelle il a conservé jusqu'au bout le caractère classique, malgré ses changements de style.

Il n'en fut pas de même de ceux de ses compatriotes qui résidaient en Italie, et chez lesquels on peut voir, bien que la scission soit moins tranchée qu'en Allemagne et en France, les romantiques italiens.

E. — École romantique italienne.

Ils sont peu nombreux, car c'est une période de déclin de l'art italien. Plusieurs pourtant ne méritent pas de tomber dans l'oubli dont ils paraissent menacés.

Donizetti (G.) (1797-1848), né à Bergame.

Nombreux opéras, entre autres : *Anna Bolena, Lucia di Lammermoor*; *la Favorite*, son chef-d'œuvre, un opéra-comique : *la Fille du Régiment.*

Mercadante (1797-1870), né à Altamura.

Bellini (Vincent) (1802-1835), né à Catane (Sicile).

Élève au Conservatoire de Naples, de Zingarelli, dont il ne paraît pas avoir conservé grand-chose; a su se créer lui-même un style plein de charme et d'expression. Il n'a écrit que pour le théâtre; ses principaux ouvrages sont : *la Straniera, I Capuletti e i Montecchi, la Sonnambula, Norma, I Puritani.* Chopin l'avait en grande admiration.

C'est ici qu'arrive l'homme prodigieux nommé Verdi, ayant débuté par des ouvrages empreints de la plus étonnante maladresse, il a su s'élever graduellement, toujours s'épurer, sans jamais perdre son caractère national et son individualité, et a encore trouvé le moyen de progresser, à l'âge de quatre-vingt-un ans en écrivant son *Falstaff*, un chef-d'œuvre d'esprit. Il y montre à la fois non seulement que sa verve tout italienne est loin d'être épuisée, mais encore qu'il a su s'assimiler, même à cet âge avancé, les procédés les plus modernes de coupe, d'harmonisation et d'orchestration des autres écoles tout en conservant le souci, caractéristique de l'école italienne dont il est à coup sûr le plus illustre représentant, de faire briller la virtuosité du chanteur.

Verdi (Giuseppe) (1813-1901), né à Roncole.

Paraît n'avoir jamais eu de professeur sérieux, et s'être formé par la lecture des œuvres italiennes contemporaines, qu'il commença par imiter servilement.

Son premier ouvrage représenté fut : *Oberto Conte di san Bonifazio* (Milan, 1839), on peut y voir quelle était alors son inexpérience.

Voici les titres de ses principaux opéras :

Nabucodonosor, I Lombardi, Ernani, I duo Foscari, Jerusalem (transformation d'*I Lombardi*), *Luisa Miller, Rigoletto, Il Trovatore, la Traviata, les Vêpres siciliennes, Simone Boccanegra, Un Ballo in maschera, la Forza del destino, Don Carlos, Aida, Otello, Falstaff* (1894).

Pour l'église : son *Requiem* à la mémoire de Manzoni.

Par la souplesse de son génie, par la verdeur toute juvénile de son talent, il apparaît comme le superbe point culminant de l'école italienne du XIXe siècle.

Après Verdi, c'est l'école *vériste* qui prend le dessus en Italie, avec *Mascagni* (1863-1945), auteur de *Cavalleria rusticana*; *Leoncavallo* (1858-1919), auteur de *Paillasse*; *Puccini* (1858-1924), auteur de *Madame Butterfly, La Tosca, La Bohême*, etc. Ces compositeurs, qui ont d'ailleurs une puissance dramatique indéniable, ne s'intéressent qu'au théâtre. Tout est pour l'effet; la musique et le bon goût sont souvent sacrifiés. Il faudra attendre le début du XXe siècle pour qu'un renouveau musical se fasse sentir en Italie, et pour qu'on recommence de s'y intéresser à la musique pure.

Casella (Alfredo) (1883-1947), *Pizzetti, Malipiero, Respighi* seront les artisans de ce renouveau.

Parlons maintenant des nombreux virtuoses italiens.

Nous avons déjà dit que l'école italienne était avant tout celle de la mélodie, du chant (le *bel canto*) et de la virtuosité. De plus, le climat de l'Italie est certainement celui des climats européens qui produit les plus belles voix et les plus chaudes. Aussi est-ce là qu'il faut chercher les plus grands chanteurs, les virtuoses de la vocalise; assurément on ne sait plus chanter comme eux. Mais c'est aussi que le chant italien, au moins jusqu'à Rossini et peut-être au delà, diffère essentiellement de ce que nous appelons le chant en France; c'est un art plus vaste et surtout plus libre que chez nous.

Dans la vieille école italienne, le compositeur qui écrit une phrase de chant ne doit pas s'attendre à l'entendre chanter telle qu'il l'a écrite; sa phrase n'est qu'un canevas, sur lequel le chanteur brode et a le droit, je dirais presque le devoir, de broder toutes les arabesques, toutes les vocalises qui lui paraissent convenables. Le compositeur se trouve donc à la merci de l'interprète, qui s'ingénie à compléter son œuvre, en y introduisant les traits à effet et les points d'orgue les plus propres à faire briller son talent et sa voix. S'il a du goût et du tact, c'est parfait; sinon, cela devient de l'acrobatie pure et simple. Ceci explique jusqu'à un certain point pourquoi les compositeurs italiens s'attachaient peu à rendre leurs mélodies conformes aux sentiments exprimés par les paroles; ç'eût été peine perdue, le chanteur venant tout bouleverser. Cela explique aussi l'importance des chanteurs en Italie, puisqu'ils devenaient ainsi les véritables collaborateurs de l'auteur même. Ils créaient l'œuvre presque autant que lui; car, dans cette musique où la mélodie était presque tout, ils avaient la faculté de la modifier à leur gré, de la pétrir et de la dénaturer selon leur bon plaisir. Le compositeur fournissait la maquette, le chanteur faisait la mise au point, parachevait l'œuvre en la mettant à sa mesure. Il faut donc considérer les chanteurs italiens, non comme des interprètes respectueux et serviles de l'idée des maîtres, mais comme des artistes qui venaient en quelque sorte terminer leurs ouvrages, leur donner le prestige nécessaire par un dernier coup de vernis. D'ailleurs, l'école italienne, sauf en la personne de ses plus éminents et derniers représentants, était trop faible dans sa charpente pour avoir pu exister sans cela.

Parmi ces prestigieux chanteurs, il y en avait d'une nature étrange, et dont le talent ne saurait être mis en doute, car il constituait leur seul élément de succès dans le monde; je n'en nommerai que quelques-uns :

Caffarelli (1703-1783), de son vrai nom **Majorano**, sopraniste, né près de Naples.

Un des plus étonnants chanteurs de l'Italie; fut élève de Porpora et de Caffaro, d'où son nom.

Farinelli (1705-1782), sopraniste, né à Naples.

De son vrai nom Charles Broschi.

Le plus admirable soprano masculin qu'on ait jamais entendu; fut élève de Porpora et jouit dans toute l'Europe d'une réputation considérable.

Crescentini (1766-1846), sopraniste, né à Urbania (États romains).

Un des plus grands chanteurs dramatiques de l'Italie; a composé des ariettes et des vocalises encore célèbres dans l'enseignement.

Les célèbres cantatrices italiennes ne se comptent pas; je ne puis que citer presque au hasard :

Aguiari (Lucrèce), (1743-1783), dite la **Bastardella,** née à Ferrare.

Mozart rapporte que sa voix montait jusqu'à l'*ut* aigu (avec cinq lignes supplémentaires en clef de *sol*). C'est à Parme, en 1770, qu'il l'entendit.

Sontag (Henriette) (1805-1854), née à Coblence.

Une des plus célèbres cantatrices du siècle; commença la carrière théâtrale à l'âge invraisemblable de six ans, et la poursuivit sans discontinuer avec des succès toujours croissants, parcourant l'Allemagne, l'Italie, la France, la Russie, et plus tard l'Amérique, où elle fut enlevée par le choléra, à Mexico.

De 1826 à 1830, elle appartint, avec quelques intermittences, au Théâtre Italien de Paris.

Malibran (Marie-Félicité) (1808-1836), née à Paris.

Fille du célèbre chanteur Garcia, et épouse en deuxièmes noces du non moins célèbre violoniste de Bériot, elle eut comme frère Manuel Garcia, professeur de chant au Conservatoire, comme sœur Mme Viardot, comme fils Charles de Bériot, professeur de piano au Conservatoire, comme neveu Paul Viardot, remarquable violoniste.

Viardot (Pauline) (1824-1910), sœur de la précédente.

Fit une carrière magnifique en France et en Europe, et chanta notamment l'Orphée de Gluck remis à jour par Berlioz.

Alboni (Marietta) (1823-1894), née à Cesana (Romagne).

La voix de contralto la plus merveilleuse par sa souplesse, son étendue prodigieuse et la beauté de son timbre, qui ait peut-être jamais existé [1].

Cruvelli (J.-Sophie) (1826), née à Bielefeld (Westphalie).

De son vrai nom Sophie Cruvell, fut célèbre en Italie, en Angleterre et à Paris, où elle épousa le comte Vigier.

Je continue à citer : Mme *Catalani* (1779†1849), qui fut, pendant un an, directrice du Théâtre-Italien de Paris; MMmes *Pasta, Giulia Grisi, Adelina Patti,* dont la carrière fut éblouissante.

1. Voir p. 66.

Dans le personnel masculin, non moins brillamment représenté, nous trouverons :

Garcia (Manuel-Vincente) (1775-1832), né à Séville.

Chanteur et compositeur, professeur aussi, il eut des succès multiples. Il n'est plus connu que par ses élèves, dont les principales furent ses propres filles, Mme Malibran de Bériot, et Mme Viardot.

Rubini (1795-1854), né à Romano, près Bergame.

Très célèbre ténor, qui se fit entendre dans toutes les grandes villes de l'Europe, et pendant plus de douze ans à Paris.

Mario (1812-1883), né à Cagliari.

Charmant ténor de l'école italienne.

Tamberlick (Enrico) (1820†1889), né à Rome; *Tamburini* (1800†1876), né à Faenza. Admirable basse bouffe; et son gendre : *Gardoni* (Italo) (1820†1882), né à Parme, *Caruso* (Enrico) (1873-1922).

De nombreux chanteurs ou cantatrices appartenant à des nationalités étrangères, séduits par ce bel art, embrassèrent la carrière italienne; on peut citer, parmi ces brillantes recrues : *Jenny Lind*; puis le célèbre *Lablache*, français.

Pour former ces admirables artistes, il fallait, en dehors des compositeurs, qui pourtant savaient tous chanter et enseigner le chant, des professeurs spéciaux, pour la plupart chanteurs eux-mêmes, compositeurs aussi à l'occasion, tant dans cet art tout se tient et se mélange intimement, avec la virtuosité pour pivot.

Tout au contraire, l'enseignement harmonique ne pouvait avoir qu'une faible importance dans cette école; aussi le voit-on assez modestement représenté par :

Martini (Le P.) (1706-1784), né à Bologne.

Compositeur et écrivain très érudit, a laissé des *messes*, *antiennes*, *litanies* et des ouvrages sur l'histoire de la musique, souvent curieux, quoique très fantaisistes.

Fenaroli (1732-1818), né à Lanciano (Abruzzes).

Auteur d'un remarquable ouvrage sur l'accompagnement de la basse chiffrée.

Cimarosa fut un de ses disciples.

Mattei (Le P. Stanislas) (1750-1825), né à Bologne.

Connu pour avoir été le professeur de Rossini, Donizetti et autres.

La fréquentation de tous les grands chanteurs et l'admiration provoquée par leur vocalisation ne pouvait qu'exciter à son tour la virtuosité instrumentale; c'est ce qui eut lieu; et, les progrès de la lutherie aidant, avec des facteurs comme :

Guadagnini (Laurent et Jean-Baptiste), nés à Plaisance au XVIIIe siècle.

Bergonzi (Charles), (XVIIIe siècle), né à Crémone.

Élève d'Antoine Stradivarius. Connu spécialement par ses violoncelles.

ce furent surtout des violonistes que produisit alors l'Italie :

Viotti (Jean-Baptiste) (1753-1824), né à Fontanetto (Piémont).

Le plus grand violoniste de son époque, et chef d'école incontesté. Vingt-neuf *concertos* pour violon, un grand nombre de *sonates*, *duos*, *trios* et *quatuors* pour instruments à corde sont sortis de sa plume.

Il fut pendant trois ans (1819 à 1822) directeur de l'Opéra à Paris.

Paganini (1784-1839), né à Gênes.

Le plus étonnant des virtuoses du violon, a inventé des effets nouveaux et extraordinaires dont quelques-uns seulement ont pu être imités par un petit nombre de violonistes, notamment Sivori, mais dont, pour la plupart, il a emporté le secret dans la tombe. Il y avait certainement, dans sa manière, une excentricité voulue qu'on a souvent taxée de charlatanisme; mais le prestige de son exécution était tellement surprenant que plus d'un auditeur superstitieux lui a attribué des moyens surnaturels. Il avait promis de livrer son secret avant de mourir, mais n'a pas tenu cette promesse.

Un de ses effets de prédilection consistait à enlever trois des cordes de son violon, et à exécuter sur la seule quatrième corde les difficultés les plus acabracadabrantes. C'était plus acrobatique qu'artistique, mais surprenant au plus haut degré.

Sivori (Camille) (1815-1894), né à Gênes.

Élève de Paganini, et continuateur de son école;

Milanollo (Teresa) (1827), née à Savigliano (Italie).

Virtuose admirable surtout par l'expression et la profondeur du sentiment artistique.

Si nous ajoutons ici le nom de :

Bottesini (1823-1889), né en Lombardie.

Le seul virtuose-contrebassiste qui ait jamais existé; c'était le Paganini de la contrebasse

nous aurons cité, je crois, les artistes les plus saillants de cette belle et féconde école italienne, que nous dédaignons trop parce que nous ne la connaissons plus assez. En art, il faut savoir être éclectique, et considérer qu'une musique qui a pu passionner pendant plusieurs siècles l'Europe entière ne saurait être totalement dénuée d'attraits. La connaissance de l'école italienne et de ses procédés nous touche d'ailleurs à un point de vue plus personnel. L'origine commune des deux nations et des deux langages, la fréquence des relations, la présence longtemps prolongée des chanteurs italiens à Paris, expliquent les nombreux emprunts faits par une école à l'autre, emprunts sans lesquels certaines parties de l'histoire de la musique française, que nous allons tenter d'esquisser, seraient à peu près incompréhensibles.

F. — École française.

C'est à *Rameau*, le plus grand compositeur dramatique de son temps (1683†1764), sur lequel nous avons déjà donné[1] quelques courtes notes biographiques, que nous devons reprendre l'étude de l'École française. Rappelons brièvement que ce musicien génial a commencé par écrire des ouvrages d'enseignement, et que c'est seulement à un âge avancé qu'on le voit s'attaquer au théâtre. Avec lui, l'instrumentation se colore, les bois prennent un semblant d'indépendance, le contour mélodique s'ennoblit, et l'harmonie acquiert quelque richesse; d'une façon générale, il continue le système de Lully, avec plus d'extension. La même époque vit donc, à peu près simultanément, Bach en Allemagne, Scarlatti en Italie, Rameau en France.

C'est de leur vivant qu'eut lieu la querelle musicale connue sous le nom de *guerre des bouffons* (1752 et années suivantes). Voici en quoi elle consista :

Louis XV et Mme de Pompadour en tenaient pour l'école française, tandis que la reine était portée vers l'école italienne; de là le *coin du roi*, le *coin de la reine.*

N'oublions pas que l'idéal italien était la virtuosité du chanteur, le *bel canto* avec ses fioritures et ses fanfreluches. L'art français tendait, au contraire, à se développer dans la voie qu'il a toujours suivie, c'est-à-dire dans le sens de l'élévation

1. Voir p. 362.

dramatique, de la véracité dans l'expression des sentiments. On imagina donc de comparer une œuvre française avec une œuvre italienne; on discuta passionnément sur leurs mérites et leur valeur relative, et la victoire resta à la France, si bien que les pauvres bouffons durent partir avec armes et bagages. Mais elle n'eut pas un caractère définitif, et voici pourquoi : la lutte ne fut pas loyale.

L'école italienne était admirablement représentée par le chef-d'œuvre d'un de ses grands maîtres (la *Servante maîtresse* de Pergolèse), auquel l'école française n'opposait qu'un ouvrage d'une valeur secondaire, dû à la plume relativement inhabile et assez médiocre de

Mondonville (1711-1772), né à Narbonne.

N'eut guère qu'un seul succès éphémère et dû à la protection du roi, avec *Titon et l'Aurore.* Il appartient à l'histoire de la musique pour avoir été choisi en quelque sorte comme champion par Louis XV contre l'école italienne, qui avait la faveur de la Reine.

Dans ces conditions, on sent que les bouffons auraient dû triompher aisément : non que leur art fût plus élevé que le nôtre, tant s'en faut, mais à cause de la supériorité écrasante de leur champion. C'est alors qu'eut lieu une véritable petite trahison; dès le matin de la représentation de *Titon,* les gentilshommes de la chambre du roi et ses courtisans envahirent la salle, ne laissant aucune place aux partisans des Italiens, et c'est ce public partial et intéressé qui fit à l'œuvre de Mondonville une ovation que l'avenir devait reconnaître imméritée. Tout était donc à recommencer, et recommença en effet sans tarder.

Peu d'années après se dresse la grande figure de Gluck. Bien que né en Allemagne, bien qu'ayant reçu son instruction musicale en Italie, il est tellement français par la nature de son génie, il continue tellement Lully et Rameau qu'il n'y a pas à hésiter à le ranger parmi les plus illustres représentants de notre grand style national.

Gluck (1714-1787), né à Weidenwank (Haut-Palatinat).

Élevé dans un état voisin de la domesticité, il ne fut guère, jusqu'en 1736, qu'un musicien ambulant, courant de village en village et d'église en église, pour chanter et jouer du violon. De 1740 à 1760 il écrivit beaucoup d'ouvrages, dont il ne paraît pas être resté grand-chose. Mais à partir de ce moment, vinrent successivement : *Orphée, Alceste, Iphigénie en Aulide, Armide, Iphigénie en Tauride,* cinq immortels chefs-d'œuvre qui ont déterminé la direction de l'art dramatique musical; quantité d'autres productions importantes et oubliées du public, et qui ne se trouvent plus que dans nos grandes bibliothèques.

Ses plus grands succès eurent lieu en France, à la cour de Marie-Antoinette, qui avait été quelque peu, longtemps avant, son élève.

C'est en Italie, en 1762 et 1767, qu'il écrivit, sur des livrets italiens, la première version d'*Orphée (Orfeo)* et d'*Alceste.* Dans la préface de ce dernier ouvrage, il explique qu'il entend mettre fin aux abus des chanteurs comme à la condescendance excessive des compositeurs; ramener la musique à sa vraie fonction, qui est de produire l'émotion..., enfin tout le programme de l'opéra dramatique français. Aussi n'est-il pas étonnant de le voir échouer en Italie et en Allemagne. Avant d'arriver à l'Opéra de Paris, il eut soin de s'assurer non seulement le concours de journaux et d'écrivains connus, comme J.-J. Rousseau, mais surtout l'appui efficace de la reine Marie-Antoinette, par laquelle il fut protégé, peut-être même appelé.

C'est alors (1774) qu'il écrivit *Iphigénie en Aulide,* qu'il modifia *Orphée* en y adaptant le texte français, ainsi que l'*Alceste* italienne, et qu'il composa *Armide* (1777).

Pendant ce temps s'était réveillée, après une quinzaine d'années d'assoupissement, la vieille querelle entre les partisans de la vocalisation italienne et ceux de la déclamation lyrique. Cette fois on opposa à Gluck un rival avec lequel il y avait à compter, Piccini, dont nous connaissons déjà la valeur. Les deux maîtres traitèrent chacun à leur manière, et sur un livret de leur choix, un même sujet, *Iphigénie en Tauride,* et, vers 1779, les deux ouvrages furent représentés avec un soin égal. C'est donc cette époque qui marque le terme définitif de la célèbre lutte des *gluckistes* et des *piccinistes,* par la défaite de ces derniers, malgré les réelles qualités de grâce mélodique que leur champion avait su opposer à la grandeur antique et au sentiment dramatique de Gluck. Tel fut l'épilogue de la guerre des bouffons.

Gluck a été considéré par tous les grands maîtres qui ont suivi, à quelque nation qu'ils appartiennent, comme ayant ouvert de nouvelles et larges voies à la manifestation musicale dramatique, et Mozart, Rossini, Verdi, aussi bien que Wagner et Berlioz, n'ont jamais songé à nier son influence sur eux. Il enrichit l'orchestre de timbres et d'effets nouveaux, il introduisit au théâtre des procédés harmoniques qui n'avaient été tentés jusqu'alors que dans l'oratorio; la mélodie devint particulièrement déclamatoire et expressive; le rythme enfin reprit une importance presque grecque, désormais définitive.

Il eut pour élève Salieri, qui lui-même fut l'un des maîtres de Beethoven et Meyerbeer; et il sera assez curieux de voir ce dernier, soixante-dix-sept ans plus tard, comme par une sorte d'hérédité artistique, suivre le même chemin que Gluck, naître en Allemagne et étudier en Italie, pour ne trouver sa forme définitive et son épanouissement parfait que dans l'opéra français, tout comme son illustre aïeul musical.

Mais n'anticipons pas. Pour le moment, et après Gluck, dans l'opéra classique français, nous n'avons à signaler que des artistes de second ordre :

Gossec (1733-1829), né en Belgique.

Remarquable symphoniste, théoricien et professeur de grand talent, nommé Inspecteur du Conservatoire lors de sa création, a écrit des *opéras*, des *opéras-comiques* bien oubliés aujourd'hui, une grande quantité de musique destinée aux fêtes de la Révolution.

Méhul (1763-1817), né à Givet.

A écrit de nombreux ouvrages dramatiques dans lesquels on retrouve l'influence de Gluck, et dont les plus connus sont *La Chasse du jeune Henri*, et surtout *Joseph*; une grande quantité d'*hymnes*, de *chœurs* pour les fêtes de la Révolution (le plus célèbre est *le Chant du Départ*). Méhul fut l'un des quatre inspecteurs chargés d'organiser le Conservatoire lors de sa fondation.

Lesueur (Jean-François) (1760-1837), né près d'Abbeville.

Après avoir été maître de chapelle de Notre-Dame de Paris, en 1786, puis de l'empereur Napoléon Ier en 1804, il fut nommé membre de l'Institut, en 1813. Inspecteur du Conservatoire dès sa création, puis plus tard professeur de composition, il a écrit de remarquables ouvrages religieux, ainsi qu'un assez grand nombre d'*opéras* dans un style qui n'offre plus d'intérêt, mais parmi lesquels on peut citer : *les Bardes*. Son moindre titre de gloire n'est pas d'avoir été le maître de Berlioz et de Gounod.

Cherubini (1760-1842), né à Florence.

Fut considéré par Beethoven, Haydn et Méhul comme le premier compositeur dramatique de son temps. Il a écrit une multitude d'œuvres : *opéras, messes*, musique religieuse, *symphonies*, etc., etc... Professeur, puis directeur du Conservatoire de 1821 à 1841, il a laissé un *Traité de contrepoint et fugue* qui contient des préceptes parfaits, mais dont la rédaction manque absolument de précision et de clarté, et d'excellents solfèges.

Les œuvres dramatiques de ces musiciens sont bien oubliées, et c'est plutôt par la musique qu'ils ont écrite pour les fêtes de la Révolution, puis de l'Empire, et surtout par le rôle qu'ils ont joué dans la fondation du *Conservatoire* que survit leur mémoire.

A ce titre, il ne faut pas oublier *Berton* (Henri-Montan) (1767-1844), *Catel* (1773-1830), auteur d'un *Traité d'Harmonie*; *Sarrette* (1765-1858), ni compositeur, ni virtuose, ni théoricien, mais premier directeur du Conservatoire, et enfin, un amateur devenu plus célèbre que bien des artistes : *Rouget de l'Isle.*

Rouget de l'Isle (1760-1836), né à Lons-le-Saulnier.

Auteur d'un grand nombre de romances et airs patriotiques, dont il écrivait paroles et musique, parmi lesquels l'entraînante *Marseillaise*, qui devait jouer le rôle qu'on sait dans notre histoire nationale.

Il était à ce moment (1792) officier du génie, en garnison à Strasbourg.

Pendant que l'opéra classique périclite en France après Gluck et verse dans un formalisme assez vide, l'opéra-comique, au contraire, prend une place prépondérante. Nombreux sont les compositeurs qui écrivent dans ce genre des œuvres charmantes, légères et spirituelles dont le rayonnement s'étend à toute l'Europe [1].

Philidor (F. A. Danican) (1726-1795), né à Dreux d'une famille de musiciens.

Possédant une excellente technique, il a joué un rôle important dans l'évolution de l'opéra-comique où il introduit les premiers éléments de pittoresque et de romantisme musical. Il fut aussi un célèbre joueur d'échecs, le premier à jouer plusieurs parties à la fois sans voir les échiquiers.

Monsigny (1729-1817), né près de Saint-Omer (Pas-de-Calais).

Malgré ses succès justifiés, il faut considérer Monsigny comme un amateur distingué, doué d'une sensibilité exquise, plutôt que comme

1. Il ne conviendrait pas d'établir une cloison étanche entre l'opéra et l'opéra-comique. La plupart des musiciens de cette époque ont écrit dans les deux genres On les a classés ici dans le genre où ils se sont fait le mieux connaître.

un artiste consommé; il n'avait aucune érudition spéciale, et tout en lui procède de l'instinct musical qu'il possédait au plus haut degré.

Cette appréciation ne peut que rehausser le mérite de ses œuvres, simples, naïves, sincères dont *Rose et Colas* et *le Déserteur* sont les plus connues.

Grétry (1741-1813), né à Liége.

A écrit de nombreuses œuvres dramatiques, surtout pour l'Opéra-Comique, où il approche parfois la perfection. Ses ouvrages les plus célèbres sont : *le Tableau parlant, les Deux Avares, Zémire et Azor, le Magnifique, la Rosière de Salency, l'Épreuve villageoise, Richard Cœur de Lion, la Caravane du Caire, l'Amant jaloux.*

Dalayrac (N.) (1753-1809), né à Muret (Languedoc).

A écrit, de 1782 à 1804, une cinquantaine d'opéras-comiques, dont les plus connus sont : *Nina, Camille ou le Souterrain, Gulistan...* et une quantité de petites romances à la mode du jour.

Nicolo (1775-1818), né à Malte.

De son vrai nom *Isouard*, Nicolo n'étant qu'un prénom; musique aimable et facile; nombreux opéras-comiques, parmi lesquels il convient de citer : *les Rendez-vous bourgeois, le Billet de loterie, Joconde, Jeannot et Colin*, dont le succès a été durable, et qui contiennent de jolies choses.

Boïeldieu (Fr.-Adrien) (1775-1834), né à Rouen.

Sauf quelques mélodies et quelques pièces intrumentales, aujourd'hui oubliées, il n'a écrit que pour le théâtre. *Le Calife de Bagdad, Ma Tante Aurore, les Voitures versées, Jean de Paris, le Nouveau Seigneur de village, la Fête du village voisin, le Chaperon rouge* et enfin *la Dame blanche.*

On trouve dans l'œuvre de Boïeldieu toutes les qualités inhérentes au style français : clarté, simplicité, franchise, esprit et bonne humeur. L'harmonie est très soignée, très pure, et l'instrumentation intéressante; l'ensemble est toujours élégant et bien en place. On peut dire qu'il établit la transition entre l'opéra-comique classique du XVIIIe siècle et celui du XIXe, en ouvrant la voie aux compositeurs qui vont élargir le cadre, y introduire des éléments plus dramatiques et le transformer.

La période qui suit est moins intéressante artistiquement. Virtuosité, facilité, un peu de grandiloquence, de vulgarité, un certain manque de goût gâtent parfois des œuvres par ailleurs intéressantes. Voici les noms les plus marquants de cette époque :

Auber (Daniel-François-Esprit) (1782-1871), né à Caen.

A écrit de nombreux opéras et opéras-comiques parmi lesquels : *la Muette, Fra Diavolo, le Domino noir, les Diamants de la Couronne, Haydée*, etc...

Son principal collaborateur, pour les poèmes, fut Scribe.

Auber fut l'un des plus féconds compositeurs dramatiques de l'école française; il est avant tout homme de théâtre, mais il fut aussi directeur de la musique de la chapelle impériale des Tuileries, pour laquelle il écrivit un certain nombre d'œuvres religieuses.

Membre de l'Institut en 1829.

Directeur du Conservatoire de 1842 à 1871, il est mort pendant la Commune.

Hérold (Ferdinand) (1791-1833), né à Paris.

Ses plus célèbres ouvrages sont trois opéras-comiques, *Marie, Zampa* et *le Pré aux Clercs*; style clair, élégant, facile, orchestration riche et colorée, contour mélodique varié, telles sont les qualités bien françaises qu'on retrouve à chaque pas dans l'œuvre de ce maître.

Adam (Adolphe), (1803-1856), né à Paris.

Opéras-comiques, ballets, opéras. *Le Chalet, le Postillon de Longjumeau, Giselle, Si j'étaïs Roi, Giralda*, etc... Plusieurs messes...

Meyerbeer (Giacomo) (1791-1864), né à Berlin.

Fut le créateur de l'opéra à grand spectacle.

C'est à Darmstadt, vers 1810, à l'école de l'Abbé Vogler, où l'on ne s'occupait guère que de musique scientifique et religieuse, qu'il fit ses premières études sérieuses de composition. Jusque-là il n'était qu'un habile pianiste, ayant travaillé avec Clementi, doué aussi d'une remarquable faculté d'improvisation. Sous l'abbé Vogler, il apprit le contrepoint et la fugue, et les règles de la composition dans le style allemand.

Puis il entreprit, sur les conseils de Salieri, un voyage à Venise pour y étudier la façon de traiter les voix; il s'éprit alors complètement de l'école de Rossini, et abandonna son premier style pour écrire dorénavant dans la manière italienne.

Une deuxième métamorphose eut lieu lorsque, en 1831, il fit jouer à l'Opéra de Paris *Robert le Diable*, dans le style français, suivant encore Rossini, devenu son ami intime, dans cette nouvelle évolution. Vinrent alors, dans l'ordre : *les Huguenots* (1836), *le Camp de Silésie* (1844), devenu en 1854 *l'Étoile du nord, le Prophète* (1849), *le Pardon de Ploermel* (1859), et enfin *l'Africaine* qui n'a été jouée et gravée qu'après la mort de l'auteur, en 1865, et à laquelle il est permis de supposer qu'il eût introduit quelques modifications aux répétitions, selon son habitude constante.

Son style est inégal et souvent boursouflé ; sa musique, très démodée, n'est pas toujours jugée avec équité, car on ne saurait lui dénier d'évidentes qualités scéniques et décoratives.

Les mêmes remarques, à peu de chose près, peuvent d'ailleurs s'appliquer à Halévy.

Halévy (Fromental) (1799-1862), né à Paris.

Ses ouvrages les plus importants sont : *la Juive, la Reine de Chypre, les Mousquetaires de la Reine, la Fée aux Roses.*

Halévy fut professeur au Conservatoire, ses principaux élèves furent Gounod, Victor Massé, Bizet, qui devait devenir son gendre.

Thomas (Ambroise) (1811-1896)

Fut longtemps professeur,, puis directeur du Conservatoire. Il a écrit un très grand nombre d'ouvrages dramatiques; citons les plus connus : *le Caïd, le Songe d'une nuit d'été, Mignon, Hamlet, Françoise de Rimini*, et un ballet : *la Tempête*; plus une messe solennelle, des motets, mélodies.

David (Félicien) (1810-1876), né à Cadenet (Vaucluse).

Apprit la musique élémentaire dans une maîtrise d'Aix, puis vint à Paris.

S'étant enrôlé dans les Saint-Simoniens, il suivit, lors de leur dispersion (1833), le groupe qui allait prêcher la nouvelle doctrine en Orient.

Cette circonstance décida de sa carrière. Il fut un musicien orientaliste par la couleur spéciale et la tournure d'esprit qui résultèrent d'une habitation de près de trois ans en Égypte. Il en rapporta un style oriental de convention, mais produisant à merveille l'impression exotique cherchée pour des oreilles d'Européens.

C'est alors qu'il produisit : *le Désert, Christophe Colomb*, odes-symphonies; *la Perle du Brésil, Lalla-Roukk*, opéras-comiques; *Herculanum*, grand opéra; et beaucoup de mélodies.

En marge de ses contemporains, isolé par sa grandeur même et par l'idéal qu'il poursuit, voici le plus grand génie musical qu'ait produit la France dans la première moitié du XIXe siècle :

Berlioz (Hector) (1803-1869), né à la Côte Saint-André (Isère).

Élève de Lesueur au Conservatoire, il obtint le premier grand prix de Rome en 1830. Il avait travaillé précédemment sous la direction de Reicha, mais en réalité il ne retint, de l'enseignement de ces deux maîtres, que certaines idées ou des procédés de Lesueur, fréquemment reconnaissables, et se créa de toutes pièces un style personnel par ses études philosophiques et la contemplation des anciens chefs-d'œuvre, de Gluck principalement.

Une curieuse anecdote m'a été contée par un de mes collègues, qui fut longtemps intimement lié avec Berlioz; je la relate ici parce qu'elle montre bien de quelle façon particulière et étrange s'élaborait la pensée musicale dans ce cerveau bizarre.

C'est à l'époque où il écrivait *les Troyens*; il rencontre un jeune ami, auquel il avait coutume de communiquer ses travaux au fur et à mesure : « Ah! j'ai enfin terminé le récitatif de Didon; il faut venir chez moi, je tiens à vous montrer cela, lui dit-il; mais, je vous préviens, je n'ai pas encore trouvé les accords! » On peut juger par là de la somme de travail que devait lui coûter un grand opéra.

Les principaux ouvrages qu'il a légués à notre admiration sont : *Benvenuto Cellini, la Prise de Troie, Béatrice et Bénédict, les Troyens à Carthage*, opéras; *la Damnation de Faust*, légende; *l'Enfance du Christ*, oratorio; *la Symphonie fantastique*, la symphonie d'*Harold* (avec alto solo), la symphonie de *Roméo et Juliette*, la *Symphonie funèbre et triomphale*; trois ouvertures : *les Francs-Juges, Waverley*, et le *Carnaval de Venise*; une *Messe*; un *Requiem*, etc...

Dans tout cela, parfois des gaucheries, une orthographe incorrecte, mais le génie l'emporte et c'est grand, grandiose même, un sentiment noble et élevé plane sur le tout, rendant sensible l'âme de Berliez.

Ses études furent lentes, pénibles, décousues. Il suffirait de lire ses Mémoires pour s'en convaincre, si ce n'était écrit dans ses œuvres où on ne trouve pas trace de « métier », au sens habituel du mot; sauf pour l'orchestration où il est le plus grand maître de son temps.

Écrivain né, il a laissé des *Mémoires*, des ouvrages sur la musique humoristiques et pleins d'esprit. Ses critiques musicales pour le *Journal des Débats*, où il écrivit pendant de nombreuses années sont extrêmement clairvoyantes en même temps que passionnées, d'ailleurs.

Exception faite de Berlioz, la première partie du XIXe siècle est une période musicalement pauvre en France. Pas de musique de chambre, une musique vocale se bornant à des romances, une musique instrumentale réduite à des fantaisies plus ou moins brillantes, une musique religieuse souvent grandiloquente, voilà ce qu'on peut porter à l'actif des compositeurs français de cette époque; mais une renaissance se prépare, les sociétés de concerts : *Concerts du Conservatoire, Concerts Pasdeloup* vont peu à peu former le goût du public en le familiarisant avec les grands classiques et créer une ambiance plus favorable pour les compositeurs.

A cette époque appartiennent :

Gounod (Charles) (1818-1893), né à Paris.

Œuvres dramatiques principales : *Sapho* (1851); *la Nonne sanglante*; *le Médecin malgré lui*, opéra-comique; *Faust*; *Philémon et Baucis*; *la Reine de Saba*; *Mireille*; *Roméo et Juliette*; *Polyeucte*;

Cinq-Mars, etc.; puis, en dehors du théâtre, plusieurs *messes*, beaucoup de *musique d'église*, deux *symphonies*, quatre *recueils* de vingt *mélodies* chacun, des oratorios : *Tobie*, la belle lamentation *Gallia*; *Rédemption*, *Mors et Vita*, etc...

Son amour et sa connaissance approfondie de Bach, de Mozart, de Beethoven, des maîtres du XVIe siècle, lui permettent de remonter aux sources de l'art classique. Son style reste élégant et pur. Sa nature à la fois mystique et passionnée ouvre à l'art des voies nouvelles et fécondes largement exploitées par ceux qui l'ont suivi et son influence sur l'école française a été grande et bienfaisante.

Lalo (Édouard) (1830-1892), né à Lille.

A commencé par écrire de la musique de chambre, et deux *Symphonies*, qui attirèrent peu l'attention du public, puis un opéra en trois actes, *Fiesque*, qui n'a jamais été représenté; ensuite une *Symphonie espagnole* pour violon et orchestre, qui, exécutée par Sarasate. obtint le plus grand succès; puis une *Rapsodie norvégienne*, un *Concerto pour piano*, *Namouna*, ballet; des *mélodies* appréciées, un remarquable *Divertissement* pour orchestre, etc.; mais ce n'est que dans sa vieillesse ou à peu près, qu'il eut enfin la satisfaction de voir son *Roi d'Ys*, écrit depuis bien longtemps, représenté sur la scène de l'Opéra-Comique.

Par la dignité de la musique qui se refuse à toute concession, cette partition marque une étape importante du renouveau lyrique en France.

Delibes (Léo) (1836-1891), né à Saint-Germain-du-Val (Sarthe).

Fut tout d'abord simple enfant de chœur à la Madeleine, en 1848, puis élève de Le Couppey, de Bazin et d'Adam au Conservatoire.

Doué d'une grande facilité d'écriture, il produisit rapidement de petits ouvrages. inutiles à mentionner ici et se fit connaître par le ballet de la *Source* (1866), écrit en collaboration avec un jeune musicien russe, M. *Minkous*. Dès lors, son essor était pris; il produisit successivement de nombreux ouvrages dont les plus connus sont : *Coppélia* et *Sylvia*, ballets, *Le Roi l'a dit*, *Jean de Nivelle*, *Lakmé*, opéras-comiques.

Ses ballets sont des chefs-d'œuvre du genre par le rythme, l'invention mélodique, la variété de l'orchestration.

Bizet (Georges) (1838-1875), né à Paris.

Élève de Zimmermann pour l'harmonie, de Marmontel pour le piano, d'Halévy pour la fugue et la composition. Grand prix de Rome en 1857.

Remarquable musicien, qui est certainement une des plus grandes gloires de l'école française, bien qu'il soit mort à trente-sept ans.

Principaux ouvrages dramatiques : *Les Pêcheurs de perles* (1867), *la Jolie Fille de Perth*, *Djamileh*, *l'Arlésienne* et *Carmen* (1875), (ces deux derniers chefs-d'œuvre absolus). En dehors du théâtre, on peut citer l'ouverture de *Patrie*, un recueil de *mélodies*, une *symphonie*, des *morceaux de piano*.

Son style, clair et mélodique, est typiquement français; son harmonisation est toujours originale et raffinée.

Saint-Saëns (Camille) (1835-1921), né à Paris.

Fut un enfant prodige d'une étonnante précocité; ses premiers succés furent des triomphes de pianiste, puis il acquit rapidement une haute réputation de savant organiste et d'incomparable improvisateur.

Il a écrit dans tous les genres avec une égale facilité. Voici une liste de ses œuvres les plus célèbres :

Musique de chambre : *Sonates* pour divers instruments, *trios*, un *quatuor*, un *quintette*, un *septuor* avec trompette.

Œuvres symphoniques : trois *symphonies*, dont la troisième en *ut* mineur, avec orgue, est un chef-d'œuvre. Poèmes symphoniques : *le Rouet d'Omphale*, *Phaeton*, la *Danse macabre*, la *Jeunesse d'Hercule*; quatre *concertos* pour piano, *concertos* pour violon, un concerto pour violoncelle, *Suite algérienne*, etc... *Messes*, *motets*, *chœurs*, *psaumes*. *Oratorio de Noël*, *le Déluge*, les *Noces de Prométhée*, *la Lyre et la Harpe*. Œuvres dramatiques : *la Princesse jaune*, *Samson et Dalila*, *le Timbre d'argent*, *Henry VIII*, *Proserpine*, *Ascanio*, *Phryné*, etc... plus un grand nombre de morceaux pour piano, pour orgue, de mélodies, etc...

Son art est élégant, clair, habile, lucide; on lui reproche souvent une certaine sécheresse, un manque d'élan et de générosité. Il a en tout cas, exercé une considérable et heureuse influence sur la musique française.

Massenet (Jules) (1842-1912), né à Montaud (Loire).

Infatigable et fécond producteur, a écrit un nombre imposant d'œuvres dramatiques. Voici les plus importantes : *Don César de Bazan*, *Marie-Magdeleine*, *les Erynnies*, *le Roi de Lahore*, *Hérodiade*, *Manon*, *Esclarmonde*, *Werther*, *Thaïs*, *la Navarraise*; des mélodies, suites d'orchestre, etc...

Sa musique, qui obtint de son vivant un succès énorme, vaut par ses qualités de charme, de séduction, par l'élégance et l'habileté de l'orchestration et de toute l'écriture. On peut lui reprocher trop de facilité, un certain affadissement des caractères, une mollesse sensuelle.

Hahn (Reynaldo) (1875-1947).

Élève de Massenet, a écrit de nombreuses mélodies, de la musique de chambre. Ouvrages dramatiques dont *la Carmélite*, *le Marchand de Venise*; un ballet : *la Fête chez Thérèse*, créé par Carlotta Zambelli. Des opérettes : *Ciboulette*, *Brummel*.

Bruneau (Alfred) (1857-1934).

Le Rêve, l'Attaque du Moulin, Messidor.

Charpentier (Gustave) (1860).

Auteur de *Louise, Julien, les Impressions d'Italie.*

Ne laissons pas de côté certains compositeurs qui ont excellé dans un genre plus léger, mais parfois charmant, celui de l'opérette :

Offenbach (Jacques) (1819-1880), né à Cologne.

Créateur du genre *opérette*, qui participe de l'opéra-comique et de l'opéra-bouffe italien, il a écrit des partitions pleines d'esprit et de bonne humeur, mais parfois manquant de distinction : *Orphée aux Enfers, la Belle Hélène, les Deux Aveugles, la Chanson de Fortunio*, etc. Musicien instinctif et sans instruction musicale, il ne réussit jamais, malgré quelques tentatives, comme *les Contes d'Hoffmann*, dans un genre plus élevé.

Lecocq (Charles) (1832-1918).

Auteur d'un très grand nombre d'opérettes. Les plus connues : *la Fille de Madame Angot, Giroflé-Girofla, la Petite Mariée, le Petit Duc*, sont des chefs-d'œuvre du genre.

Messager (André) (1853-1929).

Fut un remarquable chef d'orchestre.

C'est lui qui prépara la première représentation de *Pelléas et Mélisande*, avec une compréhension et un soin extraordinaire. Musicien très fin, il a écrit des chefs-d'œuvre de musique légère, en gardant toujours une grande distinction, une fraîcheur et une grâce exemptes de toute vulgarité et de toute banalité.

Œuvres principales : *la Basoche, Isoline, les P'tites Michu, Véronique, Fortunio, le Ballet des Deux Pigeons.*

Dans une ligne très différente de cette ligne quasi officielle qui évolue, pour ainsi dire, entre l'Opéra et le Conservatoire, se placent *César Franck* et le groupe qui l'entoure, « *La bande à Franck* » :

Franck (César) (1822-1890), né à Liége.

Élève de Zimmermann pour le piano, de Leborne pour le contrepoint, au Conservatoire de Paris, où il fut plus tard, de 1872 à 1891, professeur de la classe d'orgue.

Voici la liste des principales œuvres de ce grand musicien, qui a formé de nombreux et fervents disciples, et doit être considéré comme un véritable chef d'école.

Ruth, *Rébecca*, scènes lyriques; *les Béatitudes*, oratorio; *Hulda*, *Ghisèle*, opéras. Musique symphonique : *Rédemption*, *les Éolides*, *le Chasseur maudit*, *les Djinns*; une *symphonie*, *Variations symphoniques* pour piano et orchestre; musique de chambre; *quintette* avec piano, *quatuor à cordes*, *sonate piano et violon*; musique d'orgue : *chorals*), pièces diverses; *musique de piano*, *mélodies*, musique religieuse : *motets*, *messe*, *psaumes*, etc...

Son style est classique, avec un langage harmonique très riche, assez chromatique, et teinté parfois de tonalités grégoriennes. L'influence de Franck fit beaucoup pour libérer l'art français du goût et de la facilité ambiants.

Duparc (Henri) (1848-1933).

A écrit quelques *lieds* d'une qualité rare et qui sont parmi les plus beaux lieds français : *La chanson triste*, *L'Invitation au voyage*. Disciple fervent de Franck, il fonda, avec Castillon, Saint-Saëns, d'Indy, etc., la *Société Nationale de Musique*, dont le but était de faire entendre des ouvrages modernes, et de créer ainsi un public d'amateurs éclairés.

Indy (Vincent d') (1851-1931), fondateur avec Bordes et Guilmant, de la *Schola Cantorum*, école destinée à perpétuer et à diffuser l'enseignement de Franck.

Parmi ses œuvres nombreuses, citons : *Wallenstein*, poème symphonique, *Symphonie sur un thème montagnard*, pour piano et orchestre, autres *symphonies*, musique de chambre, de piano, musique dramatique : *le Chant de la cloche*, *Fervaal*, *l'Étranger*, *la Légende de Saint Christophe*.

Chausson (Ernest). (1855-1899).

Une *symphonie*, musique de chambre : *Concert*, *trio*, *quatuor*, *mél dies*, *Poème de l'amour et de la mer*, pour chant et orchestre. L. opéra : *le Roi Arthus*.

Puis *Alexis de Castillon*, *Lekeu*, *Charles Bordes*, *Albéric Magnard*, *Déodat de Séverac*, etc.

Il faut parler encore, avant de quitter Franck et son école, de certains musiciens qui, tout en ayant quelques attaches avec lui, sont cependant indépendants et en dehors du cercle franckiste proprement dit.

Pierné (Gabriel) (1863-1937), compositeur et chef d'orchestre.

Dirigea pendant de longues années les *Concerts Colonne*. Il a écrit des *ballets*, *opéras*, *opéras-comiques*, de la *musique symphonique*, de la *musique instrumentale.* Son œuvre la plus célèbre est une sorte d'*oratorio : la Croisade des enfants.*

Dukas (Paul) (1865-1935).

Œuvres principales : *sonate* pour piano ; une *symphonie*; *l'Apprenti sorcier*, poème symphonique; un ballet, *la Péri*; un drame lyrique, *Ariane et Barbe-Bleue.*

Roussel (Albert) (1869-1937), officier de marine qui vint tard à la musique et fut élève de la Schola.

Artiste extrêmement original et qui, à proprement parler, n'a subi aucune influence, mais en exerce une considérable sur son temps. Œuvres principales : *mélodies, musique de piano, musique de chambre,* quatre *symphonies*, une *Suite pour orchestre*, un *psaume*; *Évocations*, poème symphonique; deux ballets, *le Festin de l'araignée, Bacchus et Ariane*; œuvres lyriques : *Padmâvati, la Naissance de la lyre.*

Un remarquable don d'évocation des atmosphères exotiques, par des moyens nullement conventionnels, caractérise l'art de Roussel.

Étrangers à l'école franckiste ou même en opposition avec elle, d'autres artistes réagissent contre le wagnérisme, contre l'italianisme aussi, et renouvellent le langage musical.

Parlons d'abord d'un artiste de son vivant ignoré du public, mais qui fut un précurseur et eut une action très grande sur ceux qui l'ont suivi :

Chabrier (Emmanuel) (1841-1894), né à Ambert.

Après avoir, selon la volonté de son père, fait ses études de droit à Paris, où il fut reçu docteur à vingt ans, il fut pendant quelques années attaché au Ministère de l'Intérieur. C'est dire que ses études musicales furent celles d'un amateur. On ne lui connaît qu'un professeur, Aristide Hignard, qui lui-même avait obtenu en 1850 un deuxième second prix de Rome, musicien modeste et fort distingué.

Son premier ouvrage fut un opéra-bouffe en 3 actes, *l'Étoile* (1877); vint ensuite *l'Éducation manquée*, 1 acte (non orchestré); puis *Dix pièces pittoresques* pour piano (1881) et *trois valses romantiques* pour deux pianos (1883); de la même année, *le Credo d'Amour*, pour chant, et la fameuse rapsodie *Espana* pour grand orchestre, qui appela sur lui l'attention. Ensuite parurent successivement : *la Sulamite* (1885), *Habanera*, pour piano (1885), *Gwendoline*, grand opéra, 2 actes (1886), *le Roi malgré lui*, opéra-comique, 3 actes (1887), *Joyeuse Marche* pour orchestre (1890), des *mélodies*, *la Bourrée fantasque* pour piano, et enfin : *A la musique*, chœur pour voix de femmes (1891). *Briseis*, opéra inachevé.

Puis de :

Fauré (Gabriel) (1845-1924), né à Pamiers.

Élève à l'école Niedermeyer où il reçut des leçons de Saint-Saëns. Maître de chapelle, organiste, professeur de composition, puis directeur du Conservatoire. Toute sa vie a été une continuelle et tranquille ascension vers un art de plus en plus élevé, de plus en plus pur. Il a écrit de nombreuses et admirables *mélodies*; des cycles : *la Chanson d'Ève, la Bonne Chanson, Mirages, l'Horizon chimérique*; de la *musique de piano*, deux *sonates pour piano et violon*, deux *sonates pour piano et violoncelle*, un *trio*, deux *quatuors avec piano*, un *quatuor à cordes*, deux *quintettes*, une *fantaisie pour piano et orchestre*, de la musique de scène pour *Prométhée*, un opéra : *Pénélope;* de la musique religieuse une messe de *Requiem*, le Cantique de Racine.

Debussy (Claude) (1862-1918), né à Saint-Germain-en-Laye.

Transforme profondément l'esprit de la musique en revenant à la recherche de la sensation sonore. Son art s'apparente à celui des peintres impressionnistes.

Ses œuvres principales sont : des *mélodies*, des *pièces pour piano* dont l'écriture met en valeur de façon toute nouvelle les possibilités techniques de l'instrument : *Estampes, Images, Préludes, Children's corner*, etc...) un poème lyrique : *la Damoiselle élue*, des chœurs a capella sur des *chansons de Charles d'Orléans*, un *quatuor à cordes*, trois *sonates* pour divers instruments; des pièces pour orchestre : *Prélude à l'Après-midi d'un faune, Nocturnes, la Mer, Images*; trois ballets : *Jeux, la Boîte à joujoux, Khammah*; de la musique de scène pour *le Martyre de saint Sébastien* de d'Annunzio; et enfin un drame lyrique : *Pelléas et Mélisande*, qui fit une véritable révolution dans le monde musical lors de sa première représentation en 1902.

Apparentés à Debussy :

Satie (Erik) (1866-1925).

Musicien à la fois humoriste et mystique qui eut une certaine influence sur Debussy.

Caplet (André) (1879-1925).

Auteur de mélodies, de musique religieuse, d'un oratorio : *le Miroir de Jésus.*

Un autre grand maître de l'école française est :

Ravel (Maurice) (1875-1937), né à Ciboure.

Élève au Conservatoire de Gédalge et de Fauré; esprit lucide, net, parfaitement maître de sa technique, remarquable orchestrateur, avec un don poétique très personnel.

Nombreuses *pièces pour piano* d'une écriture extrêmement habile, *mélodies*, un *quatuor à cordes*, un *trio*, *sonates* pour divers instruments, deux *concertos* pour piano. Pour orchestre : *Rhapsodie espagnole*, *le Tombeau de Couperin*, *Ma Mère l'Oye*, *Boléro*. Un ballet : *Daphnis et Chloé*. Œuvres dramatiques : l'*Heure espagnole*, *l'Enfant et les sortilèges*.

Citons aussi quelques musiciens trop tôt disparus, mais ayant laissé des œuvres d'une beauté achevée : *Lili Boulanger* (1893-1918) première femme ayant obtenu le prix de Rome, *Pierre Menu* (1896-1919), *Jean Cartan* (1906-1932), *Jehan Alain* (1911-1940), dont la mort prématurée a privé la musique française d'artistes de valeur.

Il serait souverainement injuste de ne pas rappeler les noms de quelques-uns au moins des virtuoses qui furent les interprètes des grands maîtres français de notre siècle, et dont plusieurs ont été eux-mêmes des compositeurs de talent, ainsi que ceux des éminents théoriciens ou professeurs dont nous avons eu souvent l'occasion de parler au sujet de leurs élèves, devenus maîtres à leur tour. Nous le ferons aussi brièvement que possible, en déplorant les omissions inévitables.

D'abord, quelques grands chanteurs et cantatrices :

Dugazon (Louise-Rosalie) (1753-1821), née à Berlin.

A laissé son nom aux rôles de chanteuse légère dans lesquels elle excellait.

Garat (1764-1823), né à Ustaritz (Basses-Pyrénées).

Chanteur extraordinaire, dont l'instinct musical était la première qualité. Professeur de chant au Conservatoire dès sa fondation, il y forma de remarquables élèves.

Damoreau-Cinti (1801-1863), née à Paris.

Eut de brillants succès au Théâtre-Italien, puis à l'Opéra, ainsi qu'en Angleterre.

Nourrit (Adolphe) (1802-1839), né à Montpellier.

L'un des plus célèbres ténors de l'Opéra, fit ses études musicales avec Garcia. Il se suicida à Naples, dans un moment d'affolement causé par les craintes exagérées que lui inspirait un léger affaiblissement de ses facultés vocales.

Falcon (Marie-Cornélie) (1812-1897), née à Paris.

Sa vogue ne dura guère que cinq années, de 1832 à 1837, mais elle brilla d'un tel éclat qu'elle a donné son nom aux rôles de nature analogue à ceux qu'elle avait créés.

Roger (Gustave) (1815-1879), né à Saint-Denis.

Un des plus charmants ténors français; débuta en 1838 dans *l'Éclair* d'Halévy, puis à l'Opéra, où il créa *le Prophète*, en 1849.

Sa carrière fut brillante, mais courte; un accident de chasse l'obligea à abandonner le théâtre et à se vouer à l'enseignement.

Ce volume ne suffirait pas à énumérer tous nos beaux chanteurs; renonçons-y et passons aux instrumentistes. D'abord quelques célèbres pianistes :

Kalkbrenner (F. G.) (1784-1849), *Alkan* (Ch. V.) (1813-1888), *Diémer* (L.) (1843-1919), *Pugno* (R.) (1852-1914), *Risler* (E.) (1873-1929), *Ricardo Vinès* (1875-1943), *Francis Plante* (1839).

Puis, pour les instruments à cordes :

Kreutzer (R.) (1766-1831). (Beethoven lui a dédié une de ses plus belles sonates pour piano et violon.) *Baillot* (1771-1842), *Rode* (1774-1830), *Bériot* (Ch. A. de) (1802-1870), qui épousa la Malibran; *Vieuxtemps* (1820-1881), *Sarasate* (P.) (1844-1908), *Ysaye* (E.) (1858-1931), *Capet* (L.) (1873-1928), (le fameux quatuor Capet eut une réputation mondiale); le violoncelliste *Franchomme* (1809-1884). Enfin, les flûtistes *Tulou* (1786-1865) et *Taffanel* (1844-1908).

L'école d'orgue également est brillamment représentée par *Guilmant* (A.) (1837-1911), *Widor* (Ch.-M.) (1845-1937), *Vierne* (L.) (1870-1937), *Gigout* (1884-1944),

Revenant largement en arrière, il nous faut parler aussi de ceux qui, tout en étant parfois compositeurs eux-mêmes, se sont surtout signalés dans l'enseignement par leurs ouvrages didactiques, ou encore par l'influence qu'ont exercée leurs idées sur le développement de l'art, qu'ils aient été théoriciens ou professeurs; reportons-nous donc au commencement du XVIIIe siècle, à l'époque de la ridicule *Querelle des Bouffons.* Parmi les écrivains et polémistes qui se jetèrent à corps perdu dans la mêlée, figurait au premier rang l'auteur des *Confessions*, dont nous n'avons à connaître ici que la carrière musicale :

Rousseau (Jean-Jacques) (1712-1778), né à Genève.

Musicien sans instruction musicale primaire, il avait le don de la mélodie, et on ne peut admirer que cela dans ses œuvres complètement oubliées, sauf *le Devin du village.*

Fut chargé par Diderot et d'Alembert de la rédaction des articles de musique de l'*Encyclopédie*, ce qui est regrettable, car ils contiennent de nombreuses erreurs et ne sont pas à la hauteur des autres parties de cet ouvrage monumental.

Alembert (**d'**) (1717-1783), né à Paris.

Nombreux ouvrages et opuscules sur les cordes vibrantes et la philosophie musicale.

Sarrette (Bernard) (1765-1858), né à Bordeaux, fondateur du Conservatoire de Paris.

Fétis (François-Joseph) (1784-1871), né à Mons.

Bien qu'il ait beaucoup composé, c'est surtout par ses écrits sur la musique qu'il est resté célèbre. Sa *Biographie universelle des musiciens* est un ouvrage qui contient une documentation abondante et encore utile.

Choron (1772-1834).

Contribua activement par ses concerts et ses publications à faire connaître en France les chefs-d'œuvre classiques.

Niedermeyer (1802-1861).

A écrit de la musique aujourd'hui bien oubliée, mais on doit se souvenir que l'*École de musique religieuse et classique*, qu'il fonda, compte parmi ses élèves des musiciens comme Fauré, Gigout, Messager, Henry Expert, Busser.

Bourgault-Ducoudray (1840-1910).

Ses recherches sur le folklore et sur les modes anciens et son enseignement de l'histoire de la musique au Conservatoire ont eu une heureuse influence.

Gevaert (François-Auguste) (1828), né à Huysse (Flandre).

Musicien d'une profonde érudition, auteur de nombreux et remarquables ouvrages didactiques, *Traités d'instrumentation*, *Cours méthodique d'orchestration*, *Histoire et Théorie de la musique de l'antiquité*.

Gedalge (A.) (1856-1926).

Compositeur et surtout remarquable professeur; fut le maître de Ravel, Roger-Ducasse, Florent Schmitt, Enesco, Honegger, Darius Milhaud.

Emmanuel (M.) (1862-1938).

Compositeur de talent et musicologue de premier ordre. Ses ouvrages : *Histoire de la langue musicale, Traité de l'accompagnement modal des psaumes*, son article pour l'Encyclopédie de la Musique sont des monuments.

Les plus grands progrès de la facture instrumentale, dans ces derniers siècles, sont dus à :

Taskin (Pascal) (1730-1793), facteur de clavecins; *Tourte* (1747-1835), fabricant d'archets; *Érard* (Sébastien) (1752-1831), facteur de pianos et de harpes, né à Strasbourg, inventeur de génie auquel on doit les types du piano à queue moderne et de la harpe à double mouvement; *Pleyel* (Ignace) (1757-1831), fondateur d'une des plus importantes fabriques de pianos de France, il fut aussi un compositeur intéressant, surtout dans le domaine de la musique de chambre, et l'élève de Haydn; *Barker* (1806-1880), facteur d'orgues, né à Bath (Angleterre), inventeur du levier pneumatique qui a rendu le toucher de l'orgue aussi souple que celui du piano; *Cavaillé-Coll* (Aristide) (1811-1899), fils et petit-fils de facteurs d'orgues, a atteint dans cet art qui exige des connaissances si complexes, la plus haute perfection; c'est à lui qu'on doit les orgues de Notre-Dame, de Saint-Sulpice, de la Madeleine, de la Trinité, de la Basilique de Saint-Denis, etc., en tout, plus de cinq cents instruments; *Merklin* (1819-1905), né à Oberhausen, facteur d'orgues; *Sachs* (Adolphe) (1814-1894), facteur d'instruments de cuivre, dont les inventions ou perfectionnements ont transformé complètement les corps de musique militaire, soit en y introduisant des éléments nouveaux (saxhorns, saxophones, etc.), soit en améliorant les instruments déjà connus.

En raison du degré de développement acquis de nos jours par l'art de l'orchestration, une place à part doit être faite aux grands chefs d'orchestre.

Le chef d'orchestre est le cerveau de l'orchestre; il doit tout savoir, tout comprendre, tout communiquer, réparer toute erreur, établir et maintenir l'équilibre général, en laissant pourtant à chacun la part d'initiative nécessaire. Quand il s'agit de monter un grand ouvrage, il arrive un moment où les chanteurs, aidés par les chefs du chant, savent leurs rôles; où les choristes, guidés par les chefs de chœurs, tiennent convenablement leur partie; où les musiciens ont suffisamment pris connaissance de la leur; où tous ont procédé à des répétitions partielles par petits groupes. C'est alors que le chef d'orchestre prend le commandement et, réunissant dans sa main et sous son œil tous ces éléments divers, leur donne vie et met l'œuvre debout.

Mais il fait plus que cela. Il faut considérer en lui l'un des plus puissants éducateurs du public et, conséquemment, l'un des plus importants facteurs de l'évolution musicale, et l'on peut nommer parmi les grands chefs d'orchestre de hardis propagateurs dont la conviction et l'initiative, parfois même le courage, ont exercé et exercent encore une action directrice incontestable sur les courants d'idées. Ce sont surtout ceux-là que je veux citer ici :

Habeneck (1781-1849), né à Mézières (Ardennes), dirigea l'orchestre de la *Société des Concerts du Conservatoire* de 1806 à 1847, et fut le premier à faire entendre en France les symphonies de Beethoven; *Pasdeloup* (Jules) (1819-1887), né à Paris, a puissamment contribué au développement du goût musical en France par la création des *Concerts populaires*, en 1861, et a ouvert la voie aux autres sociétés symphoniques qui se partagent le public parisien; *Lamoureux* (Charles) (1834-1899), fondateur des concerts du même nom où il donna pour la première fois en France les grands oratorios de Bach et de Hændel; *Colonne* (Édouard) (1838-1910); *Chevillard* (Camille) (1859-1923), gendre et continuateur de Lamoureux; etc.

G. — L'École russe.

L'école russe présente une caractéristique distincte résultant de son origine même, et ne saurait y être confondue avec aucune autre.

Cette école est relativement jeune; elle n'a pas cent cinquante ans d'existence, et, dès sa naissance, pour ainsi dire, elle s'est trouvée en possession de la puissante technique créée, au moyen d'efforts séculaires, par des écoles européennes, avec leurs immenses ressources et leur puissante orchestration. Elle n'a donc pas eu à procéder par tâtonnements, comme ses sœurs aînées, et a, du premier jour, conquis son outillage complet.

De plus, au début, ses maîtres n'ont pas été, en général du moins, comme nous l'avons vu en Allemagne, en France et en Italie, de véritables professionnels, mais plutôt des érudits, des savants, des hommes du monde faisant de l'art d'abord en amateurs, puis se laissant entraîner dans le tourbillon artistique, ce qui, chez nous, est l'exception, rare, mais souvent heureuse.

On conçoit que des hommes appartenant à un niveau intellectuel élevé, instruits de tout ce qui s'est fait ailleurs en musique, possédant d'autre part une littérature, une religion et des mœurs très différentes de celles de l'Europe occidentale, aient pu créer un art national tout autre et plus précoce que ceux dont nous avons étudié la genèse et le lent développement.

Le chant populaire a toujours existé en Russie, par ce seul fait que le chant, nous l'avons déjà vu, est aussi naturel à l'homme que la parole; là, comme partout ailleurs, il a acquis, par la force des choses et en dehors de toute intervention artistique voulue, un caractère particulier. De là les mélodies ou mélopées slaves, sans auteur connu, vrais chants du peuple, et de là aussi le côté spécial, parfois rude et parfois langoureux, de la musique russe; ses rythmes typiques, ses gammes particulières. Ce qui fait le charme principal, la véritable originalité des musiciens russes du XIXe siècle, c'est l'emploi qu'ils ont fait d'un folklore très riche et très original traité avec les procédés de la technique moderne.

Bien entendu, il n'y a pas à chercher de classiques russes; nous tombons tout de suite en plein romantisme, puisque, jusqu'à la venue de Glinka, le vrai père de cette jeune école, la Russie était, musicalement parlant, tributaire de l'Italie et de la France.

Glinka (Michel) (1804-1857), né à Nowopask, gouvernement de Smolensk.

Après avoir reçu une forte instruction littéraire et scientifique, il travailla le piano avec Field et Mayer, apprit l'harmonie en Allemagne, et étudia le chant et le violon avec des maîtres italiens, C'est le premier des musiciens russes. Son chef-d'œuvre le plus connu est la *Vie pour le Tsar*, mais le plus complet épanouissement de son talent se montre dans *Rousslan et Ludmilla.* Ses œuvres sont riches d'harmonie, habilement orchestrées pour l'époque, et l'emploi fréquent et systématique des motifs populaires accentue heureusement la couleur locale et le caractère essentiellement national.

Dargomijsky (1813-1869), né dans le gouvernement de Toula.

Il est un novateur par son souci de réalisme et de vérité qui lui fait abandonner la mélodie proprement dite pour une sorte de récitatif chantant. Œuvres principales : *la Roussalka, le Convive de Pierre,* dont l'orchestration fut achevée après sa mort par Rimsky-Korsakoff. Sa famille était riche, et il avait reçu une instruction générale et une éducation des plus soignées.

Rubinstein (Antoine) (1829-1894), né en Moldavie.

Pianiste génial et compositeur; a écrit de nombreuses *œuvres dramatiques* et des *oratorios*, sept *symphonies*, de la *musique de chambre*, des *concertos*, des *mélodies*.

Entre 1856 et 1862, se constitua le *Groupe des Cinq* qui devait jouer un rôle capital dans l'évolution de la musique russe. Aucun des musiciens qui en faisaient partie n'était de formation professionnelle. Tous avaient le grand souci de trouver un véritable art national basé en partie sur le folklore. Ils ont tous laissé de belles mélodies, de la musique à programme plutôt que des œuvres conçues dans le moule des formes classiques. Les musiciens qui le composaient étaient :

Balakirew (Mily Alexeïevitch) (1836-1910), né à Nijni-Novgorod.

L'âme du groupe, continuateur direct de Glinka. Œuvres principales : *Ouvertures sur des thèmes russes*, *Islamey*, fantaisie pour piano, *Thamar*, poème symphonique.

Cui (César) (1835-1918), né à Vilna, ingénieur militaire.

Plusieurs *opéras*, beaucoup de *musique de piano*, des *mélodies* d'un style très original et personnel, énergique et distingué.

Borodine (1834-1887), né à Saint-Pétersbourg, professeur de chimie.

A laissé trois *symphonies*, deux *quatuors*, un *poème symphonique : Dans les steppes de l'Asie centrale.* Un opéra : *Le Prince Igor.*

Rimsky-Korsakoff (1844-1908), né à Tichwine, officier de marine.

Acquit par un travail acharné une véritable technique musicale et devint professeur au Conservatoire de Saint-Pétersbourg où il eut Strawinsky pour élève.

Il a écrit des opéras :

La Pskovitaine, la Nuit de mai, Snegourotchka, le Tzar Saltan, la Légende de la ville de Kitesch, le Cor d'or, Sadko; des poèmes symphoniques : *Shéhérazade, Antar*, etc., de la *musique de chambre* et un excellent *Traité d'orchestration.*

Moussorgsky (1839-1881), né à Toupetz,

Musicien de génie, très supérieur aux quatre autres musiciens du groupe. Œuvres principales : nombreuses *mélodies*; cycles de mélodies : *Chambre d'enfants, Sans soleil, Chants et danses de la mort*; deux opéras : *Boris Godounoff, la Khovantchina*; des fragments d'une autre œuvre inachevée : *la Foire de Sorotchinsky*; un poème symphonique : *Une nuit sur le Mont-Chauve*; une suite pour piano : *Tableaux d'une exposition*, qui fut orchestrée par Ravel.

Par son style dramatique, sorte de récitatif libre suivant exactement le texte pour en tirer le maximum d'expression, par la sincérité, la vie, la couleur intense de sa musique qui dépasse le folklore et ce qu'il a d'un peu conventionnel pour exprimer réellement l'essence de l'âme populaire russe, Moussorgsky renouvelle le langage musical de son temps. Son influence sur Debussy, sur l'école impressionniste française fut considérable.

Tschaïkowsky (Peter-Ilitch) (1840-1893), né à Votkinsk.

Contemporain des Cinq, il représente une tendance de culture classique européenne qui s'oppose à leur tendance nationale et folklorique. « Rien n'est plus antipathique et faux que d'essayer d'être vrai dans le domaine de l'art », disait-il, et il cherche de parti pris un certain académisme.

Avant d'entreprendre sérieusement l'étude de la musique, sous la direction de Rubinstein et Zaremba, il avait terminé ses études de droit et passé trois ans au Ministère de la Justice, en qualité d'attaché. Ce n'est donc que vers vingt et un ans qu'il embrassa la carrière de compositeur.

Œuvres principales : Six *symphonies*, quatre *concertos*, une *Grande sonate pour piano.* Des opéras, parmi lesquels : *la Dame de pique, Eugène Onéguine*; trois ballets : *le Lac des cygnes, la Belle au bois dormant, Casse-noisette, musique de piano, musique de chambre.*

Un autre compositeur russe, étranger au groupe des Cinq, étranger aussi à toute inspiration folklorique et populaire, et même à toute influence proprement nationale, est :

Scriabine (Alexandre) (1872-1915).

Esprit curieux, préoccupé de recherches théosophiques et métaphysiques, il a écrit de nombreuses pièces pour piano où se font sentir d'abord fortement des influences romantiques (Chopin, Liszt, Wagner). Se dégageant de ces influences, il se crée un langage personnel basé sur un accord de sept sons qui lui est propre (*dit accord synthétique*) et, dans des poèmes symphoniques : *Divin poème, Poème de l'extase, Prométhée* ou *le Poème du feu*, il cherche à réaliser une sorte de synthèse philosophique du monde.

Enfin, il est impossible de parler de la musique, ou même de l'art en général dans le premier quart du XXe siècle, sans s'arrêter aux *Ballets russes* de *Serge de Diaghilev* (1872-1929). Diaghilev créa, en 1909, cette fameuse troupe de ballets qui parcourut le monde et pour qui travaillèrent dans tous les pays et dans tous les domaines les artistes les plus doués et les plus originaux. C'est toute une esthétique, aussi bien au point de vue couleurs, costumes, décors, qu'au point de vue chorégraphie, qu'au point de vue musique qui inspirait ces spectacles dont l'influence fut immense. Citons, parmi les musiciens qui écrivirent pour cette troupe : *Debussy*, *Ravel*, *Eric Satie*, *Manuel de Falla*, *Strawinsky*, *Prokofieff*, *Auric*, *Poulenc*, *Sauguet*; parmi les grands interprètes russes, l'admirable basse *Chaliapine* (Fédor) (1873-1938), la chanteuse *Félia Litvinne* (1861-1936).

H. — Écoles diverses.

Quelques musiciens du XIXe siècle qui ne sont ni allemands, ni italiens, ni français, ni russes, se placent en dehors des écoles dont on a parlé ici et se rattachent par le caractère de leur musique aux pays auxquels ils appartiennent.

C'est ainsi que nous trouvons chez les Tchèques :

Smetana (Friedrich) (1824-1884), né en Moravie.

Œuvres principales : *La Fiancée vendue*, *Dalibor*, *Libuse*, *deux quatuors*, *poèmes symphoniques*,

Dvorak (Anton) (1841-1904), né à Prague.

A écrit plusieurs *opéras*, de la *musique de chambre*, des *ouvertures*, *des symphonies*, des œuvres importantes de *musique religieuse*. Sa symphonie la plus connue est intitulée *Symphonie du Nouveau Monde*.

Janacek (Léon) (1854-1928)

Œuvres dramatiques, *poèmes symphoniques*.

En Hongrie :

Bartok (Bela) (1881-1945).

Compositeur de haute valeur dont l'œuvre très importante, puissante, originale, est en partie basée sur le folklore. Il a écrit, entre autres choses de la *Musique de piano*, six *quatuors*, de la *musique d'orchestre*, un opéra; *Barbe-Bleue*, des *cantates*, *chœurs*.

En Pologne :

Szymanowski (Charles de) (1883-1937).

A écrit plusieurs *opéras*, un ballet, *Harnasie*. trois *symphonies*, *musique de chambre*, de *piano*, de *violon*, *musique religieuse*, *Stabat mater*, *cantates profanes*, *mélodies*.

Puis un très grand pianiste, *Paderewski* (Ignace) (1860-1941), qui fut aussi compositeur et le premier Président de la République polonaise.

En Espagne :

Pedrell (Felipe) (1841-1922), né à Tortosa.

Compositeur intéressant et musicologue de premier ordre dont les travaux ont remis à jour les chefs-d'œuvre de la musique espagnole ancienne.

Albeniz (Isaac) (1860-1909), né à Campodon.

Sa musique pleine de fougue, de verve, de couleur, est d'inspiration nettement nationale et populaire.

Œuvres principales : musique de piano, *Chants d'Espagne*, *Ibéria*, musique symphonique, *Catalonia*, musique dramatique, *Pepita Jimenez*.

Granados (Enrique) (1868-1916), né à Lérida.

Œuvres principales : *musique de piano*, *Danses espagnoles*, *Goyescas*, *musique de chambre*, *musique dramatique*. Sa musique fine, sensible et poétique est également très influencée de folklore.

Falla (Manuel de) (1876-1947), né à Cadix.

Falla, qui n'emploie pas le folklore, est peut-être encore plus espagnol que ses devanciers. Son art, par la perfection de la forme, la profondeur de la pensée, atteint au classicisme et à l'universel tout en restant essentiellement national.

Œuvres dramatiques : *La Vie brève*, *l'Amour sorcier*, *le Tricorne*, *le Rétable de Maître Pierre*. Un *concerto pour clavecin*; *Nuit dans les jardins d'Espagne*, pour piano et orchestre, *pièces pour piano*, *mélodies*, etc...

En Angleterre :

Elgar (1857-1934), *Delius* (1863-1934), *Coleridge-Taylor* (1875-1912) ont écrit de la *musique dramatique*, des *oratorios*, de la *musique instrumentale*, de la *musique de chambre*, des *symphonies.*

En Belgique :

Chez les Flamands : *Peter Benoît* (1834-1901) et *Jean Blockx* (1851-1912), compositeurs d'*oratorios profanes* et de *musique dramatique*; *Tinel* (1854-1912), qui a écrit de la *musique religieuse.*

Chez les Wallons : *César Franck*, dont il a été parlé à propos de l'école française; *Guillaume Lekeu* (1870-1894); et enfin un très grand violoniste : *Eugène Ysaye* (1858-1931).

Un musicien universellement connu, jugé avec trop d'enthousiasme par ses contemporains et peut-être avec trop de sévérité par la génération actuelle, représentera l'école scandinave :

Grieg (Edward) (1843-1907), né à Bergen (Norvège).

Travailla au Conservatoire de Leipzig puis avec Liszt. Il aime à faire usage de motifs folkloriques ou à en imiter le caractère, ce qui donne à sa musique un charme poétique particulier.

Œuvres principales : *Concerto pour piano, Lieder, Peer Gynt*, suite d'orchestre, *quatuor à cordes, musique de chambre, musique de piano, sonate pour piano, sonate pour piano et violon, sonate pour piano et violoncelle.*

Principaux ouvrages a consulter sur l'histoire de la musique

Champigneulles — *Histoire de la musique.*
Dufourcq (édit.). — *La musique des origines à nos jours.*
Dumesnil — *Histoire de la musique illustrée.*
La Fage. — *Histoire générale de la musique et de la danse.*
Landormy — *Histoire de la musique.*
Machabey — *Précis-manuel d'histoire de la musique.*
Nef (Ch.). — *Histoire de la musique.*
Prunières (H.) — *Nouvelle histoire de la musique.*
The Oxford History of Music.
Emmanuel (M.). — *Histoire de la langue musicale.*
Aubry (P.). — *La Musicologie médiévale.*
Gérold — *Histoire de la musique des origines à la fin du XIVe siècle.*
Landormy — *La musique française, de la Marseillaise à la mort de Berlioz.*
Landowski — *Histoire de la musique moderne.*
Lavignac (édit.). — *Encyclopédie de la musique.*

I. — Période contemporaine.

Cet ouvrage ne parle pas, en principe, des compositeurs vivants. S'il est toujours difficile et souvent bien téméraire de juger l'œuvre d'un artiste, on peut dire que ce jugement devient impossible lorsqu'il s'agit d'une œuvre en cours d'évolution, d'élaboration, et pour laquelle manque le recul du temps qui, seul, donne aux choses leur valeur réelle et permet d'apprécier les perspectives véritables.

Pourtant, certains maîtres exercent sur l'art contemporain une influence si marquée qu'il est à peu près impossible de les passer sous silence. A ces chefs d'école et à l'énumération de quelques musiciens marquants de différents pays se bornera donc ce coup d'œil volontairement très limité sur la musique contemporaine[1].

Strawinsky (Igor), né près de Saint-Pétersbourg en 1882.

Fut élève de Rimsky-Korsakow, puis travailla pour les Ballets Russes de Diaghilew, et vécut depuis 1914 en Suisse, en France et enfin aux États-Unis.

Par la puissance de son génie et de sa personnalité, il a profondément transformé le langage sonore de son temps et exercé une énorme influence. D'abord très imprégnée de folklore russe, son œuvre n'a cessé d'évoluer vers un art de plus en plus pur, de plus en plus classique, pourrait-on dire. Voici ce qu'il dit lui-même de son esthétique musicale : « Je considère la musique, par essence, comme impuissante à *exprimer* quoi que ce soit : sentiment, attitude, état psychologique, phénomène de la nature, etc... L'expression n'a jamais été la propriété immanente de la musique. » Celle-ci est donc pour lui une construction sonore prise en soi et se suffisant entièrement à elle-même en dehors de toute considération émotionnelle, descriptive, littéraire ou autre.

Œuvres principales :

Ballets : *L'Oiseau de feu, Pétrouchka, le Sacre du printemps, les Noces, Pulcinella, Apollon musagète, le Baiser de la Fée, Jeu de cartes, Orpheus.*

Œuvres dramatiques : *Rossignol, Renard, Histoire du Soldat, Mavra, Œdipus Rex, Perséphone,* etc...

Œuvres symphoniques : Deux *symphonies, symphonie d'instruments à vent,* deux *suites pour petits orchestres,*concerto pour 16 instruments,

1. Nous nous excusons donc de ne citer aucun interprète actuellement vivant, ni un grand nombre de compositeurs de talent parmi les contemporains; les dimensions de cet ouvrage ne le permettant pas.

Danses concertantes, *Norwegian Moods*, *Scènes de ballet*, *concerto* pour piano et instruments à vent, *concerto* pour violon et orchestre.

Musique instrumentale : deux *sonates* pour piano, *Sérénade*, *Pièces enfantines* à deux et quatre mains.

Musique de chambre : *Octuor pour instruments à vent*, *Duo concertant* pour piano et violon, *concerto pour deux pianos*.

Musique vocale : *Chants russes*, *Histoires pour les enfants*, etc...

Musique religieuse : *Symphonie de Psaumes*, *Pater Noster*, *Ave Maria*, *Messe*.

Œuvre littéraire : *Chroniques de ma vie*, *Poétique musicale*.

Schoenberg (Arnold), né à Vienne en 1874.

Théoricien de l'*atonalité* et chef de l'école *atonale* ou *dodécaphoniste*, exerce, lui aussi, une grande influence et compte de nombreux disciples. Parti d'un romantisme assez exaspéré à la Mahler, Schoenberg aboutit à un art extrêmement cérébral et abstrait.

Citons, parmi ses œuvres principales :

Musique de théâtre : *Erwartung der glücklige Hand*, *Von Heute auf Morgen*.

Musique symphonique : *Pelléas et Mélisande*, poème symphonique, *Pierrot lunaire*, mélodrame accompagné par un orchestre de chambre; *Ode à Napoléon*; *Thème et variations*.

Musique vocale : *Friede auf Erden*, *Gurre Lieder*, etc...

Musique de chambre : quatre *quatuors à cordes*, deux *symphonies pour orchestre de chambre*, *Sérénade*, *quintette pour les vents*, *suite* avec piano, *concerto* pour piano et orchestre, *concerto* pour violon et orchestre, musique de piano.

Ouvrages didactiques.

Hindemith (Paul), né à Hanau (Allemagne) en 1895.

A marqué profondément, lui aussi, la musique contemporaine. Professeur de composition pendant dix ans au Conservatoire de Berlin, sa musique fut interdite en Allemagne par le gouvernement nazi et il émigra aux États-Unis.

Son œuvre, très importante, et qui s'étend à tous les genres, est contrapuntique, architecturale, puissante, en réaction marquée contre le romantisme et contre le côté sensuel de l'art impressionniste français.

Œuvres principales :

Musique de théâtre : plusieurs opéras dont le plus important est *Mathis le peintre*.

Musique symphonique; nombreuses *symphonies*, *concertos pour orchestre*, *concertos* pour violoncelle, pour piano, pour violon; nombreux *concertos pour orchestre de chambre*, pour ensembles d'instruments à vent; une très grande quantité de musique de chambre pour toutes sortes d'instruments : *Sonates*, *trios*, *quatuors*, *quintettes*. Musique pour piano, piano à quatre mains, orgue; nombreuses *mélodies*, *chœurs*, œuvres destinées à des ensembles d'enfants, de jeunes gens ou d'amateurs; œuvres théoriques.

Prokofieff (Serge), né à Sonvsotka (Russie), en 1891.

Fit ses études au Conservatoire de Saint-Pétersbourg. Après avoir vécu à l'étranger pendant plusieurs années, il est maintenant fixé en U.R.S.S. Remarquable virtuose du piano, il a, lui aussi, écrit dans des genres très variés une œuvre abondante, puissante et forte.

Œuvres principales : plusieurs opéras dont *l'Amour des trois oranges*, *le Joueur*; des ballets parmi lesquels *Chout*, *le Pas d'acier*, *Sur le Borysthène*; six *symphonies*; musique de scène pour plusieurs drames de Pouchkine; cinq *concertos* pour piano et orchestre; deux *concertos* pour violon et orchestre; un *concerto* pour violoncelle et orchestre; musique de chambre; nombreuses œuvres pour piano; *mélodies*; *chœurs*.

Honegger (Arthur), né à Zurich en 1892.

Bien que de nationalité suisse, a vécu à Paris toute sa vie et peut être classé parmi les musiciens français.

Œuvres principales : œuvres dramatiques parmi lesquelles *le Roi David*, *Judith*, *Antigone*, *Amphion*; musique de scène; ballets; œuvres pour orchestre et chœurs parmi lesquelles *Jeanne au bûcher*, *la Danse des morts*; musique symphonique, *Pastorale d'été*, *Pacific* 231, *Symphonie liturgique* autres *symphonies*, œuvres nombreuses pour musique de chambre, musique de piano, musique vocale.

En France, il faut citer encore parmi les élèves de Fauré, *Florent Schmitt* (1870) : *Quintette*, *Psaume XLVII*, la *Tragédie de Salomé*, musique symphonique, instrumentale, musique de chambre, musique vocale; *Roger Ducasse* (1876); *Charles Kœchlin* (1867), qui a écrit une œuvre abondante.

Rabaud (1864-1949). Membre de l'Institut. Directeur du Conservatoire, de 1920 à 1942. Principales œuvres : *La Fille de Rolland*, *Marouf Savetier du Caire*, *la Procession nocturne*.

Puis des musiciens occupant d'éminents postes officiels qui les mettent en contact constant avec la jeunesse, compositeurs eux-mêmes : *Claude Delvincourt* (1888), actuellement directeur du Conservatoire de Paris; *Jacques Ibert* (1890), directeur de la Villa Médicis (1891); *Roland-Manuel*, qui fut élève de Ravel, musicien de haute culture; *Nadia Boulanger* (1887), sœur de Lili Boulanger, et qui a eu pour élèves de très nombreux jeunes compositeurs de toutes nationalités.

Parmi les artistes ayant appartenu au *Groupe des Six* : *Darius Milhaud* (1892), œuvres lyriques et chorégraphiques, vocales et instrumentales, musique de chambre; *Francis Poulenc* (1899), ballets, nombreuses mélodies, musique de chambre, ensembles vocaux, musique de piano, musique religieuse; *Georges Auric* (1899), ballets, musique vocale et instrumentale.

Busser (Henri), né en 1872. Membre de l'Institut. Professeur au Conservatoire. Œuvres principales : nombreuses mélodies. Messes de Saint-Étienne et de Domrémy, *Les Noces Corinthiennes, Colomba, le Carosse du Saint-Sacrement.* Un ballet : *La Ronde des Saisons* créé à l'Opéra par Carlotta Zambelli

En Allemagne : *Richard Strauss* (1864-1949) qui, dans de nombreuses œuvres symphoniques et théâtrales, continua la tradition wagnérienne. Œuvres principales : *Le Chevalier à la Rose, Salomé, Métamorphose, Mort et Transfiguration.*

En Hongrie : *Zoltan Kodaly* (1882); *Tibor Harsanyi* (1898)

En Italie : *Vittorio Rieti* (1898), et, parmi les plus jeunes, *Luigi Dallapiccola* (1904).

En Russie : *Dimitri Chostakovitch* (1905), *Miaskowsky* (1881), *Khatchaturian* (1904), *Igor Markewitch* (1912), émigré habitant l'étranger.

En Roumanie : *Georges Enesco* (1881), de formation française, admirable virtuose du violon et compositeur.

Parmi les Tchèques : *Alois Haba* (1893), qui écrit de la musique en quarts et en sixièmes de tons; *Bohuslaw Martinu* (1890), qui fut élève d'Albert Roussel.

En Angleterre : *Ralph Vaughan Williams* (1872); *Benjamin Britten* (1913); *Lennox Berkeley* (1903).

Il faudrait aussi parler des écoles américaines qui sont en pleine expansion et qui comptent de remarquables musiciens tels que *Aaron Copland* (1900), *Samuel Barber* (1910), *Georges Gerschwin* (1898-1937), aux États-Unis; *Villa-Lobos* (1885), *Camargo Guarnieri* (1907), en Amérique latine, pour ne citer que quelques noms. Mais il est impossible, ainsi que nous l'avons dit, d'établir un tableau exact et équitable d'une époque aussi complexe que la nôtre, aussi profondément remuée de tendances et de courants différents, et, de plus, en pleine évolution. C'est à la postérité qu'il appartiendra d'y voir clair et de juger. Peut-être certains musiciens, qui ne sont pas cités ici, y prendront-ils une place beaucoup plus grande que tel ou tel de leurs contemporains actuellement beaucoup plus souvent joués et beaucoup mieux connus qu'eux.

*
* *

L'enseignement musical est très largement diffusé de nos jours. Par le disque, la radio, le public est à même d'entendre tous les genres de musique, depuis la meilleure jusqu'à la pire; des organisations comme les Jeunesses musicales françaises permettent aux jeunes de suivre régulièrement les concerts et les représentations des théâtres lyriques; grâce à cela, un public de plus en plus éclairé, de plus en plus nombreux se forme peu à peu. Mais il ne faudrait pas que cette diffusion même, dont on doit se féliciter en principe, entraînât avec elle l'encombrement de la carrière musicale.

Il y a trop d'artistes; et ceux qui, n'ayant pas d'autres ressources, doivent vivre exclusivement du produit de leur art, ce qui est malheureusement le cas le plus fréquent, ont bien de la peine à se frayer leur chemin.

Aussi, malgré les grands et beaux exemples que nous venons de voir d'hommes de génie parvenant aux plus grands honneurs, de musiciens de talent dont les travaux sont couronnés de succès; malgré la séduction et la fascination qu'exerce la musique sur les esprits élevés, il faut bien se garder d'encourager les jeunes gens sans fortune à embrasser cette carrière s'ils n'y sont attirés d'une façon irrésistible et en la considérant comme devant leur procurer un gagne-pain relativement facile. Loin de là, c'est une carrière des plus difficiles et des plus ingrates, et la statistique des musiciens non dénués de mérite qui vivent misérablement serait navrante. Quand on a été pendant plus de quarante ans professeur dans cette grande fabrique d'artistes qui s'appelle le Conservatoire de Paris; quand on a vu le nombre effrayant de sujets qui traînent une vie pénible, difficile et sans avenir pour avoir mal jugé ou présumé de leurs aptitudes; quand on sait combien vivent de rares leçons peu lucratives, pour un qui verra un jour son nom sur une affiche, on a le devoir de mettre en garde les jeunes imprudents qui veulent s'aventurer dans cette voie dangereuse sans une vocation irrésistible, des dons absolument exceptionnels et une grande force de caractère.

Celui qui est vraiment « né » compositeur ou virtuose ne se dira pas : « Je sens en moi l'étoffe d'un grand maître », ce qui n'est qu'une marque, hélas! trop vulgaire de présomption; il ne cherchera pas la célébrité; il sera presque toujours modeste, souvent timide, mais d'une détermination indomptable, et les conseils les plus alarmistes resteront sans prise sur lui, ne changeront rien à sa ligne de conduite. Il ira droit son chemin, négligeant d'entendre tout avis des maladroits bienveillants qui voudraient tenter de l'en détourner; il marchera contre vents et marées. Il souffrira, s'il le faut, toutes les privations, indifférent aux soucis de la vie matérielle, il subira avec courage échecs et déboires, luttera contre les persécutions, les partis pris et les mesquines coteries d'école, ayant pour objectif unique, non pas la gloire qui doit venir toute seule et plus tard; non pas le succès, qui est éphémère; non pas la fortune, qui est méprisable, mais seulement son idéal personnel, c'est-à-dire ce qui résume pour lui, selon sa conception propre, le beau. L'artiste de génie va droit son chemin, selon une sorte de nécessité intérieure plus forte que tout. Jamais puissance humaine n'eût été capable d'enrayer la marche du pauvre et grand Mozart dans la voie glorieuse qui devait conduire à la fois son corps à la fosse commune et sa mémoire à l'immortalité.

FIN

INDEX ALPHABÉTIQUE

APPENDICE

Compositeurs.	Principales œuvres.
AUDRAN (1842-1901)..........	Le Grand Mogol, La Mascotte, Gillette de Narbonne, Miss Helyett.
BACHELET (1864-1918).........	Scemo, Quand la cloche sonnera, Un jardin sur l'Oronte.
BOÏTO (1842-1918)............	Mefistofele. Nerone.
ERLANGER (1863-1910)........	Le Juif polonais, Aphrodite.
GLAZOUNOFF (1865-1936)......	Musique de chambre, Poèmes symphoniques.
HUE (Georges) (1858-1948)....	Mélodies, Le Miracle.
HUMPERDINCK (1854-1921).....	Hænsel et Gretel.
LAPARRA (Raoul) (1876-1943)..	La Habanera.
LAZZARI (Sylvio) (1857-1944)..	La Lépreuse.
LÉONCAVALLO (1858-1919).....	Paillasse.
LEVADÉ (Charles) (1869-1948).	Mélodies, La Rôtisserie de la Reine Pédauque.
PALADILHE (1844-1926)........	Le Passant, Patrie.
PUCCINI (1858-1924)..........	Madame Butterfly, La Tosca, La Bohême.
VIDAL (Paul) (1863-1931)......	La Maladetta.

Chanteurs.	Principaux rôles.
BRÉVAL (Lucienne) (1869-1930).	Brunehilde.
CARON (Rose) (1857-1930)....	Iphigénie de Gluck.
CARVALHO (Mme) (1827-1895)..	Marguerite de Faust, Mireille.
CHENAL (Marthe) (1881-1947)..	Aphrodite.
DELMAS (1861-1933).........	Wotan de la Tétralogie.
FAVART (Edmée) (1886-1941)..	Ciboulette, La Fille de Mme Angot, Véronique.
FUGÈRE (Lucien) (1848-1936)...	Le Jongleur de Notre-Dame.
VAN DYCK (Ernest) (1861-1923).	Parsifal.

TABLE DES MATIÈRES

Imprimé en France

Dépôt légal : 1er trimestre 1956

N° d'Édition : 1.762 — N° d'Impression : 628

Imp. Fournier - Paris